PIERRE NAUDIN

Pierre Naudin est né en 1923 à Choisy-le-Roi. Journaliste, il a publié des essais et des romans, notamment *Les mauvaises routes* (1959).
Il se passionne pour le XIVe siècle et ses chroniqueurs, comme Jean Froissart ou Jean le Bel, et poursuit d'importantes recherches sur le Moyen Âge, qui aboutissent à l'écriture du *Cycle d'Ogier d'Argouges*. Ainsi, depuis 1978, cette fantastique épopée historique, unanimement saluée par la critique, entraîne des milliers de lecteurs dans la France médiévale dont Pierre Naudin restitue avec justesse et minutie le tumulte et les élans.
Membre éminent de l'Académie royale des beaux-arts et des sciences historiques de Tolède, Pierre Naudin donne régulièrement des conférences dans les universités d'Europe.

LES FILS DE BÉLIAL

DU MÊME AUTEUR

CHEZ POCKET

CYCLE D'OGIER D'ARGOUGES

LES LIONS DIFFAMÉS
LE GRANIT ET LE FEU
LES FLEURS D'ACIER
LA FÊTE ÉCARLATE
LES NOCES DE FER
LE JOUR DES REINES
L'ÉPERVIER DE FEU

CYCLE DE TRISTAN DE CASTELRENG

LES AMANTS DE BRIGNAIS
LE POURSUIVANT D'AMOUR
LA COURONNE ET LA TIARE
LES FONTAINES DE SANG
LES FILS DE BÉLIAL

À paraître :

LE PAS D'ARMES DE BORDEAUX
LES SPECTRES DE L'HONNEUR

PIERRE NAUDIN

CYCLE DE TRISTAN DE CASTELRENG

*****

LES FILS DE BÉLIAL

AUBÉRON

ISBN : 2-266-11741-6

Au Directeur
et à mes distingués confrères
de la
Real Academia de Bellas Artes
y Ciencias Históricas de Toledo

Bélial : idole des Phéniciens. Ce mot qui, en hébreu, signifie *nuisible, mauvais*, est celui qu'emploie l'Ancien Testament pour désigner le génie du mal, le chef des démons. Le nom de Bélial revient souvent sous la plume des écrivains sacrés. Ainsi, saint Paul dans sa deuxième lettre aux Corinthiens. Leurs ennemis sont des *fils de Bélial*. Pour eux, le culte de Bélial est le culte des démons, du roi des enfers, du Mauvais par excellence. Ayant à traiter à plusieurs reprises avec les chefs des Grandes Compagnies, le Pape Innocent VI les appela, lui aussi, « les fils de Bélial ».

Les anciennes encyclopédies.

« Je me suis donné bien du mal pour une exactitude dont personne ne me saura gré. »

Prosper Mérimée
(*Lettre à Jenny Dacquin*, 22 septembre 1847, à propos de son *Pèdre Ier, roi de Castille*)

« Je me suis donné bien du mal pour une exactitude dont je suis certain que mes fidèles me sauront gré. »

P. N.

Le jeudi 16 mai 1364, Tristan de Castelreng fait partie des chevaucheurs que Bertrand Guesclin délègue à Reims afin d'annoncer la victoire de Cocherel à Charles V sur le point d'être couronné roi de France[1]*. La cérémonie du sacre achevée, le jeune chevalier se hâte de revenir en Normandie pour délivrer du château de Ganne la jouvencelle qui lui a sauvé la vie lors d'une mission périlleuse en Angleterre. Unique enfant d'Ogier d'Argouges, un baron du Cotentin, Luciane avait été enlevée par des Navarrais. Peu après sa libération, Tristan l'épouse.*

Les mois qui suivent ce mariage sont des plus heureux et paisibles. Sans jamais renier son Languedoc natal, Tristan intègre tant bien que mal l'existence des bonnes gens de Gratot, la demeure de son beau-père. Ogier d'Argouges, que Philippe VI, naguère, s'était choisi pour champion, en fait parfois son confident. Des idées et des sentiments communs renforcent jour après jour l'amitié de l'Ancien et de son gendre, notamment la détestation du vainqueur de Cocherel dont, par malheur, ils croiseront le chemin.

Le 18 juin 1365, conséquence de cette rencontre, des chevaliers se présentent à Gratot. Ils sont porteurs d'un mandement du roi signifiant aux deux hommes de rejoindre les capitaines d'une armée qui, sous la conduite de Guesclin, va faire mouvement vers l'Es-

1. Il fut sacré le dimanche 19 mai, jour de la Trinité.

pagne. Hormis quelques seigneurs de grande renommée, cet ost singulier se compose d'environ 10 000 Tard-Venus et autres malandrins qui, depuis la honteuse débandade de Poitiers et la non moins honteuse défaite de Brignais, n'ont cessé de dépecer la France. C'est pour purger le pays de cette racaille que Charles V[1] *a fait en sorte de les envoyer en Espagne. Conduits par un homme à leur semblance, les routiers installeront Henri de Trastamare*[2] *sur le trône de son demi-frère, Pèdre Ier, dit « le Cruel », légitime roi de Castille. Ensuite, s'ils le peuvent, ils bouteront hors de la péninsule les derniers Maures de Grenade.*

Les Pyrénées franchies – après que Guesclin eut rançonné deux fois le Pape en Avignon – Tristan et son beau-père s'aperçoivent que le Breton et les chefs suprêmement abominables qu'il a su rassembler sont

1. Les *Grandes Chroniques* prétendent (et ce n'est pas complètement faux) que ce fut le roi Pierre IV d'Aragon qui détermina l'expédition des routiers en Espagne et les prit à sa solde :

« *E nos estants en la dita cinta de Barcelona* », dit l'historiographe officiel écrivant sous la dictée du roi, "*accordam..., segons que ja en temps passat era tractat* (en 1362) *de haver companyes de la part de França, qui a sou de la nostra cort faessen guerra, ensemps ab les gentes de nostres regnes, contra lo dit rey de Castella, quins havia perseguits et deseretats de molta terra en VIII anys, en los quals la dita guerra era continuada.*" »

Charles V était « dans le coup » et même résolument engagé dans cette aventure. Il reprochait moins à Pèdre le meurtre de Blanche de Bourbon que de laisser les Juifs vivre en paix dans son royaume et d'avoir de fermes accointances avec le soudan de Grenade, Mohamed ben Jusef – que le roi de Castille avait rétabli sur son trône après une révolution de palais – et Bellemarine (Beni-Merin) de la dynastie des Merinides.

Pour décrire l'arrivée des Compagnies en Espagne, on ne peut trouver meilleure formule que ce qu'en a dit Prosper Mérimée : *une effroyable avalanche.*

2 Ou Transtamare.

moins enclins à respecter leurs engagements qu'à piller, incendier, violer comme devant. Ils ajoutent à leurs excès l'extermination des Juifs que la rumeur en partie fondée, mais exagérée, prétend solidement accointés au roi de Castille en fuite.

Le jeune chevalier et l'ancien champion de Philippe VI n'assistent pas au massacre des Juifs de Barbastro, Borja, Magallon, mais ils sont les témoins impuissants de la cruauté des routiers et des grands seigneurs de l'armée « française » à Briviesca. Bien que les défenseurs de cette cité aient capitulé après une maigre résistance, le futur connétable met le feu lui-même à une tour qu'il a fait ceindre de fagots et dans laquelle deux cents Juifs se sont réfugiés. C'est à Briviesca, le lendemain de cette atrocité, qu'Ogier d'Argouges meurt après avoir été victime d'un coup de traîtrise.

Contre son gré, Tristan suit les singuliers « croisés ». En quelques semaines, ils se sont fait une réputation tellement exécrable que les habitants de Burgos, prévenus de leur approche, s'empressent d'envoyer à leur rencontre une représentation importante après avoir énormément taxé [1]*, en signe de soumission et de bienvenue, les Juifs de leur cité. L'un d'eux, Joachim Pastor dans la maison duquel Tristan et ses compagnons ont trouvé un accueil courtois, n'a pas dissimulé son inquiétude à ses hôtes : son fils et sa bru ont péri dans la tour-crématoire de Briviesca. Il craint pour la vie de ses petits-enfants : Simon, très jeune, et Teresa, une jouvencelle. Les Français ne sont-ils pas réputés pour leurs expéditions punitives contre les juiveries des cités qui les reçoivent ou qu'ils ont conquises ?*

Tristan se montre sensible au désarroi du vieillard. Que va-t-il se passer en ville si le Trastamare – qui se

1. Un million de maravédis.

flatte d'avoir fait occire, un jour, 1 200 Juifs de Tolède – décide d'inaugurer son règne par le feu et par l'épée ? En dépit de l'énorme contribution réclamée aux Juifs pour leur salut, les Compagnies, qui ne sont grandes que dans la férocité, ne vont-elles pas se répandre dans les rues pour y commettre les énormités dont elles sont friandes avec l'approbation de Guesclin et de son complice couronné ? Ce n'est pas pour rien que le Pape Innocent VI, terrorisé par le Breton lors de leur entrevue d'Avignon, a trouvé une sinistre formule pour qualifier les truands qu'il a dû « désexcommunier » sous la contrainte :

— Ce sont les fils de Bélial !

Très affecté par la mort de son beau-père qui, à Briviesca, s'était porté au secours d'un rabbin avant que de trépasser, Tristan atermoie puis se décide. Eh bien, oui, il tentera de mettre Teresa et Simon en sécurité à Guadamur, un village proche de Tolède où Joachim Pastor a des parents.

Le départ a lieu le dimanche 29 mars 1366, jour des Rameaux. Tandis que la plupart des habitants se rendent au monastère de las Huelgas pour assister au sacre du Trastamare, l'usurpateur, Tristan quitte Burgos. Un sauf-conduit délivré par Jacques de Bourbon lui permet momentanément de fausser compagnie aux routiers.

Le petit groupe qu'il commande se compose, outre Simon et sa sœur, de Robert Paindorge, son écuyer, de trois soudoyers normands – les frères Lemosquet et Lebaudy –, de Serrano, un trouvère espagnol qui fait office de guide, et de trois hommes d'armes du Périgord dont Tristan a sans trop de réticence accepté l'accompagnement : Eudes, Petiton et Flourens.

Ce qu'il redoutait se produit : Flourens essaie d'abuser de Teresa qui s'était un moment isolée. Furieux d'avoir été dénoncé par la pucelle, indigné, surtout, des reproches de Tristan dont il a perdu la confiance, le malandrin part au galop en promettant de se venger. Lebaudy se lance à sa poursuite afin de l'empêcher de rejoindre l'armée.

L'angoisse, dès lors, supplante l'inquiétude. Elle atteint son acmé lorsque Lebaudy reparaît, menant un cheval fourbu...

PREMIÈRE PARTIE

LES INNOCENTES PROIES

I

Tristan courut au-devant de son homme d'armes :

— Tu l'as rejoint et navré ?

En même temps qu'il avait crié sa question, il s'était répondu par la négative. Cependant, il refusait de croire à un échec :

— L'as-tu rejoint et trespercé ?

Lebaudy respirait aussi mal que son cheval. Or, si Coursan haletait, c'était en raison du galop qu'il avait fourni. Et c'était parce qu'un sentiment violent l'étouffait, composé de fureur et de consternation, que le soudoyer ne recouvrait pas son souffle.

— Non... Il vit et j'en ai moult regret. Je l'avais presque attrapé quand j'ai dû tourner bride.

Lebaudy eut un geste de rage :

— Ils viennent.

— L'armée ?

— Je ne sais, messire, si c'est elle au complet ou l'avant-garde d'icelle, mais une chose est sûre : ils sont à moins d'une demi-lieue.

Tristan sentit son sang s'assécher. Il avait cru à la bénéfique issue d'une épreuve peu dommageable pour ses protégés, ses hommes et lui-même. Elle se chargeait soudain de dangers subreptices et d'incertitudes irrémissibles.

Il n'osa se tourner vers les enfants, mais il imagina Teresa tête basse, regrettant peut-être Burgos où les moments d'anxiété qu'elle y avait vécus ne se pouvaient comparer à l'angoisse qui prenait racine en elle. Il devina qu'elle s'approchait. Son ombre sur le sol la précéda d'un pas.

— Ils viennent... et *il* les conduit.

— Oui, Teresa.

Elle était devant lui, toute pareille à celle qu'il venait d'imaginer. Le sombre azur de ses yeux et le rose de ses lèvres enluminaient la pâleur de son visage. Comme à Burgos, et bien qu'elle fût vêtue en homme, la juvénile beauté de sa personne était un merveillement.

— Vous n'y pouvez rien... dit-elle, songeuse.

Elle eût pu lui reprocher de n'avoir point annihilé Flourens lorsqu'il était à pied parmi eux ; regretter qu'il ne l'eût pas désarçonné avant sa fuite. À moins qu'elle ne lui en voulût de ne pas avoir poursuivi son agresseur alors qu'il possédait Alcazar, un coursier sans égal.

— J'ai péché par excès de confiance.

Teresa sourit bien qu'elle souffrît d'un inguérissable effroi :

— Ne vous jugez point mal, messire. Vous faites toujours de votre mieux.

Il la considérait avec une sorte de passion qui ne ressortissait pas à l'amour – à moins que cet amour ne fût rien d'autre que paternel. Il redoutait qu'elle ne fondît en larmes, et plus encore qu'il lui ouvrît les bras.

— Il faut nous escamper, m'amie. Le temps nous est compté.

Ils revinrent aux chevaux. Paindorge avait déjà enfourché Tachebrun. Lebaudy délivrait Coursan de son frein[1] et des rênes pour les assujettir à Pampelune : le temps que son cheval ait recouvré ses forces, il chevaucherait le genet navarrais. Jean Lemosquet, sur son Arzel, prenait Simon en croupe et son frère Yvain, toujours scrupuleux, vérifiait les fers de Nestor avant de l'enfourcher. Eudes et Petiton sautaient eux aussi en selle.

— Hâtons-nous, Teresa.

Refusant toute aise, la jouvencelle saisit le pommeau et le troussequin de Babiéca[2] et sauta aisément en selle. Serrano mena son Cristobal auprès de Carbonelle, bâtée, qu'il mènerait à la longe. Restaient Malaquin, le cheval du défunt Ogier d'Argouges, et les deux sommiers.

— J'en prends un, dit Tristan. Toi, Petiton, prends l'autre. Eudes, surveille le roncin de mon beau-père. Il nous suivra comme un grand.

La peur avait quitté ses pensées en déroute.

— Lentement, dit-il en les précédant tous. La poudre des chemins nous pourrait dénoncer... Sortons de cette voie. Allons piéter où l'herbe est rare.

Nul ne bronchait. Il s'en félicita. La chaude compassion de ses compagnons pour les deux enfants confiés à sa garde lui était douce. Il ne songeait, maintenant, qu'à la tâche qu'il se devait d'accomplir.

— Robert !

— Messire ? dit Paindorge.

— Passe à l'arrière. Si par malheur un cheval crotte, disperse cette fiente comme tu voudras. Il ne faut pas laisser la moindre trace.

1. Le mors.
2. Le nom du cheval de Rodrigue de Bivar : le Cid.

*

* *

Ils s'étaient arrêtés, accablés de chaleur, sous un vaste et providentiel rocher qui, au bord du chemin, s'avançait tel un auvent. Le fond creux composait une sorte de caverne où les chevaux eux-mêmes, de la tête et du garrot, pouvaient profiter de l'ombre. Sans doute, depuis des temps lointains, cet antre servait-il aux passants et aux bergers : une épaisse croûte de suie en noircissait la voûte.

Ils ne surent d'abord quels propos échanger. Les mots s'étaient taris ainsi que leur salive. Tristan vérifia les fers d'Alcazar, Paindorge ceux de Malaquin, Tachebrun, Coursan et Carbonelle – en vérité, dit-il, la plus obéissante des mules. Confiant sa guiterne à Simon, Serrano souleva les jambes de son genet, puis celles de Babiéca, fier cheval noir au troussequin dépourvu de cette *Tizona* ou de cette *Collada* dont il chantait parfois les mérites dans les mains de ce Cid légendaire qui les avait conquises au roi de Valence et au comte de Barcelone, jadis.

Assise à l'écart, Teresa faisait sauter sur sa paume un caillou gros comme un œuf de pigeon. Tristan s'approcha :

— Ne craignez rien. Flourens ne nous rejoindra pas.

— J'ai peur.

Son visage était blême et ses lèvres tremblaient. Il y avait quelque chose d'aride ou d'inachevé dans ses traits. Elle semblait vouloir leur conserver leur fraîcheur, leur incertitude un peu floue, mais quand ils exprimaient un sentiment, ils rayonnaient d'une vivacité et d'une persuasion qui ne laissaient point d'émouvoir Tristan et sans doute la plupart de ses compagnons. Or, c'était une angoisse sans fond qu'ils exprimaient en cette fin de matinée.

— Rassurez-vous. Tolède n'est pas si lointaine. Vous y serez en sûrement...

Il mentait. Il se pouvait que le roi Pèdre fût encore dans la cité. Certes, il était l'ami des Juifs. Mais il devait savoir que ceux de Burgos l'avaient en quelque sorte trahi en accueillant à leur corps défendant Enrique de Trastamare et en lui ouvrant leurs coffres.

— Je ne sais trop comment vous rassurer, Teresa.

— Ne dites rien, messire. Ce *hijo de puta* nous portera malheur.

Tristan n'osa dissuader sa protégée d'entretenir des pressentiments aussi sombres. Une fois de plus, depuis la fuite de Flourens, il se reprocha d'avoir insuffisamment veillé sur la jouvencelle.

« Je ne pouvais pas faire plus à moins d'être déshonnête. »

Chaque fois qu'elle avait dû s'isoler au-delà d'une haie ou d'un rocher, il n'avait osé s'approcher de ce refuge éphémère. Il surveillait ses hommes. Flourens avait déjoué sa vigilance.

« J'aurais dû l'occire. Je me suis conduit comme un presbytérien : le sermon, le pardon... Désormais, je n'ai aucun droit à l'erreur ! »

Quant à ses compagnons, bien qu'ils eussent tout compris, aucun d'eux – pas même Paindorge – n'avait osé commenter cette malaventure.

— Où serons-nous ce soir, Serrano ?

— Si nous partons maintenant, nous serons avant la nuit à Aranda de Duero.

— Alors, mes amis, en selle !

*

* *

Ils repartirent, Tristan devant, Paindorge derrière, bien qu'il ne se souciât plus d'éparpiller les crottins. Il faisait chaud, toujours. Ils s'enfoncèrent dans un long pli de collines parfois boisées, parfois nues où s'entassaient des roches çà et là vêtues de haillons d'herbes rôties au soleil, tels des pelages de cerfs ou de sangliers. Les lits des ruisseaux montraient leurs pierres, leurs gravillons et leurs vases croûteuses, fendillées, où subsistaient les paraphes des oiseaux qui s'étaient abreuvés là peu avant la dernière sécheresse. Quelques maisons révélaient une vie, des vies que des chiens partageaient. Une sensation de force et de vastitude se dégageait de ce pays, transition entre la France verdoyante et l'âpre mystère des cités et des sols qu'on allait trouver avant d'atteindre Madrid, une petite ville sans rien à y voir, selon Serrano.

— Le roi Pèdre est-il venu jusqu'ici ? demanda Paindorge au trouvère.

— Il connaît l'Espagne mieux que moi. Les chevauchées sont pour lui un délice. Il doit être dans un état de fureur que je n'ose imaginer... Il débouchera à bas bruit dans quelques cités toutes quiètes, et pour se venger du bel Enrique, il y fera commettre des horreurs... C'est un *lobo*, un loup... mais qui blessé, à l'inverse des vrais, ne se laissera pas dévorer par ses frères. Pour le sauver, il lui faudrait un Cid. Or, l'Espagne porte encore le deuil de ce *gran capitán* parce qu'il fut unique.

— On n'a pas de Cid en France, dit Lebaudy.

— Erreur ! fit Tristan. Charles Martel, qui a repoussé vélocement les Mahoms, mérite notre respect. Grâce à lui, la France n'est pas l'Espagne.

— C'est vrai, approuva de loin Paindorge. Peut-être un jour, tant les gens sont bêtes, prendront-ils Guesclin pour une espèce de Cid.

— Ils auront alors de la merde dans les yeux !

Yvain Lemosquet fut le seul à s'ébaudir d'une observation qui fut certes approuvée, mais dans un silence dédié sans doute aux morts de Briviesca et d'ailleurs.

Le soir, à proximité d'Aranda de Duero qu'ils avaient contourné par l'ouest, Serrano, une dernière bouchée de jambon avalée, empoigna sa guiterne et chanta certainement pour Teresa :

Dios que nos dió las almas
Conseio nos dará
Al abbat don Sancho
Tornan de castigar
Commo sirva a doña Ximena
E a las fijas que ha
E a todas las dueñas
Que con ellas están...

Alors que Serrano accordait de nouveau son instrument, Teresa reprit la chanson :

I se echava Mío Cid
Después que fue çenado
Un sueñol'priso dulçe
Tan bien se adurmio
El ángel Gabriel
A él vino de sueño :
« Cavalgad Cid
El buen Campeador
Ca nunca en tan buen punto
Cavalgó varón. »

La voix de la pucelle était fragile, pure, délicieuse, songea Tristan, toujours inquiet. Celle de Serrano s'y mêla, mais basse et comme timide pour ne point nuire à celle de la chanteuse :

Otro día mañana
Piensan de cavalgar
Es día a de plazo

Sepades que non más
A la sierra de Miedes
Ellos ivan posar[1]...

Était-ce la fin ? Sans doute, car Teresa qui s'était levée pour chanter se rasseyait auprès de Simon dont, d'un bras, elle enveloppait les épaules. Tristan entrevit une perle dans son œil. Il sut qu'il ne fallait rien dire parce que c'était elle qui parlerait.

— Il nous faudrait un Cid, dit-elle à voix basse.

« Elle a raison », songea Tristan. « Il lui faudrait un Cid... et je ne suis qu'un pauvre hobereau empêtré dans ses aventures et embourbé dans des sentiments qu'il ne comprend pas ! »

*
* *

Le lendemain, ils repartirent d'un cœur plus léger : la nuit avait été tiède, sereine. Le soleil montait prudemment dans le ciel. On était en avril ; l'été, cette campagne encore ensommeillée devait cuire dès la fin

1. Dieu, seigneur de nos âmes / un conseil nous donnera / (quant) à l'abbé don Sancho / de nouveau, l'on châtiera / et doña Chimène, comme servante / l'on traitera ainsi que ses filles / et ses dames de compagnie. (suite de la traduction p. 26)

Mon seigneur, mio Cid (Rodrigue) se coucha / après avoir dîné / un doux songe l'envahit / et l'ange Gabriel à lui se présenta / et lui dit : / « Chevauchez, seigneur / grand chevalier / car jamais aucun grand homme / ne l'a fait de la sorte. »

Ils peuvent chevaucher / un jour de plus, le lendemain / car c'est leur seul délai : soyez-en assurés / À la Sierra de Miedes, / ils iront donc s'asseoir (ou bivouaquer).

Ceci fait bien entendu référence à l'exil du Cid ordonné par le roi Alfonso VI. Il avait été exilé quelque temps par le roi Sanche II pour n'avoir pas voulu contraindre Doña Orûaca (Urraca) sœur du roi, à céder Zamora à son frère. Cet exil fut de courte durée.

des matinées. L'ombre y manquait déjà puisque des arbres peu nombreux verdoyaient çà et là sur un seul bord du chemin. Lebaudy regretta les sycomores de Lerma et les abris qu'ils leur avaient offerts.

— Quand ? demanda Tristan.

— Quand on est allé manger un tantinet après nos achats.

— Il y avait des sycomores ?

— Moult, messire.

— Alors, je n'y ai pas fait attention.

Tristan s'avoua qu'il était plus enclin, dorénavant, à regarder devant lui, laissant au seul Paindorge le soin de surveiller l'arrière.

Après Honrubia de la Cuesta où s'érigeait une côte, et Boceguillas où seul un âne occupait la rue, le chemin monta de plus en plus. La sagesse voulait qu'ils prissent leur temps pour atteindre le sommet.

— Pied à terre et au pas... Non, Simon, demeure en selle... Teresa, menez Babiéca par la bride et avancez à pied auprès de votre frère.

Ils se devaient de ménager les bêtes. Ils pouvaient, inopinément, exiger d'elles un long galop et il fallait qu'elles fussent en mesure de le fournir. Ils s'accordèrent une halte à ce qu'ils croyaient la mi-montée, se dispersèrent les uns derrière une haie, Teresa et Simon dans un boqueteau. Ils repartirent toujours confiants, prudents et silencieux.

— Sans doute, dit tout à coup Lebaudy, s'ils nous suivent, ils demandent aux loudiers[1] des villages s'ils nous ont vus.

— Certes, dit Tristan. J'en ferais autant si j'étais à leur place.

Le chemin s'élevait toujours. La pente devenait

1. Paysans.

roide. Peu après Cerezo de Abajo, alors qu'ils franchissaient un pont, Serrano leur désigna, dessous, une rivière.

— Le Cerezuelo... Messire Tristan, nous devrions mener les chevaux, mule et sommiers sur la berge. L'eau est haute, il y a déjà de l'herbe. Qu'ils boivent et mangent un peu. Ensuite, le chemin penche comme le talus d'une tour.

— Soit... Menons soigneusement nos bêtes par la bride... Simon, demeure en selle... Baisse-toi : gare aux branches...

Par un étroit sentier, ils atteignirent la rivière. L'endroit était paisible et frais comme une crypte. Tandis que ses compagnons, Teresa et Simon s'approchaient de l'onde argentée par un trait de soleil, Tristan alla s'asseoir à l'écart sur un rocher de la taille d'une escabelle.

— Ce n'est ni l'Aude ni cette rivière qui coule à Gratot et dont j'ai oublié le nom.

Il s'était exprimé à mi-voix, sur un ton certainement lugubre. C'était la première fois, depuis quelques jours, que le passé, de nouveau, s'emparait de sa mémoire.

Que faisaient-ils tous, aussi bien Thoumelin son père que Luciane et les autres ? La vie continuait-elle doucement à Gratot ?

« Est-ce ma faute si j'y songe de moins en moins ? »

Il était poussé par un courant auquel il ne pouvait se soustraire, entraîné de la même façon que ces brindilles qui cagolaient à la surface du Cerezuelo. Certaines tournoyaient comme des corps frappés à la bataille ; d'autres, plus petites, lourdes d'une eau qui avait pénétré leurs moelles, se laissaient emporter entre deux flots et sans doute, bientôt, s'en iraient pourrir au fond. Et lui ? Quelles batailles ? Que dirait-il au duc de Bourbon lorsqu'il le reverrait ?

Il n'y voulut point songer. Tout proche, le rire de Teresa semblait soutenir celui de Simon. Serrano y mêlait parfois le sien et il leur advenait d'échanger des propos dans leur langue natale. Ici, c'était la paix ; un havre bucolique orné de chants d'oiseaux et des frémissements d'une rivière grossie par la fonte des neiges lointaines. Les chevaux avaient bu. Alcazar, les naseaux bas, semblait sentir les herbes avant de les rompre et de s'en délecter. Elles étaient hautes, d'un beau vert neuf. On voyait les mêmes à l'entour de Gratot.

Maintenant, à ce point précis de la journée, Luciane pensait-elle à lui ? Où se trouvait-elle ? Avec qui ? Au printemps, Gratot ne manquait pas de charme.

Il s'aperçut qu'il respirait mal parce qu'un sentiment soudain, violent, l'étouffait : le désespoir d'être si loin, impliqué non seulement dans une espèce de répugnante croisade, mais encore, mais surtout dans une aventure où la vie de deux enfants dépendait de ses capacités d'astuce et de défense. « *Pourquoi fais-tu cela ?* » eût pu lui reprocher Luciane. « *Préserver ta vie ne te suffit-il point ?* » Eh bien, non. Il défendait la cause du droit des êtres humains à vivre, quels qu'ils fussent. Il croyait à la bonté, à la puissance des affections immédiates ou non ; il croyait à l'amour tout autant qu'à la haine. Devant lui, l'inconnu. Derrière, un vent de vengeance et de mort. Il devait mettre Teresa et Simon hors d'atteinte des monstres.

Elle fut devant lui, toujours pâle et sereine, mais au fond d'elle-même inquiète et impatiente de repartir. L'azur de son regard resplendissait dans l'ombre. Il fut enclin à lui demander si elle avait laissé à Burgos quelque fiancé de sa race mais y renonça, cette curiosité lui paraissant malséante. Plus tard, sans doute, lorsqu'ils se connaîtraient davantage.

— Partons-nous ?

— Orains [1].

Elle lui sourit, soulagée. Le peu qu'il s'en souvînt, sa blondeur était aussi vive que celle de Luciane. Dommage qu'elle dût la dissimuler sous un chaperon de pauvre.

— Allons, mes gars !... Revenons sur le chemin... Hé ! cesse donc, Petiton, de boire de cette eau fraîche. Si tu souffres de coliques, tant pis pour toi. Et toi, Eudes, tu as tort de mettre tes pieds mouillés dans tes heuses : le frottement va t'enfler les orteils.

Ils n'étaient pas de la même espèce que Flourens. Peu à peu, ils s'incluaient dans la flote [2]. On pouvait leur faire confiance. Mais que valaient-ils une épée en main ?

Ils quittèrent l'eau, l'ombre et la paix. La remontée leur coûta. Sitôt sur le chemin, Paindorge regarda en arrière. En avant.

— Tout est bien, dit-il.

La clarté qui baignait la forte pente les fit ciller. C'était une lumière crue, éblouissante. Frappant des armures, elle eût donné la victoire à ceux qui recevaient le soleil sur leur bassinet, leur plastron et leurs jambières.

— Il fera très chaud. Va nous falloir du courage.

Petiton parlait peu. Du courage, il en avait comme tous, y compris Simon, toujours muet et taciturne sur ces chemins qu'il méconnaissait.

— Je ne saurais vous dire, amis, jusqu'où nous irons, mais à midi, nous nous mettrons à l'ombre, sauf si la nature nous propose des cyprès comme ceux qui maintenant nous tiennent compagnie.

1. Maintenant, tout de suite.
2. Petite troupe de guerriers, escorte.

Tristan n'avait pu s'empêcher de comparer ces arbres à ceux de Gratot. Les « normands » étaient aussi hauts, mais plus épais. Il y en avait un près du seuil de l'église... L'église où frère Béranger l'avait uni à Luciane.

— Que cette pente est roide ! enragea Petiton. Oh ! je ne dis pas ça pour nous mais pour nos chevaux. Mon Belle-Face est mécontent.

— Pied à terre, commanda Tristan.

« Une montée plus roide que celle de Coutances. »

Il n'en sortait pas. Il semblait que de là-bas, Luciane lui imposait sa présence.

— Courage, les gars !... Nous en viendrons à bout.

Un sol grenu, creusé de nids-de-poule. Il devait cesser de songer à Gratot et même à Castelreng si peu qu'il y pensât. Concentrer son esprit sur le sauvement qu'il s'était imposé. Ses compagnons parlaient pour se donner du courage et tout en écoutant leurs propos sur la France, l'Espagne et Guesclin, il se merveilla d'être si bien entouré. La protection de Simon et de Teresa et la turpitude nullement châtiée de Flourens leur avaient fait de nouveaux visages. À la fois plus gais – pour rassurer leurs protégés – et plus sérieux. Certes, Lebaudy, Eudes et Yvain Lemosquet commençaient, poilus comme ils étaient, à ressembler davantage à des routiers qu'à d'honnêtes hommes d'armes – autant qu'il en put exister –, mais Teresa avait vu pousser leur barbe. Elle n'avait aucun souci de vivre parmi eux. Les autres, rasés tous les deux jours, resplendissaient de jeunesse et de simplicité.

— Chante, Serrano, demanda Paindorge, de loin. Distribue-nous un tantinet d'ardeur.

— Pas besoin de ta guiterne, dit Lebaudy. Ta voix est belle. Elle nous contentera.

— Encore Rodrigue ? demanda Yvain Lemosquet.

— Non... Je pourrais vous chanter les aventures de Bernardo del Carpio... ou celles du comte Fernán González. Or, j'ai mieux : le *romancero de los infantes de Lara*.

— Une histoire de femmes, si j'ai bien compris, amigo ?

— Oui, Eudes.

Et Serrano, de sa voix chaude, entama :

En el arenal del rio,
Esa linda doña Lambra,
Con muy grande fantasía,
Altos tablados armara ;
Tiran unos, tiran otros,
Ninguno bien bohordaba.
Allí salió un hijodalgo
De Bureba la Preciada ;
Caballero en un caballo
Y en la su mano una vara,
Arremete su caballo,
Al tablado la tirara,
Voceando : « ¡ Amad, señoras,
Cada cual como es amada !
Que más vale un caballero,
De Bureba la Preciada
Que no siete ni setenta
De los de la flor de Lara. »
Doña Lambra que lo oyera,
En ello mucho se holgara :
« ¡ Oh, maldita sea la dama
Que su cuerpo te negara ;
Si yo casada no fuera,
El mío te lo entregaba ! » [1]

Le *trovero* se tut. Il y eut un silence qui valait une louange.

— Avez-vous compris, messire ? s'enquit Pain-

1. Sur le bord sableux du fleuve, / Cette belle doña Lambre, / Avec grande fantaisie, / Hautes castilles assemble. / Les uns tirent, d'autres tirent, / Chacun tire, mais tous manquent. / Lors parut un chevalier / De Bureba la Vaillante, / Chevalier en un cheval / Et empoignant une lance, / Piquant des deux son cheval, / En plein dans le but la plante, / Criant : « Aimez, dames, aimez, / Autant que l'on peut prétendre, / Car mieux vaut un chevalier / De Bureba la Vaillante / Que toute la fleur de Lare, / Qu'ils soient sept ou bien septante ! » / Doña Lambre a vif plaisir / De ce qu'elle vient d'entendre : / « Oh, maudite soit la dame / Qui te nierait son corps tendre ! / Si je n'étais mariée, / Je m'offrirais sans attendre ! »

dorge d'une voix dont l'inquiétude ne ressortissait pas aux difficultés de leur aventure.

— Oui, Robert. C'est une gentilfame qui, si elle n'était mariée, s'offrirait sans attendre.

— Je crois, messire, dit Serrano, que vous commencez à comprendre notre langue... Ce chevalier de Bureba la Vaillante était un noble cœur.

— Comme vous, murmura Teresa.

Tristan ne l'osa regarder.

— Vos chevaliers sont aussi bachelereux [1] que les nôtres, dit-il. De sorte que si le Trastamare et Guesclin ont à leur livrer une grande bataille, je ne suis pas certain qu'ils la gagneront.

Et de songer sans le moindre émoi :

« Ils méritent de la perdre. Et tant pis, par ma foi, si je dois en souffrir ! »

*
* *

Ils cheminèrent lentement. Le chemin montait toujours vers un sommet que Serrano avait nommé le Puerto de Somosierra [2]. L'ombre y était rare. Ils pouvaient voir, à leur dextre, les tentatrices verdures de la sierra de Guadarrama, et devant, une sorte de mur gris qui s'aplanit enfin, révélant à leurs yeux émerveillés un grand pan de campagne.

— La vallée de Lozoya, dit Serrano. Ne vous réjouissez pas : nous allons descendre et remonter encore. Le prochain village doit être Buitrago, puis ce sera la Cabrera et d'autres petites cités, puis Alcobendas et Madrid.

1. Vaillants.
2. 1 444 mètres.

— Combien de lieues ?

— Une quinzaine... J'ai parcouru deux fois ce chemin...

— Il nous faudra trouver un endroit pour dormir.

— Des arbres et de la fraîcheur, messire, dit Eudes.

Il était le fils bâtard que le baron de Rechignac, oncle d'Ogier d'Argouges, avait eu de Mathilde, sa concubine. Il devait savoir lire, écrire. L'essentiel était qu'il sût tenir une épée. Il gratta sa barbe brune, poudreuse, et dit comme s'il révélait un péché :

— Parfois je suis las... mais notre donzelle me donne du courage.

Toujours prudents, ils passèrent autant qu'ils le pouvaient au large de Buitrago assoupie derrière ses murailles crénelées, flanquées de tours carrées derrière lesquelles, hautain, se dressait un château mudéjar[1]. Le chemin montait encore, sinueux, crevassé, ruisseau de pierres descendant de hauteurs interminables. Les chevaux parfois hochaient la tête comme pour exprimer leur réprobation. En fait, ils souffraient des atteintes des premières mouches. Serrano, qui boitillait, n'avait plus envie de chanter. Teresa piétait dans son ombre. Tenant Babiéca par le haut d'une étrivière, elle voyait son pas s'accourcir sans pour autant fournir l'impression d'une lassitude extrême. Courageuse. Comme Luciane. Aussi volontaire et secrète qu'elle. Plutôt que d'user sa volonté dans ce cheminement pénible, elle la renforçait. Parfois, après une hésitation, elle allongeait ses enjambées, souple, efficace. Elle eût fait – et ferait sans doute – le bonheur d'un mari de qualité.

— Vous voyant, votre aïeul serait fier de vous.

— Ah ?

1. Art chrétien ayant subi des influences musulmanes.

Elle avait rougi. Que son père-grand l'eût admirée, soit. Mais un goy ?

— Ce soir, ajouta Tristan, vous donnerez de l'air à vos cheveux. J'aime leur couleur.

Elle ne sourit point et acquiesça en silence. Ce soir... La nuit... À quoi rêvait-elle, dans l'obscurité, entre lui et Simon ? Parfois, il l'observait du coin de l'œil et la trouvait plus belle encore dans le languissant abandon du sommeil. À qui pensait-elle lorsqu'un soupir effleurait ses lèvres ? Quelque personne ou bien l'amour dont elle ne savait rien au-delà du mot ? Résignée, mélancolique et forte, elle avançait vers son destin. Résolu, mélancolique et fort (du moins le voulait-il croire), il avançait sur une voie identique. Jamais elle ne croiserait celle de Teresa comme peut-être elle le souhaitait.

Il laissa son cheval marcher seul et accourcit son pas de façon à être rejoint par la jouvencelle.

— Donnez-moi la main. Vous êtes hodée [1].

Elle obéit avec une promptitude qui la révélait toute. Ses petits doigts nus étaient doux et fermes et ce que leur saisissement révélait d'elle-même se passait du moindre mot. Il semblait, pour elle, qu'un souhait longtemps déçu venait de se réaliser par l'enchantement d'un geste. Il lui sourit, sentant renaître et gronder en lui la haine qu'il vouait à Flourens et qui l'avait, un temps, abandonné. Si le malandrin lui était apparu, il l'eût assouvie devant elle, férocement, son sang dût-il couler en abondance.

Le surgissement du malandrin dans ses pensées lui prouvait à quel point il avait engagé son cœur dans cette audacieuse aventure. Elle lui laissait pressentir quels remords l'accableraient si hélas ! elle échouait.

1. Fatiguée.

— Notre obstination, c'est notre sauvegarde.

— Je sais, messire. N'ayez crainte que je défaille.

Ce qu'elle aimait de lui, c'était le protecteur, l'équilibre entre sa volonté et ses actions, ce que ne pouvaient saisir ses mains innocentes, ce qui ne se discernait qu'après des jours et des jours d'intimité chaste ou non.

— Nous sommes des pèlerins en marche vers votre bonheur.

— Et le vôtre ?

— Il est loin, Teresa.

À peine venait-il d'évoquer Luciane qu'il s'éloignait d'elle. À cause de cette main fragile et forte dans la sienne. Avec son épouse, outre les émois des dangers partagés, ils avaient tout éprouvé. Les joies, les doutes et l'espérance avaient précédé leur union charnelle. Teresa, vierge frémissante, devait se demander ce qu'était l'amour. Elle n'était point dans l'ignorance de ce qui se faisait dans un lit, qu'il fût d'étoffe ou d'herbe. Il y avait une espèce d'attrait dans l'abandon de sa senestre dans une dextre d'homme, de chevalier. Mêler les mains précédait le toucher des lèvres. Et le toucher des lèvres précédait...

— Là ! dit Paindorge. Messire, ce serait bien... Voyez : ce sentier conduit à ces chênes, là-haut. Nous pourrions voir venir et, le cas échéant, repousser une envaye [1].

Tout en acquiesçant aux propos de son écuyer, Tristan se réjouit d'avoir cheminé tant de lieues sans jamais jouer de l'épée. Avaient-ils définitivement distancé l'armée ? Les bords de la route commençaient à se couvrir d'herbes hautes ; les arbres devenaient plus

1. Attaque.

nombreux et plus forts, surtout en ce lieu que Paindorge désignait du doigt, impatiemment.

— Soit, montons.

Il fallut lâcher la main de Teresa. Tristan, tout autant qu'elle, en conçut de la peine. C'était comme un réveil désagréable après un sommeil bienheureux.

— Venez, m'amie.

Teresa, réveillée du même songe, porta sa senestre encore tiède à ses joues comme pour en effacer la roseur. Il devait la dissuader de tout. Si elle croyait – comme il y avait cru du temps d'Oriabel – à la toute puissance de l'amour, elle se méprenait. L'amour, après un certain temps, perdait sa constance et sa flamme. La preuve ? Il pensait à Luciane avec un détachement qui le confondait et dont il craignait qu'il ne fût inguérissable. C'était certes un peu effrayant de se découvrir un cœur étranger dans ce corps qui avait tant pressé contre lui celui de son épouse ; de ne plus trop savoir la couleur de ses yeux, le timbre de sa voix et la sonorité de ses rires. À son insu, la pucelle avait consolidé en lui une confiance en des moyens dont il craignait pourtant l'affaiblissement, voire la défection, si des événements leur devenaient hostiles. Elle n'osait parler. Elle le suivait, Babiéca la suivait et les autres : hommes et montures. Il savait qu'elle observait le moindre de ses mouvements pour trouver peut-être dans ceux-ci la netteté qui convenait aux gestes des chevaliers. C'était une curiosité flatteuse. Par la seule force de celle-ci, il parvenait à écarter les menaces qu'il sentait sourdre, parfois, autour d'elle et de son frère, et qui le concernaient aussi puisque, si celles-ci se réalisaient, le sang coulerait.

— N'ayez crainte pour moi, messire, et pour Simon...

Avait-elle suivi ses pensées au fur et à mesure de

leur maturation ? Il imagina son front pensif, obscurci par l'ombre du chaperon et des branches, ses épaules graciles, ses timides mamelettes...

« Non », se dit-il, « demeurons l'un pour l'autre une énigme. Ce sera tellement mieux. »

*

* *

Ils n'évitèrent pas Madrid mais traversèrent la cité parmi quelques centaines de piétons et de voituriers qui se rendaient au marché ou en revenaient. Vêtus sans recherche, l'air paisible, on eût pu les prendre pour quelque seigneur madrilène et ses gens au retour d'un assez long voyage. Pèdre était-il passé par là ? Ils n'osèrent le demander.

Ils cheminèrent jusqu'à Getafe. Après que Simon, Teresa et Paindorge furent allés aux provisions, ils mangèrent sans trop parler, puis Eudes, sa faim assouvie, demanda :

— Combien de lieues, Serrano, jusqu'à Tolède ?

— Vingt, peut-être moins. La voie est plate.

Eudes semblait las de ce double combat contre l'incertitude et l'emprise de la fatigue sur ses muscles. À l'inverse, Petiton opposait aux forces du mal qui, parfois, les dominaient tous sans entamer leur confiance, une espèce d'indifférence. Il observait les chemins autant que Paindorge, bien qu'il n'en eût point reçu mission. Il attendait d'agir et d'essarter de l'homme s'il fallait en venir à croiser les épées. Les autres ? Ils avaient, à force de vouloir percer l'horizon, les haies et les futaies, des regards ternes sous des paupières gonflées. Tous manquaient de bons, de vrais sommeils. Ils n'osaient trop regarder Teresa pour qu'elle ne confondît point leur intérêt avec de la concupiscence, mais peut-être certains songeaient-ils que Flourens n'était pas si fautif d'avoir cédé à l'exigence des sens devant tant d'innocence et de beauté.

« Certains pensent sans doute que j'ai demandé son trépas par jalousie. Parce que je me la réserve... Ce qu'ils savent des femmes se borne certainement au commerce des ribaudes. »

Le silence convenait à Tristan. C'était une sensation réparatrice de tout : le corps et les sentiments. En ce lieu où ils avaient fait halte pour la mangeaille, on eût dit que toute vie s'était retirée sauf, évidemment, leur présence, car on n'apercevait point âme humaine à l'entour. Or, il allait falloir se réengager sur la plate route charretière menant à Tolède. Quelle joie lorsqu'ils apercevraient la cité !

— As-tu, Serrano, un chant sur Toledo ?

— Non, messire... Je ne chanterai pas. Oyez ce qui nous vient.

Un crépitement lointain de sabots les fit tous se lever.

— Vos épées, les gars ! commanda Tristan.

Au milieu du chemin venaient trois cavaliers. Afin de se protéger du soleil, ils avaient coiffé des chapeaux de paille à large bord. Des flotternels blancs aux manches retroussées les habillaient du cou aux hanches. Un sommier les suivait portant leurs armures dont les tintements cessèrent quand il se mit au pas et donna du museau contre la croupe d'un des coursiers.

— Merdaille ! grommela Tristan. Naudon de Bagerant. Mes gars, prenez garde à cet homme. Teresa et Simon, derrière les chevaux.

Et le routier fut là, hautain et disert, comme devant :

— Te fais-je peur, Sang-Bouillant ?... Je te vois tirer ta Floberge de son feurre... Ne sommes-nous pas compagnons d'armes ?... Qui croyais-tu voir venir ? Le comte... pardon : le roi de Tristemare ou ce Pedro qu'on prétend cruel ?... Tu ne m'avais pas reconnu ?

Bagerant ! Tristan se morigéna de ne pas s'être enfoncé plus profondément dans la campagne.

— J'avais le soleil dans l'œil. Quant à m'effrayer, nullement... Néanmoins, en ta présence, j'ai toujours d'excellentes raisons de me tenir à l'aguet... Dis-moi : n'avez-vous point vu, tes compères et toi, un garçon que tu connais bien : Flourens ? Il a rebroussé chemin.

Les compagnons de Bagerant se consultèrent d'un regard, et leurs bouches poilues s'avancèrent dans une grimace qui désavantageait encore plus leurs faces abominables. Tristan les reconnut enfin : c'étaient Espiote et le bourc[1] Camus. Deux de Brignais : les plus affreux, les plus sanguinaires fredains[2] auxquels il avait eu affaire lors de son séjour parmi les routiers.

Il eût aimé les voir poursuivre leur randon, mais ils mirent pied à terre et prenant Teresa pour un damoiseau, s'en allèrent sans gêne aucune compisser un proche rocher avec de grands soupirs d'aise.

— Tiens, dit Bagerant, une fois satisfait, quel est ce jouvenceau ? Depuis quand l'as-tu dans ta flote ?

— Il chemine avec nous depuis que son père, – un ami – est mort à Briviesca. De notre côté, bien sûr.

Teresa reculait. Serrano se mit à l'entretenir dans un mauvais français volontaire. Sa guiterne souffrait du soleil, selon lui. Simon s'était blotti dans l'ombre, derrière les chevaux.

— Il se nomme comment ton tout nouveau compère ?

— Roland d'Antugnac.

Tristan se dit que c'était bien trouvé. Mais Bagerant

1. Bâtard.
2. Scélérats.

était-il sa dupe ? Un rire retentit, annonciateur d'une de ces malices dont le routier avait la passion :

— Avec un cul pareil, il a de l'avenir. Peut-être deviendra-t-il connétable...

Il fallait détourner l'intérêt de ce pernicieux. Tristan s'y employa d'une façon qu'il trouva infaillible compte tenu du mépris que Bagerant et ses deux compères vouaient à Guesclin, sans d'ailleurs oser le lui signifier.

— Et Bertrand ? Qu'advient-il de lui depuis le sacre d'Enrique ?

Deux grognements et un rire. Une lippe où le dédain se mêlait peut-être à l'envie fit une sorte d'écorchure noire dans la bouche de Bagerant :

— Il ne se sent plus. Il se paonne comme nul n'oserait. Pas même un roi de Babylone. Henri l'a fait duc de Tristemare. Il lui a promis la seigneurie de Molina et ses immenses domaines [1]. Le Bègue de Villaines, – qui n'en fit ni plus ni moins que d'autres, quand on a purgé Briviesca de sa juiverie – a reçu la comté de Ribadeo...

— Le comte de la Marche, intervint Espiote, a fait chanter dix messes pour l'âme de sa cousine...

— On dit, acheva le bourg Camus, qu'il t'a demandé de pourchasser l'arbalétrier qui l'a occise.

— C'est vrai, dit simplement Tristan.

Il avait hâte que ces trois malandrins s'en allassent, or, il semblait qu'ils eussent à cœur de satisfaire sa curiosité et celle de ses compères.

1. Cette seigneurie de Molina ne fut accordée au Breton qu'après son retour en Espagne (début 1369), en compensation de la donation de Trastamare qui avait perdu son effet à la suite de la défaite de Nájera.

— Calveley a reçu le titre de comte de Carrión[1] et, Sang-Bouillant, Don Tello a repris son titre de comte de Biscaïe et reçu une autre seigneurie du nom de...

— Castañeda, précisa Espiote. Don Sanche, son frère, a hérité des biens du favori de Pèdre : Alburquerque.

Et, tourné vers les Lemosquet, Petiton, Paindorge et autres, plus ou moins attentifs, Bagerant crut bon de conclure :

— Savez-vous, compères, comment on appelle déjà ces grâces obtenues avant d'avoir été méritées ?... *Les faveurs de don Henri.* Eh bien, moi, ces faveurs-là, je chie dessus.

Paroles d'homme déçu dans ses espérances, car il semblait bien que chez ce routier l'instinct de la domination était plus ardent que l'aptitude au mal, et qu'il composait cette puissance sourde, irrésistible et pénétrante qui déterminait toutes ses adhésions et tous ses actes. En se hissant au-dessus d'un monde sanglant, effrayé, jusqu'à s'écœurer lui-même, il atteignait une sorte de pinacle du haut duquel il se faisait l'effet d'un dieu. Dans cette Espagne vertigineuse où son goût des aventures l'avait conduit plus encore que son goût du lucre, il ne compterait pas plus d'affidés que sur les pentes de Brignais. Il n'avait point d'amis, rien que des connaissances. Peut-être quelque vieux chevalier retour

1. Il ne coûtait rien, au Trastamare, d'accorder des titres et des terres qui devaient parfois être conquises. Carrión de los Condes, sur le Carrión, affluant du Puiserga, sous-affluent du Duero, au nord de Palencia, ne vit point son possesseur. Le comte de Denia, chef des auxiliaires aragonais, devenu marquis de Villena obtint les biens qui avaient constitué la dot de la comtesse de Trastamare. Don Tello reçut aussi la seigneurie de Castañeda, au sud-ouest de Santander. Depuis la mort du fils d'Alburquerque (empoisonné), tous les biens de la famille avaient été dévolus à la Couronne.

de Terre-Sainte lui avait-il enseigné la maxime qui résumait les opinions les plus secrètes d'un fanatique Sarrasin, Hassan, qu'on appelait aussi le Vieux de la Montagne : « *Rien n'est vrai, tout est permis.* »

D'un regard suspicieux, Bagerant contourna Roland-Teresa occupée à desserrer la muserolle de Babiéca. La jouvencelle sentit la menace : elle enfonça son chaperon, contourna le genet dont elle vérifia deux fers. Elle avait heureusement les mains sales et les ongles aussi ras que ceux d'un palefrenier.

— Belle bête à chevaucher, Tristan.

Ce compliment concernait-il le cheval de la jeune Juive ? Non, certes. Bagerant la dénoncerait-il ? Il était un des pires malandrins de la terre, mais nullement un délateur, et sur les pentes pierreuses de Brignais, un certain Tristan de Castelreng ne lui avait-il pas sauvé la vie ?

— La Tiphaine est cocue, Sang-Bouillant.

— Ah ! tiens... On avait dit ces amours exemplaires.

— Une suivante de la nouvelle reine. Elle a trouvé le Breton « *merveilleusement laid* ». Le plus vaillant qui soit jusqu'à la mer.

— La merde ! rectifia de loin Paindorge.

— Un grand repas de couronnement. J'y étais, Sang-Bouillant : gelinottes, grues, pluviers, chapons, riches vins... Le soir même, Guesclin besognait sa geline... Quant à Pèdre, il doit être je ne sais où ; peut-être à Tolède avec ses grands amis, Jacob, David et Abraham et grand'foison de chevaliers fidèles qu'il nous faudra sans doute affronter...

Tristan se permit d'interrompre cet homme trop disert auquel l'idée d'avoir à combattre donnait assurément la fièvre :

— Nous sommes venus en Espagne pour renverser

Pèdre et placer Henri sur le trône. C'est fait. Nous n'avons aucune raison de nous attarder en Castille.

— Guesclin est désormais d'un avis différent... Hé ! Hé ! tu comprends pourquoi... La dame a juré de le compagner partout, sauf évidemment en France. Quant à Henri, sa hardiesse a des limites. Lorsque les chevaliers de chez nous, ceux d'Angleterre et d'Aragon lui ont annoncé qu'ils pourchasseraient Pèdre jusqu'à Grenade, il les a dissuadés de le faire, les priant de ne pas le laisser seul à Burgos avec son épouse et ses enfants de crainte d'un retour imprévu de son frère... J'y étais et voilà qu'Enrique a pleurniché un peu...

Imitant la voix plaintive de l'Espagnol, Bagerant continua :

— « *Seigneurs ! Par Dieu le Tout-Puissant ! Si vous me laissez ici où je n'ai rien vaillant, Pedro reviendra avec tant de gens de guerre qu'il ne me laissera ni cité ni château, voire ni femme ni enfants...* » Et puis soudain gonflé d'orgueil et d'espérance : « *Seigneurs, où irez-vous faire plus grand bien que de conquérir l'Espagne ? Vous y trouverez assez de Juifs et de faux mécréants, et aussi de Sarrasins qui sont puissants ici... Tuez-les tous ! J'abandonne à vos gens ce qu'ils trouveront. Je ne veux pas un denier vaillant de tout l'avoir. Partagez à vos gens ce qu'ils auront conquis jusqu'à temps que Pedro s'en aille !* » Et la reine est venue vers nous tous en pleurant : « *Ah ! seigneurs, demeurez avec nous. Je vous donnerai bonne solde et vous pourvoirai en or, argent, joyaux... Tout ce que j'ai vaillant ! Je n'aurai ceinture, ni tasse* [1], *ni chose quelconque que je ne veuille donner, n'en doutez pas. Quand je devrais boire au verre toute ma vie et*

1. Escarcelle.

n'avoir qu'une robe de bougran[1], *je veux tout donner sans avoir de reste jusqu'à ce que je sois délivrée du tyran. Beaux seigneurs, les Espagnols sont si versatiles qu'ils nous laisseront à l'abandon si Pedro revient à Burgos !* » Et c'est tout juste si la gentilfame ne nous a pas demandé, pour preuve qu'elle les détestait autant que certains d'entre nous, d'occire, pour nous faire la main, tous les Juifs de Burgos[2].

Tristan n'osa se détourner vers Teresa, mais il vit avec surprise et satisfaction, Paindorge et Lebaudy cracher en signe de mépris.

— Occire la juiverie de Burgos devait plaire à Guesclin.

— Il en avait la bave aux lèvres, mais le Bègue de Villaines a objecté qu'il fallait terminer l'ouvrage commencé ; que les seigneurs de France avaient plus d'intérêt à sauver leur âme à Grenade qu'à Burgos ; qu'ils pouvaient, certes, anéantir les Juifs et les Sarrasins de la cité, mais qu'il convenait, avant leur exécution, d'écraser Pèdre à Tolède ou ailleurs. La reine l'a baisé, je crois bien, sur la bouche. Mais Bertrand voulait demeurer.

— Pour continuer de jouir de sa belle ou pour occire les Juifs ?

— Les deux. Audrehem a déclaré qu'il suivrait ses compères sans barguigner quelle que soit leur décision : occire tous les Juifs ou meurtrir don Pèdre.

— Calveley ?

— Il est tiède et les Juifs ne l'intéressent pas. Peut-être qu'il en est un.

— Sans doute a-t-il du cœur... Un peu plus que les autres. Est-ce tout ?

1. Drap grossier ; sorte de bure.
2. Ceci figure dans Cuvelier.

— Presque, dit Espiote. Il y eut un conseil auquel nous n'avons pas assisté, mais quand ils en sortirent, tous étaient d'accord et réjouis de l'être : Bertrand, le comte de la Marche, Jean de Neuville, Audrehem, sauf les Anglais qui semblaient en retrait de cette grande liesse. « *À Tolède* », a dit Guesclin. Et l'on fit trousser les harnais pendant qu'il troussait sa dame ; l'on chargea les chariots à mules de tout ce dont on pouvait avoir besoin... Mais le soir, Bertrand atermoyait : sa *señora* moult chérie lui avait demandé de demeurer deux jours encore à Burgos... Nous sommes partis en avant.

— Pourquoi les avez-vous devancés ?

Espiote eut un battement de bras significatif : il n'en savait rien. Le bourc Camus dit qu'il trouvait Burgos déplaisant, « surtout cette église immense comme une ville », Bagerant déclara d'une voix uniforme :

— Je n'aime pas Guesclin : c'est un porc et un coq. J'abomine tous ces nobles qu'il traîne à sa suite. Je préfère les Goddons qui, déjà, en ont assez de l'Espagne et parlent de revenir à Bordeaux.

Se pouvait-il que la grande, l'immense compagnie dite *blanche* alors qu'elle ne cessait de s'asperger de rouge, fût sur le point d'éclater ?

— Ta réponse, Naudon, me semble insuffisante. Pourquoi galopez-vous en avant ?

Bagerant hésita. Une image insidieuse se glissa dans l'esprit de Tristan : celle d'une épée luisante d'acier et de sang. Un bran[1] avec lequel on étêtait un homme. Allons, la passion du mal, comme toujours, animait cet homme-là. Et sa révélation se fit dans un rire :

— Le comte de la Marche compte davantage sur moi que sur toi pour obtenir vivant cet arbalétrier qui

1. Épée à deux mains.

tua la reine Blanche... Oh ! rassure-toi : je ne m'en saisirai pas, si je m'en saisis, pour une fortune... Non : je recevrai, en échange, des lettres de rémission pour ce que tu appelles mes crimes... Il paraît que le roi Charles me les accordera si j'attrape le meurtrier de sa cousine.

Tristan se sentit rassuré. La capture de Juan Pérez de Rebolledo n'avait été pour lui qu'un prétexte habile pour fuir Burgos au bon moment et sauver Simon et Teresa d'une mort qu'il avait crue certaine. Il vit avec plaisir les trois malandrins remonter en selle et répondit d'un remuement de main à leurs sourircs certainement insincères. « Allez au diable ! » souhaita-t-il, anxieux.

— Ouf ! fit Paindorge en s'approchant quand les indésirables eurent disparu. Si j'ai à faire un vœu, messire, c'est que nous ne les retrouvions point à Tolède.

— Pas seulement à Tolède, Robert. Mais nulle part ailleurs... Jamais, jusqu'au Jugement dernier.

Levant les yeux vers le ciel nu, immobile, Tristan douta que Dieu l'eût entendu.

*

* *

Soudain, alors que le grand chemin quelquefois bordé d'ifs s'inclinait parmi des prairies qu'ombrageaient de gros boqueteaux de pins et de chênes verts, une petite montagne apparut dont l'ocre pâle se tachetait d'un peu de glauque.

— *Toledo !* s'écria Simon, le bras tendu sous celui de Petiton qui l'avait pris en croupe.

— Une lieue, peut-être moins, dit Serrano.

Jusque-là, ses évaluations s'étaient révélées convenables.

— Je crois, dit Lebaudy, que nous avons gagné. Pas vrai, messire ?

Tristan n'osa se prononcer. Bagerant et ses compères devant, Guesclin et sa horde immense derrière. Tant qu'il n'aurait pas franchi les murs de cette cité dont le nom merveillait ses compagnons, il se sentirait et sentirait Simon et Teresa en mortel danger. Cependant, il regarda lui aussi, vers le sud, l'espèce de ceinture gris-rose, indécise, que des arbres de loin en loin dissimulaient à ses yeux.

— Toledo ! répéta Simon, cette fois tourné vers sa sœur.

À distance, au-delà du velours des prés striés par quelques vignes, la ville convoitée par le Trastamare s'auréolait, dans l'esprit de cet enfant menacé, de toute la magie de ces trois syllabes, *To le do*, plus gaies, plus attrayantes dans sa langue natale que dans les deux syllabes franques. Songeant au chemin parcouru, Tristan se dit que la France était loin. Chaque nouvelle lieue franchie tant bien que mal creusait l'abîme qui maintenant le séparait de Luciane. Il avait traversé un pays de pierrailles grises, de gravières couleur de soufre, de terres si rouges qu'on les eût dites composées de boues sanglantes soudainement pétrifiées entre d'ondulantes montagnes. À l'aube, des mousselines erraient au ras du sol. Tièdes avant même que le soleil se fût essoré dans un ciel infiniment vaste. Derrière ces montagnes, d'autres montagnes, plus hautes, comme une muraille inaccessible, citadelle de géants tavelée de neiges trop blanches, semblables à des coulées d'émail ou de nacre sur un fond de nuées de cinabre et de cuivre. Chacun de ses réveils empirait son humeur. Il se sentait atteint d'une mélancolie violente, immédiate, comme une sagette qui l'eût frappé sans le pénétrer ; mais ce coup orbe lui faisait plus mal au cœur que si le fer et le bois tout entier, l'empenne même, l'eussent traversé de part en part.

« Je me refuse à appléger[1] cette guerre... et pourtant je suis là, disposé à faire le bien quand nos gens de grosse renommée font le mal joyeusement. »

Il n'appréciait même plus, comme au début de son passage en Espagne, le moment où le soleil du matin et le soleil du soir éparpillaient généreusement leurs ors et leurs argents, leurs braises et leurs fumées teintées de vermillon. La suavité de l'air, sa légèreté, l'odeur des herbes et des feuilles neuves, emperlées, lui devenaient indifférentes.

— Il faudra, dit-il, une fois dans Tolède, nous accorder le repos dont nous avons besoin. Nos chevaux eux aussi sont hodés[2].

— En quel lieu ? demanda Paindorge.

— Je n'en sais rien, mais nous irons chez Pedro del Valle, l'armurier dont Ogier d'Argouges m'a tant parlé. Je suis sûr qu'il est un honnête homme. Et comme nous en sommes également, j'ai bon espoir qu'il nous aidera.

— Et si Pèdre est encore dans les murs ? demanda Petiton auquel, peut-être, Simon venait de poser la question.

Tristan s'adressa tout d'abord à Teresa dont les sommeils brefs, agités, n'avaient cessé de l'inquiéter depuis Burgos :

— Pèdre est certainement effrayé. Il ne doit avoir qu'un dessein : gagner Séville ou quelque autre refuge. Non seulement il s'y sentira en sécurité, mais il y rassemblera une armée capable de s'opposer à l'avance du Trastamare et – qui sait ? – de le vaincre au grand

1. Cautionner.
2. Recrus de fatigue.

dam de Guesclin. Cet homme est possédé d'une haine terrible : il trouvera les moyens de se revancher. Nous ne pouvons dénombrer les forcenés qui lui sont acquis et je crains que tous nos prud'hommes et les *ricos hombres* ne soient aussi perplexes que nous le sommes. L'Espagne est un piège !

— Elle le devient pour nous, les Juifs, également, dit de loin Teresa.

Babiéca s'était laissé distancer. Il réapparut à la dextre de Tristan avec sa cavalière.

— Le roi de France est coupable. Cette guerre n'aboutira qu'à notre humiliation. Elle n'est pas la mienne, pas la nôtre – vous y compris, m'amie. Elle ne s'achèvera qu'au profit des routiers et de leur chef suprême !

Teresa se garda d'insister. Devant elle, devant eux, Tolède commençait à prendre de la hauteur et du relief. Ils distinguaient maintenant, de proche en proche, l'enceinte de la cité comme pétrie de poudre jaune et bourrelée de tours certainement ouvertes à la gorge[1].

— Solide... dit simplement Tristan.

Seule Carcassonne-la-Grise lui avait fourni, d'aussi loin, la même sensation de vigueur, de gloire et de hautaineté ; une impression de solitude et d'isolement aussi : quiconque quittait ces murailles ne pouvait à l'entour passer inaperçu. Mais Carcassonne n'était point hérissée de flèches, de coupoles, de tours et de tourelles, de clochers et clochetons. Carcassonne était une citée horizontale ; Tolède la Chrétienne semblait vouloir monter au ciel de toute la vigueur de ses

1. Tours d'enceinte sans mur vers l'intérieur de la cité pour pouvoir, en cas d'invasion, demeurer sous le tir des fortifications secondaires.

pierres, de ses tuiles, voire de ses arbres souvent esseulés, pointus comme des épieux.

— Ça m'a l'air beau, dit Eudes.

— Sans doute, approuva Yvain Lemosquet, mais défions-nous de cette beauté-là... comme de toute autre.

Il y eut deux rires : Serrano et Paindorge. Penché sur l'encolure d'Alcazar, entre Lebaudy et Teresa dont les chevaux dodelinaient de la tête avec une sorte de satisfaction ou d'impatience, Tristan regarda cette ville qui semblait venir à lui dans ses atours rosâtres et lumineux, plutôt qu'il ne s'approchait d'elle. Il y avait des gens, maintenant, de loin en loin, surgis de chemins creux et poudreux. Des chariots tirés par des bœufs ou des chevaux. Le retroussis de leurs bannes et les claires-voies de leurs ridelles révélaient des barriques, des planches, des balles de marchandises invisibles. Ils roulaient vers Tolède dans un grincement d'essieux entrecoupé de claquements de fouet. Des chiens maigres trottaient sous la caisse de ces charrois et des enfants les suivaient dans des cris de gaieté ou de chamaille cependant que des femmes taciturnes allaient à pied, un bras crocheté jusqu'au coude à l'anse d'un grand panier. Le bruit incessant était si épais, désormais, si nouveau, si attrayant, les clartés et les ombres partout si appuyées que Tristan en oubliait sa tristesse. Parfois, un *fidalgo* [1] à cheval ou quelques guisarmiers immobiles lui remémoraient les raisons de sa venue, et quand il en apercevait une cohorte à l'ombre de quelques arbres ou d'un mur qui n'atténuait ni l'éclat de leurs chapels de fer ni les lueurs pointues de leurs armes d'hast, il se sentait la poi-

1. Gentilhomme.

trine oppressée comme par le toucher de quelque main de fer.

Considérant de nouveau la magnifique enceinte, il éprouva le sentiment inattendu et malsain que ces tours, ces parois, ces portes fortifiées allaient engloutir Simon et Teresa plutôt que de les protéger. Responsable de leur sauvegarde, n'était-il pas judicieux qu'il décidât, contre toute attente, d'éviter une halte même brève dans la cité pour gagner lentement Guadamur ? Certes, ils étaient fourbus et les montures aussi, mais leur sécurité nécessitait un surcroît de fatigue. « Une nuit », se dit-il, résigné, en voyant Teresa ensommeillée penchée sur l'encolure de Babiéca. « Une nuit seulement ! » Mais où ? Chez qui ? Pedro del Valle pourrait-il les accueillir ? Il se pouvait qu'il fût un partisan de Pèdre ou, dans le cas contraire, qu'il détestât les Juifs.

— Je renonce, dit Serrano, à vous faire entrer par la porte de Bisagra : c'est la plus surveillée. Mieux vaut franchir le Tage au Pont d'Alcántara : la foule y est plus nombreuse et les hommes du guet plus rares... à moins que Pèdre ne soit encore en ville, ce dont je doute.

— Et pourquoi ? demanda Paindorge, inquiet.

Le trouvère désigna l'immense bastille de pierre ocre touchée, embellie – si cela se pouvait – par les feux profus du soleil :

— Si Pèdre était encore à Toledo, tu verrais accrochées çà et là sur ces pierres moult têtes tranchées offertes en pâture aux *cuervos*. Il a dû passer vélocement... Il galope vers Séville ou Cordoue. Il les a peut-être atteintes s'il n'a pas été dévoré par des bêtes féroces ou piqué par quelque *serpiente*.

— Holà ! s'exclama Girard Lebaudy de l'arrière. Que nous dis-tu ?

— Je dis, *compadre*, qu'à quelques lieues de Toledo, en allant vers Cordoue, il existe une forêt immense, pleine de loups, d'ours, de tigres et surtout de serpents plus hideux les uns que les autres. Heureusement, nous n'irons pas jusque-là[1] !

Ils ne regardaient plus les murailles, sauf Tristan. Paindorge le pria de détourner la tête et il vit un château en haut d'une colline escarpée ; un château neuf, rose lui aussi, et dont le donjon n'était qu'une grosse tour ; un château comme il eût aimé en posséder un – force et rêve mêlés, beauté simple et fervente.

— San Servando, messire. Voyez comme il contemple le Tage. Il fut construit par Alfonso VI en commémoration de la bataille de Badajoz contre les Mahomets... Il assure, dit-on, la défense du pont d'Alcántara... que voilà.

Il était beau, ce pont, rose lui aussi. D'une longue foulée de pierre, il enjambait un fleuve aux eaux bleues, comme immobiles. Une tour s'y dressait à son extrémité. Paindorge la trouva plus belle que toutes celles du pont Valentré réunies. Et si la foule était dense et comme insoumise, il y avait effectivement moins de gens d'armes en ce lieu qu'ailleurs. La forteresse de San Servando contenait sans doute une garnison restreinte. On voyait, entre ses merlons, passer de loin en loin une tête ferrée. Nul ne pouvait savoir, sauf eux-mêmes – et encore ! – si ces hommes-là penchaient pour Pèdre ou pour Enrique.

— Vous le verrez ce jour d'hui ou demain : le rio Tajo contourne la cité comme une faucille ou un alfange.

1. Voir, en annexe, la fuite de don Pèdre. Selon Cuvelier, l'armée de Guesclin perdit 300 hommes, dévorés par des bêtes fauves ou victimes des serpents, lors de la traversée de cette forêt. Légende ? Il ne le semble pas : l'Espagne était alors très boisée.

Bien que, par sa hauteur, un muret de granit empêchât la vue immédiate de ses eaux indolentes, on pouvait voir s'amorcer, dans la rocaille herbue de ses berges, la courbure du fleuve où se miraient les maisons riveraines. Un marchand de saucisses grillées avait planté son fourneau dans un décrochement du parapet. On le distinguait à peine, assailli par une meute d'enfants et d'adultes.

— Bon sang ! s'étonna Paindorge, il y a autant de gens que de mouches !

L'odeur était épaisse, grisante. Tristan eut hâte de s'en éloigner pour passer sous la tour à deux issues dont une herse interne renforçait la défense.

— Des murailles, des portes fortifiées, commenta Serrano. Je vous emmènerai, si nous avons le temps, voir celle de Bisagra... Le Cid et le roi Alfonso VI y passèrent après avoir vaincu les Mahomets qui l'avaient édifiée... Et les églises !... La cathédrale, certes, mais il y a Santo Tomé, Santo Domingo del Real, Santiago del Arrabal... Un nombre infini ! Une grand'foison, comme vous dites.

— Tant d'églises pour un seul Dieu...

Tristan n'acheva pas. Cet hommage multiple lui paraissait excessif. Dieu avait-il voulu qu'on l'aimât de la sorte ? Tous ces autels devaient se concurrencer l'un l'autre et l'émulation des fidèles n'avait pour résultat que d'égarer leurs prières, leurs contritions, leurs confessions, d'autant plus aisément que la cité, à ce qu'on en disait, comptait des mahomeries et des synagogues où l'on implorait Allah et Jéhovah... Quelle cohue de mots dans ce ciel qui ne ressemblait à aucun autre : un azur profond et léger à la fois, hiératique, où les oiseaux semblaient ne point s'aventurer.

— As-tu vécu ici, Serrano ? demanda Paindorge.

— J'y suis venu deux fois dix jours.

— Chanter pour le roi Pèdre ?

— Ce n'est pas parce qu'on chante devant un tyran qu'il convient d'exalter sa gloire ; ce n'est pas parce qu'on s'incline devant lui, une guiterne au poing, qu'on lui appartient corps et âme. J'ai trop ouï, lors de mes séjours, des cris de souffrance et des implorations pour vouloir vivre à Toledo... Je suis allé chanter dans les petites villes, les *ventas*, les *posadas*, les *bodegóns*... tous les lieux où l'on a faim de bonheur plus que de bon pain, où l'espérance dépérit et où l'on boit un vin qui a l'aigreur des larmes... Pour remède au mal-vivre de ces gens, j'ai chanté les amours du Cid et de Chimène au lieu que les bienfaits[1] de Pedro le Cruel.

Une autre porte qui peut-être avait été bâtie par les Mahoms.

— Je te crois, Serrano, dit Paindorge. Ces amours, il te faudra nous les chanter. Je te raconterai, moi, Tristan et Yseult.

Nul ne rit de cette promesse, bien que Paindorge l'eût assortie aussitôt d'un avertissement à vrai dire inutile :

— Pas notre Tristan, un autre.

Le Tristan qui entrait maintenant dans Tolède au lieu de celui qui fréquentait Camelot, se demanda ce que faisait son épouse à cet instant même, si elle pensait à lui avec autant d'insistance qu'il pensait à elle et se désespérait de le revoir un jour. Cessant de regarder la frange crénelée des murailles dont la base, à l'intérieur, était aussi malpropre qu'à l'extérieur malgré les herbes sèches et grasses et les ronceraies qui parfois étouffaient dans leurs plis les ordures, il retint mal un sanglot de rage, de lassitude et d'affliction. Si loin de

1. Actions bien faites et même, en l'occurrence : prouesses.

Castelreng et si loin de Gratot !... Perdu dans cette Espagne immense et versatile, car on pouvait s'y perdre à plusieurs, corps et âme. Et pourquoi ? Il ne se sentait ni à l'aise ni à l'abri. Ni sans doute aucun de ses hommes. Ni Simon et Teresa qu'il n'osait rassurer d'un mot ou d'un clin d'œil.

Au tournant d'une voie montante, étroite et cailloutée, ils aperçurent l'énorme pêle-mêle gris-rose, bossué, dentelé, qui couvrait la butte, ses recoins et enfoncements, et composait le véritable seuil de la cité. Tout était envahi par la pierre et la brique, et sauf la ruelle où les chevaux devaient aller à la suite, le sol disparaissait sous cette végétation minérale qui allait grossissant jusqu'on ne savait où. La foule, elle aussi, grossissait, lançait ses cris, parfois ses vociférations entre deux ressacs d'un bourdonnement confus, les fracas des jantes ferrées et les crépitements des sabots des chevaux. Il y avait, dans les mouvements de ces gens, plus de précipitation que d'inquiétude. Accoutumés aux sautes d'humeur d'un roi inconstant et pervers, ils ne vivaient que le présent.

— Pied à terre tous... sauf Simon et Teresa.

Tristan s'était attendu à découvrir une cité hautaine, murée en quelque sorte dans des douleurs anciennes et des frayeurs récentes ; une cité précautionnée contre quelque vengeance ou tuerie sans objet. Il n'en croyait pas ses yeux. Ici, sur une placette, une surprenante assemblée de femmes moresques enveloppées de robes farouchement colorées, embronchées de voiles lamés d'or, fouillaient dans les monceaux d'étoffes que leur présentait un marchand criard, enturbanné de blanc, et qui parfois remuait une clochette de cuivre afin d'obtenir le silence. Deux cavaliers tête nue, protégés d'une cuirassine, s'approchèrent, curieux, sans que quiconque ne les craignît. Plus loin, dix ou douze Juifs et

Juives, dans des habits de fête, les hommes en noir, certains l'épée au côté, les femmes et les jouvencelles plus colorées que des vitraux, suivaient vers quelque synagogue un rabbi talmudiste accablé par les ans, les événements et l'incertitude de l'avenir.

— Moult juiverie dans ce quartier, dit Serrano. Et nous sommes samedi... samedi 18 avril.

Les maisons se touchaient du nez et des épaules. À l'intérieur, des lampes sabbatiques distendaient les ombres des occupants sur des murs nus et chaulés, de sorte que l'on voyait des familles assemblées autour du pain pascal – mais était-ce bien la Pâque ? se demanda, derrière Tristan, Teresa – ; des familles dans leurs habits des grands jours, les femmes et les jouvencelles parées comme d'épaisses gerbes de fleurs des champs, et les enfants coiffés de bonnets colorés qu'Eudes, sans malice, compara à des genouillères...

— ... sauf que le fer manque, évidemment.

Teresa sourit de cet irrespect. Simon cria de loin :

— Ils chantent.

— Regrettes-tu, Teresa, de n'être point avec ceux de ta religion ?

— Non.

Apparemment, la jouvencelle n'aimait point ces fêtes où l'on chantait le deuil d'une contrée perdue et l'incertaine joie de la revoir un jour. Et tout en continuant de suivre Serrano, Tristan trouva de plus en plus étrange le fait que ces Mahomets, ces Juifs et surtout ces Chrétiens pussent vivre ensemble et surtout communiquer. « C'est comme un reste de Terre Sainte. » Son grand-père paternel en disait des choses inouïes et merveilleuses. Ainsi, c'était vrai que l'on pût s'accepter en dépit de tant de différences ! Il lui semblait que Tolède vivait une existence jeune, intense et naïve. Quelque chose de noble et de disparate fermentait entre ces murailles et dans ces rues, parmi des gens disparates eux aussi, et dont l'espèce de grouillement, de bourdonnement faisait s'extasier à voix haute Paindorge et ses compères. Si Enrique régnait à Tolède, accepterait-il cette singularité-là ? Si Guesclin y apparaissait, ne marquerait-il pas son arrivée par un carnage plus affreux encore que celui de Briviesca ?

Il fallut mettre pied à terre pour gravir une voie étroite et passante. Elle accédait à une place assez vaste, triangulaire, où la vie des Tolédans semblait s'être concentrée [1]. Maintes rues et ruelles confluaient là, toutes envahies par une foule compacte au milieu de laquelle Serrano se fraya un passage en hurlant et jouant des bras pour s'engager à contre-courant dans une rue qui, d'une torsion, pourfendait l'ombre dense d'une venelle à senteur de mangeaille. Sous des chandelles allumées sans doute en permanence, on y vendait des armes de poing, des poteries peintes et vernissées, des plats incrustés d'or, des harnais et cordouanneries, des lanternes aux verres colorés, ciselées comme les objets d'une épiphanie païenne. Tristan put entrevoir des selles en velours piqueté de bossettes d'argent, des peaux de zèbres et de panthères brodées de perles et de coquillages dont l'usage lui échappait, des chanfreins de cuir ou de fer cloutés de cuivre ou d'or, des têtières rehaussées de plumes de paon, d'autruche ou de faisan, de pompons et bouffettes de laine. Tous les visages d'hommes – commerçants, chalands, passants – lui semblaient inquiétants, même lorsqu'ils exprimaient de la joie ou du plaisir. Les femmes, belles jusque dans leur embonpoint, semblaient soucieuses. Les chrétiennes portaient des robes larges comme des suaires, et parfois leurs cheveux flous ou tressés s'or-

1. La place de Zocodover où bat le pouls de Tolède.

naient, près de la tempe, d'une fleur simplette, souvent artificielle. Dans ce brouhaha dissonant et gai, tout au moins d'apparence, les femmes et les filles des Maures aux traits souvent cachés sous des mousselines blanches ou noires, aux regards doux et résignés, passaient comme des fantômes ; un enfançon parfois pleurnichait dans leurs bras.

— Tous ces gens commencent à tribouler nos chevaux, messire !

— Nous n'y pouvons rien, Eudes. Il nous faut traverser cette cité coûte que coûte.

Tristan crut comprendre que le passage dc don Pèdre avait plongé ces gens dans l'effroi. Maintenant, leurs bruits et remuements signifiaient que la confiance leur revenait, assortie d'une espèce de renaissance des corps et des âmes libres de vaguer sans contrainte. C'était comme si la bonde d'un tonneau eût sauté sous l'effet d'une effervescence souhaitée, mais inattendue. Et le soulagement s'évacuait par spasmes, à gros bouillons.

— *Pedro del Valle... espadero ?* demandait çà et là Serrano.

— *Per aqui...*

Ils entrèrent dans un quartier revêche, proche d'une cathédrale en construction dont aucun d'eux ne se soucia tant ils avaient hâte d'échapper aux bruits et à l'agitation.

« Et si cet homme ne consent pas à nous aider ? » supposa Tristan qu'Alcazar poussait de la tête.

Eh bien, il aviserait. Ils quitteraient la ville et trouveraient une grange où passer la nuit.

Il entendit des tintements de marteaux et vit bientôt des officines où, dans des lueurs de fourneaux éventés à grands souffles, des hommes frappaient des fers posés sur des enclumes ou des formes imprécises.

— Le quartier des *armeros*, dit Serrano.

Ici, la foule se raréfiait. On eût pu croire que tous ces martellements l'effrayaient autant que les vulcains aux tabliers de cuir. Tristan et ses compagnons longèrent un mur au-dessus duquel un figuier passait sa tête entre deux gerbes de passe-roses. Derrière, rien ne retentissait. Une porte s'ouvrait sur un jardinet entouré de colonnades.

— Demandons, dit Paindorge en foulant une mosaïque des plus fines.

— Holà ! cria Lebaudy sur le seuil, y a-t-il quelqu'un céans ?

Un vieillard apparut, bossu et hanche bote.

— *Buenas tardes, signor*, dit-il à Paindorge.

— *Habla francés ?*

— Un peu, dit le vieillard.

Le mot *francés* n'avait pas eu sur ce serviteur vêtu de noir l'effet pervers auquel Tristan s'attendait.

— Que voulez-vous ? demanda-t-il.

— Nous cherchons un armurier du nom de Pedro del Valle, dit Tristan sans s'approcher.

— C'est sa maison.

Un chien aboya, noir, poilu, et vint flairer les jambes de Paindorge.

— *Tranquilo, Golfo*, dit un homme sorti de l'ombre.

Le chien s'éloigna de bon ou mauvais gré.

— Je suis Pedro del Valle. Que voulez-vous, messires ?

Le factotum allait s'éloigner en clopinant quand l'armurier le retint d'un geste :

— *No, Juan...* Qui vous a envoyés, messires, jusqu'ici ?

— Un chevalier français du nom d'Ogier d'Argouges.

Le visage glabre, soucieux, de l'armurier s'éclaira.

C'était une satisfaction intense qui, maintenant, animait ses traits secs et austères.

— Est-il avec vous ?

— Hélas ! messire. Il est mort à Briviesca, occis par un homme des Compagnies auquel j'ai fait justice... Il voulait tellement vous revoir !

La voix de Tristan se brisa. L'armurier redevint tout à coup soupçonneux : il savait à quels excès s'étaient livrés les alliés du Trastamare dans une cité que peut-être il connaissait. Tristan le rassura du mieux qu'il le pouvait :

— Ogier d'Argouges, messire, était mon beau-père. J'ai épousé sa fille Luciane. Il nous a moult entretenus de vous, de votre séjour à Rechignac et de votre épouse, Claresme, sa cousine.

Ces quelques mots valaient un sauf-conduit. Tristan se sentit serré dans une étreinte vigoureuse :

— Soyez les bienvenus !... Juan, va ouvrir la grande porte et fais de la place à l'écurie... Entrez, messires, et vous me direz tout.

— Avant, dit Eudes en désignant le bossu, il nous faut aider cet homme.

Les frères Lemosquet et Petiton l'approuvèrent. Et comme le regard de Tristan effleurait les difformités du domestique, Pedro del Valle se pencha pour que celui-ci ne l'entendît pas :

— Il a passé sept ans dans une geôle : il ne s'était pas arrêté pour s'incliner sur le passage du roi Pèdre après qu'il eut fait mourir la reine Blanche.

— Maintenant que ce despote est parti à vau-vent, vous attendez la venue d'Enrique...

L'armurier eut un geste. On eût dit qu'il chassait une mouche importune. Puis d'une voix tout ensemble souple et brève :

— Sans vouloir vous offenser, messire, il n'y a pas

plus de différence entre Pèdre et Henri qu'entre deux lances de guerre ou de joute. Quand on sait quels sont les hommes qu'Enrique a choisis pour l'aider à conquérir un trône qui ne lui revient pas, on peut douter de la justice et de l'équité d'une majesté pareille ! Il ne sera jamais qu'un usurpateur... Quel dommage qu'Ogier soit mort et qu'il ait servi, comme vous, une aussi mauvaise cause... Mais je devine que vous y avez été contraints, vous et vos gens...

— Vous dites vrai, messire. Nous avons une mission à accomplir pour laquelle j'ai donné ma parole, ensuite de laquelle nous reviendrons chez nous.

— Vous m'en informerez si vous le voulez bien. Mais venez, messire... Venez tous.

Le court jardin traversé, Tristan, Teresa et Simon, Paindorge et Lebaudy pénétrèrent dans un corridor plafonné de caissons de bois sombre et dont les niches murales abritaient des armures, les plus belles que les hommes eussent vues. Ils furent introduits dans une salle vaste, claire, qui leur fit l'effet d'un palais après tant de jours d'errances pénibles, de sommeils dans des grottes ou sous des appentis. Une femme était là, attablée à des travaux de couture. Blonde, le teint de lait, assez forte sans être grosse, elle était vêtue de rouge. Distraite, rêveuse, absorbée par son ouvrage, elle eut un tressaillement en voyant tant d'hommes envahir son sanctuaire, se leva, se pencha. La simplicité de cet accueil muet produisit chez Tristan une impression de sérieux, de grandeur. Leurs saluts échangés, il dut parler de son beau-père, décrire les circonstances de sa mort, présenter Teresa et Simon comme des orphelins de Burgos qu'il devait confier à des parents avant que les Compagnies ne fussent devant Tolède.

— Savez-vous, messire, ce qu'est devenu mon père ? Vit-il encore, grâce à Dieu ?

Une vieille femme, – peut-être l'épouse du serviteur contrefait – apporta des rafraîchissements. Les Lemosquet et Serrano se présentèrent, puis Petiton. Ils prirent place sur un banc, virent leurs compères décoiffés et les imitèrent.

— Hélas ! dame Claresme, dit Tristan, sire Guillaume est mat. Voici ce que je sais : après votre départ de Rechignac pour l'Espagne, votre père est parti au siège d'Auberoche. Il y est tombé au pouvoir des Goddons et fut mené en Angleterre où il refusa d'acquitter sa rançon... Votre cousin, Ogier, captif lui aussi, le retrouva à Ashby, en novembre 1347. Ils furent contraints de combattre trois champions du roi Édouard. Votre père périt très glorieusement.

Tristan vit s'embuer les yeux de son hôtesse. Afin d'amoindrir son chagrin, il s'était exprimé aussi brièvement que possible, balançant parfois entre la tristesse et l'ardcur. Dame Claresme, frissonnante et pâle, se signa. Pedro del Valle s'approcha d'elle, la contourna et posa ses mains sur ses épaules tandis qu'il baisait le dessus de sa tête.

— Et ma sœur ? dit-elle en regardant son ouvrage pour dissimuler ses pleurs.

— Tout ce qu'Ogier d'Argouges m'en a dit, c'est qu'elle a pour nom Tancrède, qu'elle était à Ashby et qu'elle a rendu paisibles les derniers moments de votre père.

Un silence tomba. Il se serait certainement prolongé si une jouvencelle n'était apparue.

— Notre fille Cristina, dit Pedro del Valle.

Elle était brune, altière et pourtant avenante ; enjouée, sans doute, bien que voyant sa mère en larmes une inquiétude lui fût venue, immédiate, dont elle sut dissimuler les effets sur son visage soudain pâli. Son front pur s'était froncé. Ses yeux noirs, fendus en amande, s'écarquillèrent lorsqu'elle eut dévisagé les inconnus marqués par un pénible randon auxquels son père semblait vouloir accorder l'hospitalité. Son sourire un peu contraint révéla un trouble indécis, peut-être une crainte. Tristan, le cœur plein de cendre, fut ému qu'elle l'eût distingué comme un chef sinon un chevalier.

— Messires, dit-elle en s'inclinant.

Rien, apparemment, n'avait jusqu'ici ulcéré cette âme, et c'était ce qui rendait Cristina plus belle. On la sentait incapable du moindre enivrement vulgaire, timide, sans doute, et réservée de caractère et d'attitude. Tous ne pouvaient qu'admirer son profil pur rehaussé par une tresse dont l'onde noire, lisse, semblait pailletée d'or au dernier feu du soleil.

Bien qu'elle eût été éduquée « à l'espagnole », il y avait en elle quelque chose d'autre, songea Tristan alors que la jouvencelle, devinant le sexe de Teresa sous ses vêtements masculins, invitait celle-ci à s'approcher ainsi que Simon, comme pour les soustraire aux regards de ces hommes dont aucun, cependant, ne s'était hasardé au moindre irrespect.

— Messires, dit-elle, Père, Mère, je vais offrir mes soins à cette damoiselle et à cet enfant. Ils me paraissent bien las et surtout angoissés.

La voix était légère, d'une vibration un peu fébrile, mais sa sonorité toucha le cœur de Tristan : Luciane s'exprimait ainsi, et c'était pourquoi il se sentait percé, à la fois très seul et réchauffé par cette similitude. Il s'aperçut alors – seulement – que la robe de Cristina était rouge, à plis lâches et dénoués qui, cependant, laissaient deviner un corps ferme et moelleux, aux rondeurs capiteuses. La pucelle tenait dans ses mains blanches aux doigts longs, effilés, un volet de guipure et des ciseaux dorés.

*
* *

L'atelier était vide. L'odeur complexe qui stagnait là, mélange des relents du fer martelé à froid et à chaud, de l'eau de trempe et de l'axonge, était celle que Tristan avait respirée dans l'échoppe de maître Goussot lors d'un de ses passages à Paris. Cependant, s'il la humait avec un plaisir extrême, c'était qu'il se trouvait dans un espace vaste, propre, encombré d'armes et de défenses de fer si nombreuses qu'il ne pouvait que s'en merveiller.

Il avait laissé Paindorge et ses gens s'installer dans le galetas de l'écurie ; quant à Teresa et Simon, ils avaient disparu sitôt avalé un repas apprêté en hâte et dont l'essentiel se composait de tranches de *ternera* – veau – et de vins tolédans – *Cubas* et *Orgaz* – dont la saveur et la subtilité lui échauffaient le sang : il se sentait le nez et les joues rouges.

— J'emploie toujours, dit Pedro del Valle, les deux compagnons qui étaient avec moi à Rechignac : Blasco et Martinez. Deux jeunes maintenant nous apportent leur aide.

— Vous excellez, messire, dans cet art qui, à mes yeux, dépasse celui des imagiers de pierre. Vos images à vous se meuvent et étincellent. On dit, en France, que les armuriers d'Espagne ne valent rien. Que vos chevaliers font la guerre en almogavares, autrement dit, vêtus à la légère comme les derniers de nos piétons...

— Les *caballeros* de Saladin la faisaient ainsi, sur de petits chevaux qui n'avaient pour houssement que la poussière du désert. Ils ont vaincu tous vos prud'hommes.

Tristan acquiesça et morose, en mal de confidence :

— Notre hautaineté folle et inguérissable nous a

coûté la Terre-Sainte, et depuis que nous guerroyons contre Édouard III, notre pays se meurt... Ce que je tenais à vous confier, c'est que je me suis aperçu qu'à propos des armures de fer, nous nous étions trompés une fois de plus. À Burgos, dont nous sommes partis en hâte avant le sacre de don Henri, j'ai vu moult chevaliers adoubés comme nous... Et je vois également – sans surprise, puisque mon beau-père m'avait édifié sur vos dons et votre science –, que vous œuvrez aussi bien, si ce n'est mieux, que les fèvres de France, d'Angleterre et d'Italie. On prête au roi Charles l'intention d'interdire l'exportation des armures. C'est, si j'ose dire, un coup d'épée dans l'eau car nous n'avons rien à vous apprendre. Et je me demande pourquoi – car c'est là une contradiction –, il veut acquérir à Milan des haubergeons et des armures que nos mailleurs et nos batteurs de plates sont capables de lui fournir... Quant aux chevaux, nous en avons en suffisance, mais il en veut de Pouille et d'Allemagne !... Lorsque je vois vos genets et vos chevaux de trait, lorsque je vois vos armures et vos armes, j'ai crainte qu'après Crécy, Poitiers, Brignais, et malgré les errements du roi Pèdre, nous ne soyons vaincus sur la terre d'Espagne.

— Vous n'y êtes pas chez vous. Le peuple vous a en exécration. Briviesca, Borja, Magallón et cent villages réduits en cendres vous ont préjudicié pour toujours. J'ose vous le dire car je vous considère comme un ami : le prolongement d'Ogier d'Argouges.

Plutôt que de répondre – et qu'eût-il répondu ? –, Tristan regarda les armures posées sur des socles de chêne. Il y en avait dix. Elles resplendissaient à la lumière des flambeaux allumés par Pedro del Valle. Hantées par des seigneurs, elles l'eussent inquiété. Vides, alignées épaulière contre épaulière – comme pour une montre avant une bataille –, elles exerçaient sur lui une fascination neuve, vive, imprévue, délicieuse. Toutes différaient par la taille et l'aspect. Aucun bassinet ne ressemblait à son voisin. Quelques-uns, à la visière en bec de passereau, s'apparentaient aux italiens ; d'autres, aux timbres plus proches du globe que de l'ogive, étaient pourvus d'une visière qui pouvait glisser en arrière de la nuque. Cette habitude de relever peu ou prou la partie de fer protégeant la face, pour découvrir son visage aux amis ou aux ennemis, nécessitait un geste qui, le temps passant, était devenu un salut amical ou hostile. Tristan se détourna de toutes ces merveilles.

— Messire, dit-il à Pedro del Valle, quittons ces lieux, voulez-vous ? C'est un univers de tentations que je suis incapable de satisfaire... À qui sont ces beautés ?

— Le seigneur de Guadamur, le chevalier de Valverde, Hurtados de Mendoza, Pacheco-Acuña, marquis de Villena... Don Juan Lopez de Amaya, *Comendador* de Santiago, en la villa de Alarcón... Ce sont des *ricos hombres* dont la valeur est aussi manifeste que la fortune.

Était-ce un avertissement ? Pour en juger, il eût fallu savoir de quel roi se réclamaient ces hommes. Tristan n'osa poser la question qui, en l'occurrence, lui paraissait essentielle : « De qui vous recommandez-vous, messire ? Pèdre ou Enrique ? » Suivant son hôte dans un escalier, il atteignit un balcon en encorbellement d'où en plein jour on dominait des maisonnettes, des jardinets et peut-être ce qui semblait un couvent.

— C'est beau, dit-il en s'accoudant au garde-corps de bois ajouré dont le vernis brillait çà et là.

Il avait vu le soleil décliner sur Tolède avec une nonchalance singulière. Il avait vu le ciel indécis – entre la nacre et le rubis – absorber lentement les détails des toits et des façades et jusqu'aux moignons de la cathédrale pour ne laisser subsister que les immuables contours de la terre et d'un château lointain qui n'était peut-être que l'éphémère caprice d'une montagne aux crêtes déchiquetées. Maintenant, c'était la nuit, une nuit bleu sombre comme la chevelure de Cristina, piquetée des lucioles des lampes, des chandelles, des pots à feu ; criblée des pétillements des étoiles, et dont on ne pouvait discerner jusqu'où s'essoraient les clartés d'en bas et où tombaient celles d'en haut. L'instant était magique, voire capiteux. Une paix formidable étreignait la cité.

— Vous êtes bien chanceux, messire del Valle, de vivre ici et ainsi.

L'armurier ne dit mot. Sa tête s'inclina pour un assentiment. Tristan soupira. L'instant présent lui convenait. Il oubliait tout : son passé roulé dans une sorte de vague translucide où l'ombre conglutinait d'autres ombres, vivantes ou mortes ; le présent occupé d'aventures mortelles et l'avenir composé de sang et de ténèbres. Souvent sans doute, les premiers jours, les premiers mois de son installation, la douce Claresme avait dû s'abstraire en ce lieu. Il l'imagina, les mains posées sur la poutre du garde-corps, contemplant les feux de la nuit et tournant souventefois sa vue très au-delà de ces maisons, de ces arbres aux feuilles noires dont certaines, palmées, lui étaient inconnues. Avait-elle éprouvé du regret d'être là ? S'était-elle sentie définitivement attachée à cette cité de plus en plus bruyante en son centre à mesure que l'ombre l'inondait, ou bien avait-elle secrètement versé maintes larmes en érigeant dans son esprit ce Rechignac altier autant qu'imprenable qu'Ogier d'Argouges ne pouvait décrire sans émoi ?

Tristan écoutait, montant du jardin par quelque

fenêtre ouverte, la voix de Teresa mêlée à celle de Cristina, puis celle de Simon donnant la réplique à Juan le contrefait. Plus loin, très loin dansaient et bourdonnaient des tambourins et plus loin encore des chiens hurlaient peut-être en s'entre-déchirant.

— On raconte, dit Pedro del Valle, les yeux levés vers les étoiles, on raconte qu'un de ses astronomiens a dit à Pèdre qu'il serait un temps dans la tribulation de Nabuchodonosor qui perdit son royaume, mais que la Castille reviendrait en sa domination. Qu'il se vengerait alors de ses ennemis et que l'aigle – votre Guesclin – serait mis en cage par le fait d'un faucon qui volera pour lui restituer son trône. Je ne sais qui sera ce faucon, mais ce que je peux vous dire, c'est qu'avant son départ, le roi Pèdre nous a réunis à l'Alcázar. De bon ou mauvais gré, il fallut nous y rendre. « *Seigneurs*, nous a-t-il dit, *l'infortune me court sus et me fait trébucher. Vous avez une bonne ville. Les murs sont entiers, les fossés sont forts. Vous pourrez bien tenir un an tout entier car vous avez à boire et à manger. Je sais bien que mes ennemis vont venir vous assiéger. Mon frère le bâtard les conduit car ils l'ont couronné à Burgos, je ne puis le nier. Je vous prie, seigneurs, et je vous requiers que vous me vouliez tous aider et conforter comme votre souverain légitime. J'en ai bon besoin. Je vais à Séville chercher du secours. Pour que je puisse venger cette honte, je me voudrais allier au roi de Benemarin*[1] *et au roi de Grenade s'ils me veulent aider.* » Voilà...

— En êtes-vous marri ?

— Je ne sais... Nous avons promis de garder la cité. Pèdre s'en est allé avec son lourd trésor. L'évêque nous a réunis pour nous dire : *« Seigneurs, le roi Pèdre*

1. Le royaume de Fez, aujourd'hui le Maroc.

s'en va. Il emporte son trésor et ne nous laisse rien. Cela signifie qu'il ne reviendra plus. » Et cet homme que j'ai vu baiser les pieds de Pèdre d'ajouter : *« C'est un mécréant roi et il lui mésaviendra. Si nous l'attendons, le peuple y perdra. Or, avisez-vous car ces gens-là qui sont avec Enrique, savez-vous combien il en a ? Des milliers !... S'il nous a par la force, rien ne nous demeurera. »* Et les bourgeois de s'écrier l'un à l'autre : *« Rendons-nous. Laissons aller don Pèdre. C'est un roi sans pitié. »* Mais je sais, moi, que l'usurpateur est aussi mauvais que Pèdre et que votre Guesclin est assoiffé de sang.

— Je vous approuve.

— Des hommes sont passés sans entrer dans la ville. Une avant-garde, sans doute. C'est ce qu'on m'a dit ce matin et j'ai bien cru que vous en faisiez partie... Des bourgeois hardis, je dois le reconnaître, se sont fait remettre les clés de Tolède pour aller les présenter au roi Enrique. J'imagine l'évêque mitré, crossé, accueillant le nouveau maître à bras ouverts : *« Noble roi ! Dieu vous veuille garder ! Voici ceux de Toledo qui vous viennent livrer les clés de la cité. Ils se rendent à vous et vous requièrent humblement que vous y veuillez entrer demain et que, de votre grâce, vous leur juriez de maintenir et garder leurs libertés et franchises. »* Et le roi d'approuver... Mais c'est un roi de paille. Nous le savons ici : c'est Guesclin qui décide.

— Je n'ai rien à vous apprendre.

— Hélas !... Guesclin est un fauve, une crapule... Garcie Alvarez, qui commande nos hommes d'armes, a décidé de résister. Il est maître de Saint-Jacques par la volonté de don Pèdre depuis la mort de don Fadrique et de Gonzalo Mexia, vieux serviteur d'Enrique... Sa résistance durera le temps de quelques sons de cloche... La juiverie de la cité tremble dans ses maisons et ses synagogues : quelques années avant cette guerre[1], nos Juifs ont fait en sorte de bouter Enrique hors des murs. Il s'en souvient certainement. Aussi s'attendent-ils à devoir acquitter une amende immense dès sa venue. Ils amassent en ce moment leurs joyaux et leurs maravédis... Ils s'effraient à l'idée que Guesclin peut entrer dans les murs.

— Ayant appris de quoi ses Bretons sont capables, je les comprends !

— Teresa et Simon sont Juifs, n'est-ce pas ?

— Oui.

— Craignez pour leur vie en dehors de Tolède. Si j'étais vous, je les laisserai chez moi.

Tristan sourit, touché par ce propos. Il avait eu cette pensée. Il se voyait exaucé.

— Leur grand-père m'a demandé de les mener dans leur famille. Un endroit, m'a-t-il dit, où nul ne les maltraitera.

— Où est-ce ?

— Guadamur.

— Bah ! fit simplement Pedro del Valle.

Et Tristan s'informa :

— Connaissez-vous un Julio Pastor dont la maison est proche de l'église *Santiago del Arrabal* ? C'est à lui que je dois remettre ces enfants. S'il est parti, je dois aller à Guadamur.

Pedro del Valle baissa la tête puis, faisant quelques pas et revenant à Tristan :

— Julio Pastor est demeuré fidèle à don Pèdre. Tellement fidèle qu'il a quitté Tolède avec lui... Sa femme est aussitôt partie pour Guadamur. On dit que sa vergogne est profonde et qu'elle ne veut plus revoir son mari.

1. En 1355.

— J'irai à Guadamur. J'en ai fait la promesse.

Tristan savait qu'il s'obstinait bêtement. Teresa et Simon eussent été heureux, choyés par Cristina et Claresme.

— Je n'ai point de souterrain pour nous sauver, dit Pedro del Valle, mais une cave où j'ai mis en réserve de la nourriture, de l'eau, du vin pour le cas où Toledo subirait quelques jours la loi de ses vainqueurs et les Juifs un nouveau martyre. Ce refuge, nul n'en pourrait découvrir l'accès...

Tristan refusa de la tête.

— J'ai promis, messire... J'ai vu, hélas ! ce que fut l'*auto da fe* de Briviesca où Guesclin ne fit aucune différence entre les Chrétiens et les Juifs. Où les hommes des Compagnies se livrèrent à un pillage qui fut une énormité... Ils s'en prennent aux cités parce qu'ils sont certains d'y trouver des richesses et de faire couler abondamment le sang... Voyez : je vous mets en garde...

Pedro del Valle sut qu'il n'y avait pas à discuter. Tristan fut consterné de son propre acharnement. Il ajouta, cependant – pour se rassurer lui-même :

— Nous sommes en nombre pour défendre ces enfants, car ce qui peut nous advenir, c'est une malencontreuse embûche... Nous partirons demain matin.

— À votre aise, *amigo*, mais vous commettez une erreur. Je vous mettrai sur le chemin de Guadamur. Ensuite...

— Puisse Dieu nous venir en aide !

II

Midi. Après que les hommes, recrus de lassitude, se furent levés tard, la matinée s'était passée en préparatifs de toute sorte. Les adieux s'étaient prolongés. Maintenant, à cheval, on traversait la *ciudad*. Tout de même que la veille, Tristan n'y sentait ni l'oppression d'un roi sanguinaire ni la langueur de l'Islam ni le laisser-aller d'une juiverie semblable à celles des grandes cités de France que ses pairs horrifiés nommaient des cloaques.

Il ne reverrait jamais Tolède ; aussi s'emplissait-il les yeux de ce qui composait cette ville – la plus belle qu'il eût vue. Les dorures entraperçues des églises, les céramiques des mahomeries, d'un bleu profond, azuré par l'âge, la blancheur veloutée des synagogues et l'éclat de toutes ces voûtes vénérables, quel que fût le dieu qu'elles exaltaient, s'imprimaient dans sa mémoire.

Monté sur un genet noir harnaché simplement, l'obligeant armurier les guidait à travers des rues étroites où retentissaient les tintamarres des heaulmiers et des dinandiers. Les devantures de leurs officines resplendissaient comme des dressoirs sous les feux du soleil, et la foule serrée se fût, semblait-il, méprisée de chercher l'ombre des encorbellements. Des enfants couraient, harcelant Paindorge et Petiton, tout en exaltant les merveilles des couteaux, des poignards qu'ils leur présentaient par la pointe, et parmi tant de bruits, de rires, de hurlades, leurs voix pointues, elles aussi, parvenaient à percer cette grande rumeur d'une vie qui se maintenait en dépit des saignées prodiguées par deux hommes qui, tout bien pesé, ne méritaient ni l'un ni l'autre la couronne de Castille. Ici, des femmes s'étaient groupées devant l'échoppe d'un écrivain public ; là, assis sur un parapet de la *plaza* de Zocodover, trois mendiants aux yeux hantés d'une curiosité sauvage semblèrent deviner la jouvencelle sous le pourpoint, les chausses et les heuses de Teresa.

— L'ombre vous manquera, dit Pedro del Valle. Il est dommage que vous commettiez une erreur. Je vous aurais fait visiter la cité.

— En partant maintenant, et pour ce qui me concerne, je réduis les regrets que j'aurais éprouvés.

Des femmes traversaient le pont d'Alcántara. Tandis qu'il admirait leur grâce voluptueuse, Pedro del Valle vint à la hauteur de Tristan :

— La langue castillane est fertile en mots pour louer la beauté des femmes. *Garbo*, c'est la grâce unie à la noblesse, *zandunga*, la grâce particulière aux dames d'Andalousie, un mélange de souplesse et de nonchalance, *salero*, la volupté provocante, *donaire*, le maintien et l'enjouement. On célébrera le *garbo* ou le *donaire* d'une noble dame, le *salero* d'une parvenue, la *zandunga* d'une fille de Jerez. Il faut être Espagnol pour épouser une femme de chez nous.

C'était possible. Quel homme épouserait Cristina ? Quel homme épouserait Teresa ? Elles étaient belles. Il ne savait si elles avaient du *garbo*, du *donaire* ou de la *zandunga*, mais elles étaient belles l'une et l'autre, et attirantes, et il eût bien « aimé » l'une ou l'autre

– avec son consentement. Luciane était si loin et Ogier, qui eût pu veiller sur la fidélité de son gendre, si loin aussi...

Il s'aperçut que Pedro del Valle lui parlait.

— Nous allons suivre un moment le cours du Tage, puis nous cheminerons dans des sentiers tracés parmi des roches. Tout en haut, je vous quitterai.

Ils n'échangèrent plus un mot. Serrano chantait, à l'arrière, mais pour lui seul. Tristan osa :

— Cristina est-elle fiancée ? A-t-elle un *novio* ?

L'armurier eut un triste sourire :

— Elle est notre fille unique... Elle veut entrer au couvent... Rien ne peut effacer cette idée de sa tête. *No hay remedio.*

À nouveau le silence.

— Dommage, dit Paindorge. Quand une fille est belle, Dieu pourrait s'en passer !

L'on rit, mais c'était un rire triste. Et comme il regardait la hanche de del Valle, Tristan s'aperçut qu'il avait ceint une épée dont le fourreau semblait neuf. Ayant chevauché à sa dextre, il ne l'avait pas remarquée.

— Voilà, mon ami Francés, nous sommes au sommet de la montagne... Non, ne vous retournez pas : vous verriez Toledo et le regret vous saisirait d'y avoir passé trop peu de temps.

L'armurier mit pied à terre ; Tristan, grave, en fit autant. Les autres demeurèrent en selle, sauf Teresa qui voulut embrasser le Tolédan :

— *Muchas gracias...*

Elle n'en dit pas davantage et tandis qu'elle revenait se jucher sur le paisible Babiéca, Tristan vit son dos secoué de sanglots.

— Cette enfant a peur, messire. Vous auriez dû me la laisser.

— Je le sais, mon ami, mais je tiens ma promesse.

L'armurier déboucla sa large ceinture d'armes. Tristan, ébahi et admiratif, vit que le fourreau en était de cuir bleu, serré par quatre viroles d'argent et d'une bouterolle qui peut-être était d'or.

— Prenez ceci, messire.

— Quoi !... Mais je ne veux...

— Prenez donc, *amigo mío !* C'est une *espada* que j'ai décidé de vous offrir. J'ai décelé en vous un preux, comme vous dites. Et c'est un grand plaisir qu'on se fait à soi-même de faire honneur à quelqu'un qui vous plaît... Je vous laisse le soin de lui trouver un nom.

— Messire, je n'ose...

— Osez !... On dit de nos lames qu'appuyées sur un bouclier, elles se plient comme un roseau... et cependant, elles tranchent un heaume sans s'abîmer.

Tristan s'était senti rougir. Un pareil présent ! Il déboucla sa ceinture d'armes et la tendit, lourde de son épée, à Paindorge, puis il ceignit celle de Pedro del Valle dont il avait admiré la cordouannerie. Alors, seulement, il tira la lame du fourreau.

— Vous savez l'art, Pedro, d'éblouir vos amis !

C'était une arme simple. Son pommeau en façon de petit ciboire contenait peut-être une relique. La prise, à une main et demie [1], couverte de cuir vermeil, était serrée par un entrecroisement de fils d'archal. Ses longs quillons plats, sobres mais luisants comme s'ils avaient été argentés, légèrement infléchis vers la pointe, se terminaient en « fer de hache ». Allégée par une gouttière sur les deux tiers de sa longueur, la lame portait gravés près de sa garde d'un côté un lion et de l'autre le monogramme de l'armurier.

1. La longueur de cette prise permettait de manier l'épée d'une seule main à cheval, des deux mains lors d'un combat à pied.

— Qu'en dites-vous, messire ?

— Elle est... magnifique ! affirma Tristan.

L'acuité de son émoi le faisait frissonner. Quelque chose d'impétueux, soudain, se mêlait à son sang, et son cœur sous ce flux menaçait d'éclater.

— Ah ! comme je suis heureux, messire ! L'excès de joie rend aussi fiévreux que l'excès d'angoisse. Cette fièvre est celle de la certitude de ne pas être atteint, jamais, par un quelconque acier !... Je le sens : cette épée sera magique. C'est la nouvelle Excalibur !... Quel dommage que nous devions nous séparer. J'aurais aimé partager avec votre épouse, votre fille, vos gens et mes hommes ce moment de félicité que vous me dispensez-là !

L'index de l'armurier toucha le pommeau de bronze doré dont la forme avait étonné Tristan. Sa voix changea pour une confidence :

— Vous en tournez le haut et la *tapadera*... le couvercle pivote et reste dans votre main. Dedans, une poudre grise... invisible dans un liquide. C'est un poison pervers. Si vous devez un jour vous venger mortellement de quelqu'un, une pincée, dans un hanap, suffira... Vous êtes trop honnête pour ne pas avoir d'ennemis.

— Holà ! mon ami, vous avez tout compris.

— L'Espagne est faite de sang, de volupté, de milliers de rancunes mortelles contre lesquelles il faut se prémunir. Nul ne soupçonnera que cette arme peut être triplement homicide : l'estoc, la taille et le pommeau. Il est aisé, si les événements s'y prêtent, d'assaisonner le vin ou la cervoise de celui qu'on déteste et dont le trépas sera inexplicable... Et j'y reviens : à votre place, je n'irais pas à Guadamur. Au prochain chemin, j'obliquerais à senestre et chevaucherais jusqu'en Alarcón. C'est une île de pierre entre des précipices. Une petite cité défendue par un gros château. Il appartient à Martin Ruiz de Alarcón[1] auquel j'ai fait une armure. C'est un pays perdu. Il faut passer par Sonseca, Mora, Tembleque, Quintanar de la Orden et Belmonte. En lui disant que vous venez de ma part, Martin Ruiz vous accueillera.

— Eh bien, dit Tristan, si nous ne trouvons personne à Guadamur, nous irons mettre ces deux enfants sous la protection de Martin Ruiz.

Déjà, Pedro del Valle était en selle. Déjà, il remuait une main en signe d'adieu. Puis il fit brusquement galoper son genet et disparut derrière un détour de la pente.

— Quel homme ! dit Paindorge. Est-il pour Pèdre ou pour Enrique ?

— Il est pour continuer de forger ses armures.

— Tolède, dit Petiton, s'attend à un assaut. Avez-vous vu sur tous les murs ces tristes-à-pattes[2] ?

— Non, avoua Tristan.

— Vous étiez dans vos pensées... Ça se voyait !

Eudes eut un bref éclat de rire. « Que croit-il ? Que je songeais à Cristina ?... Peut-être. » Serrano remua les cordes de sa guiterne puis chassa l'instrument dans son dos. Alors, sans trop les observer, Tristan s'aperçut que ses compagnons avaient le cœur gros. Ils eussent voulu rester là, sur ces rochers dominant Tolède, pour voir une seconde fois le crépuscule du soir déployer ses féeries sur cette cité d'un rose comparable à celui de la chair. Et c'était bien une cité charnelle qu'ils abandonnaient. Devant eux, en une ligne indéfinie piquetée d'ifs et bourrelée d'oliviers, s'ouvrait le petit

1. Depuis le 17 mai 1345.
2. Sergents du guet.

chemin de Guadamur. Il semblait que très loin s'enfantaient des orages.

*
* *

Le soleil s'enivrait d'être seul dans le ciel. Aucun nuage. Aucun oiseau. Les mains semblaient fondre sur les rênes. Seuls les chevaux avançaient sans ressentir apparemment ces brûlures qui incommodaient tant les hommes dont les pourpoints humides se tavelaient de taches brunes.

Petiton se détourna vers Simon :

— Mon gars, les premiers mots que je dirai à ta vieille taye [1] seront ceux-ci : « *À boire !* » Et je viderai trois chopines d'eau claire.

— Dès ta dernière gorgée, compère, approuva Tristan, tu feras boire nos chevaux. Ce sont d'excellentes bêtes.

Il caressa l'encolure d'Alcazar qui, tout vaillant qu'il fût, commençait à baver et à secouer la tête en tous sens.

— Moi, dit Lebaudy, j'aimerais dormir.

La voix de Serrano succéda aux premiers accords de sa guiterne :

Nadie se acérque à mi cama
Que estoy consumir de pena
El que muere de mis males
Nenito de mi querer
El que muere de mis males
Hasta las ropas le queman [2]

1. Tante.

2. Que personne ne s'approche de mon lit : / Je suis consumée de chagrin. / Celui qui meurt de mon mal, / Chéri de mon cœur, / Celui qui meurt de mon mal, / Jusqu'à ses effets on les brûle.

— Je ne comprends rien, dit Jean Lemosquet, mais il chante bien. Chez nous, on dit qu'un mauvais chanteur amène la pluie. La bonne chance n'est point de notre côté.

Dos besos, tengo en el alma
Que no sé apartan de mi
El último de mi madre
Y el primero que te di [1]

Le chant s'interrompit brusquement. Quelques maisons venaient d'apparaître. Leurs murs et leurs toits noirs, les arbres nus, lugubres, qui se dressaient au centre et sur le pourtour du hameau révélaient qu'on avait perpétré quelques crimes. Et qu'ils étaient récents : des cendres fumaient encore.

— Merdaille, dit Paindorge.

Un nom vint aux lèvres de Lebaudy :

— Naudon ?

— Non, Girard. Bagerant n'est pas un incendiaire. Je crois fermement qu'il recherche avec ses deux compères le meurtrier de la reine Blanche.

— Alors qui ? demanda Eudes.

Tristan n'osa se retourner bien qu'il eût deviné que Babiéca s'approchait, mené par Teresa d'une main sûre.

— *Que pasa ?*

Elle découvrit alors les ruines au-delà d'un pré où, entre deux poteaux, du linge mis à sécher flottait encore comme les parures oubliées d'une tragique fête païenne.

— *Vamos a ver ?*... Oh ! pardon : nous allons voir ?

— Je crains que...

1. Deux baisers j'ai dans l'âme / Qui ne me quitteront pas ; / Le dernier de ma mère / Et le premier que tu m'as donné.

— Ne craignez rien, messire Tristan. J'ai d'autant moins peur que je ne connaissais pas ces parents chez lesquels mon grand-père nous envoyait, mon frère et moi... Et à Burgos, j'ai vu contre mon gré tant de répugnantes choses...

Ils avancèrent.

Bientôt, après la traversée du pré, les feuilles noires ou roussies des arbres étendirent un dôme de deuil au-dessus de leurs têtes. Peu de bruits troublaient les lieux : les frissements de quelques oiseaux brusquement envolés, le murmure du vent déplaçant un bout d'étoffe ou quelque fleur séchée, le craquement d'un chevron rongé par le feu et cédant peu à peu à la pression d'un débris de toiture. Des maisons avaient résisté : elles étaient debout, noires, béantes – comme inachevées dans le malheur. Pas une âme. Une sorte de paix charbonnée. On voyait çà et là des débris de faïence, des poteries cassées, des lits rongés avec leurs draps, des chiens morts et même une vache dont on avait découpé une cuisse. Voilà ce qui subsistait d'un bourg où la vie, sans être délicieuse, avait suivi un cours pacifique ; une vie simple, active et contemplative avec en son centre une église. Il n'en subsistait qu'un clocher noirâtre dont la campane avait chu sur un amas de poutres et de plâtres calcinés.

— Qui ? demanda Paindorge. Messire, il nous faut voir s'il reste des vivants.

Il désignait une maison qui semblait n'avoir subi aucun dommage.

Tristan mit pied à terre.

Travaillée en quartiers de bois carrés et rectangulaires, la porte était percée d'un guichet à treillage. Avant de la pousser, penché contre les croisillons, Tristan vit un intérieur d'une simplicité extrême dont plus un meuble n'était debout. Les ustensiles de la cuisine et du ménage et deux belles lanternes tolédanes avaient été fracassés. Il hésita, trouvant cette vision de mauvais augure.

— Faut savoir, dit Paindorge en levant le loquet.

Tristan suivit son écuyer.

— Qui ? demanda-t-il. Regarde, Robert : il y a du sang sur ce mur... et ces trous comme si on y avait crucifié quelqu'un. Et vois les marches de l'escalier... Pour qu'il y ait autant de sang, c'est que plusieurs victimes sont en haut... Non, ne montons pas : notre courroux augmenterait et il nous faut contenir notre répugnance...

Ici, sans qu'aucun corps fût visible, tous les maux et perversités de la guerre semblaient réunis et lugubrement exaltés. Et cette paix de sang distillait d'autres malheurs.

— Moi, je monte... Il peut y avoir des vivants.

Tristan se résigna, piétinant sang et sanie. Ils découvrirent trois portes closes et Paindorge poussa la première.

La chambre avait l'aspect d'un gîte monacal, comme attesté par la présence d'un crucifix au-dessus de la tête d'un lit aux draps froissés, d'une couleur affreuse. Murs blancs tavelés de rouge. Sur le plancher gisaient six femmes nues, aux cheveux défaits, mortes, enchevêtrées. Leurs yeux exorbités exprimaient une terreur infinie. Le manche d'un couteau sortait du ventre de l'une d'elles. Trois autres avaient au cou une traînée rouge, béante. D'une autre on ne voyait que l'avers d'un corps splendide d'où sortait, d'entre les cuisses, la hampe d'un tisonnier. La dernière, une jeunette, ne portait aucune trace de blessure ni de coups orbes : il semblait qu'elle fût morte de peur en assistant au viol des autres.

— Seigneur ! dit l'écuyer, mains jointes, d'une voix

pâle, rompue. Pourquoi acceptez-vous ces hideurs sans pareilles ?

À ce moment Tristan aperçut Serrano debout dans le chambranle. Il était arrivé sans qu'on l'entendît. Son expression révélait que, dans les pièces voisines, il avait découvert d'autres victimes. Il semblait résister à l'envie de vomir. Il regardait ces corps et ces visages qui, pleins de vie, avaient dû susciter le désir, voire la passion. Seul un frémissement de sa bouche aux lèvres serrées révélait un émoi, une indignation, une impuissance.

— Les pauvresses, dit-il. Et ce sont de vos compagnons qui ont commis ces violences...

Tristan l'approuva d'un cillement des paupières. Il se sentait incapable de dire un mot, d'accomplir un mouvement. Il regarda la jeune morte avec une attention tout à la fois farouche et effarée comme si, seul témoin intact de ces énormités, elle allait lui révéler quels en étaient les auteurs. « Intacte », avait-il songé. Non : elle ne l'était point : il suffisait d'abaisser son regard pour savoir que vierge, elle avait été souillée vivante et sans doute morte. Elle savait ce qu'il ne savait pas. Il sentit se déployer en lui une férocité dont il enragea qu'elle fût inutile.

Il redescendit en frissonnant, évitant de glisser sur les degrés et de ne point souiller ses vêtements au contact des murs. Eût-il vu une miette de sang sur sa peau qu'il eût hurlé d'horreur et d'indignation.

Dehors, il frotta longuement ses semelles sur le sol, dans la poussière, dans l'herbe, et s'aperçut que ses jambes le portaient à peine. Il se hâta vers son cheval et s'accrocha au pommeau et au troussequin de la selle. Il demeura ainsi un long moment, le front contre le cuir tiède et rude, les yeux clos, grognant et grommelant comme une bête blessée.

— Ah ! messire, s'indigna Paindorge qui venait de raconter aux autres ce qu'il avait vu. Fallait-il que nous venions de si loin pour voir de telles abjections ?

— Ceux qui les ont perpétrées, Robert, ont commis les mêmes dans notre royaume. Ne l'oublie pas. Et n'oublie pas que le Pape les a bénis !

Tristan secoua sa tête pleine d'images épouvantables au-dessus desquelles se détachait le visage de la pucelle. Il frémit en lui substituant Teresa qu'il n'osait regarder : quelles que fussent l'horreur et la pitié qui l'agitaient, il se devait de les lui dissimuler. Serrano accomplissait désespérément cet effort, mais sa lividité trahissait sa détresse.

— Il faut partir, messire, dit Paindorge.

Oui, partir. Aller à l'aventure. Peut-être aller au-devant d'autres sangs, d'autres tueries. Qui avait fait cela ? Qui pouvait se livrer à de tels crimes ? Chaque jour qui passait semblait accroître, chez certains, cette volupté de mort abominable. Naguère, lui, Tristan, s'était mêlé aux êtres avec une soif de sortir de lui-même, de prendre sa part de vie, de bonheur avec eux. Le bonheur existait-il ? Pourquoi se sentait-il seul, maintenant, parmi ses compagnons ? « Les venger ! » Mais comment ? Était-ce son rôle ?

Il tapota son épée. Il avait besoin de la sentir présente. *Neuve*. Capable de l'aider. Capable d'occire. Capable d'empoisonner. Capable, elle aussi, de cruautés. Il vit que Paindorge avait sa Floberge à la hanche et n'en ressentit aucun dépit.

— Messire, il faut partir, dit soudain Teresa. J'ai peur...

Pâle, figée sur son genet immobile, elle imaginait tout, elle aussi, et luttait contre un vertige funèbre. On eût dit qu'elle sentait, avec une irrésistible et foudroyante évidence, que son existence avait la fragilité de ces feuilles mortes où le vent lui-même ne se hasardait pas. Et parce qu'elle pensait à la mort et se sentait plus forte que Simon pour l'affronter, elle sourit à son frère au visage enfoui dans le dos de Petiton, mais qui venait de la questionner d'un regard.

— *Mucho ánimo, Simon.*

Elle avait du courage pour deux.

— Qui ? demanda-t-elle ensuite.

— Comment le saurais-je ? répondit Tristan qui croyait savoir et se taisait dans l'attente d'une confirmation.

— *Enrique es una mierda !* lança Simon plus que jamais cramponné à Petiton dont il avait fait son ami et confident. *Muy poco tiempo aquí !*

— Qu'est-ce qu'il dit ? demanda Lebaudy.

— Que nous devons rester très peu de temps ici, dit Teresa.

— Il a raison, dit Yvain Lemosquet. Partons, messire. Tout est mort en ce lieu. Trouvons cet Alarcón où nous serons à l'aise.

— Je vois un abreuvoir là-bas, dit Eudes, le bras tendu.

Sous une mince couche de cendre que les frères Lemosquet s'employèrent à enlever, l'eau apparut, transparente. La mule et les chevaux burent un par un tandis qu'Eudes et Paindorge, qui s'étaient éloignés, revenaient avec une amphore de vin et deux gobelets. On but.

— Ce sont sûrement les Bretons, dit Paindorge.

— Quelles preuves pourrais-tu nous fournir que ce sont eux ?

— Ah ! messire... Vous savez comment ils ont bretonné certains pays de France où nous sommes passés. Vous savez ce qu'il est advenu de Mantes et de Meulan... et d'autres cités du Beauvaisis... et à Briviesca !

Ils avancèrent. Ils savaient qu'ils devaient chevaucher vers l'est, presque droitement. Ils quittèrent les arbres noirs pour cheminer sous des frondaisons rousses, puis vertes. Les lointains étaient verts, eux aussi, striés de gris et de rouge.

— Ils ont dû faire une grosse flambe et jeter les morts sur ce bûcher.

— Non, Petiton. Les morts sont dans les maisons.

— Il nous faut gagner la prochaine ville.

— Certes, Paindorge, mais nous devons craindre pour nos vies. S'ils ont appris à la fois la hideur de Briviesca et l'exil[1] de Guadamur, les Espagnols peuvent nous traiter en ennemis.

— Nous avons Teresa et Simon pour leur prouver que nous sommes honnêtes, dit Serrano. Et moi, oubliez-vous que je suis là pour affirmer ce que vous êtes ?

C'était vrai. L'abominable fin de Guadamur[2] avait fort éprouvé le trouvère. Tristan se souvint de l'avoir vu vomir sous un porche. Il n'était pas de ces hommes sur lesquels on pouvait compter dans un combat mais il pouvait être un témoin secourable.

Ils repartirent tête basse, insoucieux du soleil et de l'air dessicant. Nul n'osait plus parler. Une obsédante vérité oppressait Tristan cependant qu'il guidait Alcazar dans des pierrailles. Sa peur de n'être point assez fort pour protéger Teresa et Simon s'était accrue. Il priait pour qu'ils pussent échapper à la malédiction qu'il devinait au-dessus d'eux. Il sentait ses lèvres se gercer, sa volonté se racornir, son énergie sourdre de

1. La destruction.

2. Le merveilleux château de Guadamur n'était pas encore bâti. Il le fut – coïncidence singulière – par un certain Pedro López de Ayala, de 1444 à 1464.

sa chair dans les rigoles de sa sueur. Ayant rompu depuis trop longtemps peut-être avec la Langue d'Oc soleilleuse, il ne pouvait s'acclimater à une Espagne où dès avril régnait cette chaleur épaisse à laquelle ses compagnons semblaient résister mieux que lui, sans doute parce qu'ils n'avaient à se soucier que d'eux-mêmes et de ce qu'ils mangeraient et boiraient à la vesprée. L'isolement indu qu'il en éprouvait devenait du mésaise et parfois de l'envie. Il eût aimé avoir la tête et le cœur vides. Fréquemment tourné vers Teresa, il la sentait plus attentive à ce qu'il faisait qu'à sa propre destinée. Il obtenait d'elle un sourire. Ce témoignage d'amitié débordait d'une délicate tendresse, d'une confiance sans réserve. C'était le gage fugace, immatériel, qui le rassurait tout en lui fournissant le désir de réussir dans une entreprise où il exposerait peut-être sa vie et celle de ses compagnons. « *Dieu, comme nous sommes perdus !* » La journée multipliait ses ors et aggravait sa pesanteur. Très loin s'éployaient des traînées de verdure : des bois, si ce n'était une forêt. Entre *eux* et ces limites, rien de vivant hormis une buse qui, après quelques circonvolutions en vol plané, battait des ailes vers Guadamur. À l'est, il existait peut-être un ou deux hameaux et c'était au-delà qu'ils apercevraient Sonseca puis Mora ou Tembleque ; mais jusque-là, ils seraient toujours soumis à cette inquiétude ou à ce mystère qu'il n'avait, quant à lui, jamais éprouvé auparavant, même en des occasions plus terribles. Il ne pouvait remédier à cette gangrène qui se développait au plus sombre de son esprit et qui parfois, soudainement, précipitait les battements de son cœur.

— Nous aurions dû rester à Guadamur et cheminer de nuit.

— De nuit ? s'étonna Paindorge. Certes, nous n'aurions pas à supporter cette fournaise, mais nous nous égarerions. Teresa et son frère eux-mêmes ne connaissent pas ce pays.

— J'ai la sensation qu'on nous précède... de peu... À vrai dire, je crains une embûche.

— Bagerant ?

— Pas lui, mais Espiote. Il a pu parler à d'autres, leur dire où nous étions.

— Quels autres ?

— Flourens et les compères qu'il aura subjugués peut-être avec l'assentiment de quelques grands de notre armée... Ils doivent approcher de Tolède, et s'ils en sont encore à une ou deux lieues, ils ont certainement envoyé quelques compagnies en avant-garde... Robert, pour tout te dire, j'ai peur. Pas pour moi ni pour nous, les hommes, mais pour Simon et Teresa. L'angoisse me serre la gorge. Tandis que nous étions à Tolède, Flourens a pu passer.

— C'est vrai, mais...

— Quand je l'ai engagé à nous suivre, je lui ai trouvé bon visage. J'aurais dû m'en défier.

— Craignez-vous que Petiton et Eudes nous fassent défaut en cas d'une embûche préparée par leur ancien compère ?

— Non. Ce que je crains, c'est que nous soyons en trop petit nombre pour défendre ces deux enfants. J'aurais dû sans souci les laisser à Burgos.

— Vous avez trop de cœur. C'est gênant pour un homme d'armes... Et puis quoi ! C'est l'aïeul de Teresa et de Simon qui a insisté pour que vous les emmeniez. Cependant moi, messire, à Tolède, je serais demeuré un jour chez Pedro del Valle, puis je lui aurais confié les enfants.

Serrano s'approcha, la guiterne à la hanche car il portait Simon en croupe.

— Voilà que nous descendons.

Le chemin s'inclinait et la terre à l'entour. Il y avait, à quelque cent toises, une sorte de crête d'où émergeaient quelques feuillages, ce qui laissait deviner une pente plus forte et sans doute un ravin. Alcazar s'arrêta, les naseaux frémissants, soucieux de quelque chose qui se dégageait de cet invisible chaudron de pierrailles.

— Eh bien ? fit Paindorge, indécis. Voilà que Tachebrun hésite.

Il y avait soudain, autour d'eux, un air qui les étouffait et les inquiétait tout autant que leurs chevaux. Et ils ne pouvaient se rassurer l'un l'autre. Alors, en même temps, leurs regards s'abaissèrent. Le sol grenu portait des marques de sabots, les unes distinctes, les autres non, car piétinées.

— Combien selon toi, Robert ?

Une anormale flambée d'anxiété broyait le cœur de Tristan : « *Et s'ils sont là, dans cette fosse... Il nous faut les éviter. Ce sont ceux de Guadamur.* » Malaisance !... Elle le tenaillait plus encore qu'à Poitiers et Brignais.

— Au moins trente, peut-être quarante, évalua Paindorge. Voyez Alcazar comme il tremble !

Le blanc coursier avait flairé une occulte présence, et Tachebrun, maintenant, semblait contagionné par un effroi similaire. Oui, l'air qu'on respirait ici était pesant, comme saturé d'une oppression de mort et d'espérances anéanties.

— Faut faire demi-tour. Reprendre le chemin plus loin...

Tristan s'étonna d'avoir les lèvres tellement sèches que sa voix ne les franchissait pas. Oui, il fallait rebrousser chemin. Au galop. *Mais il était trop tard :* ils étaient là, bien visibles, comme surgis du sol. Ils avaient une flèche encochée à leur arc. Douze. D'autres devaient grouiller sur une pente roide.

— Halte, messire Tristan. Vous n'allez pas nous quitter ainsi !

Flourens !

D'un coup d'œil, Tristan vit la barbute, les mailles d'une *jazerine* à franges, l'épée nue du drôle, puis l'expression de triomphe qui animait ses traits, et enfin ses yeux noirs illuminés de feux terribles.

— Ça sent mauvais, Robert, dit-il entre ses dents.

— Dites plutôt que ça pue ! grommela Paindorge.

Ils observaient les archers. Ils en connaissaient certains. Maints Bretons, des routiers de la bande d'Espiote, des sectateurs du Trastamare. Aucun Anglais.

— *Que passa ?* demanda Serrano.

— Descendez, dit Flourens. Nous sommes bien une trentaine. Résignez-vous.

L'injonction proférée sur un ton impérieux, tellement affété [1] qu'il prêtait à rire, cingla cependant Tristan. Il rayonnait, Flourens ! De force, de santé, de malveillance. Une abondante joie dilatait et empesait sa face de huron coincée entre les jouées de sa coiffe de fer. Tristan eut la vision immédiate du regard triomphant de ce drôle quand il enfourchait les femmes et les filles résignées à le subir, pantelantes, défaillantes de peur et de répulsion après qu'il les eut meshaignées. En présence du vulgaire, il pouvait passer pour un chef. Les hommes qu'il avait subjugués étaient à sa semblance : des fredains [2] sans âme et sans scrupule, armés, outre leurs arcs et leurs épées, d'une hautaineté d'airain.

— Descendez !

1. Plein d'affectation.
2. Scélérats.

— Reste en selle, Robert. Surveille les enfants.

À peine à terre, pendant que Flourens reculait par crainte d'un coup de lame, Tristan se sentit saisi aux bras par deux malandrins, – ce qu'il ne put tolérer. Il se dégagea violemment. Un de ses agresseurs glissa, tomba sur son séant, jura : « *Hijo de puta !* » et sitôt debout dégaina un long couteau dont la pointe effleura la gorge du « *puerco de Francés* ». Il fallait reculer. Tristan savait qu'en deux mouvements prompts et précis, il pouvait empoigner et dégainer son épée.

— Que voulez-vous ?

— Tes otages ! dit Flourens, le visage pâli d'une rage effrénée. Bertrand exige que tu les lui rendes.

— Je n'ai aucun otage. Je n'ai rien robé à Bertrand.

Tristan dut faire un bond pour éviter le plat d'une épée bretonne.

— Holà ! fit Paindorge. Que te prend-il, huron ? Écarte-toi de ce chevalier ou je vais t'enseigner le respect !

Tristan sentait des picots d'acier sur son pourpoint. Deux. En armure ou haugergeon, il eut combattu ces démons fervêtus. Il devait gagner du temps. Il semblait qu'ils fussent tous là, maintenant. Une trentaine.

— *Baja del caballo !* hurla un Espagnol à Paindorge.

Était-ce un chef ? Une cotte de lin couvrait en partie ses mailles. Elle s'ornait, à l'emplacement du cœur, d'un écu sur l'argent duquel se dressait un taureau de sable défendu d'or et vilené de vermillon [1].

— Mais qu'est-ce que ça veut dire ! s'écria l'écuyer. Tu prétends me commander, face de bœuf !

Tiré par une jambe, Paindorge chut de son cheval,

1. En terme de blason : *défendu* : corné d'or ; *vilené* : se dit de tout animal mâle dont la verge est d'un émail particulier.

se débattit, frappa un homme et brandit sa lame. Tristan tira la sienne. Des cliquetis lui signifièrent que ses autres compères s'engageaient dans un combat difficile auquel les archers prenaient part – du poignard et de l'épée.

— Hardi, mes compères ! Sus aux Bretons, les autres ensuite !

Tristan jouait furieusement l'épée. Occupé à contenir Flourens qui maniait la sienne aisément, il entendit un cri : celui de Teresa. Nul besoin de la voir. Il savait qu'on l'avait jetée à terre ; qu'on l'avait ceinturée. On devait la saisir par les bras et les jambes. On l'emportait à l'écart, hurlante, angoissée, indignée. Il fallait se libérer pour la délivrer en hâte. Maintenant, Simon aussi criait à l'aide !

— Je l'aurai enfin, cette Juive. Promesse de Flourens : je l'enconnerai devant toi !

Tristan désengagea son arme et voulut trancher la cervelière du malandrin. Son épée monta sans parvenir à déjouer la vigilance adverse. Un rire. Eh bien, il fallait attendre et espérer. Les autres se battaient. Tous. Même Serrano qui n'avait pour se défendre que sa guiterne et qui ne la ménageait pas. Il était certain qu'elle se romprait et que le trouvère serait bientôt à la merci d'une ou plusieurs lames.

Un cri. Eudes. Il était touché. Puis ce fut le hurlement d'Yvain Lemosquet. D'autres. Ennemis.

— J'aurai tes deux Juifs ! J'ai tous les droits. Tous les pouvoirs !... On te ramènera devant Bertrand avec eux !

Tristan rageait. La forcennerie qui l'animait ne tarissait pas. Elle avait deux raisons : Teresa et Simon. C'était comme s'ils eussent été ses enfants. Il entrevit le groupe de houssepigneurs qui n'avait pas cru bon de participer au combat : une quinzaine. Parmi eux Orriz et Couzic. Il entendit des cris encore : Teresa et Simon se débattaient.

— Tu vas me payer cette amise-là[1] !

Il ne connaissait aucun mot susceptible d'exprimer tout à la fois sa haine et sa hargne envers Flourens, envers ces males gens. Des secousses ébranlaient les épées autour d'eux. Flourens faiblissait. Des clameurs naissaient et s'éparpillaient. Joie. Mort. Des sanglots. Ceux de Simon. Une épée battit désespérément l'air : celle de Jean Lemosquet. Un homme agenouillé, les mains sur sa poitrine, un Breton de Brignais : Quintric. Un autre qui battait désespérément l'air de ses bras, puis s'effondrait. Un autre, un Breton, émule acharné du sieur Guesclin : Le Karfec. Sale race ! Et un Espagnol : celui du taureau armé d'un vit rouge. Serrano venait de troquer sa guiterne contre une épée ramassée quelque part.

Le cri strident de Teresa qu'on arrachait à son frère.

Et soudain, dans le dos, cette flamme angoissante. « *Une lame ! Je suis atteint !* » On l'avait estoqué en traître. Il devait... Non, s'il se retournait, Flourens le perçait aussi !

Un visage : Couzic. Il était revenu sur ses pas. Éclair féroce et passionné dans l'œil de ce trigaud[2] qui disait à Flourens :

— Il t'appartient, maintenant. Achève-le !

Tristan se rendit compte qu'il faiblissait. Que ses mouvements devenaient aussi flous que son regard. L'impression de puissance qu'il avait tout d'abord éprouvée n'avait-elle été qu'une illusion démente, une ivresse d'agir aussi méchamment qu'un routier, la jouissance d'occire bien et vélocement ? Son corps

1. Mauvaise action.
2. Qui n'agit pas franchement.

blessé ne protestait pas : ses membres obéissaient toujours à sa volonté, mais il n'en obtiendrait pas l'efficace qu'il en avait espéré. Sa lucidité grossissait. Il se maltraitait l'âme :

« Il te fallait rester à Tolède !... Tolède !... Tu as péché par orgueil et par inconséquence !... Tu n'es qu'un pauvre nicet[1]. La honte de tes hommes qui auraient dû te fuir ou t'abandonner à Guadamur ! »

Il ne méritait pas l'épée qu'il maniait. Belle. Juste à ses mains.

Flourens persévérait dans ses attaques. Savait éluder les coups.

Le souvenir de son rire féroce, du regard concupiscent de Couzic sur Teresa, les voix bretonnes autour de lui, – plus rares donc plus fortes – lui étaient aussi intolérables que s'il avait été assailli par un essaim de mouches noires. Impossible de détruire Flourens. Ce mal dans le dos... Ses muscles qui se regimbaient...

— Non !

Il avait hurlé. L'espèce d'épervier aux mailles impondérables, étroites, pesantes, dans lesquelles son corps s'empêtrait, se lacéra. Il put puiser au tréfonds de lui-même la volonté et la volupté de mort qu'il avait appelées à sa rescousse.

Dieu ?

Il agissait sous des encouragements qui n'étaient plus siens. Rien n'existait d'autre que le bruit des marteaux acharnés sur ses tempes. Il se hâtait, désespéré.

— Tu vas périr Flourens.

— Non !

— Je te foutrai de mon épée !

— Non !

1. Naïf, niais.

— Tu ne peux maintenant ni m'occire ni gauchir[1].

— Présomptueux. En tout cas, je voulais Teresa et je l'ai obtenue.

— Tu n'as obtenu qu'un vent d'acier sur ta tête... Et tes compains s'en vont, je crois.

Le malandrin ne se détourna pas.

— Je ne sais où t'atteindre... Et puis, si : je le sais. Je m'en vais te hongrer. T'ôter les pruneaux !

— Voire !... eu eu eu...

Flourens tressaillit. Le fer d'une sagette apparut sur sa poitrine. Il chancela. Qui ? Petiton ! Un lambeau de douleur... Flourens mort. Mort !... Crevé ! Devant, l'herpaille[2] des Bretons enfermait Teresa et son frère. Ce groupe se désagrégeait pour former des ombres étranges, galopantes. Et ce cri de Couzic à lui seul destiné :

— Si tu n'es pas content va te plaindre à Bertrand !

Tristan essaya d'affermir ses jambes. L'étincelle de vitalité qui subsistait en lui faiblit subitement. Il comprit qu'il allait s'affaisser et entendit la voix de Paindorge :

— Messire !

Il sentit venir la pâmoison mais, en cet ultime instant, entre la lumière et les ténèbres, il éprouva un frisson glacé en même temps que l'envie de résister encore et encore à cette volonté qui le saisissait à bras-le-corps dans l'intention de le faire tomber. Cette force immense était-elle celle de la mort ?

*

* *

1. Esquiver.
2. Troupe de brigands.

Lorsque ses paupières lourdes, enfin, se décollèrent, Alcazar le portait. Il pouvait donc aller à cheval. Vers quoi ? Il était comme un cerf ou un sanglier blessé, anxieux de savoir s'il atteindrait sa reposée [1]. Une sorte d'obscurité pesait sur ses prunelles. « Ce renié [2] qui m'a empoint dans le dos ! » Il ne sentait pas sa blessure ; cependant, quand il chut dans un heurt effrayant, il hurla de douleur et de malerage.

— Messire... mes... bredouilla Paindorge en le relevant et soutenant de ses bras passés sous les aisselles, nous ne pouvions demeurer là-bas...

Ébloui, soudain, par le soleil, Tristan ne distingua que l'ombre incertaine de l'écuyer dont la main se posait sur son front, humide et chaude, et cependant bienfaisante. Il remua et poussa un grognement.

— Robert... Soulève-moi et aide-moi à revenir en selle.

— Vous êtes...

— Je veux fuir ces lieux horribles.

— Horribles, en vérité. Eudes est mort. Petiton est mort. Jean Lemosquet est mort. Ils dorment sous de grands draps de pierres... Yvain, lui, est vivant. Une taillade à l'épaule.

— Lebaudy ?

— Je suis là, messire. Je souffre d'une hanche.

— Moi, messire, une lame m'est passée près du cou... Je saigne... Moins que Serrano... Sa main qui pinçait les cordes a été malement touchée.

— Teresa et Simon ?

— Emmenés... Hélas ! on ne pouvait contrester [3] à quinze hommes. C'était périr pour rien. Nous avons

1. Lieu où un animal blessé cherche refuge.
2. Renégat.
3. Résister.

décidé de revenir à Guadamur : on n'exile pas deux fois un village anéanti... Nous ne pouvons plus rien pour nos deux Juifs...

— Je les vengerai !... Aide-moi à me jucher sur Alcazar... Nos chevaux ?

— Nous les avons tous, sauf l'Arzel et ceux de Petiton et d'Eudes. Il nous reste Malaquin, Cristobal, Babiéca, Nestor, Coursan, Tachebrun, les deux sommiers, Carbonelle et Pampelune... C'est trop, si vous voulez mon avis.

— Pauvres enfants ! Pauvres amis !... Tout est ma faute... Je les vengerai.

— Nous nous y emploierons, messire, grogna Lebaudy, sans conviction.

— Paindorge et Yvain, mettez-moi en selle. J'ai mal, mes gars ! J'ai mal !

Ils chevauchèrent lentement. Les feux du soleil, par l'entremise de la sueur, avivaient ceux de leurs blessures.

Guadamur apparut. Le village meurtri n'était pas vide comme lors de leur premier passage. Une douzaine d'hommes et de femmes apparemment hostiles observaient attentivement leur approche. Un homme leva le poing, un autre une fourche et une commère une faucille à long manche.

— Crie-leur, Serrano, que nous sommes honnêtes.

C'en était trop pour Tristan. Un frisson glacé le transperça. Il chut à nouveau sur le sol, mais cette fois sans un cri ni souffrance.

*

* *

Un visage se penchait au-dessus de sa tête. Émergeant du tréfonds de la nuit, Tristan cilla des paupières. Un nom déchira sa bouche :

— Teresa.

Elle avait des yeux noirs, longs et larges, extrêmement brillants.

— Teresa !

Lors de cette première lueur de lucidité, une bienheureuse pensée domina son angoisse : *ils* avaient épargné Teresa. C'était sa main qu'il avait sentie sur son front. Il allait pouvoir poursuivre une œuvre pie dont le Rédempteur tiendrait compte un jour. Tandis que lentement le visage féminin s'éloignait – il ne sentait plus son souffle sur ses lèvres –, ses yeux s'ouvrirent plus grands jusqu'à ce qu'il se rendît compte de sa méprise ; jusqu'à ce qu'il s'aperçût qu'il gisait sur un lit de paille.

— Qui êtes-vous ?

— Elle se nomme Carmen, dit la voix de Serrano, invisible. Cette jeune fille vit sur un *cerro* [1] proche de Guadamur. Elle a vu tout ce qui s'est passé. Quand ceux qui nous ont assailli sont repartis pour Tolède, elle est descendue avec ses parents... La sœur de sa mère habitait Guadamur... J'ai vu les corps jetés sur le bûcher... Quand ils sont apparus, la première fois... Mais à quoi bon en parler... Toujours est-il que si je n'avais pas été avec vous pour attester de votre honnêteté, vous seriez mort et vos compères aussi.

Tristan revécut tout ce qui lui était advenu depuis son passage à Guadamur jusqu'au moment où il avait vidé les étriers une dernière fois. Une douleur tout aussi virulente que celle de son dos perça son cœur :

1. Colline, mamelon.

— Teresa ! Simon !... Savez-vous ce qu'ils leur ont fait ?

— J'ai ouï, dit Paindorge, un homme qui hurlait : « *À Tolède !* » C'était, il me semble, Orriz... Je crains qu'ils ne soient pas allés jusque-là. Pour ces suppôts du diable, ce n'est point pécher que de violer une Juive... et un Juif.

— Où sommes-nous ?

Cette fois, Serrano répondit :

— Dans la *casa* des parents de Carmen. On ne voit pas cette maison quand on vient de Toledo.

Tristan voulut se lever. Il ne le put. La main dc Serrano le repoussa dans sa litière.

— Vous avez pris un coup sur l'épaule senestre.

— Je ne me souviens de rien.

— Un autre dans le dos, juste au-dessus des reins. Votre nouvelle épée a tranché par moitié un homme du haut de sa barbute jusqu'au menton.

— Je ne m'en souviens plus... Où est cette arme ?

— Ne craignez rien, messire, dit Paindorge. Elle est là, sur le sol.

— Flourens ?

— Petiton l'a percé d'une sagette... avant d'être trespercé par ce Breton qui s'appelle Le Karfec... Vous savez, ce petit friquet [1] barbu et hautain qui suit Guesclin comme son ombre et serait prêt à lui torcher le cul s'il en manifestait l'envie...

— Ce cloporte !... Je vengerai Petiton... Ah ! mes compères... Je me souviens du visage effrayé, effrayant de Teresa et des supplications de son frère. C'étaient les mêmes hurlades qu'à Briviesca... Vous, Serrano, que vous est-il advenu ?

Une ombre s'approcha :

1. Freluquet.

— *No me recuerdo*... Je ne me souviens plus... Je me suis défendu avec ma guiterne... J'ai senti un coup sur ma main. J'ai ouï Simon qui criait : « *Indulto !* »... ou si vous préférez : « *Grâce !* » Ces porcs devaient savoir...

— *Denuncia ?* demanda Carmen dont Tristan ressentit le souffle sur son front.

— *No*, répondit le trouvère. Je ne le crois pas.

— Naudon de Bagerant, suggéra Paindorge.

— Non, dit Tristan. Mais peut-être Espiote ou le bourc Camus... Et comme Guesclin ne transige pas sur les Juifs, sauf lorsqu'il est en présence du Trastamare, Couzic et Orriz ont été heureux de lui présenter nos... nos amis.

— S'ils ne les tuent pas avant, qu'en ferait-il, Guesclin, de ces enfants ?

— Je l'ignore, Yvain, autant que toi. Je suis peiné par la mort de ton frère. Je suis peiné de toutes ces morts : elles n'empêcheront point Teresa et Simon d'avoir un sort funeste. J'ai péché par orgueil.

— Non, par nécessité.

Après tout, Paindorge avait raison.

Tristan discerna mieux, cette fois, le visage penché sur lui. De longs cheveux noirs dont les tresses s'adornaient d'un passement rouge ; des joues d'ambre d'un bel ovale, une bouche large, purpurine, qui parfois révélait une double ligne de perles.

— Aucun homme ne viendra vous voir, messire, dit Serrano. Ils haïssent les *puercos de Francés*... et je les comprends. Mais il ne vous feront aucun mal.

— Si le troubadour n'avait pas plaidé notre cause, dit Paindorge, nous serions tous mats... Quand les Bretons sont arrivés dans le village, ils ont demandé s'il y avait des Juifs et des Mahoms. Ils savaient qu'il y en avait ainsi que partout en Espagne... Comme les gens refusaient de dénoncer des païens dont aucun n'avait à se plaindre, ces malandrins ont usé des pires moyens pour leur faire rendre gorge. Les pieds des hommes ont été coupés à la hache, brûlés au fer rouge. Des tisonniers ont enconné les femmes et les jouvencelles. Puis, ils ont fait un bûcher devant l'église et l'ont arrosé d'eau-de-vie. Ils y ont fait asseoir l'alcade et ses enfants, liés tous trois bien serrés sur un siège tiré du saint lieu. Ils y ont mis le feu... Carmen a tout vu, cachée derrière une roncière.

— On perd son cœur devant tant d'horreurs, dit Lebaudy, couché non loin de là, et qui avait tout entendu sans mot dire. On ne peut imputer, cette fois, toutes les abominations commises par les nôtres au tempérament espagnol, à son goût du sang qui s'exaspère, dit-on, lors des courses de taureaux... que nous n'avons jamais vues. Nos routiers sont des démons. Jamais nous n'aurions dû venir en ce pays. Le roi Charles est un sot féroce et sanglant si vous me voulez croire. Nous n'avons rien à gagner d'autre que la mort dans cette immensité.

— C'est vrai : les Castillans ne nous ont rien fait, dit Paindorge. Contrairement à ce que le roi de France pense, les routiers reviendront chez nous quand ils auront épuisé tous les plaisirs de cette guerre... Dommage que les Espagnols soient divisés. Réunis, ils nous vaincraient.

Tristan soupira :

— Il faudrait une grande bataille pour purger ce pays de notre présence. Hélas ! nous y serions mêlés, mais qu'importe !... Oui, une grande bataille : un Crécy, un Poitiers, un Brignais espagnol !

Il y eut un silence. Carmen présenta à Tristan une jatte d'eau froide. Elle venait de la tirer du puits. C'était tout ce dont elle disposait, dit-elle, pour le moment, car elle n'osait aller traire une de ses chèvres dans le champ voisin : il se pouvait que certains *cabrones de Francés* fussent encore tout proches.

Tristan s'assit pour boire.

— *Gracias, Carmen.*

Aucun muscle du joli visage ne remua, et il trouva divin ce profil de fille des champs tant dans son impassibilité que dans sa tristesse informulée.

— *La guerra, nada !*

— Elle espère, dit Serrano, que vous obtiendrez vengeance.

— Tu peux la rassurer. J'occirai Couzic, Orriz, Le Karfec et *l'autre*... Passe-moi mon épée, Robert.

Paindorge obéit promptement. Quand elle fut dans ses mains, Tristan, frémissant, en baisa la croisette et parlant à cette arme comme à une dame chère à son cœur :

— Je te donne pour nom *Teresa*. Tu m'aideras à imposer la justice. Je veux que ton acier resplendisse des sangs de ceux que je hais. Pour ceux-là, j'emploierai ton corps. Pour *l'autre*, j'emploierai ta tête.

— Quelle tête ? s'étonna Paindorge. Que voulez-vous dire ?

— Tu le sauras, Robert, si tu vis aussi longtemps que moi et si tu restes à mon service.

III

Le lendemain, Tristan se sentit mieux. Les fomentations d'herbes que Carmen avait posées sur ses plaies les avaient assainies. Aucune inflammation, aucune infection n'était à craindre. Cependant, Paindorge dissuada le convalescent de se lever. Mieux valait qu'il eût recouvré complètement ses forces avant de se rendre à Tolède où peut-être Teresa et Simon avaient été enchartrés[1].

Le surlendemain[2], d'assez bon matin, Paindorge sella Malaquin et Tachebrun. L'écuyer s'était ébahi que Tristan eût renoncé à monter Alcazar, mais amener le blanc coursier une nouvelle fois sous les regards de Guesclin eût peut-être ranimé la convoitise du Breton.

— Il est capable de me dire : *« Je te baille tes deux Juifs contre ton cheval. »* Il accepterait Alcazar en échange des deux enfants et me ferait restituer leurs corps sans vie.

— Je n'avais pas songé à cette perfidie. Croyez-vous qu'ils soient morts ?

— Que veux-tu qu'il advienne à des Juifs tombés au pouvoir des Bretons ? As-tu perdu la mémoire ?

1. De *chartre* : cachot, prison.
2. Mardi 21 avril 1366.

N'oublie jamais que leur chef est capable de tout. En selle !

Tristan parvint seul à se jucher sur Malaquin.

— Êtes-vous bien ? s'inquiéta Paindorge.

— Serré dans les bandelettes de Carmen, je me sens droit comme un if... et je me ploie sans mal comme un *long bow* gallois.

C'était une menterie dont Paindorge ne fut pas dupe.

Ils cheminèrent dans Tolède en demandant, çà et là, si don Enrique y était entré. Non, leur répondit-on, mais les *gran capitáns* avaient pris leurs quartiers dans la cité tandis que l'armée des *Francés* s'était déployée au nord des murailles où elle installait son logement[1]. Guesclin ? Il devait être à l'Alcázar avec quelques *ricos hombres*.

— C'est le palais grandissime qui domine Tolède mieux encore qu'une cathédrale. Vois : ses toits sont visibles d'où nous sommes, au-dessus de cette mer de tuiles dont nous ne voyons pas la fin...

— Pensez-vous qu'il vous recevra ?

— Il sera trop content d'affirmer sur moi son omnipotence.

Cette fois, ils furent insensibles à la vie qui grouillait autour d'eux, à la beauté des monuments, aux jeux du soleil sur les pierres sculptées ou non, et quand ils virent Orriz, Le Karfec et quelques autres debout sur les degrés d'accès à l'Alcázar, ils surent refouler leur mépris et feindre l'indifférence. Toutefois, quand un coup de vent déploya la bannière à l'aigle de sable tenue à deux mains par Orriz et le pennon d'azur semé de fleurs de lis serré dans la dextre de Le Karfec, un rire les secoua.

1. Henri de Trastamare entra dans Tolède le 10 ou 11 mai.

— Regarde un peu, Robert, ces goujats promus gonfanoniers !

Tristan mit pied à terre et confia Malaquin à son écuyer.

— Va plus loin sur cette pente. Je t'y rejoindrai. Sois prudent. Garde-toi de toutes parts.

— Je vous retourne, messire, vos conseils !

Tristan gravit une moitié des marches de l'Alcázar puis s'arrêta, poings aux hanches, comme pour admirer les Bretons.

— Dieu du ciel, les beaux *alferez* que voilà[1] ! Oncques n'en vit ailleurs de meilleurs... ni de pires !

Il reprit sa montée. Parvenu devant l'entrée de l'édifice, il se retourna, poings aux hanches, toujours. Eût-il ainsi considéré une foule en contrebas qu'il ne se fût point senti plus dominateur.

— Oyez, vous deux !... Faites préparer vos tombes !

Il y eut deux sifflets et quelques « *Hou ! Hou !* » Tristan n'en espérait pas davantage.

Le grand portail s'entrouvrit. Quelques Tolédans sortirent, apparemment angoissés. Des Juifs, sans doute, qu'on avait convoqués afin de les rançonner avant l'apparition du roi. En traversant une cour ceinte d'arcades, Tristan aperçut Hugh Calveley et Shirton, l'archer au service du géant d'Angleterre. Ils se saluèrent.

— On vous avait perdu de vue, Castelreng !

— J'eusse mieux fait de demeurer proche de vous.

1. *Alferez*, mot arabe alors utilisé en Espagne. Il désignait le porte-étendard du roi. L'*alferez* portait son épée comme s'il était chargé, à la place du souverain, de défendre et de protéger le royaume et ses habitants. En Castille, on le choisissait parmi les jeunes chevaliers et cette charge était muable. L'*alferez* était aussi le champion du roi.

En quelques mots Tristan conta l'embûche où il avait failli périr puis, s'adressant à Shirton :

— Dommage que vous n'étiez point avec nous quand ces démons nous assaillirent. Vous nous eussiez donné l'avantage.

— Qui sont ces hommes qui vous ont occis des compagnons ?

Tristan sourit :

— Vous en verrez moult en sortant. Surtout les deux gonfanoniers dont je me vengerai... Aviez-vous ouï parler des deux enfants juifs que j'ai voulu soustraire à la fureur des nôtres ?

Calveley pinça les lèvres et rehaussa sa ceinture d'armes à laquelle était suspendue une épée immense – à sa taille. Shirton parut étonné par sa soudaine réserve.

— Ce qu'on sait, dit-il, c'est qu'il y eut, depuis deux jours, quelques prises de Juifs qui ne sont pas réapparus en ville et qu'on a vus chez les Franklins[1]. On ignore ce qu'ils sont devenus.

Shirton n'ignorait rien : il se refusait à parler.

— Si tu as besoin de nous, Tristan, dit familièrement Calveley, je suis assez grand pour que tu me trouves. Je serai de ton côté. Tu es le gendre d'Ogier d'Argouges qui fut mon ami et celui de Jack Shirton. Mais hâte-toi : nous allons quitter cette armée de traîne-potence !

Un homme traversait la cour. Tristan le désigna du doigt :

— C'est Couzic, l'exemple même de la mauvaiseté bretonne.

— Un de ceux, dit Shirton, qui boutèrent le feu à

1. Nom que les Anglais donnaient aux Français.

l'église de Briviesca. Il riait et sautillait avec son maître quand les Juifs, dedans, souffraient la géhenne.

Tristan ne sut s'il devait accepter ou condamner tant de sérénité.

— Ne me regardez pas ainsi, dit l'archer. Je n'ai déposé ni un fagot ni une planche sur le seuil du saint lieu. Je ne me suis point opposé à cet *ordal*[1] car j'aurais pour rien perdu la vie. Contre cent un seul homme s'indigne et prend le large.

— C'est ce que j'ai fait, dit Tristan. Mais je porte le deuil de tous ces martyrs. C'est pour leur épargner un sort aussi funeste que j'avais protégé ces enfants depuis Burgos.

— Tu aurais mieux fait de les y laisser, dit Calveley. Guesclin voulait un nouvel holocauste. Enrique a préféré de l'or à de la cendre.

— Savez-vous où je puis trouver le Breton ?

Shirton tendit la main vers une haute porte :

— Là-bas, derrière, vautré sur des coussins comme un satrape...

— ... ou une *barragana* ! ricana Calveley. J'ajoute qu'il n'a pas quitté ses plates, comme s'il craignait d'être agressé.

Les deux Anglais s'éloignèrent. Tristan se tourna vers le portail devant lequel Couzic l'observait, la diablerie dans les yeux et l'aversion aux lèvres.

*

* *

— Je t'attendais. Couzic vient de t'annoncer.

Il était debout, en armure, et se voulait pachalesque à l'instar de cette salle immense dont les marqueteries

1. En anglais : épreuve judiciaire par l'eau ou le feu.

du plafond et des murs brillaient aux lueurs du soleil qui, par de hautes baies, fluaient en tous sens. Son œil pétillait d'orgueil et de satisfaction ; sa grosse bouche semblait vouloir absorber son propre sourire. D'un soleret[1] négligent, il repoussa quelques coussins colorés avant de se carrer dans une haute chaire surmontée d'un dais de bois et de velours carminé. Les avant-bras sur les accoudoirs, ses grosses mains poilues crispées sur les museaux[2] à tête de lion, il se poussa en avant du dos et du menton :

— Décidément, tu es comme feu ton beau-père : toujours enclin à quelque déplaisance envers moi. Bourbon m'annonce, à Burgos, que tu es parti chasser l'arbalétrier qui a meurtri la reine Blanche et qui, nous sentant venir, s'en est allé à vau-vent ; mais en fait, tu t'es accointé à une Juive... Oh ! je sais que sur cent culs de femmes on ne pourrait trouver quel est le sien, mais tu t'es livré, en la forniquant, à une impureté...

C'était au demeurant le discours d'un fou. D'un fou de haine. Tristan s'approcha d'un pas :

— Il faudra te faire soigner, Bertrand. L'abomination obscurcit ton cerveau. J'ai voulu soustraire cette jouvencelle à ton aversion et à celle de tes Bretons. C'est vrai. Rien ne dit que la dame que tu chevauches... non point la Tiphaine Raguenel, mais l'autre, l'Espagnole, n'a pas du sang juif dans les veines...

Un rire. Une sorte de quinte de coquelucheux. Tristan sut qu'il avait touché juste.

— Je sais que tu t'es pris de passion pour les Juifs. On m'a dit qu'à Briviesca, toi, ton beau-père et vos hommes avaient réprouvé notre justice...

— Tu emploies des mots dont tu ignores le sens.

1. Partie de l'armure protégeant le pied.
2. Extrémités des accoudoirs.

— Ah ! Ah ! Ah !... Tu voudrais me dispenser des leçons de langage ?... Le roi lui-même dont on loue la sapience, n'oserait m'en fournir. Les Juifs sont nos ennemis, sache-le une fois pour toutes : jeunes, vieux, femmes, enfants... Si ceux de Burgos n'avaient point contribué à notre bien-être, ils auraient vu la mort d'aussi près que ceux de Briviesca !

— Je suppose que cette indulgence n'a pas été à ton goût... Mais je suis sûr, Dieu m'est témoin, que tu vas chercher à te revancher sur d'autres.

— C'est vrai. Nul ne m'en empêchera. Pas même Enrique !

— Et ceux de Tolède ?

La question embarrassa le Breton. Il l'éloigna d'un geste répulsif, puis :

— Tolède est une cité où tout se mêle. Je ne peux supporter de voir des synagogues s'élever entre des églises. C'est une énormité qui attente à ma vue !... Pourriture juive ! Ils sont tous laids !

Il était bien placé pour parler de laideur ce rustre qui, ignorant le latin tout comme le français qu'il parlait péniblement sans savoir ni le lire ni l'écrire – tout comme le breton, sans doute – avait pris pour devise : *Dat virtus quod forma negat*[1]. Il était bien placé, ce disgracié, pour vilipender cette gent-là !

— Tous laids, affreux, effrayants !

— Tous laids ? s'étonna Tristan auquel cette calomnie arracha un sourire.

Quand on commandait à des milliers de truands plus horribles les uns que les autres, pouvait-on se montrer aussi absolu ? Les yeux de Tristan flamboyèrent, une

1. *Le courage fournit ce que la beauté refuse* ou *le courage compense les disgrâces de la nature.*

coulée de sueur mouilla son dos tandis qu'un souvenir brûlait sa mémoire. Il le révéla sans ambages :

— Il y en a des beaux, des quelconques et des laids. Comme chez nous. Or, je vais te confier une chose... Un jour, à Paris, il y a deux ans, alors que je sortais de Notre-Dame, j'ai vu venir vers moi deux jeunes Juifs. On ne pouvait s'y tromper : ils portaient la rouelle[1] sur des vêtements noirs d'excellente coupe, et des plus propres. Pour ne pas salir sa robe, la Juive l'avait exhaussée avec une troussoire qui brillait contre une de ses cuisses...

— Tu vois ! s'exclama Guesclin. Tu as regardé ses cuisses. Pas son grand nez pointu et ses longues oreilles !

— Ils étaient dignes tous deux... Vingt ans, pas davantage. Ils respiraient la santé, l'amour, l'honnêteté...

— Les Juifs sont malhonnêtes ! Tous !

— Je les ai remirés[2], admirés, poursuivit Tristan, sans crainte, entre haut et bas. Le jeune homme était beau, glabre, et ne t'en déplaise, sa femme était jolie... Un sac était entre eux qu'ils portaient chacun par une anse.

Il ne fut guère surpris qu'à des traits oubliés depuis longtemps se fussent substitués ceux de Teresa. Il n'en devint que plus hardi :

— Ils tranchaient, j'ose le dire, sur la foule gorgée d'hosties qui m'entourait – car je venais d'ouïr la messe – et dont j'eusse pu avoir honte, surtout lorsqu'elle fut grossie par les mendiants crasseux qui,

1. Figure d'une roue que les Juifs devaient porter sur leurs vêtements.

2. *Remirer* : regarder avec une grande attention, à plusieurs reprises.

chaque dimanche, souillent les parvis de nos lieux saints !

— Tu blasphèmes ! gronda Guesclin. Ces jeunes Juifs, c'étaient, à eux deux, une exception... Deux grains de je ne sais quoi dans une *fanega*[1] d'ivraies. Ces gens-là sont sales. Pis encore : répugnants. C'est pourquoi il faut purger le genre humain de leur présence... Ce jour-là, avais-tu avalé une hostie ?

— Si nous faisions, toi et moi, le compte de celles que nous avons avalées, ce serait en ta défaveur.

Des rougeurs tavelèrent cette face bouffie de dogue humain dont une Castillane était éprise. Elles ne devaient rien aux ombres du dais qui surplombait le Breton.

— Tu m'incagues[2], Castelreng, dit Guesclin d'une voix paisible. Ma parole, cette petite pute t'a enjuivé ! Tu l'as tâtée, percée de ton braquemart...

Et avant que Tristan pût exprimer sa rage :

— Ici, jadis, sous le règne d'un grand roi, deux Juifs outragèrent un Christ vénéré en le frappant d'un coup d'épieu. Alors, un miracle eut lieu : un sang vif coula de la navrure. Effrayés, les profanes enterrèrent l'image sainte dans l'écurie de la maison de l'un d'eux, près d'un village dont je ne sais plus le nom... On découvrit les sacrilèges. On les lapida. Par vengeance, d'autres Juifs oignirent les pieds de Jésus d'un poison terrible : celui qui pieusement les baiserait tomberait roide mort aussitôt son baiser... Alors, pour éviter des trépas innombrables, le Christ perdit ses pieds.

— Ah ? fit Tristan. Des gens de Guadamur aussi par la bénignité de tes hommes.

1. Mesure de capacité pour les substances sèches. Entre 27 et 55 litres. En Aragon : 21 litres.

2. Tu m'emmerdes.

— Ce n'est pas tout !... Quand les Mahomets prirent Tolède, des Chrétiens emmurèrent Jésus dans son ermitage, lui laissant une petite lampe et très peu d'huile. Eh bien, quatre cents ans plus tard, le saint dépôt fut découvert et la lampe brûlait toujours. On le connaît sous le nom de Christ de Lumière... Qu'en dis-tu [1] ?

— Rien... Continue de m'éclairer.

Mieux valait répondre ainsi que de s'ébaudir d'une telle sornette à propos d'une lampe inépuisable.

— Cette Juive, reprit Guesclin en quittant son siège et en marchant vers les coussins dans lesquels il frappa d'un pied furibond. Tu l'aimais ?

— Je l'aimais en tant qu'être humain. Non point en tant que femme. Et j'aimais aussi son frère comme j'eusse aimé mon fils... Tous deux étaient des créatures du Très-Haut. *Non ignara mali, miseris succurrere disco...*

— Tu parles latin, maintenant !... Qu'est-ce que tu veux dire ?

— Mon chapelain, jadis, m'apprit cette formule. Cela signifie : *connaissant moi-même le malheur, je sais secourir les malheureux.*

— Les Juifs ne sont pas malheureux. Ils ont de l'or. Tous !... Tu as été ensorcelé par cette gaupe. Je n'ai fait que l'entrevoir. Elle a usé envers toi des puissants charmes de la race maudite. Tu t'es repu de son buisson ardent. Elles y ont toutes le feu depuis Moïse. Purifie-toi : lave-toi la bombarde et les boulets pendant des

1. Le roi se nommait Atanagilde ou Athanagilde (554-567) et les deux Juifs : Sacao et Abisain. Le 25 mai 1085, soit 370 ans après qu'il eut été caché, on découvrit effectivement un Christ dans un mur. Il est toujours vénéré. Quant à prétendre que la lampe brûlait encore, il est permis d'en douter.

mois car c'est ainsi qu'elle t'a emmaladi. C'est frère Béranger qui le dit. Et moi, Castelreng, je veux de bons chrétiens dans mon ost !

— Ton ost !... Sois-en fier : il n'est composé que d'excommuniés.

— Le Pape a levé cette excommunication pour complaire au roi Charles.

— Le Pape l'a levée parce tu l'as menacé, effrayé ! Ce saint homme a tremblé doublement sur sa chaire. Pour son trésor dans lequel tu as puisé sans vergogne. Pour sa vie que tu as menacée. Te voilà maintenant et Néron et Caligula !

— Connais pas. Mais sais-tu où nous sommes présentement ? Dans le tinel où le Cid recevait tous ses hommes liges ! Dans le tinel préféré de la Padilla.

— Une pute !

— Que tu le veuilles ou non, je règne sur Tolède en l'attente d'Enrique !

— C'est un couard. Il devrait être ici. Quant à toi, tu dois te sentir quelqu'un quand tu vas dans les latrines où, avant toi, Pèdre et la Padilla ont déposé leur cul !

Un rire. Tristan sut qu'il n'entamerait jamais cette chair et cet esprit aussi durs que le granit.

— Où sont ces deux enfants que l'on m'a ravis ? Rends-les-moi. Ils n'ont rien commis de dommageable.

Encore un geste d'ignorance mêlé de répulsion.

— Qu'en sais-je ? Comment pourrais-je te les rendre puisque je ne sais où ils sont et ce qu'ils sont devenus !

— Je ne te crois pas. Si tes hommes...

Tristan n'osa poursuivre mais grogna, assez fort pour que Guesclin l'entendît. « *S'ils ont fait ça, je me vengerai sur toi. J'attendrai le temps qu'il faudra !* »

Le Breton sourit avec une sorte de bénignité quasiment sacerdotale :

— Tu aimes trop les Juifs. Il faudra que je t'en guérisse !

— Essaie toujours. C'est toi qui me les fais aimer !

Tristan s'étonnait – presque autant que Guesclin – de soutenir avec tant d'acharnement cette race et ces gens abhorrés par ce Breton sans dévotion ou tout au moins d'une religiosité hypocrite. Jamais il ne s'était soucié des Juifs. Il avait même accepté et repris à son compte quelques allégations qui lui paraissaient fondées : ils étaient sales, vivaient dans la crasse et leurs mœurs étaient indignes de gens sains de corps et d'esprit. Sans aller jusqu'à croire qu'ils étaient responsables de la propagation de la peste de 1348 parce que, soi-disant, ils empoisonnaient les puits et les rivières, il avait songé, parfois, que l'épidémie s'était développée dans leurs quartiers parce qu'elle trouvait, dans la saleté, des conditions d'épanchement favorables. Soudain, toutes ces détractions lui parurent indignes. Parce que le vieux Pastor, Teresa et Simon avaient traversé sa vie. Parce que... Eh bien, oui, parce qu'il les avait aimés. Il se pouvait qu'ils fussent des exceptions. Il se pouvait aussi qu'ils n'en fussent pas.

— Rends-les-moi. S'ils sont morts, il te faut me le dire !

Les mains en porte-voix, Guesclin hurla : « *Couzic ! Couzic !* » L'écuyer n'apparut point. Un Espagnol survint, vêtu de la livrée du Trastamare.

— Accompagne cet homme, José, jusqu'à la porte.

Comme Tristan lui montrait son poing, le Breton le menaça du sien :

— Ta désobéissance...

— Quoi ?

— Ta déloyauté, ta hautaineté m'injurient. Sache

que je commande et contente-toi d'obéir. Je veux que tu suives nos grands hommes et les *ricos hombres* où ils iront, sans quoi ce sera ce qu'ils appellent le *consejo de guerra* !

— Et si je refuse ? Sais-tu que j'ai fini ma quarantaine et que je puis partir quand l'envie m'en viendra ?

Guesclin se redressa. La grimace d'exaspération qui déformait son visage barbouillé de haine fit place à une expression d'incommensurable mépris :

— Le roi Charles te tient en estime et c'est la raison pour laquelle je te ménage... contre ma volonté... Pars !... Je te conseille – tu ne le regretteras pas –, de passer par le pont *San Martín*. Tu raccourciras ton chemin puisque tu loges hors de la ville pour ne pas te frotter à mes excommuniés !

« Me fait-il surveiller ? » se demanda Tristan.

— Montre lui la porte, José !

Tristan hésita. Non, il ne serait pas chassé. Il partirait de lui-même. Jamais son cœur n'avait été aussi lourd, aussi affolé. Les gouttes d'une sueur mauvaise, tels des moucherons, démangeaient son dos, sa poitrine. Les agitations, souffrances et lassitudes des jours passés le violentaient outrément. Jamais un moment d'inaction, jamais un dimanche de repos pour l'âme autant que pour le corps. Il eût voulu redevenir, ne fût-ce qu'un moment, ce qu'il était avant son entrée en Espagne : un chevalier, certes, mais aussi un pensif. Or, tous ses songes se maculaient de ténèbres et de sang. Au lieu d'être lui-même, il était ce que ce maudit Breton voulait qu'il fût.

— Tu devrais me mirauder[1], Castelreng.

— Tu devrais, toi, mirauder ton âme ! Si nos esprits ont une odeur, je suis sûr que le tien pue.

1. Ce verbe avait deux significations : admirer et faire sa toilette.

— Fais attention à tes propos.

— Avant que de les exprimer, je les pèse... Chaque jour qui passe accroît le nombre de tes ennemis. Tu le sais. C'est pourquoi tu demeures en armure.

Tristan s'attendait à un rire. Un grognement issu d'une gorge profonde suppléa celui-ci. Une sorte de tristesse envahit le visage mafflu sur lequel tous les signes du courroux venaient de disparaître.

« Je le vois enfin bouche bée, incapable, sans doute, de se revancher sur moi sauf avec une lame. »

Le regard était fixe, comme fasciné par une apparition confuse. Et Tristan crut voir le Breton frissonner.

« Il a peur. Je l'ai touché juste. »

Le portier, immobile, semblait lui aussi ébahi par ce renversement d'attitude [1].

1. Le Breton craignait pour sa vie. Il redoutait les Anglais, même Calveley. Jean de Venette écrit dans la *Chronique des Quatre premiers Valois* : « *Aucuns Angloiz, qui estoient allés en Espaigne avecquez monseigneur Hue de Karvelley, parlementerent ensemble secretement d'occire monseigneur Bertran de Clacquin dedens son paveillon. Ung d'iceulx Angloiz dist leur convine à monseigneur Hue de Karvelley qui le fit assavoir à monseigneur Bertran secretement. Car le dit monseigneur Hue de Karvelley ne voulloit pas estre coulpable ne consentant de la mort d'un si preux et si vaillant chevalier comme monseigneur Bertran de Clacquin. Quand monseigneur Bertran sceut qu'ilz le devoient ou voulloient occire, il fit telle diligence qu'il fist prendre aucuns de ceulx qui avoient sa mort pourparlée et les fist mourir.* »

On ne trouve nulle part ailleurs une trace de ce complot. Ce qu'on sait, c'est que c'est à cette époque que Calveley, sachant que son seigneur, le prince de Galles, faisait mouvement pour attaquer l'usurpateur, il « *vint parler au mareschal d'Audrehen et au Besque de Villaines (...) et print congié à monseigneur Bertran et au dit mareschal et Besgue en leur disant qu'il ne povoit ne ne devoit estre contre son seigneur et prince.* » Cependant, le géant d'Angleterre attendit un peu. Outre qu'il pouvait surveiller ses futurs adversaires, il lui fallait être soldé ainsi que ses hommes.

— Mets-le dehors, José !

Tristan suivit l'Espagnol dont les talons clapotaient sur les dalles de pierre. L'épée de passot suspendue à sa bêlière, dans un fourreau de cuir noir, semblait récente à en juger par le brillant de sa prise. En arrivant à Tolède, cet homme s'était empressé d'acquérir une lame neuve.

— Ah ! messire, dit-il sans se retourner, ce Guesclin...

Une espèce de bienveillance illumina ses yeux sombres lorsqu'il fut sur le seuil de l'Alcázar. Après s'être assuré qu'à l'entour personne ne pouvait le voir, il tapa familièrement sur l'épaule de Tristan.

— Un *momentito*... Je suis né à Toledo. J'y ai passé ma jeunesse prime. Je suis un *converso*... mes parents étaient des Juifs convertis... J'ai ouï ce que vous avez dit... Je ne sais rien de vos deux protégés, mais je crains qu'ils ne soient morts...

L'Espagnol hésita, regarda derechef tout autour, et soudain décidé :

— *Guesclin es una mierda.*

— Tu l'as dit !

— *Mucho ánimo Francés*[1].

Il fallait profiter de l'occasion.

— Dis m'en plus, compère. Je devine que tu en sais davantage.

L'Espagnol renouvela son geste d'ignorance, mais l'expression de son visage signifiait qu'il savait et réprouvait.

— Pas d'*indulto*... Pas de grâce. Guesclin les a laissés à ses lieutenants.

— Qui ? demanda Tristan, le cœur broyé, désespéré. Orriz, Le Karfec, Couzic ?

1. Beaucoup de courage, Français !

L'Espagnol battit des paupières.

« Non », se dit Tristan. « Non ! », mais il savait que tout était possible. Que tout était consommé. Lorsque, comme lui, on avait vécu l'enfer de Brignais, aucune atrocité ne paraissait extraordinairement répugnante. Or, c'étaient les mêmes hommes, partant les mêmes coutumes affreuses qui prévalaient dans l'armée de Guesclin et des prud'hommes de France – lesquels ne se souciaient que de s'enrichir en prélevant leur part du butin commun.

— José, dit-il d'une voix grondante, inhabituelle, je vais faire inquiéter [1] ces deux coquins qui tiennent les *banderas* [2]. Ils me voudront châtier. Je dégainerai mon épée. Je veux que tu témoignes que ce sont eux qui m'ont agressé. Puis-je compter sur toi ?

— Vous le pouvez, messire... Couzic vient de vous précéder. *Atención !*

*

* *

En arrêt tout à coup devant les deux Bretons, Tristan croisa les bras sur sa poitrine et feignit de s'intéresser à ce qui se passait, au-delà des gonfanoniers, au château de San Servando. Ainsi, en les rendant transparents, voire inexistants, pouvait-il exciter à son égard l'aversion des deux compères.

— Comme la vue serait belle, dit-il à voix basse, si elle n'était souillée par la proximité de l'aigle d'un ribaud qui, lorsqu'elle se déploie, profane les lis de France [3].

1. Dans le Languedoc : énerver, provoquer, etc.
2. Bannières.
3. Les armes de Guesclin étaient : *d'argent à l'aigle éployée de sable, becquée et membrée de gueules, à la traverse de même brochant sur le tout.* – On sait qu'en héraldique, l'aigle est du féminin.

Les deux hampes tenues par des mains vigoureuses, gantées de brunette, remuèrent – indices d'un courroux pour l'instant contenu.

— Un ribaud !... On devrait interdire à certains loudiers [1] de se prendre pour des prud'hommes. Une aigle, ai-je dit ? Tout au plus un fauperdrieux [2] !

Seule, cette fois, la bannière à l'aigle oscilla dans le poing d'Orriz qui d'un regard consulta Le Karfec mal assuré sur ses jambes, et Couzic, indécis.

« Après ce que je viens de dire, il faudra que je tue cet homme. Il ne faut pas qu'il rapporte mes propos à Guesclin ou c'en serait fait de moi ! »

— Comment le comte de la Marche a-t-il eu l'imprudence de confier son pennon à un malandrin comme ce huron ? demanda-t-il, comme fugitivement, à Couzic.

Peut-être, cette enseigne signifiait-elle, tout bonnement, que Jean de Bourbon logeait à l'Alcázar ou qu'on l'y pouvait joindre. Il avait fait confiance à Guesclin pour lui trouver un pennoncier. Dans une armée de truanderie telle que celle qui s'était répandue sur l'Espagne, les us et les coutumes ne pouvaient que tomber en décrépitude. Il convenait de titiller l'orgueil de Le Karfec, aussi rude, sans doute, que le granit de Bretagne.

— Je n'en crois pas mes yeux ! La bannière de monseigneur de Bourbon, un prud'homme alosé [3] s'il en est, dans des mains impies. Mais peut-être celui qui la porte a-t-il impétré l'honneur de la tenir... Je le verrais mieux pourvu d'un balai... Il en est un d'une espèce qui lui conviendrait à merveille. On le nomme

1. Paysans.
2. Ou *fauperdrier* : busard des marais qui chasse les perdrix.
3. Loué, célèbre.

un *goret*. Il sert à nettoyer la merde sur les nefs de haute mer... Un porc et un goret. Ah ! la belle alliance...

— Cesse tes bourdes, grommela Le Karfec. Je ne suis pas entalenté à les ouïr plus longtemps !

Tristan exagéra l'effet de sa surprise :

— Tiens, il parle ! J'ignorais que les verrats avaient un langage.

— Cesse tes lobes, te dis-je !

La fureur étouffait la voix de Le Karfec. Tristan se réjouit de sentir poindre en cet ennemi une hardiesse qui, boursouflée par des accès de fureur, l'inciterait à l'action.

— Passe ton chemin... Va-t'en, intima Le Karfec en s'approchant d'un pas.

Le Breton se méfiait, cependant : il ne portait ni haubert ni cuirasse ni camail, mais un chaperon noir, des haut-de-chausses brunâtres et des heuses tellement poudrées aux farines des chemins qu'elles s'étaient comme imprégnées de grisaille. Le flotternel de tiretaine qui pendait sur le torse du drôle inspira une nouvelle saillie à Tristan :

— Chez cet homme, il n'y a que la cotte qui soit hardie [1].

— Es-tu sourd ? s'enquit Orriz tout à coup. Faut-il te botter le cul pour que tu t'en ailles ?

Sur le visage de celui-là frémissait une expression hésitante que le regard prompt de Tristan saisit au vol. L'instinct du guerrier s'éveilla en lui, nouant son souffle et augmentant les battements de son cœur. La tentation de dégainer préventivement le démangea de l'épaule dextre au bout des doigts, mais c'eût été

1. La cotte hardie ou cotardie était alors un vêtement très commun.

commettre une erreur. Il fallait que l'assaut fût décidé par ces deux ignobles qui, maintenant, le menaçaient de la hampe de leurs enseignes.

— Un béhourd[1] !... Ce sont bien en effet des rustiques. Mais ils vont souiller l'aigle et les lis, et ceux qui les leur ont confiés en seront mécontents. Messire de Bourbon, surtout. Il n'est pas n'importe qui.

Il raillait à outrance cependant que la malepeur commençait à lui ronger les sangs. Il vit avec plaisir les deux compères confier leur enseigne l'un à José, l'autre à Couzic comme empêtré de fureur, et décroisa ses bras pensant qu'il était temps.

— Qu'avez-vous fait des deux enfants que vous m'avez ravis ?... Pour me les enlever, vous m'avez tué des hommes... Auparavant, vous avez exilé tout un village... après avoir violé et occis toutes les femmes !

Il sentit que des gens alentissaient leurs pas. Que d'autres s'arrêtaient, pressentant une échauffourée. « Trois », se dit-il, « c'est trop, car Couzic va s'y mettre. » Mais ayant commencé, il se devait de finir. Au diable ses blessures !

— On n'a pas à te répondre, dit Orriz. Va voir un astronomien : il t'apprendra la vérité si cette nuit y'a des étoiles.

— Holà ! messire, cria Paindorge, tout proche. Faut-il que je vienne ?

La diversion fit son effet auprès de quelques capitaines de passage et des prud'hommes parmi lesquels Tristan reconnut le Bègue de Villaines, Audrehem, Budes, Antoine de Beaujeu, très petit auprès de Calveley, rieur et attentif. Il y avait même un des meneurs de Briviesca : frère Béranger dans sa soutane verdâtre sans doute maculée de sang si on la voyait de près. Ils

1. Escrime au bâton.

s'étaient arrêtés, excités tout à coup à l'idée de voir couler quelques pintes de sève humaine. Ils n'étaient point et ne seraient jamais rassasiés de ces intempérances homicides, et ceux qui y succombaient, plutôt que de susciter leur pitié, ne provoquaient chez eux qu'une sorte de curiosité légère lestée d'un pesant mépris. Le comte de la Marche, soudain présent, n'avait de cœur que pour sa cousine Blanche. Il eût dû s'exclamer : « *Castelreng, que faites-vous là ?* » Or, il ne disait mot, attendant, espérant sans doute que l'algarade prît un tour plus violent.

— Répondez-moi enfin, malandrins que vous êtes ! Où sont ces deux enfants que l'on m'a confiés ?

— Quels enfants ? dit Couzic. De quoi veux-tu parler ?

Tristan se sentit pâlir. La sueur lui perla aux tempes. Il fallait qu'il décidât ces monstres à cracher la vérité puis à tirer leur lame. Il choisit le parti de titiller Couzic, le plus chatouilleux des trois :

— Cela te va bien à toi de prendre cet air innocent !... T'ai-je adressé la parole ? Va torcher ton maître ou cours faire soigner ton furoncle. Il fait de ton nez une si belle lanterne que tu peux chevaucher par quelques nuits sans lune sans crainte de t'égarer !

Le Karfec secourut aussitôt son compère.

— Un mot de plus, le Preux, et on te justicie !

Il montait sur ses ergots, fort, croyait-il, de l'assentiment des curieux alors que ceux-ci, prévoyant une aggravation de la querelle, attendaient qu'elle s'envenimât et s'assortît des premiers frappements d'épées lors desquels ils choisiraient leur homme.

— Alors, morpoil, veux-tu que je t'aide à partir ?

Dédidément, ce petit goguelu de Le Karfec cherchait le coup de lame. Il avait une face ronde, comme son seigneur et maître, des yeux vifs, très noirs – le reflet de son âme –, des lèvres minces au-dessus d'une barbe en biseau et qui semblait s'être roussie, flétrie, à proximité des brasiers dont, comme ses complices, il faisait ses délices. Bien qu'il s'y essayât, il ne pouvait troquer l'expression arrogante et dure de son visage contre une espèce d'ahurissement débonnaire : quoi, lui, un des vieux *servidumbres*[1] de celui qui menait cette guerre d'Espagne, voilà qu'on l'interpellait méchamment ? Devait-il accepter plus longtemps les suppositions offensantes d'un hobereau de la Langue d'Oc que son auguste maître avait précisément en malveillance.

— Castelreng, tu me dis des choses que j'ignore.

Tout en observant ce coquelet en rupture de bruyère, Tristan ne perdait pas de vue Orriz, son maître en mauvaiseté. Il ne pouvait se défendre d'une espèce de jubilation en découvrant que celui-ci s'impatientait sans pouvoir se décider à tirer sa lame. Le soleil chauffait. Aux ombres entrevues tout à coup sur le sol, il sut que l'assistance était plus nombreuse encore qu'il ne l'avait souhaitée. Tous ces témoins pourraient attester que l'agression avait été bretonne. Or, qu'elle tardait à venir !

— Pars, Castelreng ! Va pleurer tes Juifs ailleurs.

Autour d'eux, dans un murmure discontinu, le demicercle qui s'était rétréci, s'élargit. On attendait les coups, désormais.

— Ces enfants, les avez-vous occis ?

La gorge sèche, les yeux enflammés de toute la haine qui le possédait depuis l'enlèvement de Teresa et de Simon, aggravée par la perte de ses amis et la mortelle orgie de Guadamur, Tristan défiait ces malandrins auxquels le courage manquait.

1. Domestiques, serviteurs.

— Et si on a fait ce que tu nous reproches, quelles preuves en as-tu ?

Orriz, imprudemment, révélait aux curieux qu'un rapt doublé d'un crime avait été commis. Le malebouche ne se souciait plus du regard désapprobateur de Couzic. Cependant il parut atermoyer pour prendre son élan.

— Apporte-nous des preuves ! Et puis quoi ? Ce n'étaient que des Juifs !

Du coin de l'œil, Tristan surveillait Le Karfec dont la dextre empoignait la prise d'une épée trop longue pour lui, donc d'un maniement difficile.

— Il n'y a pas pire homme au monde qu'un Breton. Et quand il sert Guesclin, peut-on dire qu'il est un homme ? Non. C'est quelque chose d'autre : un composé de vipère et de merde.

Il sentit que l'incendie qui couvait allait se déployer parce qu'un souffle de mort passait, généré par le soudain silence et un nouveau recul de l'assistance. Chez les trois routiers, les humeurs, les aigreurs et l'outrecuidance s'assemblaient pour composer cette haine définitive envers celui qui les aiguillonnait depuis trop longtemps.

— Toi, tu cherches la mort, dit Couzic en offrant la bannière à l'aigle à José.

— Tu dis vrai, fit Orriz en tirant son épée.

— En vérité, dit Le Karfec... Eh bien, oui, c'est nous. On les a...

— ... violés, acheva Orriz.

— Et on n'était pas seuls ! triompha Le Karfec.

Il y eut quelques murmures d'indignation à l'entour. Tristan eût juré que les prud'hommes ne s'y étaient point associés. La haine des Juifs les possédait aussi, surtout le comte de la Marche persuadé dur comme fer qu'ils avaient incité le roi Pèdre à occire sa jeune épouse française. Tristan n'en fut point courroucé. Trois, se dit-il, c'était beaucoup. Il ignorait tout de la force et de l'habileté de ces damnés, mais savait qu'aucun d'eux ne pourrait ni l'estoquer ni le tailler parce qu'il détenait le pouvoir absolu d'être un justicier, et que sa cause était parfaite.

Le Karfec se porta en avant le premier.

— Laissez-le-moi ! enjoignit-il à ses compères.

Tristan avait tiré Teresa du fourreau.

Aux premières passes, il évalua l'énergie de son adversaire et vit que sa vivacité n'était guère à la hauteur de sa jactance.

« Il agit bredi-breda [1]. Croit-il qu'ainsi je vais m'empeurer ? »

À la fréquence des coups, Tristan opposa une rectitude efficace, déjoua quelques ruses grossières, brisa une attaque à la pointe et vit Orriz sortir sa lame et s'approcher. Deux, c'était suffisant, d'autant plus que Le Karfec semblait possédé d'une ardeur dangereuse.

— Tu l'as cherché ! Prends ça !

En un violent coup de banderole, Tristan ébranla l'audacieux, coupant à demi son épaule senestre. Par deux taillants successifs, il ouvrit la poitrine et le flanc du Breton dont il vit palpiter et couler les viscères [2].

— J'ai revanché la donzelle, cria-t-il à l'intention de Couzic et d'Orriz. Reste son frère. Approchez, vous deux !... Eh bien quoi, Orriz ?... Est-ce vrai : tu recules ? Et toi, Couzic ? Qu'as-tu fait de ta vaillance ? L'aurais-tu perdue, *hombre bueno*, dans les flammes de Guadamur ?

1. Faire une chose *bredi-breda* : trop vite. Raconter bredi-breda : trop vite, en s'emmêlant.

2. Le coup de banderole frappe diagonalement l'adversaire de l'épaule au flanc.

Il entrevit Shirton occupé à tirer Le Karfec par les pieds. Il entendit des murmures. Il ne voyait rien d'autre que les deux Bretons.

— Battez-vous !... Affrontez-moi, violeurs d'enfants !... Montrez à ceux qui nous regardent votre courage, votre audace... Non ? Craindriez-vous ma bachelerie[1]. Vous vous en êtes ri, cependant, il y a peu !

Couzic recula. Il partit en courant après un demi-tour.

— Ce couard va chercher son maître. Allons, Orriz approche !

Un soupçon harcelait Tristan. Pour qu'il fût un des chiens de garde de Guesclin, cet homme devait manier l'épée comme un champion du champ clos. Il n'avait pu évaluer son habileté et sa puissance lors de l'escarmouche de Guadamur. Cependant il fallait l'effacer des vivants.

Grand, sinueux, Orriz attaqua prudemment. Estoc et taillant. Estoc et taillant encore dont le vent sépara Tristan de son chaperon. Trois fois, il dut à des sauts de côté et à des retraites promptes d'échapper à la lame adverse. Elle était puissante, cette lame, éblouissante, mais il demeurait ébloui, lui, par le tranchant et la dureté de la sienne.

— Je vais venger Simon. J'espère qu'il va te voir trépasser.

— Je vais t'occire comme lui !

Tristan attaqua. Orriz recula.

Tristan redoubla ses coups, les tripla, hurlant en même temps qu'il les fournissait. Si vélocement que dans une tornade, il toucha le bras dextre d'Orriz qui fut tranché jusqu'à l'os.

1. Vaillance et chevalerie.

L'épée bretonne tomba dans un tintement. D'un bond, Tristan posa un pied sur sa prise.

— Tu ne vaux plus rien, Orriz, et c'est pourquoi je t'épargne. Ce bras, il va falloir te l'amputer. Guesclin ne voudra plus de toi. Tu vas porter jusqu'à la fin de ta vie la vergogne d'avoir été vaincu.

Il eût été d'usage qu'il ramassât l'épée pour la rendre à son adversaire mais un tel malandrin ne méritait point cet ultime honneur dû aux vaincus. Remisant promptement Teresa au fourreau, il saisit l'arme désormais inutile par sa poignée et par l'extrémité de sa lame et d'un coup la rompit sur sa cuisse.

Il gémit car l'acier de Bretagne ne manquait point de solidité. Alors, laissant tomber les deux morceaux et relevant les yeux, il vit Guesclin, les poings aux hanches, le regard furibond et l'épée nue.

— Veux-tu goûter à cet acier, Castelreng, pour m'avoir soustrait deux hommes ?

— Pourquoi non ? Je suis prêt. L'abîme appelle l'abîme.

Il était certain de vaincre une fois encore sans qu'il pût savoir d'où lui venait cette présomption. Derrière son maître, haletant comme un chien dont la course s'achève, Couzic se délectait à l'avance d'un affrontement à l'issue duquel ses deux compères seraient vengés.

— Approche, Bertrand !... Allons, viens dans toute ta poesté [1]... Ne laisse pas un sang maudit sécher sur ma lame. Tiens, regarde : elle est neuve et désire un troisième baptême !

Il savait que le Breton n'hésiterait pas. Il l'observait de la tête aux pieds, carré, trapu, massif, citadelle de fer affublée d'une ceinture de Chevalerie sous sa ceinture

1. Puissance.

d'armes, frisqueté[1] superflue en une pareille occurrence. Le Breton avait même enfilé ses gantelets – des gantelets à gadelingues[2] robés sans doute à un Anglais puisque l'usage ne s'en était point instauré en France. Un des quillons de son épée tintait parfois contre le flancart de l'armure tant l'homme tremblait de haine sous son harnois. Couzic offrit à son idole indifférente à son geste le bassinet à bec de passereau d'où tombait, fixé à la vervelle[3] de la visière, un collier d'or dont les anneaux touchaient ceux d'un camail démaillé en deux endroits. « *Il porte sur son chef un gage de sa belle ! Tiphaine est* cabróne, *comme l'on dit ici. Elle n'a pas lu cette infortune dans les étoiles. Il se peut, après tout, qu'elle en soit bien aise !* » Il fallait en finir :

— Qu'attends-tu, Bertrand ? N'as-tu point, céans, ta suffisance d'*admiradors* ?

Le regard que Tristan sentit sur son visage était plein d'une abomination si pesante et si appuyée qu'il en éprouva la poussée presque tangible. Une fois encore, ils se dévisagèrent avec une lenteur calculée, puis leurs yeux tombèrent simultanément sur la dextre de l'autre – celle qui serrait l'épée.

— Ça y est, grommela Tristan.

Il se méprenait. Sous l'impulsion du Bègue de Villaines, le comte de la Marche intervenait :

— Messires !... Je me place entre vous !

L'espèce d'extase où s'était enfoncée la foule tomba dans un grondement de déconvenue.

— Holà ! messires... Il ferait beau voir que vous

1. Élégance.

2. Ou à *broches* ou à *picots*. La partie saillante du poing était munie d'une suite de pointes, de façon que la main fermée fît office de masse d'armes. Les Anglais, particulièrement le prince de Galles, portaient ces gantelets redoutables.

3. Charnière de la ventaille.

vous étripiez !... Remisez-moi ces lames dans leur feurre[1]. Ce n'est point une prière mais un commandement !

Tristan fit front, ulcéré que la discorde prît ainsi fin :

— Messire, nous avons notre honneur à défendre... si l'homme que je vois là en possède un brin !

Guesclin fit un pas, l'épée haute. Jean de Bourbon tira la sienne :

— Bertrand, oseriez-vous outrepasser ma volonté ?

Les deux lames s'étaient aheurtées. Elles retombèrent. Le prud'homme se tourna vers Tristan :

— Je sais, Castelreng. Ce n'est pas vous qui avez commencé. Nous en sommes témoins.

— Quoi ? hurla Couzic. Mais c'est lui qui...

— Faites taire votre homme, Bertrand, exigea le comte de la Marche.

Le Breton resta muet, immobile, dans une pose inspirée de celle des gisants sauf qu'aucun lion, aucun chien ne reposait sous ses pieds. Il regardait ardemment ce noble dont l'intervention le privait d'un combat sans merci.

— Il est vrai, dit Pierre de Villaines, vrai... que... que vos hommes... que vos hommes ont... répondu à ses reproches... avec avec une eff... une effronterie... qui méritait leçon.

Un murmure s'éleva, sans doute approbateur. Tristan se sentit rassuré. Une vague de satisfaction, voire d'orgueil, lui fouetta le visage tandis que le comte de la Marche l'admonestait pour la forme :

— Vous deviez pourchasser cet arbalétrier qui a occis ma cousine !... Je ne vous en veux point d'avoir fait halte à Tolède, qui est une belle et bonne cité...

— Il me doit, hurla Guesclin, d'achever ce tençon !

1. Fourreau.

— Plus tard, Bertrand. Nous avons suffisamment d'ennemis pour éviter de nous entretuer.

Un instant, au-delà du comte de la Marche, deux aversions s'affrontèrent. Tristan soutint tant bien que mal celle du Breton ; puis il courba le front, nullement par repentance, comme semblait s'en réjouir son adversaire, mais parce que soumis à la volonté de Jean de Bourbon, il ne pouvait que s'incliner pour complaire à ce prud'homme égaré comme lui dans une meute que sans doute il abominait. Alors, il put songer à Teresa et à Simon. Où étaient-ils ? Comme il hésitait à remettre son épée ensanglantée au fourreau, on lui toucha l'épaule. C'était Shirton. Il lui présentait un lambeau de tissu.

— Prenez... Cela me sert à essuyer mon arc quand il pleut, à le mouiller quand la chaleur est trop desséchante.

Et à voix basse :

— Ce Couzic est abject.

Tout proche, à l'intention des Tolédans, José commentait la défaite d'Orriz :

— *... vincido, no por falta de corazón y valor, mas por mala suerte*[1].

Le Bègue de Villaines s'était approché, lui aussi vêtu de fer, mais sans recherche. C'était un simple.

— Nous avons avec avec... avec nous moult hommes qui ne va... va... valent rien. Cela fait deux de moins.

— Qu'ils se soient jactés copieusement de moi, passe encore, messire, mais qu'ils aient ravi et occis deux enfants juifs que j'avais sous ma protection...

Tristan n'acheva pas sa phrase : il parlait à un mur.

1. « vaincus non par faute de courage et de valeur, mais par mauvaise fortune. »

Des Juifs ! « Bon sang », devait penser ce prud'homme à visage d'apôtre, « que vient-il m'entretenir de deux Juifs ! » Il avait été, à Briviesca, l'un des plus acharnés à embraser le saint lieu où les Hébreux avaient cru trouver un sûr refuge. Comme si le droit d'asile, ce droit sacré, pouvait s'appliquer à une engeance de cette espèce !

— On se retrouvera ! hurla Guesclin.

— À ta disposition.

Et comme on jette un gage à la face d'un drôle, Tristan lança l'étoffe ensanglantée en direction du Breton qui prit un gros plaisir à la piétiner. Alors, il remisa son épée au fourreau.

La foule s'éparpillait. Le Bègue de Villaines rejoignit Jean de Bourbon, qui se retourna :

— Holà ! Castelreng. Soyez ici demain avec vos compagnons.

— Il convient que vous le sachiez, messire : le nombre en est restreint maintenant que les hommes de Bertrand m'en ont occis trois.

— Quoi ?

— Hélas ! messire. Cela se fit lors du rapt des deux enfants dont j'assurais la protection. Il se peut, mais j'en doute, qu'ils aient agi de... leur propre chef.

— Leur propre chef !... Hé ! Hé ! reprit le Bègue de Villaines. Pour deux Juifs !

— Ah ! fit Jean de Bourbon, comme soulagé... Demain n'oubliez pas : venez... Je ne veux plus vous savoir hors les murs !

Les deux prud'hommes s'éloignèrent. Une main se posa sur l'épaule de Tristan. Celle de Calveley.

— Comme je te l'ai dit, compère, nous, les Anglais, allons partir. *La plupart des routiers aussi*. Tes capitaines et tes prud'hommes le savent, et c'est ce qui les rend aussi fiévreux que des pucelles qu'on tâtonne pour la première fois... Bertrand attend la venue d'Olivier de Mauny, son bon cousin.

— Vous allez partir tous !

— Presque tous. Guesclin et vos prud'hommes, eux, resteront avec une petite armée... Hein, Shirton ?

L'archer acquiesça, réjoui à l'idée de revoir la Guyenne et plus tard la Grande Île.

— Tous les routiers dont votre roi Charles voulait purger la France n'ont plus qu'un désir : revenir dans ce qu'ils appellent leur paradis.

— L'enfer quand ils y règnent, pour les bonnes gens qu'ils persécutent.

— Certes, fit Calveley, sans émoi. Nous allons devoir nous retrouver un jour ou l'autre, car d'après ce que je sais, le prince de Galles va se déclarer pour Pèdre si celui-ci le lui demande. Toi, Castelreng, à moins que tu ne reviennes en France à ta façon, tu seras toujours avec ces capitaines pleins de jactance que les Anglais et les routiers ont toujours vaincus.

C'était la vérité ; Tristan se contenta d'acquiescer.

— Ignorons-nous dans les prochaines batailles, continua Calveley. À quoi bon nous griéver pour deux méprisables fils de putes. Nous n'aurions jamais dû servir Enrique contre Pèdre car ils sont aussi mauvais l'un que l'autre. Je dirais même que Pèdre est meilleur que son bâtard de frère... Voilà ma philosophie.

— C'est aussi la mienne, dit Tristan.

Calveley et Shirton s'en allèrent. Paindorge apparut, menant les chevaux à la bride. Tristan vit alors que l'aire où il avait triomphé sans plaisir s'était complètement dépeuplée.

— Partons, dit l'écuyer. Pauvres enfants !... Savent-ils seulement que vous les avez vengés ?... Le Ciel des Juifs est-il différent de celui de Jésus ? Y a-t-il là-haut deux poids et deux mesures ? Deux Dieux qui se détestent ou qui vivent en paix ?

Tristan ne sut que répondre. Outre celui d'Ogier d'Argouges, déjà lourd, il portait désormais le deuil de deux innocents. Il trouva sa vengeance mesquine, insuffisante, et se promit de la parachever, Couzic d'abord. *L'autre* ensuite. Pour celui-là, il se savait enclin à toutes les patiences.

— Merdaille ! dit Paindorge. Voyez qui vient vers nous.

Frère Béranger s'approchait à grands pas, prenant plaisir, comme ordinairement, à entendre tintiller ses éperons d'argent. Une nouvelle croix tressautait à son cou, plus grande que l'ancienne, et l'orfroi s'y était substitué au cuivre. Quant au personnage, sa figure turgide et froide dénonçait un mécontentement dont Tristan se demanda s'il en était responsable.

— Eh bien, Castelreng, êtes-vous satisfait ?... Je viens de quitter Bertrand. Sa fureur est immense.

— Peu me chaut l'humeur de Guesclin. Satisfait de quoi, mon père ?

— Satisfait de quoi ! s'exclama le prêtre.

Il avait levé si brusquement ses bras aux manches retroussées que Tachebrun et Malaquin, effrayés, se livrèrent à une incartade contre laquelle Paindorge n'avait rien pu.

— De quoi ? De quoi ? Mais vous le savez bien !... Vous avez insulté Bertrand et meshaigné deux de ses fidèles. Et pourquoi ? Pourquoi, dites-moi ?

L'accent quelque peu pointu, l'accent de Normandie, vibrait dans cette bouche de bellâtre chargée de dents pareilles à des graviers.

— Castelreng ! Cessez de faire l'innocent !

La face du prêtre, maintenant, exprimait une ire qui parut à Tristan de la même trempe que celle de Guesclin avant que Boubon ne se fût immiscé dans leur discorde. Sous des sourcils incultes et froncés, les yeux semblaient criblés par des jets d'étincelles ; le menton fort, saillant, tacheté d'un soupçon de barbe brune, tremblait, pareil à celui du Bègue de Villaines quand un mot ou un verbe se refusait à sortir.

— Je ne saurais faire l'innocent, mon père. Vous venez de m'interpeller d'une façon qui me fait songer à un homme qui siffle son chien !

Plutôt qu'un chien, Tristan se sentait harassé comme un nageur après des lieues de brassées. Ses blessures cuisaient et semblaient fermenter. Les mouvements violents qu'il avait accomplis en avaient sûrement disjoint les lèvres. Un fardeau d'ennui pesait sur ses épaules. Faute de respect pour ce clerc qu'il détestait depuis son mariage, il essaya de se montrer distant, mais il était bien loin du détachement qu'il espérait.

— Jamais vous n'auriez dû vous en prendre à Bertrand, à ses hommes et à l'aigle de sa bannière !

— Vous étiez présent ?

— Certes.

— Alors vous avez compris à quelle truanderie appartiennent ses serviteurs.

— Ni plus ni moins pires que moult autres.

— Si la prise de bec vous déplaisait, que n'êtes-vous intervenu ?

— Je voulais savoir jusqu'où vous pousseriez la sottise. Deux Juifs !

« Ça y est !... Lui aussi ! »

Cette observation revigora Tristan. Son cœur et ses poumons se gonflèrent d'un souffle de rancune et d'indignation. Il tenait toujours les yeux fixés sur le prêtre, ahuri et indigné par son expression despotique en désaccord avec cette bénignité, cette patelinerie dont il faisait preuve auprès du Breton auquel, sans doute, de loin en loin, il tenait lieu de confesseur. « Lui aussi va se montrer injuste. » Mais qu'avait-il à faire d'un courroux qui sans doute, parti de lui, Castelreng, allait s'égarer sur et dans la juiverie. Il n'éprouvait aucun regret, mais plutôt, tout à coup, une sorte de gaieté altière et ténébreuse à l'idée d'avoir indigné ce ministre de Dieu dans lequel, depuis qu'il le connaissait, il avait vainement cherché quelque trace de religiosité. Ses idées ne toupinaient plus : elles avaient enfin trouvé leur équilibre. Quant à ses navrures, eh bien, Carmen les lui soignerait !

— Hé oui ! mon père. Deux Juifs. Une jouvencelle de quinze ans et son mains-né. Je les voulais sauver de la haine et de l'abjection. J'étais à Briviesca. Par la pensée, j'y suis encore et j'y serai toujours. En peu de temps, j'ai appris ce que j'avais ignoré jusque-là.

— Peut-on savoir ?

— La haine de certains m'a enseigné la bonté. L'exécration mortelle m'a initié à tous les devoirs d'assistance que l'on doit à son prochain.

— Vous n'en ignoriez rien... ou alors, vous n'êtes pas chrétien !

— Comme vous ? À votre image et à votre façon ?... Eh bien, non, certes, mon père. Je n'étais pas, moi, parmi les fagoteurs et les boutefeux... Je n'ai pas touché à mon épée. Je m'en suis allé, vergogneux, pourtant, d'être un chevalier de France.

Le père Béranger étouffait. Oubliant toute dignité, il fit un pas vers le pécheur, la dextre levée, mais celui-ci avait un air et un regard si sereins que la main retomba, effleurant le poignard dont se ceignait toujours cet homme en robe de bure taillée à la façon d'un haubergeon.

— Pour *quoi* croyez-vous que nous sommes en Espagne ?

— Pour asseoir un usurpateur bâtard sur le trône hérité légalement par son frère.

— Certes. Mais encore ?

— Je l'avais deviné bien avant Briviesca... À vrai dire dès Avignon, lorsque votre Bertrand est allé rançonner le Pape.

— Oh !

— Nous sommes venus céans pour piller, arser, violer, amasser du butin et faire un grand treu [1] de Juifs. La France en a été souventefois purgée. Nous exportons, aidés par la grosse truanderie des Compagnies, notre méchanceté sur cette terre... Car nous sommes méchants, hypocritement méchants !

Le prêtre porta ses mains à sa tête comme s'il craignait qu'elle n'éclatât. Il n'avait jamais affronté tant de hautaineté, de perspicuité et de résistance. Cette façon nette, courtoise, de se regimber. Il n'avait jamais assisté à un pareil décrochage d'une religion pour – ô trahison ! – pour le soutien d'une autre et de ses fidèles.

— Votre chapelain, chevalier, ne vous a-t-il jamais dit que les Juifs sont les ennemis du Christ ? Qu'ils contribuèrent à sa crucifixion ?

Au nom sacré, Tristan s'était signé.

— Jésus, mon père, est aussi loin de moi que de vous. Nous sommes en d'autres lieux, d'autres temps que les siens.

— Sacrilège ! Dieu et Son Fils sont présents maintenant. Je les sais ouïr vos propos !

— Alors, je suis certain de leur bénédiction mais je doute, mon père, qu'ils vous l'accordent après ce qu'ils vous ont vu commettre à Briviesca !

D'autorité, Paindorge sépara les deux hommes. Tris-

1. Ravage.

tan repoussa Malaquin, le moine exaspéré contourna Tachebrun. « Si ce cheval rue, il meurt », se dit Tristan. Deux pas de côté suffirent pour qu'il éloignât le péril.

— Messires ! Messires ! supplia l'écuyer. Je vous adjure...

— Tais-toi, varlet, quand je parle à ton seigneur !

Paindorge accepta l'injonction bien qu'elle lui parût outrageuse. Le prêtre reprit son souffle et sourit avec une sorte de rudesse :

— Lorsque je vous ai vu occire ce Breton, Castelreng, je me suis dit : *« Voilà un gladiateur, un homme qui peut devenir maréchal de France. »* Hé oui !

— Réservez cette charge à Guesclin. Par ses... mérites, il la mérite !

— Je vois que Briviesca ne cesse d'assombrir vos pensées.

— De les enflammer, mon père ! De les enfumer ! De les consumer !

— Parce que vous ne savez rien des Juifs !

— Ce que je sais, c'est qu'ils ne m'ont rien fait. Adoncques, je les respecte.

Devant tant d'obstination et plutôt que de se sentir submergé par un découragement auquel il eût dû s'attendre, le prêtre crut bon d'insister :

— Savez-vous qu'ils nous jugent impurs ? C'est dans le *Deutéronome*. Savez-vous qu'ils nous veulent réduire en servitude ? *« Tes serviteurs, tu les prendras aux pays qui t'entourent. »* Est-ce clair ? Voulez-vous que je continue ?

— Non... Nous ne sommes pas en Palestine. Pour vrais qu'ils aient été en leur temps, vos dires me semblent maintenant caducs. Jésus en réprouverait la malivolance !

— Ils sont persuadés qu'ils nous sont supérieurs. Yahweh, leur dieu, leur a promis la supériorité sur tous les royaumes de la terre. Il leur dit qu'ils seront bénis dans les cités et dans les champs ; que seront bénis les fruits de leurs entrailles, les fruits de leur sol, ceux de leurs troupeaux, les portées de leurs bestiaux. Il proclame, ce dieu, que les ennemis qui se lèveront contre eux seront mis en déroute et s'enfuiront par sept chemins... Voilà ce qu'ils lisent et méditent ! C'est pourquoi, pour avoir la paix, Dieu, le nôtre...

Tristan s'interdit de paraître irrité :

— Notre Dieu est amour et non haine... Nous voilà revenus aux premières croisades. Pour Sa Gloire, elles réunirent et extirpèrent de notre royaume l'essentiel et l'inutile, le bon et le mauvais, les nobles et les truands. Tous mêlés. Tous frères pour faire entrer la Bonne Parole à coups de glaive dans le corps des Mahomets !

— Tu blasphèmes !

— Toutes les guerres lointaines purgent, appauvrissent et assainissent les pays qui les entreprennent. Nous avons été injustement bénis en Avignon. Et par qui ? Par le hoir[1] de Saint-Pierre, effrayé par nous-mêmes avant notre passage en Espagne. Nous ne le serons point en revenant chez nous... si nous y revenons. Sachez-le, parce que je le sens et flaire : nous fuirons !... Nous fuirons par sept, quatorze ou vingt-huit chemins. Les chevaux de l'Apocalypse galoperont à la ressuite des nôtres. Tous seront rejoints !

— Sauf le tien ?

« En voilà un de plus qui s'intéresse à Alcazar. »

— Mon bon et véloce coursier ne pourra rien contre la fureur divine. Il ne méprise pas les chevaux noirs. Il ne hait pas les pommelés, les arzels, les ferrans, les baucens et les liards, les cavèces de maure, les goussauts, les mirouettés, les tourdilles, les genets des Cas-

1. Héritier.

tillans, les *galloways* et les *hobbys* d'Angleterre et les bohêgnons de feu Jean de Luxembourg... ni même les chevaux du doge de Venise qui sont en or, à ce qu'on dit !... Alcazar est à ma semblance : il a bon cœur. C'est sa façon d'être un juste.

— Eh bien, mets ton cheval dans son pré. Fais y venir peu à peu ou d'un coup les chevaux que tu as cités. Tu verras ton Alcazar se regimber contre ces malvenus plutôt que de faire ami-ami comme tu le crois !

On s'égarait, mais point trop. Frère Béranger eut un mouvement d'impatience :

— Garde ceci dans ta mémoire : il est dit dans Isaïe que les gens tels que nous sommes lècheront les pieds des Juifs.

— J'ai vu des pieds coupés, à Guadamur. Coupés par ces hommes que vous me semblez révérer. Qu'en dites-vous ?

— Que la guerre est un grand malheur.

— *Mais les Juifs espagnols ne nous font pas la guerre !* C'est bien nous qui la portons chez eux alors que nous les savons sans défense.

— Ils servent Pèdre, ils sont donc nos ennemis.

C'était un syllogisme abominable.

— Allons, dit Tristan, la semelle sur l'étrier de Malaquin, je vois que nous ne pouvons nous comprendre. Vous me direz bientôt que les Bretons sont des saints alors qu'ils sont exécrés en tout lieu où le vent du profit et la soif du sang les ont poussés.

Béranger Gayssot fit un pas. Il attrapa Malaquin au frein, interdisant du même coup tout mouvement à Tristan :

— Les Bretons sont hélas ! ce que tu en penses. Des primitifs. De même qu'une Église primitive a existé, qui s'est embellie sans cesse, ils s'embelliront.

Tristan faillit s'esclaffer :

— Leur messie, quant à lui, n'embellira jamais !

Il se savait, dans ce combat de mots, vaincu d'avance. Il voyait le prêtre de profil. La sueur qui ruisselait sur sa joue et son front n'était pas due à la chaleur mais au courroux qui, à son égard, ne cesserait jamais de hanter cet homme. Il le vit sourciller et se tourner vers lui, les yeux embués d'une sorte de chagrin dû au fait que pour une fois, il n'avait pas la partie belle et que Dieu ne l'inspirait point.

— Quant à Briviesca, Castelreng, je vais te citer quelque chose...

« Il ne me voussoie plus, c'est donc qu'il me méprise. »

— Quand ils se furent emparés de Jéricho, les Juifs le livrèrent à l'anathème...

« Encore de l'histoire ancienne ! »

— Tout ce qui se trouvait dans la ville : hommes, femmes, enfants, vieillards, bœufs, brebis, ânes subirent le tranchant de l'épée. Les enfants d'Israël arsèrent la cité et tout ce qui s'y trouvait, sauf, évidemment, ses richesses... Ils ont fait cela. C'est Josué qui le dit... Alors, Briviesca...

« Vous êtes un monstre ! » faillit s'écrier Tristan cependant que le prêtre poursuivait dans la joie, la verve, la conviction à coup sûr pathétique que la victoire sur ce délinquant de Dieu, Castelreng, lui était désormais assurée :

— Ils ont voué, te dis-je, leurs ennemis à l'anathème. C'est-à-dire qu'ils les ont immolés sans désemparer en l'honneur de Yahweh. Les Hétéens, les Cananéens, les Hervéens et d'autres, des milliers d'autres... C'est une race de barbares et ce sont ceux de Castille, les *zélators* de Pèdre, de *Pèdrezil* le Juif, les pires qui existent en ce monde !

Lui aussi ! Décidément, une espèce de folie contaminait tous les membres des Compagnies puisque cet homme touché depuis belle heurette par la grâce divine, sombrait dans une espèce de derverie [1] meurtrière. Tristan, qui l'observait avec une attention passionnée, se demanda si Simon de Montfort lui avait ressemblé jadis ; s'il avait eu sur son visage de faux saint cette expression violente et despotique. On le disait pieux. Cela ne l'avait pas empêché de commettre, lui-même ou par capitaines interposés, des milliers de crimes contre les Albigeois. Au nom du Dieu de bonté !

— À quoi penses-tu ? demanda, inquiet, le père Béranger.

— À l'entrée de Godefroi de Bouillon à Jérusalem... Un bouillon de sang, selon ce que m'a dit, jadis, mon chapelain... Et je me dis, moi, que vous voyez la paille qui est dans l'œil du prochain sans voir la poutre qui doit boucher le vôtre. *« C'étaient des Maures »*, direz-vous. Et je vous répondrai : *« C'étaient des hommes, des femmes, des enfants, des bêtes dont la vie était sacrée. »* Voilà !

Ce fut, pour Tristan, une fin satisfaisante.

— Amen, dit le prêtre en le bénissant.

Il tourna les talons et partit en hâte dans un furieux tintement d'éperons.

Le silence qui suivit ce torrent de paroles fut pour Tristan un moment de volupté intense. Il vit un lézard s'immobiliser sur la crête ensoleillée d'un muret et l'envia de pouvoir profiter du soleil dont les feux ne cessaient de croître.

— Quel homme ignoble, soupira-t-il, que ce porteur de froc !

Et de soupirer encore.

Il vit alors un jouvencel s'approcher. Il était vêtu

1. Folie, possession par l'esprit du mal.

simplement : flotternel de tiretaine grise, haut-de-chausses d'un vert que le soleil avait comme blanchi, heuses de cuir noir sans éperons. Il était tête nue pour faire admirer, sans doute, les cheveux bruns qu'il portait longs.

« Antoine de Beaujeu [1]. Que me veut-il ? »

— Vous y êtes allé très fort !

Était-ce un reproche ? Il ne le semblait pas.

— Insuffisamment, messire, à mon gré.

— Je sais, je sais.

En dépit de la courtoisie du ton, la réprobation semblait flagrante. Tristan se sentit jugé, peut-être condamné. Il refusa toute passe d'armes :

— J'ignore, messire, ce que vous pensez de ce que nous faisons en Espagne.

— Je m'efforce de l'oublier. Faites-en autant.

Beaujeu cherchait peut-être le fer. Il devait avoir vingt ans. Il dévisageait le récalcitrant de ses yeux bleus, mobiles sous l'arc net et brun des sourcils.

— Le père Béranger va vous anathématiser.

1. Antoine, sire de Beaujeu, était né le 12 septembre 1343. Il était le fils d'Édouard Ier, sire de Beaujeu, maréchal de France, qui avait participé à la bataille de Crécy. En 1350, il avait accompli un voyage en Terre-Sainte. Édouard Ier fut tué à Ardres, près de Saint-Omer, en 1352, lors d'une échauffourée avec des Anglais.

Antoine de Beaujeu avait dû défendre sa « chevance » contre les Compagnies qui s'emparèrent même de Beaujeu. Vers 1364, il rejoignit l'armée royale et prit part, auprès de Guesclin, à la bataille de Cocherel. Après son retour d'Espagne, il allait combattre en Guyenne et Quercy, Auvergne et Limousin pour trouver la mort à Montpellier en 1374, à l'âge de 31 ans, sans laisser d'enfant à son épouse, Béatrix de Chalon. Il était apparenté à la reine Blanche par alliance et d'une façon plus éloignée que le comte de La Marche : son père, Édouard Ier, était cousin au second degré de Guy VII, comte du Forez, qui avait épousé Jeanne de Bourbon, sœur de Pierre de Bourbon, père de la reine.

— De sa part, ce serait réjouissant.

— Il est fort accointé à Bertrand.

— Il le serait au diable que je n'en serais point ébahi.

— Vous voilà menacé par le Breton et par un prêtre... et par d'autres aussi.

— Mon beau-père, Ogier d'Argouges, qui avait souffert de la méchanceté des hommes, m'avait fait part, un jour, d'une formule qu'il avait adoptée : *Multi inimici, magnus honor*.

— Et ça veut dire ?

— Que plus on a d'ennemis, plus l'honneur est grand.

Satisfait, Tristan se jucha en selle et salua le jouvencel.

— Viens-tu, Robert ?

— Oh ! oui, messire, fit Paindorge.

Ensemble, ils prirent le galop.

IV

Lorsqu'ils revinrent, mornes et résignés, à Tolède, Tristan et ses compagnons trouvèrent les prud'hommes et les capitaines en grand émoi. Une douzaine de Bretons supplémentaires venaient d'annoncer la prochaine venue d'Olivier de Mauny, ce cousin bien-aimé dont Guesclin se montrait le plus fier, sans que l'affection dont il le couvait désobligeât les autres membres de sa famille. Mauny était, lui aussi, un routier avéré : un routier de Bretagne. Raison de plus pour que la plupart des prud'hommes de France fussent réjouis [1].

— C'est le monde à l'envers, dit Tristan ahuri par cette liesse lorsqu'il eut mis pied à terre et vérifié, d'un regard, si ses soudoyers, les chevaux et la mule exprimaient ce qu'il attendait d'eux : l'obéissance et la vigueur.

— Vous connaissez la... la... Nnounounouvelle ? lui demanda, au passage, le Bègue de Villaines. O... O... livier de de Mauny ar-rive !

— Depuis que nous avons croisé quelques-uns de

1. Quand naquit-il ? Quand mourut-il ? Nul ne le sait. En 1372, « pistonné » par son cousin, il devint chambellan de Charles V et l'un des trois capitaines généraux de Normandie. Il avait acheté (avec son butin d'Espagne) le château de Torigny à Jean de Vienne.

nos hardis bons chrétiens à l'ombre d'une porte, nous sommes informés, dit Tristan. Cela ne fera qu'un routier de plus et, bien sûr, son herpaille.

— Ah ! Ah ! rugit Villaines. Votre ressentiment n'a pas changé.

Il s'était tourné, clignant de l'œil, vers son compagnon, Adam de Villiers, que certains nommaient son frère, et qui était affligé des mêmes difficultés d'élocution que lui. Ils s'éloignèrent en ricanant, cédant la place au Vert Chevalier, qu'on voyait peu car souvent occupé aux arrière-gardes[1].

— Comme vous dites, Castelreng : quelques routiers de plus.

Il était grand, anguleux, le visage austère comme saupoudré, au menton, d'un soupçon de barbe brune. Tristan ne l'avait jamais vu autrement qu'affublé d'un chaperon vert, d'un pourpoint et de chausses verts. Il les arborait avec une certaine arrogance car cette couleur était dépréciée par certains chevaliers sous prétexte qu'en été, c'était celle des veneurs à la chasse au cerf[2].

1. Le Vert Chevalier était le frère puîné de Jean de Châlon, comte d'Auxerre. La *Chronique des Quatre premiers Valois* l'appelle par ce surnom, mais son prénom était Hugues. Il était le second fils de Jean III de Châlon et de Marie Crespin.

2. Le vert était assez méprisé des chevaliers bien qu'il annonçât la verdeur de leur printemps et la rigueur de leur courage. En 1380, lors d'un tournoi à Saint-Denis, donné par Charles VI pour la nouvelle chevalerie du roi de Sicile et de son frère, le comte du Maine, 22 chevaliers verts s'affrontèrent.

« *Ils avoient l'escu verd pendu au col avec la devise gravée en or du roi des Cates et estoient suivis chacun de leur escuyer qui portoit leurs armets et leurs lances (...). Ils attendirent les dames que le roi avoit destinées pour les conduire aux lices, et qui s'y étoient préparées avec des habits de la même livrée qui estoit d'un verd brun brodé d'or et de perles*, etc. (Le Moine de Saint-Denis, *Histoire de Charles VI*, livre IX, chap. 2).

Et Hugues de Châlon d'ajouter, maussade :
— Manquerait plus que l'Archiprêtre !
— J'en doute, dit Tristan. Ou alors ce serait pour nous montrer en pleine bataille ou en pleine défaite, le chemin du retour et du déshonneur.
— Certes !... Mais on dit que le roi le tiendrait en disgrâce. On cite certains noms d'hommes susceptibles d'accompagner Mauny : Seguin de Badefol...
— J'en doute : on le dit riche [1]. Il n'échangerait pas son sang contre de l'or.
— Le Limousin... Mais cela m'étonnerait, moi... Savez-vous qui est sorti vainqueur de cette course à cheval contre Roubaud ? J'en ai ouï parler par mes voisins au festin de Barcelone [2]. C'est loin.
Tristan ne savait rien au sujet de cette course. Quels

1. Il était riche. Les 4 et 5 avril 1364, Seguin de Badefol avait conclu un traité, par la médiation d'Arnaud Amanieu, seigneur d'Albret. Il y avait, pour en discuter, les gouverneurs du duc de Berry et d'Auvergne, le comte de Boulogne et d'Auvergne, le dauphin d'Auvergne et Badefol qui exigea 3 000 florins, lesquels furent empruntés au cardinal de Beaufort qui devint pape en 1370 sous le nom de Grégoire XI. Il s'appelait, comme son oncle et parrain Clément VI, Pierre Rogier.
2. André Solier ou Sorlier, surnommé le Limousin avait un ennemi dans la bande à Badefol : Louis Roubaud ou Rambaut qui s'était fixé à Brioude et avait contracté une alliance avec Charles de Navarre.
Rambaut voulut conquérir Saint-Vidal que défendait le Limousin pour le seigneur des lieux. Ne pouvant soumettre cette bastille, Rambaut gagna le Puy en dévastant tout sur son passage. Il s'allia une nouvelle fois à Badefol et l'on perdit sa trace jusqu'à ce qu'il revînt à la surface de l'*actualité* du crime le 22 mai 1365 où, près d'Annonay, il fut battu par le comte de Polignac. Sa haine envers le Limousin tenait au fait que ce dernier lui avait enlevé sa maîtresse, « *une moult belle et gaillarde femme* ». Ils s'opposèrent dans une course équestre, en Bas-Languedoc, pour savoir qui obtiendrait la dame !

qu'ils fussent, les exploits des routiers ne l'intéressaient pas. Quant aux voisins du Vert Chevalier à Barcelone, son regard avait dû glisser sur eux sans s'immobiliser.

— C'est le Limousin qui a gagné, affirma Sylvestre Budes qu'un Breton, Hénaff, suivait de près. Et c'est juste... Ah ! Castelreng, si Roubaud avait chevauché la perle rare que tu possèdes, aucun doute : il aurait gagné !

Encore un qui rêvait à la possession d'Alcazar. Il fallait feindre d'être sourd et protéger farouchement le blanc coursier. Tel un trésor ou un être cher.

« J'ai veillé comme un père, un frère, sur Teresa et sur Simon. Vainement ! »

Le remords et la fureur travaillèrent de nouveau Tristan cependant que Châlon et Budes s'éloignaient chacun de leur côté sans avoir échangé un mot.

— Vous en faites pas, messire, dit Paindorge, toujours circonspect. Là où nous allons, vous pourrez sans doute les oublier un tantinet.

*

* *

On repartit comme on était venu : en s'éparpillant au gré des accointances.

— Où allons-nous, demanda Paindorge, maintenant que le Tristemare nous a rejoints ?

— Séville. Guesclin nous a dit de suivre ? Suivons.

Tristan n'osa se retourner : il ne quittait pas Tolède ; il la perdait.

Événement attendu sinon espéré par Calveley et redouté par Guesclin : une grosse partie des Compagnies avait fait mouvement vers le nord, très certainement vers la France. L'usurpateur se morfondait d'avoir à affronter don Pèdre avec des forces amoindries. Cette retraite des deux tiers de la truanderie ajoutée au probable délaissement des Anglais rendait l'humeur des chefs détestable. On s'était aperçu, à Tolède, de quelques liaisons subreptices entre des hommes de la Grande Île et des partisans, certes non avoués, du roi déchu. Leur détachement de plus en plus apparent à la cause de don Enrique consternait les prud'hommes de plus en plus englués, eux, dans la racaille. On attribuait la raison de la défection des capitaines anglais à leur dépit envers Guesclin : ils le voyaient comblé de faveurs et jouissant si ostensiblement de la confiance d'un prince que certains l'appelaient d'un mot inventé : le *vice-roi*, que Tristan approuvait, puisque le premier tronçon exprimait du Breton la nature indéfectible. Le bruit courait d'un traité entre Pèdre et le prince de Galles. On murmurait que le fils d'Edouard III n'attendait qu'une occasion pour se déclarer. Tristan savait fondée la défiance du Trastamare, de Guesclin et des prud'hommes. Paindorge et Lebaudy, qui aimaient à muser les oreilles et les yeux grands ouverts, avaient appris qu'on avait cessé de mander les Anglais aux conseils et renoncé à leur communiquer ce qui s'y était délibéré. Ainsi pensait-on leur faire comprendre que les capitaines avaient pris ombrage de leur conduite et que s'ils donnaient quelques nouveaux sujets de suspicion ou de courroux, on serait en état de leur faire un mauvais parti. Cette brisure de liens déjà lâches laissait présager, comme Calveley le pressentait, des batailles acharnées dans un avenir que Tristan souhaitait lointain.

Olivier, le frère de Guesclin, Audrehem, le Vert Chevalier, Bourbon, Villaines, Jean de Neuville et Beaujeu semblaient les plus défavorables à ceux qu'on appelait de nouveau les Goddons. L'archevêque de

Tolède, homme richissime et primat de toute l'Espagne, les avait traités avec une déférence qu'il s'était bien gardé d'accorder aux Français : leur exécrable réputation les avait précédés avant même qu'ils eussent été en vue de la cité. Le prélat préférait la haute personne de Calveley et son franc sourire de barbu roux comme un feuillage d'automne à la courtaude et solide stature d'un Guesclin dont la bouche vaste, aboyeuse, semblait toujours prête à mordre n'importe qui pour n'importe quoi et à proférer des outrances, des menaces, voire des blasphèmes.

— Vois, Robert, comme on nous observe.

Guesclin, Couzic et la plupart des Bretons les tenaient à l'œil. Yvain Lemosquet, Lebaudy et Serrano même, n'échappaient guère à cette surveillance.

— Ils veulent venger le Karfec et Orriz.

— Le plaisir du meurtre est en eux comme une inavouable maladie. Ils choisiront un prétexte pour nous occire... Mais nous sommes en suffisance pour faire échec à leur perversité.

Bien qu'il ne cessât d'être vigilant, Tristan se montrait, désormais, d'une indifférence absolue à tout ce qui l'entourait sauf ses hommes et leurs chevaux. Il s'était refusé à retourner chez del Valle pour ne point le préjudicier. Il n'avait qu'une seule et double pensée : Teresa et Simon. Bien que Paindorge l'eût maintes fois adjuré de se ressaisir et lui eût démontré qu'il n'avait aucun reproche à s'adresser, il se sentait l'âme noire. En demeurant à Burgos, le frère et la sœur eussent sûrement échappé à la mort.

Il se sentait également assujetti à des événements funestes. L'absence d'Ogier d'Argouges ne faisait qu'empirer sa tristesse. Cet homme-là l'eût compris, rassuré, conforté mieux que ne le faisaient Paindorge, Lemosquet et Lebaudy eux aussi pleins de haine.

Quant à Serrano qui avait perdu sa guiterne dans l'escarmouche de Guadamur, il ne chantait plus.

Insensible à tout – comme contagionné par la mélancolie de son maître –, Alcazar allait d'un bon pas quand ce n'était d'un amble serein sous lequel, parfois, le galop affleurait. Ses fers avaient gaiement clapoté sur les dalles du pont San Martin. Maintenant, il piétait dans la rocaille.

— Cette immense forêt dont on nous a parlé ?

— Nous y passerons, Robert. On la dit pernicieuse.

Pour le moment, c'était l'aridité absolue, ocrée, brûlée, pommelée çà et là par des arbres étiques. On avait laissé Guadamur à senestre, de sorte que Guesclin n'avait pu voir les ruines dont le mérite incombait à ses compères. Il ne s'en fût d'ailleurs soucié. L'armée avançait dans la cohue habituelle, les cris, les rires, les chants à l'amour ou à boire.

— Un logement, messire, indiqua soudain Paindorge. Là-bas !

On avait dressé dans un creux une vingtaine de pavillons et d'aucubes. Une vie de guerriers grouillait là. Bretons et Anglais fraternisaient sous les bannières de Guesclin et d'Édouard III. Certains, assis par cercles, mangeaient ensemble. D'autres, ivres de vin ou de cervoise, dansaient autour d'un empilage de futailles, aux sons d'une guiterne dont la vue fit grogner Serrano.

— On dirait la mienne !

— Abstiens-toi, dit Tristan, de la leur demander. Vois : les uns sont en gogaille et les autres sont saouls. Tu y perdrais la vie.

Apercevant Guesclin et les prud'hommes de France, puis don Henri et ses *ricos hombres* et enfin Calveley et ses capitaines, les guerriers suspendirent leur repas et leur danse pour les ovationner.

— On vous rejoint ! hurla un homme.

Ils se remirent à manger, à danser. Certains, avec le talon de leur hache ou de leur bec de faucon tapèrent sur les futailles certainement vides comme sur des tambours ; d'autres qui sans doute assuraient la surveillance, reconnaissant des compères à leur passage, les saluèrent ou conspuèrent en leur promettant de leur montrer bientôt leur force et leur courage. Sans doute, invisibles, y avait-il des captives car un cri effrayé vint à bout du vacarme.

— Teresa ?

— Non, messire, dit Serrano. Voyez ce singulier râtelier d'armes.

Singulier ? Non : hideux. Une dizaine de vouges et de guisarmes alignés dans les encoches exhibaient, à la pointe de leur fer, des têtes dont le sang poissait ou croûtait les hampes. L'une d'elles, pâle et les yeux clos, était celle de Simon. Sa voisine aux longs cheveux dénoués, de sorte que le sinistre épieu semblait un though[1] morisque, c'était Teresa. Parmi les faces ravagées de toutes ces victimes, son visage était demeuré merveilleusement doux, mais sa clarté s'était chargée d'une lividité sinistre. Sa chevelure aux ors empouacrés de sang luisait avec cette vivacité qui n'avait cessé d'émouvoir tous ceux dont elle s'était attirée la bienveillance. Le soleil diluait encore un peu de sa chaleur et de son éclat dans des yeux qui eussent dû être ternis, et la bouche mi-close semblait exprimer son mépris à ces « chrétiens » qui l'avaient tourmentée puis occise.

— Qui a fait cela ?

1. Étendard turc formé d'une queue de cheval fixée en haut d'une lance à une boule d'or et que l'on portait devant les gouverneurs et les généraux afin de marquer leur rang.

Tristan comprit qu'il s'interrogeait lui-même. Aucun de ses compagnons, immobiles autour de lui, ne pouvait lui fournir une réponse que d'ailleurs il connaissait. Quant aux hommes en pleine liesse après avoir joui de leurs captifs et captives dont ils semblaient d'ailleurs célébrer le trépas, rien ne les obligerait à répondre.

— Venez, messire, dit Lemosquet, écœuré par l'infernale vision.

— Non.

Tristan regardait ces yeux morts, cette bouche juvénile dont aucune voix, aucun rire ne sortirait plus mais dont les cris et les plaintes atteignaient ses oreilles. Une sorte de rugissement grondait dans sa gorge sans qu'il parvînt à l'extraire. Teresa ! Teresa morte et comme apparentée à ces martyrs dont certains pouvaient avoir vécu à Guadamur. Bien qu'il eût depuis plusieurs jours songé que le frère et la sœur étaient morts, il n'avait pas imaginé qu'ils achèveraient ainsi leur géhenne. Une compassion pareille à un épuisement immense le gagnait, ainsi qu'un désespoir sans fond, sans frein. Désormais, l'image de Teresa enténébrerait toutes ses pensées. Jamais il ne pourrait conjurer cette vision ; jamais il ne pourrait exorciser le souvenir de Flourens, de Le Karfec, d'Orriz et de Couzic qui, lui, demeurait en vie.

Soudain, sa peine fut trop exigeante. Il se mit à pleurer à sanglots douloureux, presque silencieux, et ce ne fut que lorsque des larmes mouillèrent ses mains qu'il s'aperçut de sa faiblesse. Des mots de haine écorchèrent ses lèvres tandis que sa poitrine se dégonflait.

— Les linfars ! Jamais je ne pourrai oublier ces trépas !... J'occirai ce grand maléficieux et ses hommes ! Ils subiront ma loi. J'y mettrai le temps qu'il faudra.

Une sorte de torpeur le prit à travers laquelle flottaient des images fumeuses. Teresa, Luciane, Ogier d'Argouges, Naudon de Bagerant qu'il eût peut-être accusé de ce double crime s'il avait été présent. Il fut tenté de renverser et de briser d'un coup d'épée toutes ces hampes, puis d'exiger les restes de ses deux protégés.

— Mais où sont-ils ?

La vue de leurs deux corps eût sans doute exaspéré sa fureur.

Il allait s'en aller quand un cri retentit suivi de plaintes et de pleurs bruyants. « *Teresa !* » Il fut soudain certain qu'elle l'appelait désespérément au-delà de la mort, peut-être au-delà de la terre, et comme un homme nu, le sexe dardé s'extrayait de la tente où il venait de forcer une femme qu'on entendait crier son dégoût et sa haine, il galopa jusqu'à lui l'épée haute et d'un coup lui trancha la tête. Puis, faisant piaffer Alcazar :

— Ajoutez cette hure de bon chrétien aux vôtres ! hurla-t-il aux routiers.

La liesse cessa. Il sut que l'armée s'arrêtait. Il vit les hommes abandonner les futailles et cesser leur danse. Certains, l'épée ou la guisarme au poing, s'approchèrent pour se venger lorsque deux cris retentirent : Guesclin et Calveley.

— Tu viens de me priver d'un archer, dit l'Anglais.

— Peux-tu imaginer ce qu'il venait de faire ? N'es-tu point las de ces excès ?

— Oh ! je ne te reproche pas de l'avoir occis. Au contraire, je t'en congratule.

— Moi, je t'aurais occis, dit Guesclin. Tu ne mérites pas de vivre.

— Eux le méritaient !

Tristan mena son cheval jusque devant Simon et

Teresa dont il toucha les fronts que le soleil tiédissait comme leur sang, naguère.

— Eux méritaient de vivre ! Ils étaient mes amis ! Ils eussent pu être mes enfants !

— Es-tu Juif pour parler ainsi ?

Toujours cette obsession de la juiverie ! Ce n'était plus de l'aversion ; c'était une maladie : l'avertin[1] encore et toujours.

— Quand on a comme moi vécu dans un moutier avant d'être admis dans l'Ordène[2] pour servir deux rois très chrétiens, cette question peut soit courroucer soit égayer. Je choisis la seconde en homme de bon sens.

Les rires qui s'ensuivirent désavantageaient le Breton.

— Oh ! toi, dit-il, le poing levé.

La captive criait toujours sous le tref dont parfois la toile se boursouflait. Un homme avait donc attendu son tour. Peu importait pour ce fredain[3] ce qui se passait au-dehors. Il voulait forniquer une jouvencelle qui se défendait âprement. On pouvait l'imaginer dans les lambeaux de ses vêtements, repoussant et griffant des mains, heurtant des genoux et des pieds son agresseur, hurlant et gémissant quand la pression de celui-ci devenait plus violente ; tordue, hagarde, échevelée, les reins creusés à se briser, chacun de ses sursauts révélant des contours dont la nudité excitait le soudoyer ou le capitaine qui la voulait soumettre.

Teresa s'était défendue ainsi. Peut-être avait-elle été violée devant quelques hommes qui, eux aussi, avaient

1. Vieux : maladie de l'esprit qui rend progressivement fou furieux.

2. L'Ordre de la Chevalerie, mais aussi le sacrement.

3. Scélérat.

attendu le dénouement d'une étreinte pour se vautrer sur elle. Aucun de ces chrétiens que le Pape avait désexcommunié, ne s'opposait à ces énormités ! Où était Béranger ? Les clercs bretons... et Dieu ?

— Et tu ne dis rien ? hurla Tristan à Calveley.

Le géant s'approcha :

— Je n'ai aucun pouvoir contre les Bretons. Si c'était un Anglais, sache qu'il serait trépassé après que je lui ai fait couper le vit et les coulles !

Couzic se sentit offensé.

— Puisqu'il en est ainsi, dit-il après avoir consulté son chef du regard.

Il marcha vers la tente aussi vivement que ses mailles le lui permettaient. À peine fut-il à l'intérieur que des coups furent échangés entre le violeur et le compère qui venait d'interrompre sa fornication. L'homme se rajusta sitôt dehors et Couzic apparut :

— Voilà ! Je l'ai forlancé [1] !

Il revint sous le tref d'où s'exhala un cri horrible et le Breton sortit tenant par sa longue chevelure blonde une tête décapitée :

— C'est ta faute, Castelreng ! C'est toi qui as abrégé sa vie ! Cette enragée pouvait servir encore !

— Plante *ça* sur une guisarme ou un vouge, commanda Guesclin. Et qu'on n'en parle plus !

Tristan rejoignit ses compères dont le cercle se resserra autour de lui.

— Partons, dit-il, cet endroit empunaise la nigousse [2] !

Tournant le dos à Guesclin, il remonta la courte

1. *Forlancer :* faire sortir de son gîte.

2. Du Breton *an ini coz ou kozh*, « le vieux ». Commencement du refrain d'une chanson déformée : *à la nigousse* et sobriquet employé par les hommes d'armes pour désigner un Breton.

pente au sommet de laquelle des cavaliers et des piétons s'écartèrent pour le laisser passer. Bien que ce lui fût pénible, il se tourna vers Teresa. Ses yeux qui avaient presque conservé leur éclat de pierre noire semblèrent lui reprocher son abandon. Ce fut alors qu'il entendit le froussement d'une sagette. Il se courba. Il y eut deux cris : celui de l'homme qui était atteint : Serrano. Celui de l'archer. Tristan se détourna : l'homme gisait mort. Près des fûtailles, Shirton s'inclinait puis agitait son *long bow* en signe de satisfaction. La voix de Calveley se fit entendre :

— Il semble, Bertrand, que mon compère vient d'enferrer un de tes hommes. La belle hardiesse, en vérité, que de vouloir occire dans le dos un redresseur de torts de la trempe de Castelreng.

Le Breton ne dit mot, mais son cheval abroché méchamment exprima mieux qu'il ne l'eût fait sa déception et sa fureur.

— Va falloir, dit Paindorge, veiller sur votre vie. Holà ! Serrano, attends : faut qu'on te soigne.

*
* *

— La forêt ! s'écria Shirton qui chevauchait auprès de Tristan.

Selon les Castillans elle était épouvantable. Son extrémité aboutissait à une lieue de Cordoue.

— La Paimpont espagnole ! ricana Guesclin en immobilisant son cheval. Peut-être y verrons-nous des unicornes et des dragons.

Il riait. Cependant, la réputation de cet océan d'arbres l'inquiétait. On le disait maléficieux, capable d'engloutir ceux qui s'égaraient dans ses vagues touffues et glauques ou de lancer contre les imprudents tout un peuple d'animaux sauvages.

— D'autres l'ont traversée. Pourquoi pas nous ? dit Shirton. Moi, messire Tristan, je me sentais chez moi en forêt de Winslow... Or, j'avoue que celle-ci m'inquiète.

De loin, c'était un mur verdoyant ; de près, un tourbillon de verdures figées par l'absence de vent et comme maléficiées. Il y avait çà et là quelques failles sombres et l'on pouvait voir l'arche sous laquelle s'engageait un chemin étroit, couvert d'une écume glauque d'où émergeait l'échine d'un rocher.

— Il nous faudra nous défier de tout, dit Calveley. C'est du moins le conseil qu'un Toledan m'a donné.

— Nous sommes quinze cents lances[1], dit Olivier Guesclin approuvé par ses frères, Bertrand et Guillaume. Nous n'avons rien à redouter.

— Seigneur ! soupira Jean de Bourbon, que ne dois-je accomplir pour venger ma cousine. Mais au moins, là-dedans, échapperons-nous au soleil.

— Faut... faut-il, demanda le Bègue de Villaines, en... envoyer une avant-gaga... garde ?

— Certes ! dit Audrehem.

— Castelreng se fera une fête de nous ouvrir la voie.

Suggestion de Guesclin ou commandement ? Quoi qu'il en fût, il fallait accepter, sourire, s'incliner sans paraître se résigner, hocher la tête comme si cette mission n'encourait aucun risque. Quand il eut procédé à tous ces mouvements, Tristan se détourna vers ses compagnons :

— Es-tu des nôtres, Serrano ?

— Oui, messire.

1. López de Ayala, page 422 de ses *Chroniques*.

Le trouvère avait le bras senestre en écharpe ; il grimaçait mais, sa fortitude restait intacte.

— Nous vous suivrons tous, dit Yvain Lemosquet approuvé par Paindorge.

— Quels chevaux ? demanda l'écuyer.

— Tous.

L'affliction de Tristan lui faisait recouvrer la sécheresse de langage convenant à un capitaine.

— Ah ! bon, fit Paindorge, une nuance de contrariété dans la voix.

Ils se savaient observés, écoutés.

— Belle-Face, le cheval de Petiton... hasarda Lemosquet.

— Tous, ai-je dit.

— Tous alors ! dit l'écuyer. Il faut les accouer [1].

— Je préfère les avoir avec nous que d'en confier certains à des compères pourtant sûrs. D'autres se revancheraient sur eux des déplaisances que nous leur avons fraîchement infligées. Inutile de les accouer. Ils sont plus sages que des hommes !

C'était piquer tous les Bretons au vif. Tristan n'avait cessé de sentir leurs regards sur son dos.

— Holà ! Castelreng, enragea Guesclin. Ne fais pas une maladie de ta déception.

— Ma déception ! hurla Tristan. Mon deuil veux-tu dire. Et mon chagrin, ne t'en déplaise.

Guesclin fit avancer son cheval de deux pas. Tristan fit reculer Alcazar d'autant, non par crainte mais par mépris.

— Nous sommes venus en Espagne, Sang-Bouillant – c'est bien ainsi que Bagerant t'appelle ? – nous sommes venus en Espagne, dis-je, pour soutenir notre

1. Attacher les chevaux à la queue l'un de l'autre de façon qu'ils marchent à la file.

ami Henri, mais aussi pour purger ce pays des Juifs, des Mahoms et des mécréants qui le défigurent. Ceci dans la mesure du possible. N'est-ce pas, sire ?

Le Trastamare était dans l'ombre de Calveley. Tristan ne put voir son visage ni même la lueur de ses yeux. Il lui sembla pourtant qu'il acquiesçait mollement à ces paroles. Il savait que si ses alliés persécutaient les Juifs, son royaume fragile encore et incomplètement conquis pouvait revenir à son suzerain légitime.

— Quelque odieuse qu'elle te paraisse, Castelreng, notre conduite est juste et notre cause est bonne. Dieu nous bénit chaque jour des actions que nous commettons en son Nom ! Je mange trois soupes au vin en son honneur.

Le rire qui concluait cette prosopopée était celui d'un homme en contradiction permanente avec ses dires ; d'un routier qui se dissimulait sous l'apparence d'un justicier. De quelle justice pouvait-on se prévaloir dans ce pays de sang et de larmes ?

Tristan mena son cheval jusqu'au seuil de la forêt. Il sentait Paindorge derrière lui, attentif comme s'ils allaient pénétrer dans un domaine enchanté où déjà des yeux surveillaient leur venue.

— Passons sous cette ramée, compères. Yvain, sers-nous d'arrière-garde. Il peut y avoir derrière nous des monstres de toute espèce... Me fais-je bien comprendre ?

— *Kenavo !*

Lemosquet avait ouï ce mot-là du côté de Pontorson. Il en ignorait la signification mais savait qu'il serait interprété comme il convenait. Un sourire effleura la bouche de Tristan. Il tapota l'épaule d'Alcazar qui comprit, lui aussi, ce qu'il devait faire.

D'entrée, cette forêt ne différait pas des autres.

Cependant, lorsque Tristan eut parcouru cent toises, son opinion changea. Excepté le chemin qui se rétrécissait et semblait la partager en deux – comme une fine raie sépare une chevelure opulente –, c'était la végétation la plus touffue, la plus impénétrable qu'il eût vue : un tumulte de troncs droits ou tordus, de feuilles lourdes, opulentes, tantôt sombres, tantôt diaphanes et flavescentes ; d'herbes quelquefois plus hautes que des épieux et que l'on devinait tranchantes comme des épées dont la trempe eût été l'eau putride d'une mare. Une sorte de brume montait du sol, moite, picotante. Elle semblait verte, elle aussi, et s'accrochait aux roncières noires et crêpelues comme des pelages de bêtes fauves.

Les hommes, les chevaux respiraient bruyamment. L'angoisse affleurait sous les lambeaux de leur inquiétude. Parfois, le fer d'un sabot tintait et ce tintement-là semblait inhabituel. Il fallait avancer, tiré par une sorte de mystère, poussé par cette armée qui allait s'élonger sur des lieues, l'étroitesse du chemin permettant le passage d'un homme à cheval, pas davantage. Le roi Pèdre et ses fidèles avaient dû se couler par là, sans doute, après leur fuite de Tolède.

— Si ça continue, dit de loin Lebaudy, je regretterai le soleil !

De grands chênes, des hêtres, et une multitude de baliveaux inconnus, issus d'un grouillement de racines convulsives, dressaient leurs hampes droites ou tordues, lisses ou verruqueuses, et tendaient leurs feuilles en touffes ou en grappes vers un ciel invisible. La plupart étaient chargés de plantes grimpantes, sarmenteuses ou volubiles. La vision de certaines de ces pendilles aggrava la mélancolie de Tristan. Elles avaient un nom, en langue d'oc : la *bidalbo*. Ces tiges ligneuses, mortes en apparence et dont l'aspect faisait songer à de minces ceps de vigne, on les pouvait couper entre deux nœuds, en allumer une extrémité et téter l'autre. Acreté, brume bleue, odorante ; plaisir et quelquefois béatitude. Peut-être, pour oublier, irait-il en trancher une, ce soir – une largeur de main, pas plus – et s'en délecterait-il comme lors de sa jeunesse prime quand, après avoir simulé des batailles avec les fils des meschins[1] de son père, ils allaient prélever des *bidalbos* parmi les guirlandes mortes d'un petit bois en bordure du Cougain afin de les fumailler, assis dans l'herbe. Tandis que les vapeurs sorties de leur bouche se dissolvaient en exhalant une odeur de poivre et d'oliban, ils se sentaient unis, complices. Qu'étaient-ils devenus ?

— Halte ! cria-t-il, les yeux écarquillés.

Quelque chose traversait le chemin et s'insinuait dans les herbes. Un serpent de bronze verdâtre, lent et comme indifférent. Sa chemise de mailles, longue d'une toise, de la grosseur d'une cuisse d'homme, était tachetée d'or et de sinople. Sa grandeur et sa répugnante magnificence lui donnaient un aspect légendaire. Ce ne pouvait être le Léviathan du Livre de Job, survivant d'un temps ou Adam et Ève hésitaient à s'étreindre et à forniquer. Mais c'était un monstre. Au-dessus, comme épouvantée par son passage, la gent ailée piaillait, voletait, tournoyait, tachetant de ses plumails tantôt clairs et tantôt sombres, le baldaquin sylvestre inaltérablement serré.

— Merdaille, dit Paindorge. Quel morceau !... Je l'ai vu... Gonflé en son milieu comme s'il venait d'avaler un chevreau... Même si j'étais saint Georges ou saint Michel, j'aurais reculé.

1. Domestiques.

— Moi aussi, dit Yvain. Il était... épouvantable ! J'en ai peur encore !

Des ronces griffues, des fougères et des prêles sur les côtés. Devant, un composé de murailles vivantes, successives, où les branches et les ramilles entremêlées semblaient tresser des mantelets pour occulter l'avance et la vue des aventureux. Un gros lézard passa, vert-noir, comme un petit crocodile.

— Tirez vos lames, compères. Avançons... Peut-être nous sommes-nous égarés.

Il fallut fournir quelques coups d'épée pour dégager la voie. Le bruit parut réveiller des bêtes assoupies. Aux criailleries multiples des oiseaux s'ajoutèrent des brames, des glapissements, hurlements et plaintes sur lesquels, comme pour en aviver le hourvari, un vent souffla, surgi de nulle part. Puis ce fut le silence martelé par les pas des chevaux, lacéré par le tranchant des lames.

— J'ai grand-hâte d'être à Cordoue, avoua Paindorge.

« Et moi », songea Tristan.

Le sentier montait, descendait, disparaissait parfois sous des herbes envahissantes dans les replis desquelles des ombres indéfinissables stagnaient. Il y avait des fleurs, çà et là, dont les cernes blancs, jaunâtres ou roses, semblaient les croûtes colorées d'une terrestre ulcération. Assez loin, des voiles de vapeurs ténues s'étiraient comme pour empêcher la lumière de révéler des bêtes ou des plantes endormies dans un sommeil poisseux.

— Des ratepennades [1], dit Paindorge, le bras tendu vers les sommets.

Il devait y en avoir quelques centaines, tels de gros

1. Chauves-souris.

fruits pourris suspendus à des branches mortes, comme si elles en avaient sucé la sève, à l'instar d'autres qui s'abreuvaient et s'enivraient du sang des bêtes et des gens.

Le silence était immense. Il n'y avait que lui de pur – pour le moment. Mais la mélancolie de cette immensité subsistait, serrant les hommes à la gorge tandis qu'ils regardaient en tous sens, à perte de vue et presque à perte d'espérance.

Plus ils allaient, plus la végétation devenait dense, vigoureuse, follement haute et enchevêtrée. Il fallut, en certains endroits, faucher à coups d'épée des branchettes épineuses, tandis que s'essoraient des bestioles ailées : papillons gras et noirs, mouches corsetées de cuivre, moucherons aux ailes de nacre qui parfois s'en allaient agacer les chevaux. Et des arbres, des feuilles suantes, charnues comme des mains tantôt molles tantôt avides.

— Jamais nous n'aurions dû... commença Paindorge.

L'air immobile sentait la mort. Les lointains nébuleux semblaient se désépaissir, mais dès qu'on les avait approchés, on s'apercevait qu'ils n'avaient été que des leurres et que les arbres étaient toujours aussi serrés, les herbes aussi excessivement drues et le silence aussi redoutable.

— C'est vrai, jamais nous n'aurions dû, concéda Tristan. Or, nous serions passés pour des couards. Nous vaincrons cette muraille !

— Puisque vous le dites ! dit Yvain.

Il riait, peu rassuré.

— Il y a bien une fin... une plaine quelque part, dit Tristan d'une voix dont l'entrain n'abusa personne.

À force d'examiner le chemin, de scruter et d'en observer les abords, il sentait ses yeux brûler ses paupières, pour peu qu'il les fermât. Ici, les bêtes et les plantes semblaient vivre dans une connexion plus étroite que partout ailleurs. Y avait-il des animaux qu'aucun regard humain n'avait jamais découverts ? C'était ce qu'on prétendait. Dans cette lumière glauque, frelatée, la vue ne pouvait porter aussi loin que d'ordinaire, et rien n'y était pareil. Tristan, trop attentif à ce qui se passait devant, imaginait ses hommes ébahis par la vigueur de tous ces colosses verts, gris, noirs, tantôt serrés comme des orgues, tantôt malades, tordus, accrochés comme voluptueusement à un voisin dont la tête ébouriffée dominait le vert conciliabule des autres. On sentait que rien ne venait désépaissir ce qu'ils perdaient à l'automne, et que tout fruit coti tombé sur ce sol fécond vivait, une fois décharné, une nouvelle existence et prenait un nouvel essor.

— On se croirait à la remontée [1], dit Paindorge.

Une terre en éternelle gésine, spongieuse de ses propres sueurs, où les racines, les tiges, les fleurs naissaient dans les viscères, les sciures et les putréfactions des arbres frappés à mort, mais vivant encore et se laissant grignoter par les plantes et les bestioles. Sur des troncs friables comme de l'amadou, penchés comme des contreforts ; sur d'autres allongés sur le dos, le ventre béant, des champignons apposaient leurs ventouses entre lesquelles sinuaient des araignes immenses, aux pattes grosses comme des doigts. Ni les gels féroces de France, ni les grêles qui ne l'étaient pas moins – semblables à celle qui avait dépeuplé l'armée d'Édouard III, tuant les hommes et les chevaux de ses

1. Le coucher du soleil.

grêlons pareils à des masses d'armes[1] – n'eussent pu traverser les liernes sous lesquels vivait, croissait, grossissait cette forêt goinfrée d'elle-même. Ni les vents dont les ruades pouvaient rompre ou déraciner des chênes séculaires – sortes de Charlemagnes végétaux entourés d'une compagnie de paladins chenus armés et corsetés de ronces – ni les orages ne pouvaient envahir cette forteresse repliée sur elle-même et sur ses secrets. Parfois, ses bannières de sable et de sinople ventilaient ou tressaillaient sous l'éclaboussement brun d'une pie, neigeux d'une colombe égarée. Parfois, le fuseau d'un cyprès égaré lui aussi, figurait un pénitent cherchant Compostelle. Il fallait avancer dans cette architecture fragmentée, mais compacte, pathétique, et qui n'eût effrayé ni Teresa ni Simon s'ils étaient passés par là. De la *bidalbo*, toujours, en liasse, en faisceau, en chevelure.

« Ce soir, j'en fumerai. J'oublierai... »

Ils avançaient en silence. Le chemin hésitait comme s'il cherchait sa voie. Comment se retrouver dans cet enchevêtrement constant, dans ce combat où les herbes d'en bas, géantes et comme autoritaires, saisissaient des branches aussi chargées de cordes et de chevêtres qu'une nef de haute mer ?

Les pas des chevaux résonnaient à peine. Tous les oiseaux s'interpellaient. Des vapeurs formées par des milliers d'insectes commençaient à se former à dextre, à senestre, sous les voûtes interminablement sombres.

— Ne nous laissons pas aller à la mélancolie, mes compères.

1. Il s'agit de l'orage du 13 avril 1360, aux environs de Chartres. Certains historiens d'antan avaient douté de sa fureur. Nous savons maintenant qu'il existe des pluies de grêlons plus gros que des balles de tennis.

— C'est plus que de la mélancolie, dit Yvain d'une voix quelque peu rageuse. Je suis sûr qu'on s'est égarés.

— Halte ! dit Tristan.

Encore un serpent. Plus gros, plus long que le précédent ; l'œil clair, vicieux, et qui semblait décidé à l'attaque.

— Ne le provoquons pas. Reculez un tantinet.

— Quelle sorcière, grogna Yvain, nous offre cette reptile [1] ?

Tristan sentait la bête résolue à mordre, à détruire plutôt que de s'éloigner. Ce goût du meurtre qu'il soupçonnait donnait au géantin écaillé de noir, de safran et de rouge, un caractère diabolique qui en faisait, plus encore que son énormité, un être à part, un suzerain de la gent rampante. Il ne tolérait point qu'on vînt troubler son repos ou son aguet.

— Bougez pas.

Si peu d'hommes avaient dû succomber à ses enlacements et à ses morsures, combien d'animaux en avaient péri pour qu'il eût atteint cette taille !

— Merdaille !... On dirait qu'il m'invite à l'affronter.

À peine dressé, gueule ouverte, le constrictor patientait. La tête haute révélait une peau plus pâle sous la mâchoire en fer de lance. La langue fourchue, d'un noir mêlé de rouge, frémissait comme une herbe sous le vent. Ses yeux tout à la fois glauques et dorés, proéminents, sondaient l'âme de son adversaire sans pouvoir l'asservir à sa volonté. Il se déroula, montrant un ventre sans doute verdâtre, à moins qu'il ne fût bleu.

— Prenez garde !

1. Le mot était alors féminin : *Reptille*. Il le demeura de 1314 à 1530, où il devint masculin.

— N'aie crainte, Robert.

On disait que les bêtes de cette espèce savaient obnubiler leurs victimes. Atteint d'une inquiétude répulsive, Tristan imagina l'étreinte d'un tel monstre et, dans la large mâchoire, ses redoutables crochets. La fin d'un homme broyé, mordu, devait être lente, infernale. Si, pour tous les animaux invisibles de cette forêt, la pénétration de l'armée avait été le signal d'une retraite sans doute précipitée, ce serpent refusait de reconnaître que les hommes qui venaient d'apparaître étaient des prédateurs dont il n'avait pas lieu de se soucier. Il dressait la partie antérieure de son corps, tirait, avalait, tirait encore sa langue vibrante, se dodinait, semblait bâiller, vigilant et indolent à la fois. Il y avait une sorte de sorcellerie dans l'expression de sa force et de sa menace.

— Il se débouche, dit Paindorge. Il va s'en prendre aux chevaux. Reculons encore, compères. Oubliez pas : *muerto el cavallo, perdido el hombre de armas*, comme ils disent !

L'angoisse de Tristan grandissait. Des frissons montaient de ses reins à son cou. Sa gorge se nouait. Cinq ou six enjambées le séparaient du monstre. Il se hâta de mettre pied à terre et de tirer Teresa du fourreau. Alcazar frémissant recula de lui-même tout en hennissant d'une façon triste, inhabituelle.

« Que vais-je faire ? » se demanda Tristan.

Il y avait quelque chose de fascinant dans la façon dont le serpent l'observait. « Un python », se dit-il. « Pareil, sans doute, à celui qui fut occis par Apollon ! » Qui lui avait enseigné cette légende ? Comment Apollon s'y serait-il pris maintenant ? « Celui-ci n'a pas cent têtes et ne vomit pas des flammes, mais il mesure plus de deux toises... Au moins trois, si ce n'est quatre ! » Immobile, il s'effrayait, tous ses muscles en éveil et sans que la présence d'un acier de qualité dans sa main parvînt à le rassurer. « Apollon a percé le sien de moult sagettes. Si Shirton était là, il nous aiderait. » Mais il était seul et cette impassible vouivre s'apprêtait à l'étreindre. Capable de l'écraser dans des convulsions et des tortillements irrésistibles...

— Prenez votre lance, messire. Je vais la retirer du bât de Carbonelle.

C'était une excellente idée, mais le serpent sinuait sans crainte. Jamais Tristan n'avait imaginé un reptile aussi long, aussi gros. À Castelreng, il avait appris, enfant, que son père et ses hommes avaient essayé de découvrir et d'occire « *uno serpo* » qu'ils disaient immense, mangeuse de chiens et de moutons. La rumeur lui donnait pour gîte une marnière. Jamais on ne l'avait débusquée, si bien qu'on l'avait crue imaginaire plutôt que de penser qu'elle était morte ou s'en était allée. Mais une fillette qui s'était aventurée dans la marnière pour y ramasser des champignons avait disparu ; puis une jouvencelle. Pour aller œuvrer sur leurs terres, les hommes et les femmes n'étaient plus sortis qu'avec des couteaux affilés fixés au bout d'un bâton, et les soudoyers avec leurs armes d'hast. Et l'on avait signalé *la serpo* un peu partout – à Roquetaillade, Bouriège, Conilhac et, évidemment, la Serpent. Jamais on ne l'avait vue ; jamais, d'ailleurs, on n'avait relevé sa trace. Eh bien, elle était là, devant lui, menaçante. Un effrayant affrontement s'ébauchait.

« Si j'avais ma Floberge ! »

L'épée de Vézelay, celle qu'il avait robée, jadis, au saint Michel de la basilique... Comme c'était loin !

Il ne pouvait reculer. Il devait trancher, tronçonner ce répugnant présomptueux. Comment ?

Il se trouvait dans une sorte de cul-de-sac. Devant, le serpent. Derrière, tout proches, les chevaux dont l'effroi accroissait les souffles, et les hommes moins attentifs qu'angoissés. Il fallait renoncer à s'empêtrer à dextre ou à senestre dans des herbes redoutables, elles aussi.

L'hésitation de Tristan fournit au serpent le temps de se dresser davantage : il éleva sa tête à trois ou quatre pieds du sol et la porta promptement en avant pour frapper plutôt que pour mordre l'audacieux qui le défiait.

Tristan sauta en arrière et sentit dans son dos le museau d'Alcazar.

Au moment même où se passait cette retraite préventive, le monstre vivace et haineux lança son coup. Tristan sentit passer comme un jet d'eau froide contre sa heuse senestre et fut incapable de porter un taillant à son adversaire : sa peur avait été si violente qu'il en avait oublié son arme. Pourtant, il la tenait à deux mains, solidement.

Il observa, terrorisé, installé sur le socle de ses orbes musculeux, ce broyeur de vies, cet empoisonneur dont l'œil d'or inexpressif, qui l'observait quiètement, semblait un joyau tout à la fois brillant, visqueux et glacé. L'œil du basilic. L'œil aussi mortel qu'un venin. Ils savaient engager un combat à outrance. Peut-être existait-il un moyen de faire reculer cette « chose » ignoble, mais personne ne le connaissait.

Python se rétracta. Son corps immense sinua en arrière. Pour frapper. Il évaluait la distance qui le séparait de l'ennemi.

— Reculez, messire !

Impossible. Tristan, fasciné, se sentait asservi à un pouvoir effrayant. Ses mains suaient sur la prise de son épée. Il les savait tout à la fois solides et glissantes. Teresa, son seul recours. Tranchante. Mais lui, vulnérable aux bras, aux épaules, aux jambes.

Il se préparait au pire. Morsure, enlacement ou taillant mortel de Teresa dont la brillance semblait indigner la malebête plutôt que de l'épouvanter.

Il n'osait attaquer. En fait, l'abominable regard d'or gélatineux commençait à le pénétrer, à le paralyser. La bête se ventrouillait, revenait en quelque sorte s'asseoir sur ses gros cerceaux de mailles. Se disposait en ressort pour mieux se détendre et frapper.

— Voulez-vous mon aide ?

Paindorge. Il n'eût pas dû parler. Sa voix dérangeait le serpent dans ses méditations mortelles.

La tête scintilla, partit comme une fronde et le câble vivant, ignoble, se déroula. Tristan exécuta les mouvements qui s'imposaient : Teresa tomba sur le cou du monstre et l'entailla profondément, mais si loin de la tête, que le corps tout entier se rétracta, vibrant, crachant, tortillé de fureur et de malédiction.

Il fallait déjouer l'autre attaque. Échapper aux anneaux. Paindorge apparut. Sottise : sur cet étroit chemin, le serpent avait l'avantage ; il pouvait encercler deux hommes qui pourraient se blesser l'un l'autre.

— Sale bête ! dit Paindorge en s'approchant.

Prompt et fatal, le serpent plongea en avant, évita le coup de lame de l'écuyer et le fit choir. Paindorge hurla, se sentant saisi, enveloppé. Son épée chut parmi les mousses et les herbes.

— Il s'enroule !

Hé oui ! Plutôt que de mordre, l'immense Python s'enroulait et de sa tête abjecte défiait le second homme.

— La *cabeza !* hurla Serrano.

La tête. Il fallait trancher la tête sans toucher à Paindorge, ceinturé, étouffé, et dont une jambe était prise dans un enlacement d'écailles affreuses.

Avec une rage folle, Tristan porta un coup. Sa lame

trancha des squames jaunâtres et de la chair sans rompre ni la vie ni la force ni la haine de la bête dont un seul soubresaut dénonça la souffrance. Une partie du corps maintenant sanglant s'enroula sur l'autre jambe de Paindorge tout en le frappant de son extrémité.

— La tête ! hurla cette fois Serrano.

— Tue ! Tue ! cria Yvain.

— Vélocement, messire ! exigea Lebaudy.

Une forcennerie possédait les hommes, égale sinon pire qu'à la bataille. Les chevaux hennissaient, maintenant. Il fallait s'approcher, tailler. Éviter d'être mordu.

Paindorge étouffait. Lebaudy apparut, son poignard à la main. Tandis que le serpent et l'écuyer se convulsaient sur le sol et que Tristan frappait l'épaisse et répugnante « chose », le soudoyer, d'un mouvement véloce, saisit la tête du reptile par derrière et trancha le « cou », non sans mal, aspergeant ses mains d'un sang gluant et rosâtre.

De secousse en secousse le monstre déroula ses torsions funèbres. Paindorge s'en dégagea en hâte. Il vomit. Il ne cessait de trembler. Il examina son corps de bas en haut comme s'il doutait d'être complet. Lebaudy essuyait sa lame dans les herbes. Il en tira l'épée de l'écuyer et la lui remit frémissant, lui aussi, d'une fureur répulsive.

— Je te dois la vie, Girard. Je tremble ! Je tremble encore de malepeur...

— Moi également, dit Tristan dont les dents s'entrechoquaient.

Son cerveau demeurait imprégné par la tête du monstre. Il voyait son regard, sa langue, ses crocs. Il était comme intimement averti qu'il était en train de conquérir l'admiration de ses hommes tout en leur ayant révélé un état d'infériorité flagrante susceptible de troubler l'ordre de leurs relations. Il avait, seul, affronté le Python, mais c'était Lebaudy qui l'avait vaincu. Il avait envie de rire, – un grand rire de soulagement – et s'en devinait incapable. L'obscurité de la forêt le pressait comme les parois d'une fosse. Il n'osait regarder l'immense décapité, mais Serrano, après l'avoir bouté, à coups de pied, hors du chemin, dit simplement :

— Qu'il était grand !

— Cinq toises au moins, se merveilla Lebaudy.

— Il empunaise ! dit Yvain.

L'odeur de la bête morte les prit soudain à la gorge, et comme Tristan se penchait pour essuyer ses mains dans l'herbe, il se redressa, épouvanté. Les grands yeux d'or vivaient dans la pénombre, et la langue fourchue frémissait encore, bien que la tête immonde fût coupée.

— Partons, dit-il, anxieux d'échapper à cette effrayante présence.

Déjà, Paindorge était à cheval. Les autres sautaient en selle. Il baisa le museau velouté d'Alcazar.

— Il t'a épouvanté, toi aussi.

L'horreur vivait en lui. Visqueuse, pesante, inguérissable. Il entendit le rire gras de Lebaudy et la question d'Yvain :

— Qu'as-tu à t'ébaudir ainsi ?

La réponse vint, imprévisible.

— Je songeais qu'en certains événements, compère, si je n'étais présent, je m'ennuierais.

C'était le mot de la fin. Cinq rires se conjuguèrent, et celui de Tristan n'était pas le plus faible.

*

* *

De nouveau, la forêt les menaça de ses cris et les

troubla de ses mystères. La tête coupée du serpent, celles de Simon et Teresa ne pouvaient abandonner la mémoire de Tristan toujours devant ses compères et toujours attentif, surtout la nuit auprès d'un feu épais dont les hautes et fumeuses flammes dissuadaient les fauves – s'ils existaient – d'approcher. Quant, au sortir des arbres, l'armée les rejoignit, il ne s'informa de rien. Paindorge lui apprit qu'il manquait trois cents hommes. Il sortit de sa morosité pour répondre platement :

— Ces trois cents manquants sont sûrement des déserteurs et non les victimes de bêtes féroces... Nous avons vaincu, nous, une créature épouvantable. Je connais d'autres serpents infernaux qui nous épient et guettent nos défaillances. Ceux-là me font plus peur encore que notre monstre.

Il vécut en esseulé parmi les remuements de cette armée en marche. Qu'il s'y sentît épié, observé plus ou moins attentivement, ne le gênait en rien : ses hommes veillaient sur lui. C'était plus qu'une solitude, d'ailleurs, que la sienne : une sorte d'emprisonnement au grand air. Il jouissait d'une liberté de parole et de mouvements dont il ne profitait pas. Pressentant l'inanité de ses efforts, Paindorge n'osait le consoler d'un double deuil auquel s'ajoutait fréquemment celui d'Ogier d'Argouges. Il souffrait. La profonde morsure du remords lui déchirait le cœur et la *présence* des événements qu'il avait vécus incendiait son âme.

Il avait péché par orgueil en croyant pouvoir réussir à rendre heureux deux enfants dignes – ô combien – de l'affection qu'il leur avait témoignée. Il s'était fourvoyé. Quelque cuisant qu'il fût, ce repentir n'incitait point à l'oubli. Aux moments les plus inattendus, la voix de Teresa, le regard de Teresa, le sourire mince et doux de Simon lui semblaient réels, *vivants*, bien qu'ils ne fissent plus partie des éléments qui composaient sa journée ou sa nuit. Il ne pouvait espérer qu'ils fussent en Paradis. Il ne croyait pas plus au Ciel, désormais, qu'il ne croyait à la miséricorde divine et à la résurrection :

« Une pourriture est une pourriture ; des os ne peuvent reconstituer les chairs qui les ont revêtus. »

À cette résipiscence s'ajoutait une crainte qui le concernait seul. Si Flourens et Le Karfec étaient morts, si Orriz avait disparu, Couzic vivait. Des rires impétueux gonflaient la gorge du Breton lorsqu'ils se croisaient. Parfois, le désir furibond de le provoquer s'emparait de tous ses muscles, mais sa raison reprenait le dessus. Il luttait contre ce désir de vengeance. Il savait que s'il cédait à la tentation du meurtre, il perdrait toute chance de se revancher sur l'homme qui, sans être l'auteur du double crime, l'avait laissé commettre et approuvé. Ses regards se posaient souvent sur ce meneur abominable, et le côtoyait-il à son corps défendant qu'il l'ignorait, provoquant ainsi des grommellements intraduisibles.

Il était comme assujetti à deux tentations : revenir en France en passant par Castelreng ou continuer de suivre l'armée pour trouver l'occasion de compléter sa vengeance. Lorsque la Grande Truanderie fit halte à Carmona, il s'aperçut non seulement qu'elle semblait en partie reconstituée, mais encore qu'il n'avait rien vu, rien éprouvé d'autre qu'une mélancolie discontinue, tantôt douce, tantôt âpre sur le chemin qui avait succédé au sentier de la forêt maudite[1].

1. Les Compagnies s'étaient regroupées – pour quelques semaines seulement. Les violences auxquelles elles se livraient tourmentaient don Henri. Il se voyait déjà coupé de « son » peuple qui s'armait contre ses alliés.

Au terme du jour suivant, les hordes furent en vue de Séville. Un commandement circula, provoquant des mouvements diffluents parmi les routiers impatients de donner l'assaut et dont on bridait l'ardeur :

— Halte ! Pied à terre. Débâtez les sommiers !

On allait demeurer en arrêt jusqu'à l'apparition de sire Enrique, manger, boire, fourbir les armes et recomposer les Compagnies[1]. Des protestations s'élevèrent et Guesclin dut galoper parmi les mécontents, l'épée haute, pour les contraindre à l'obéissance.

On était le samedi 16 mai, selon Paindorge. Le bruit circula que le Breton et les prud'hommes de France avaient décidé d'ouïr la messe du lendemain au cœur de la cité. Cette rumeur contredisait la raison de l'immobilité des troupes car le Trastamare était encore à plusieurs journées de cheval de Séville.

— L'envie semble démanger Guesclin d'entrer dans

1. Le roi Pèdre était arrivé à Séville le 15 avril après avoir traversé la forêt maléfique. « *Il n'y trouva* », écrit Prosper Mérimée, « *que le découragement et les symptômes de mutinerie qu'il avait observés sur toute sa route. Les Andalous dont les campagnes avaient été souvent ravagées par les Maures, ne voyaient pas sans une extrême inquiétude les préparatifs du roi de Grenade pour soutenir son allié.* » Les prêtres publiaient qu'une puissante armée de « Mahoms » allait accourir à la rescousse de Pèdre, en échange de quoi il remettrait aux infidèles les principales villes d'Andalousie. Certains même affirmaient qu'il allait abjurer la foi chrétienne et que, comme le comte Julien, il allait sacrifier à sa vengeance sa religion et son pays. Le comte Julien, selon une légende tolédane, avait ouvert l'Espagne aux Maures pour se venger du roi Roderic qui avait déshonoré sa fille.

Pèdre douta de pouvoir résister à ses poursuivants. Le nombre de ses partisans diminuait. Après avoir pris conseil du maître d'Alcantara, Martin Lopez, de Mateo Fernandez, son chancelier, de Martin Yañez son trésorier, il se détermina à quitter Séville pour aller demander du secours au roi du Portugal, son oncle et son ancien allié. Il quitta Séville, précipitamment, le 19 mai.

les murs sans attendre le roi, dit Calveley dont les hommes avoisinaient ceux de Tristan.

— S'il y parvenait, cela n'ajouterait qu'un peu plus de ténèbres à sa renommée.

— Un peu plus de sang, messire, corrigea Shirton.

Il ne quittait jamais son arc et son carquois, à croire qu'il couchait avec eux, mais il était sans maille ni coiffette de fer, de sorte qu'il semblait un huron bruni par le soleil, ni plus ni moins pareil à tous ceux de cette contrée où poussaient d'étranges plantes plus hautes que les hommes, hérissées de piquants, aux fruits défendus par quantité d'épingles.

— Guesclin a réuni son conseil, dit Calveley. Je n'y suis plus convié. Nous ne tarderons pas à connaître ses décisions.

— Bien parlé ! dit Tristan. Voyez qui vient vers nous.

C'était Couzic.

Si Shirton n'avait sur la peau que ses heuses, ses hauts-de-chausses et un flotternel de lin blanc, le Breton, lui, suait sous un camail de mailles, un haubergeon et des jambières de fer. Nul doute que, sachant sa vie menacée, il se prémunissait contre un assaut inattendu.

— Bertrand te demande.

Tristan sourcilla :

— Moi ?

— Il commande. Tu te dois de lui obéir.

— Allons-y, dit Calveley.

Couzic tendit ses deux mains en avant, paumes ouvertes, comme pour refouler le géant d'Angleterre.

— Non, pas vous.

Cette exclusion suscita un grand rire. Shirton, lui, ne riait pas comme son seigneur et ami. Il tendit son poing au Breton :

— Fasse le ciel que nous ne changions pas de camp,

l'homme, car il en irait de ta vie. Toi et ton maître créez autour de vous l'unanimité de la malédiction.

— Va te faire foutre par le roi d'Angleterre, Goddon, ou par son fils si sa dame lui a laissé des réserves !

En souriant Tristan suivit son ennemi. Un autre l'attendait qu'il craignait davantage.

*

* *

Il allait et venait au milieu des prud'hommes de France réunis en cercle et sur lesquels il jouissait d'exercer un pouvoir accordé par délégation, que nul d'entre eux n'eût osé ouvertement contester de crainte de représailles sourdes ou violentes. Tristan salua. Seuls Arnoul d'Audrehem, le Bègue de Villaines et Kerlouet, un Breton dont on disait qu'il conseillait Bertrand, le saluèrent. Il ne fut pas surpris de revoir, assis dans l'herbe, Naudon de Bagerant, Espiote et le bourc Camus. Apparemment, ils avaient échoué dans le pourchas du meurtrier de la reine Blanche. Ils étaient vêtus en bourgeois, l'armure de fer paraissant à tous, par ce temps, une espèce de lourde chaudière.

— Ah ! te voilà.

« Le prince de l'Olympe », songea Tristan. « Bertrand le Grand. »

Le roi Charles l'avait gâté dans tous les sens du verbe. Depuis qu'il existait à l'ombre de la Couronne, il trouvait nécessaire qu'on l'admirât. Il avait une insatiable malefaim d'assentiments et plus encore d'ovations. Il lui faudrait toujours trouver, soit fortuitement, soit au besoin par la provocation, des ennemis à surpasser, des prix de joutes et tournois à remporter. Cet homme-là avait besoin de renommée à n'importe quel prix – surtout au prix du sang des petits et des faibles.

S'il n'avait aucun charme, il exerçait un tel ascendant sur les femmes qu'elles se pâmaient en sa présence non point d'amour mais de frayeur. Le monde, après le Cœur de Lion, avait un Cœur de Tigre. Tristan ne savait rien de celle que le Breton emportait dans un dolmon[1] qu'il avait fait aménager à Tolède et sur lequel, en chemin, veillaient Couzic, Hénaff et quelques satellites aussi rudes que les eunuques d'un soudan de Barbarie. Yvain et Serrano l'avaient entrevue. Unanimes, ils la disaient belle. Toutefois, à l'inverse de son amant qui avait visage laid et stature solide, il se pouvait qu'elle eût visage beau et corps difforme.

— Holà ! toi qui tues les serpents longs d'une aune...

— Cinq aunes au moins, Guesclin. Tu me prouves que tu l'as vu.

À quoi bon dire que le mérite de cette mort revenait à Lebaudy. C'eût été se rabaisser. D'ailleurs c'était lui, Sang-Bouillant, qui avait affronté le monstre.

Nul n'avait bronché à l'entour. Tristan estima que c'était perdre son temps que de regarder ces hommes assujettis à celui qui l'avait interpellé. Il sentit que Bagerant l'observait plus qu'aucun autre mais jugea inutile de se tourner vers lui pour essayer de connaître sa pensée.

— Cinq aunes ou une seule, peu me chaut. Nous avons pensé que le devoir te revenait d'affronter une vipère...

— Plutôt un aspic, rectifia Audrehem en accompagnant son intervention d'un rire qui suscita celui du seul Guesclin.

L'esprit de ces deux-là n'était pas le résultat d'une

1. Voiture de transport munie d'un couvercle à deux battants.

expérience fine et aiguisée : c'était un jaillissement naturel, une disposition lourde à tirer des situations et des mots les plus communs une étincelle qu'ils croyaient inattendue, mais qu'eux seuls voyaient. Guesclin gonfla avantageusement sa poitrine :

— Nous savons que Pedro est encore à Séville.

— Ah !

— Pour embellir et colorer notre fait, tu vas aller trouver cette vouivre luxurieuse. Tu lui demanderas de nous ouvrir la ville afin qu'Henri, qui nous suit à six jours, puisse y entrer tout souef... Dis-lui aussi que s'il a du cœur, il m'attende n'importe où, même sur son faudesteuil d'or au milieu de sa cour de Juifs et de Mahoms ! Je te dois bien ça.

Tristan se sut victime d'une vengeance abjecte pour la mort d'un mécréant et l'étrange disparition de l'autre sans doute occis puisque désormais bon à rien. Il ne pouvait reculer :

— Quelles salutations dois-je lui adresser ? On ne traite pas un roi comme un loudier de Pontorson, un huron de Dinan ou un ahanier[1] d'Auray.

Il reprenait l'avantage : Bagerant riait. Le Bègue de Villaines aussi. Espiote lui-même trouva la question digne d'un ébaudissement qui semblait un hoquet dans sa gorge grasse et poilue.

— Point de simagrées !... Dis-lui que s'il est un homme, nous jouterons à outrance. Et rapporte-moi sa réponse aussi vélocement que tu le pourras... si tu ne te fais pas occire en tant que truchement d'Enrique !

« C'est bien ce que tu attends de moi, morpoil », songea Tristan. « Que je ne revienne pas ! »

— Tu seras notre héraut.

1. Tous ces mots différents signifient : *paysan.*

C'était jouer sur les mots, mais Tristan acquiesça [1]. Son *oui* suscita une rumeur qui pouvait être admirative. Alors, d'un regard sec et tranquille, il les dévisagea tous, brièvement mais intensément. Jean de Bourbon, renfrogné – il ne songeait qu'à venger sa cousine – ; Robert Briquet entre deux libations, son grand nez allumé de lueurs pourprées ; Nicole de Carsuelle, ensommeillé ; Lamit, la bouche en cœur comme s'il voulait baiser Guesclin sur le front ou la joue ; le Petit-Meschin qui souhaitait sans doute la mort de ce Castelreng témoin, à Brignais, de ses énormités ; les bourcs Camus, de l'Esparre et de Breteuil, toujours ensemble comme lorsqu'ils violaient les femmes ou meutrissaient les Juifs et les Maures ; Batillier, l'air ébahi de voir un homme aller se jeter dans la gueule du loup pour complaire à Guesclin ; Espiote, méditatif autant que pût l'être un homme au cerveau pas plus grand que le furoncle apposé sur son front ; Aimemon d'Ortige, repu d'abominations de toute sorte ; Audrehem soucieux et cherchant sans doute dans son crâne moins spacieux que son ventre comment se porter en retrait de la prochaine bataille tout en feignant d'y avoir participé vigoureusement. Et plus loin, hors du cercle quasiment infernal, Eustache d'Auberchicourt, l'un des plus terribles routiers d'Angleterre avec Calveley qui bientôt serait un ennemi.

— Ta grande goule, Castelreng, clouera le bec à ce suppôt du diable... Si tu meurs, nous ramènerons ton cœur à ton épouse quand nous reviendrons... Il se peut qu'elle languisse de ton absence autant que la mienne... dont la santé me tourmente...

1. Les écrits diffèrent sur cet événement. Les uns passent sous silence l'entrevue d'un héraut de France et de don Pèdre à Séville ; d'autres, comme Guyard de Berville et J. G. Masselin la mentionnent avec certains détails qui font croire à son authenticité.

« Comme hypocrite, on ne saurait faire mieux que toi, Bertrand ! »

— L'épavité, crois-moi, est une belle chose[1].

— Cesse tes bourdes, intima Tristan. J'irai voir Don Pedro avec mon écuyer.

Guesclin approuva mais son pouce en ergot désigna dans son dos un homme dont l'attention se doublait d'inquiétude : Couzic.

— Tu l'emmèneras aussi. Il témoignera que tu t'es bien acquitté de la mission que nous te confions.

Tristan vit tous les mentons des prud'hommes et des coquins qui les côtoyaient, s'incliner en signe d'assentiment. Guesclin désigna Séville dont les clochers et les minarets semblaient vouloir abrocher le ciel immensément bleu.

— Va... Nos regards et nos cœurs t'accompagnent ainsi que ton écuyer.

Tristan s'éloigna en riant bruyamment. Leurs regards, certes. Mais leurs cœurs ! Pouvait-on évoquer ainsi, à l'étourdie, ce qui, justement, faisait défaut à tous ces hommes ?

*

* *

Couzic diligemment s'en vint à leur rencontre. Il montait un cheval à la robe du plus beau noir, aux harnois de cuir cloutés d'or robés dans quelque grande maison de Castille.

— Holà ! dit-il, le sourire aux lèvres comme s'il

1. On nommait *épavité* le droit qu'avaient les nobles français, hors du royaume, de succéder à leurs parents décédés en France, en tous leurs biens.

s'adressait à des compères, voilà une visite qui ne me convient point. Et vous ?

On voyait à peine sa bouche dans l'ovale du bassinet dont le viaire [1] relevé obombrait sa face rasée de frais. Il portait une brigantine vermeille [2] – « le sang ainsi ne s'y voit pas », songea Tristan –, et des jambières de fer. Ses mains étaient gantées de mailles. Dans sa dextre il poignait la bannière de Guesclin et pour qu'on vît bien son aigle noire, il en avait lié l'extrémité à la barre transversale. Paindorge, vêtu de toutes pièces, releva du sol où il l'avait allongée, l'estranière [3] des Castelreng : *de gueules à deux tours d'argent.* La voyant frémir au vent léger, Tristan sentit ses craintes s'évanouir : sa vie d'homme et de chevalier ne s'achèverait pas à Séville.

Son armure l'empesait. Il n'était plus accoutumé à la porter. Teresa pesait à sa hanche. Il redoutait de devoir s'en séparer sur le seuil de la cité avant que d'y entrer. Alcazar piaffait, immaculé comme neige et crinière tressée. Ses lormeries brillaient ; des grillettes [4] tintaient au-dessus de son frontail timbré d'un écusson émaillé, d'azur aux lis de France – un prêt de Jean de Bourbon. Tachebrun, lui aussi, avait été paré. Trois plumes d'autruche rouges remuaient en haut de son harnois de tête avec des ornements d'un travail au

1. La visière mobile, nommée aussi *ventaille* ou *carnet*.

2. Ou *coyrasse, cuirassine, cotte à plates, jaque d'écailles*. Selon Viollet-le-Duc et Victor Gay, la brigantine (ou brigandine) serait apparue vers 1395, mais Ch. Buttin a démontré qu'elle entra en usage vers le commencement du XIIIe siècle et Maurice Maindron situe cet usage au XIVe siècle. Les statuts des métiers indiquent, contre la rouille consécutive à la sueur, que les fers soient étamés, cuivrés, argentés et même dorés.

3. Le drapeau.

4. Grelots.

repoussé. Ogier d'Argouges était fier de cette pièce. Lui aussi fût allé au-devant du roi Pèdre.

— Partons, dit Tristan avant même de monter en selle. Allons voir si cet homme est aussi cruel qu'on le dit.

— Crois-tu qu'il ne l'est point ? s'étonna Couzic.

— Bah ! J'en connais moult autres, à commencer par toi, qui pourraient passer pour ses frères. Considère-toi comme en état de trêve avec moi, mais un jour, sache-le, tu mourras de ma main.

Le Breton s'abstint de fournir une réponse. Cependant, comme il fallait qu'il s'exprimât pour contraindre son inquiétude, il demanda d'une voix rêche, – le courage, soudain, lui faisant défaut :

— Cela s'est bien passé pour vous tous, à Cordoue, au sortir de la forêt ?

— Nous avons contourné de loin cette cité.

— Ah ! Ah ! fit Couzic, triomphant. Or, sachez-le : conseillé par Ferrant de Castro [1], Pèdre nous a envoyé deux bourgeois. Il proposait à Henri de tenir le pays de Tolède, Cordoue, Séville jusqu'à l'Aragon et de lui rendre Burgos afin qu'il redevienne roi d'Espagne. Il était prêt à verser à Bertrand un million de livres à partager avec l'armée à condition qu'elle revienne en France. Il lui fournirait trente mille Espagnols pour qu'il aille combattre le roi de Grenade puisque c'est sa volonté.

— Ton divin maître a refusé.

— Comment le sais-tu ?

— Le pillage lui procure plus de plaisir et lui rapporte davantage.

Les mains du Breton se crispèrent sur les rênes qu'il

1. Ferrant (ou Fernand) de Castro était le frère d'Inès de Castro, reconnue après sa mort comme reine du Portugal.

tenait lâches. Le spectre de Teresa revint hanter Tristan. Il se défendit mal de sa présence. Sans doute Couzic avait-il été l'un des premiers à violer la pucelle. Et maintenant, il conversait avec ce meurtrier. Car c'était peut-être lui qui avait décollé l'innocente. « Mordieu ! Je le devrais occire là, tout de suite. » Non : plus lointaine serait sa vengeance, meilleure elle paraîtrait.

— Continue, crapuleux, dit-il.

Couzic obtempéra. L'insulte avait glissé sur lui comme une pluie.

— Pour accepter les propositions de Pèdre, Henri a demandé des otages : la fille du roi, Constance, qui a douze ans et qui est bien moulée[1] ; puis Ferrant de Castro et cinquante bourgeois. Puis deux Juifs : Daniel et Turquant, qui sont du conseil secret de Pèdre et ont occis la reine Blanche.

— Il faudrait savoir, se permit Paindorge, si c'est eux ou cet arbalétrier : Rebolledo !

C'était bien dit et c'était pertinent. Couzic eut une sorte de grimace. Elle signifiait qu'il n'entendait rien aux énigmes.

— Henri a demandé que si Pedro s'enfuyait avec ses barons, les deux Juifs soient retenus et mis en chartre en attendant sa venue. Aussitôt qu'il apprit la réponse d'Henri, Pedro a quitté Cordoue avec tous ses hommes liges. Et maintenant il est là, dans ces murs... Bertrand prétend que Castro n'y est plus[2].

Tristan regarda la cité. Séville avait, disait-on, trois forteresses : l'une aux chevaliers, l'autre aux Juifs, la

1. *Dixit* Cuvelier. Costanza allait devenir l'épouse du duc de Lancastre.

2. Effectivement. Pèdre quitta Séville le mardi 19 mai. Le Trastamare – prudent – y apparut le 25.

dernière aux Sarrasins. En France, une telle disposition eût été impossible.

— À la place de Pèdre, dit Paindorge, il me semble que je serais parti depuis longtemps !

Tristan ne jugea pas utile de répondre qu'un roi ne pouvait penser comme un écuyer. Ses yeux fouillaient les contours et le crénelage des murailles. Plutôt que d'accabler Couzic de sa haine et de sa dérision, mieux valait qu'il essayât de deviner ce qu'il allait voir et peut-être subir une fois dans la cité – si toutefois on leur accordait le passage. L'humiliation, non. C'était au roi Pèdre de se sentir humilié par la venue d'une ambassaderie de ses ennemis dont aucun des composants n'appartenait à l'Espagne.

— Nous allons sentir sur nous les feux de la haine et du courroux.

— Croyez-vous qu'il nous fasse occire ?

Paindorge n'échappait pas à l'anxiété commune. Couzic pâlissait sous son bassinet. Il n'était que de regarder son long nez pour s'en convaincre.

— Allons vélocement, décida Tristan. Avez-vous vu, entre les merlons, au-dessus de cette porte, là-bas ? Il y a au moins vingt regards [1]. Si nous devons conquérir Séville, nous y laisserons des plumes.

Il y avait, sur le seuil, autant d'archers que de guisarmiers. Moins hostiles que curieux de ces Français dont ils connaissaient les lugubres prouesses. Tout en examinant les deux bannières plus encore que les habits de fer dont ils étaient adoubés, un Sévillan vint à leur rencontre. C'était un *rico hombre* sans mailles, sans armure et qui se gonflait d'une hautaineté certainement passagère.

— Nous sommes là, messire, par délégation...

1. Guetteurs.

La sueur aux tempes, Tristan se demanda s'il avait été compris. Sous la voûte d'entrée où il s'était avancé pour se soustraire aux feux du soleil, l'ombre gênait sa vue. Il ne voyait de l'Espagnol que la lueur de ses yeux et l'éclat d'une bouche jeune et quelque peu moqueuse.

— Nous sommes habilités pour traiter avec le roi Pèdre.

— Traiter de quoi, messire ?

L'homme portait un pourpoint rouge, des chausses rouges ; une aumusse rouge le coiffait. Cette couleur que Tristan abhorrait prenait, dans l'espèce de nuit assemblée sous le cintre de pierre, une teinte vineuse plus répugnante encore que celle du sang qui sèche et s'encroûte. Derrière, les soudoyers commençaient à se haier [1] sans en avoir reçu commandement, ce qui signifiait, à l'évidence, que les *Francés* seraient autorisés à entrer.

— Traiter de quoi, messire ? Mais, insista Tristan, débattre les conditions d'un traité dont le roi Pèdre et son frère...

— Un bâtard !

— ... pourraient arrêter les clauses.

— À l'avantage de messire Guesclin plus encore que du roi Enrique !... Est-ce vrai ce qu'on dit, messires les *Francés* ? Ce Breton va-t-il obtenir bientôt, pour tous les meurtres qu'il a commis, la charge de connétable de Castille ?

Tristan eut un geste évasif, mais Couzic se rengorgea autant que le lui permettaient ses défenses de fer :

— C'est vrai. Y voyez-vous, messire, une objection ?

L'Espagnol hocha la tête :

— Je ne suis point assez grand homme pour émettre

1. *Se haier :* former la haie.

mon assentiment ou mon désaveu sur quoi que ce soit. Je sers mon roi de mon mieux, j'aime mon pays et une chose me paraît certaine : vous n'avez rien à y faire. Vous êtes venus pour purger le vôtre d'une male gent qui l'infestait et installer un usurpateur sur le trône.

— Le roi Pèdre, dit Tristan, ne passe pas chez nous pour un exemple de bonté. Je sais que si nous lui déplaisons, il peut nous faire occire. Mais j'ai une mission à accomplir et je l'accomplirai si vous le permettez.

L'Espagnol s'inclina, vaincu et fier, la senestre à plat sur la pommeau de son épée.

— Suivez-moi à l'Alcázar, *señores*, et... à la grâce de Dieu.

*

* *

C'était lui, Pèdre. C'était lui dont on disait qu'il était un des plus abominables despotes qu'eût engendré le terroir castillan : avare, glouton, aimant les belles créatures et l'or ; violent jusqu'à la folie, bestial et détesté mais qui, par son énergie et sa conception de l'Espagne, par sa passion des armes et des guerres, par le sentiment mystique de ses responsabilités, s'était imposé comme un roi tolérant et vindicatif, bienveillant et exécrable. Aussi vigoureux que son père l'avait été, moralement pareil à ce géniteur gagneur de batailles, culebuteur de femmes, il n'avait jamais rien rencontré d'autre, chez ce *padre*, qu'une grossière indifférence quand ce n'était de l'aversion. Comme ce ressentiment sans cause s'était parfois manifesté par des coups alors que les bâtards : Enrique, Fadrique et Tello en étaient dispensés, Pèdre-le-Légitime avait supporté l'opprobre des fienterons [1]. Il avait dû accueillir avec plaisir, sinon avec joie, la nouvelle qu'Alfonso XI avait été occis à Jabal-Tarik [2]. Il avait régné en répandant le sang. Celui de ses ennemis, celui des couards et des comploteurs. Il savait manier comme une épée à deux tranchants la franchise et l'hypocrisie. Il avait conçu un mépris des gens irrésistible que justifiaient, dans une certaine mesure, la bassesse des hommes de Cour rampant sous son joug et les excès d'immoralité des *ricos hombres*. Libéré de tous ses liens, froidement méchant, généreux et ingrat, dévôt et athée, il s'était fait des amis de toute sorte chez les ennemis de sa race. Il semblait, lui qui aimait tant l'or et les joyaux, avoir une prédilection pour les vêtements austères. Il était vêtu de haut en bas de velours noir, comme un seigneur des ténèbres.

— Ainsi, dit-il, Guesclin voudrait que je me rende à lui afin de briller d'un éclat particulier quand il me remettra dans les mains du bâtard... Je vous prends à témoin, messire le prud'homme : iriez-vous vous jeter dans la gueule du loup... et si vous préférez, sous le bec de cette aigle dont le pourpre est, par ma foi, le meilleur choix que l'on puisse faire en matière d'armes !... Vous me reprochez moult crimes. Ceux de cet homme-là vous merveillent-ils ?

— La reine Blanche... commença Couzic.

Qu'avait-il, cet idiot, à parler de la reine ? Pèdre fit le sourd. Quelque aversion qu'il lui inspirât, précisément pour ce meurtre, Tristan ne put qu'admirer sa quiétude, – tout en la redoutant. « Défions-nous du feu qui dort », se dit-il en jetant un regard sur les quelques courtisans assemblés dans ce tinel aux fenêtres carrées,

1. Valets balayeurs d'écuries.
2. Gibraltar.

ensoleillées, sur les appuis desquelles des colombes chauffaient leurs plumes.

— Messires, le bâtard que vous révérez et servez grossement et grossièrement m'a déclaré la guerre. Je l'ai tenu quelquefois à ma merci. J'aurais dû l'occire.

Pèdre se mit à marcher dans la grande pièce, lentement, comme quelqu'un qui ne craint rien et ménage son temps avant de prendre la fuite. Tristan, cependant, ne fut point dupe de cette sérénité. Il avait vu des chariots dans la cour. Nul doute qu'un trésor y était partagé. Pèdre l'allait suivre. Pour aller où, sinon en Portugal.

Il n'y avait céans que quatre faudesteuils et deux tables sans rien dessus. Outre que la sévérité des lieux démontrait la taciturnité de l'ancien maître de l'Espagne, elle prouvait l'imminence d'un départ certainement astucieux.

— Un astronomien m'a prédit que Guesclin me tuerait, messires. Or, le moment n'en est pas encore venu [1].

Pèdre était brun, les cheveux bouclés, le teint mat, assez sombre, – ce qui semblait confirmer ce que prétendaient les méchantes langues, à savoir que sa mère avait forniqué avec un Juif. Les yeux très noirs, étirés vers les tempes, les oreilles longues, aux lobes proéminents, le nez robuste et busqué, la bouche mince, le menton lourd, il portait haut sur le front un serre-tête composé de fils d'or et d'argent tressés. C'était un substitut de couronne, celle-ci ayant été remisée dans un chariot en attendant des jours meilleurs – de cela, au moins, Pèdre était certain. La moustache mince pous-

1. Il s'agit du Maure Benahatin, grand astrologue, philosophe et conseiller du roi de Grenade.

sait depuis peu ainsi que la barbe afin de n'être point reconnu en chemin.

— Messires, je n'irai pas me rendre à ce Guesclin ni à qui que ce soit. J'ai perdu quelques batailles, j'en gagnerai quelques autres. Le bâtard vous paye et vous nourrit ; les gens viennent à moi simplement, sans rien me demander en échange de leur fidélité...

Tristan s'aperçut qu'une migraine indésirable s'insinuait dans sa nuque. Une intuition l'avertissait qu'il reverrait cet homme et qu'il serait redevenu roi.

— Bertrand vous accordait... commença Couzic.

Tristan le considéra froidement. L'abjection l'avait griffé mieux qu'un chat l'eût pu faire. Chaque ride correspondait à l'assouvissement d'une inconstance mortelle, chacun des bourrelets de son front à une jubilation profonde. Il avait dû l'admonester pour qu'il ôtât son bassinet en présence du souverain déchu.

— *Señores*, nous nous sommes tout dit. Je n'ai nul besoin que messire Guesclin m'accorde quoi que ce soit ou pourfile, à mon intention, un essaim de belles paroles. Je le vaincrai, soyez-en assurés... Oh ! vous pouvez vous ébaudir, vous qui tenez sa bannière et que je pourrais faire crucifier pour une irrévérence qui préjudicie votre maître avant même qu'elle vous desserve... Je vous retrouverai. Vos cris se feront ouïr jusqu'à Paris !

La colère grondait tout à coup chez cet homme dont les courtisans s'approchaient, menaçants. Il se domina.

— Dites à vos maréchaux – s'il y en a – ou à vos capitaines qu'ils ont fait un mauvais choix et qu'ils ne tarderont point à en éprouver du regret. L'Espagne est grande et je la connais mieux qu'ils ne la connaissent. Mieux que ne la connaît Henri... Et c'est pourquoi vous verserez tous, bientôt, des larmes de douleur et de honte... J'ai dit !

Tristan s'inclina. Et Paindorge. Couzic, lui, prétendit défier Pèdre d'un regard. Plutôt qu'une réciprocité dans la détestation, la hautaineté du Breton suscita un rire auquel s'associèrent ceux des courtisans.

Tristan fit demi-tour. Ses compagnons le suivirent. Il fut heureux d'entendre les bruissements des fers de son armure. Si on leur décochait, sitôt dehors, une sagette dans le dos, son picot d'acier ne serait pas mortel. C'était, en l'occurrence, tout ce qui importait.

*

* *

Avec une mauvaise volonté manifeste, Couzic attesta que Pèdre n'avait cessé de regimber à chaque phrase, chaque mot de Castelreng, et qu'il se préparait à quitter Séville. Pour s'assurer de sa personne, il fallait sans tarder assaillir la cité.

— Qu'en penses-tu, Sang-Bouillant ? interrogea Naudon de Bagerant.

Il était dans l'ombre de Calveley, loin de Guesclin contrairement à l'ordinaire. Sa question avait devancé celle du Breton dont la fureur était tout aussi patente que l'abomination de Couzic envers ce routier qui traitait le Sang-Bouillant détesté avec une sorte d'amitié sinon d'admiration moqueuse.

— Je n'ai pas à penser, Naudon. J'obéis même si c'est avec déplaisance.

— Pèdre t'a-t-il menacé de mort ainsi que les deux autres ?

— Il s'est conduit comme un prud'homme envers notre ambassaderie.

— Tu mens ! affirma Guesclin.

Bien que son attitude lui coûtât, Couzic fut contraint

de se ranger du côté de l'homme qu'il haïssait contre celui qu'il révérait :

— C'est vrai, Bertrand. Nous avons été dignement reçus. C'est vrai aussi que ce Pèdre est effrayant.

« J'en connais d'autres », songea Tristan qui échangea un regard avec Paindorge.

— Comment sont les gens de Séville ? demanda Jean de Bourbon. Avez-vous senti à notre endroit la même haine que les gens de Briviesca ?

C'était vraiment une question hideuse – autant qu'une question pût l'être. Les gens de Briviesca pouvaient légitimement abhorrer ces Français qui avaient occis une grande partie de leurs concitiens[1]. Ceux de Séville, pour le moment, ignoraient ce qui les attendait s'ils essayaient de résister à la fureur des Compagnies.

— Nous n'avons senti aucune haine, monseigneur, dit Paindorge. Seulement de l'indifférence. Les Sévillans voudraient être délivrés de Pèdre et de notre présence.

— Les Juifs sont-il nombreux ?

L'obsession de Guesclin recommençait à s'enfiévrer. Sans doute imaginait-il à l'avance le grand treu[2] auquel on se livrerait une fois dans les murs de cette cité impure.

— Ils portent pas la rouelle, dit Couzic. On peut pas savoir qui est Juif et qui l'est point. Mais ils ont leur quartier et leur forteresse.

— Eh bien, broncha Guesclin, on les leur prendra.

Il fallait, cependant, pour passer à l'action, attendre la venue du décideur suprême : le roi Henri.

Il survint, soucieux, dans l'après-midi du lundi 25 de ce mois de mai où dans le ciel, depuis quelques

1. Concitoyens.
2. Ravage.

jours, grondaient des orages secs dont Tristan redoutait l'imminente furie. À l'effervescence du ciel correspondait celle des hommes qu'une inactivité inattendue titillait. Il n'était pas rare qu'ils se cherchassent querelle pour en venir aux poings puis aux armes. Il y avait des morts. On les jetait dans le Guadalquivir.

L'apparition du roi transforma la morosité en liesse et la hargne en bénignité. Plutôt que de s'entre-occire, on allait disposer de belles occasions pour châtier des manants à l'esprit tortueux. Car il fallait être corrompu corps et âme pour respirer le même air que des Juifs et des Mahomets.

Henri tint conseil le soir même de son arrivée. Il y avait auprès de lui, revêtus de leurs mailles, leur bassinet à la hanche, Gomez Carillo, *camarero-mayor* du roi, Diego Garcia de Padilla, Grand Maître de Calatrava sous don Pèdre et frère de Marie de Padilla ; Garcia Alvarez, de Tolède, Grand Maître de Santiago sous don Pèdre [1] et qui, comme Padilla, ne vergognait point [2] d'avoir changé de tyran.

— Nous sommerons demain les Sévillans de nous ouvrir leurs portes, déclara Guesclin en se frottant les mains. N'est-ce pas, mon roi ?

Il n'eût pas parlé à sa maîtresse avec autant de ferveur sinon de dévotion.

— Certes ! Certes ! dit Henri. Mais avant que de commencer, il me faut vous annoncer une bonne nouvelle. Alors que nous cheminions à deux lieues de Séville, un chevaucheur est venu...

— Vous annoncer la présence, derrière vous, d'Olivier de Mauny, mon cousin !

1. Il allait résilier son office sous don Henri, moyennant une indemnité, en faveur de Gonzalo Mexia.

2. N'avait pas honte.

Le roi parut agacé. « *Tsitt, tsitt* », fit sa bouche. Guesclin baissa la tête.

— Ce chevaucheur, Paco Sotelo, m'a remis un bref de l'alcade de Jerez. Le 20 de ce mois de mai, messire Bourbon, c'est-à-dire, il y a cinq jours, les manants de sa bonne cité, qui se sont déclarés pour moi, ont appréhendé le *ballestero*, l'arbalétrier Juan Pérez de Rebolledo entre Jerez et Medina Sidonia... Ils doivent nous l'amener... Je pense que vous le pourrez voir et châtier demain.

— Faudrait savoir, dit Guesclin, si c'est lui ou si ce ne sont pas ces deux Juifs, Daniel et Turquant, les conseillers de Pèdre... En avez-vous ouï parler, vous tous ?... Non !... Moi si. Et innocents ou coupables, je les veux châtier du seul fait que Pèdre les aimait !

Plutôt qu'occire un homme, on en occirait trois. Ainsi, Bourbon et lui, Bertrand, pourraient être contents.

Quoique parent éloigné de la malheureuse princesse, Antoine, sire de Beaujeu, battit des mains [1]. Il serait au premier rang pour la curée. Des sourires fleurirent sur la plupart des bouches. Bagerant, Calveley et le Bègue de Villaines demeurèrent en retrait de cette joie anticipée. Avaient-ils atteint la satiété ? Ce n'était assurément pas le cas de Sylvestre Budes qui demandait à son cousin où pouvaient bien se trouver les trois meurtriers de dame Blanche :

— Pour l'arbalétrier, on sait qu'il n'est pas loin. Mais pour les Juifs...

— Patience ! interrompit Guesclin. N'aie crainte, nous les chercherons à moins que la bonne chance ou la trahison ne nous les livre.

Tout en méditant sur cette jubilation à laquelle il ne

1. Voir note page 139.

pouvait ni s'associer ni s'accoutumer, Tristan revint lentement vers ses hommes. Guesclin avait-il reçu, à propos des deux Juifs sévillans, un émissaire ? Daniel, Turquant : ces hommes étaient-ils dorénavant menacés ? Condamnés ? L'ambasserie auprès de Pèdre, décidée par Guesclin seul, n'avait-elle été qu'une sorte de piège destiné à se débarrasser d'un compère décevant – Couzic – et de deux adversaires avérés ? Pèdre était cruel. C'était son surnom. Le Breton avait-il espéré qu'il châtierait les témoins de sa déchéance ?

Paindorge qui marchait quelques pas en retrait, ne cacha point qu'il avait redouté qu'un commandement eût été donné d'envahir Séville coûte que coûte avant l'apparition, devant la cité, de celui qu'il appelait toujours le Tristemare.

— N'aie crainte, Robert. Guesclin veut offrir à son royal compère la satisfaction de se prendre pour un nouvel Alexandre. Aussi vrai que je suis Tristan !

En revenant vers les murailles après avoir pris congé de Pèdre aussi cérémonieusement que possible, et tandis que Paindorge et Couzic chevauchaient devant, bannières hautes, il avait échangé quelques mots avec le *fidalgo* [1] qui les avait conduits jusqu'au palais du roi déchu : Francisco Olmedo. « *Le peuple semble être pour vous* », avait constaté l'Espagnol en découvrant sur la plupart des visages des expressions de bienveillance qui ne le concernaient pas. « *Je crains, cependant, qu'ils ne vous résistent férocement.* » Et Olmedo de révéler que Fernand de Castro s'était rendu sur ses terres, au royaume de Galice, et qu'il allait y faire de son mieux pour amasser de l'argent et lever une grande armée afin de poursuivre la guerre, tandis que Pèdre quitterait nuitamment Séville pour aller demander le

1. Gentilhomme.

secours des Maures, sachant qu'un gros embarquement se préparait en Afrique et que les Grenadins n'attendaient que son arrivée pour entrer en campagne. « *Pedro partira avec quelques fidèles hommes liges et quarante Sévillans pris dans la bourgeoisie*[1]. *Vous pouvez lui barrer le chemin.* » Ces révélations et cette suggestion avaient disqualifié Olmedo dans l'estime que le *Francés* était près de lui accorder.

Tristan soupira. Il s'était refusé de révéler cette fuite à Guesclin. Ce n'était pas au Breton de prendre Pèdre – il s'en fût trop jacté[2] –, mais à Henri. De plus, dans cette guerre qui ne le concernait pas, il n'était ni pour un roi ni pour l'autre.

Soudain, la pluie tomba serrée, impétueuse. Tristan courut jusqu'à Serrano, Lemosquet et Lebaudy qu'il congratula pour avoir planté leur tref dans un bosquet où les chevaux et Carbonelle se trouvaient en partie épargnés par la tourmente. Le jour devint une espèce de nuit rayée par quelques éclairs.

— Le ciel semble courroucé, dit Serrano. Reste à savoir contre qui !

Depuis la destruction de sa guiterne, le trouvère avait perdu sa gaieté, sa faconde. Le rapt d'un enfant l'eût mis dans un pareil état. Tristan savait qu'il pensait constamment à Simon et à Teresa. Et lui donc !

Après qu'il eut décidé des tours de veille, il ôta son armure avec l'aide de Paindorge auquel il rendit le même service. Il mangea et but peu : une tranche de

1. Ces bourgeois, Pèdre les fit former en deux groupes de 20 encadrés par ses hommes d'armes. À 20 d'entre eux, il reprocha leur trahison et les fit brancher. Il renvoya les 20 autres à Séville afin qu'ils pussent témoigner de son autorité royale. Ce fut une erreur : ces hommes incitèrent les Sévillans à ouvrir les portes de la cité à Henri et à son armée.

2. Vanté, enorgueilli.

lard sur du pain et deux gobelets de ce vin d'Espagne, bien meilleur que celui des vignes de la Langue d'Oc.

Il se coucha sur l'herbe aplatie par les corps et les pieds de ses compagnons et ferma les paupières. Ce n'était pas qu'il eût envie de dormir. L'immobilité lui plaisait en même temps qu'elle reconstituait ses forces musculaires et nerveuses. L'eau crépitait à peine sur le cône pointu revêtu d'homespun [1]. Tout proches, les chevaux sabotaient : après tant de lieues parcourues sous les feux d'un soleil ivre de sa magnificence, ils appréciaient cette aspersion froide, inattendue, sous le tamis des feuilles. Inertie. Il eût fallu dormir, sortir de soi-même, oublier. Rien à faire. Une lassitude de l'âme le gagnait. Castelreng et Gratot lui semblaient aussi éloignés que cette lune continuellement enneigée qu'il observait la nuit quand il prenait un tour de guet dont il se serait abstenu si son ogdoade n'avait point été réduite à cinq hommes y compris lui. La paix, voilà ce dont il avait besoin. Et l'amour. L'amour de Luciane. L'amour d'une autre, même, provisoire et chaleureux tant il se sentait amputé de ce qui avait composé les délices d'une vie plus que rigoureuse. Saveur chaude des baisers, accolade des chairs qui se cherchent, se frôlent et se trouvent. Frissons... Personne à qui se confier. Pas même Paindorge : il révérait trop Luciane.

1. Tissu écossais primitivement tissé à domicile. Vêtement fait de ce tissu. Il était imperméable.

V

Il pleuvait encore le lendemain lorsque les Compagnies s'approchèrent de Séville comme pour l'étouffer dans leur immense anneau de fer hérissé de tout ce qui tranchait et perçait. Des échelles avaient été préparées. Des centuries avaient été laissées en réserve afin de rafraîchir les rangs des assaillants dès qu'ils se clairsèmeraient. On serait, disait-on, douze mille à l'ouvrage. Le roi Henri, si la cité refusait de lui ouvrir ses portes, combattrait les Mahomets et les *cristianos* séditieux. Le comte de la Marche, Audrehem, le sire de Beaujeu et Hugues de Châlon – le Vert Chevalier – devaient eux aussi, attaquer les Chrétiens. Les Anglais s'occuperaient des quartiers juifs, soutenus ou plutôt surveillés par Guesclin et ses Bretons.

On voyait, sur les murailles, des femmes et des enfants se mouvoir devant des fumées : ils entretenaient les feux d'eau ou d'huile bouillante allumés au cours de la nuit.

— Ils ne nous ont rien fait, confia Yvain Lemosquet à Paindorge.

— Comment, *rien fait* ? s'indigna Couzic revêtu d'une armure quasiment neuve. Ils sont pour le roi Pèdre, or donc : nos ennemis !

On allait assaillir les murailles sans recourir aux

sommations d'usage quand dix cavaliers apparurent. Ils allaient vitement. Le premier levait un bras.

— Ce sont des hommes de Jerez qui nous apportent cet arbalétrier immonde ! s'écria Jean de Bourbon, une main à plat sous le bord relevé de son viaire.

— Non, messire, dit Bagerant, plus onctueux qu'une jatte d'axonge. C'est Matthieu de Gournay. Il s'en était allé fourrager je ne sais où. Ils sont partis à huit ; ils sont dix maintenant. Je ne sais ce qu'il nous crie si fort.

Le cheval de l'Anglais se mit à galoper. Gournay hurlait toujours.

— Il nous dit d'attendre, traduisit Calveley.

Le géant roux semblait peu enclin à entamer une nouvelle tuerie contre une cité qui s'était sûrement précautionnée en vue d'un envahissement dont chaque noble, chaque manant, chaque femme et chaque enfant avait eu le temps d'imaginer les horreurs. Guesclin s'inquiétait : allait-on renoncer à entrer dans Séville l'épée en main ?

C'était bien Matthieu de Gournay : trois léopards d'or remuaient sur son pourpoint vermeil. C'était un homme jeune, moustachu, brun comme ces Andalous qu'on s'apprêtait à combattre. Son coursier écumait tant il l'avait forcé.

— Attendez, monseigneur, dit-il au roi Henri. Les deux otages que j'amène nous assurent qu'ils nous livreront la cité sans que nous ayons à combattre [1].

1. Séville ne fut pas conquise : elle s'ouvrit aux envahisseurs. Nous dirions maintenant qu'elle se déclara ville ouverte. Des auteurs anciens, en pénurie de documents mais avides de sensationnel, décrivirent un siège sanglant. C'est le cas de J.G. Masselin et de Guyard de Berville, au siècle dernier. Hagiographes de Guesclin, ils ont imaginé une vaste effusion de sang que le noble Bertrand fit cesser « *avec la générosité d'un ennemi qui, ayant la victoire*

— Qui sont-ils ? demanda hargneusement Guesclin.

Il pressentait qu'il allait être privé de son régal essentiel. Il avait pourtant tout décidé : l'armée irait à pied tout entière. Les chevaux, pour une fois, n'offriraient pas leur poitrail et leurs flancs aux sagettes ennemies. On attaquerait de partout et sitôt en ville, on balancerait les corps dans le Guadalquivir.

— Ce sont deux Juifs : Daniel et Turquant.

— Ah ! Ah ! ricana Guesclin. Les conseillers de Pèdre... Les meurtriers de la reine Blanche.

— Nous ne sommes pour rien dans cette occision !

Daniel approuva son ami de la tête.

— Pour rien ? éructa le Breton. J'ai les moyens d'obtenir vos aveux !... *Malar doué !* Vous parlerez, moi je vous le dis !... Dieu exauce mes souhaits. Baille-moi ces coquins, compère.

— Holà ! s'indigna Gournay. Ces hommes sont mes otages. N'essayez pas, Bertrand, de me les soutirer. Entre eux et moi et vous, il y a cette lame !

L'Anglais avait tiré son épée du fourreau. Il la rengaina violemment afin qu'on sût, à l'entour, qu'il était disposé à se battre pour défendre son droit de prise, âprement, sans considération d'aucune sorte.

Tristan vit le visage du Breton changer. Ce routier était incapable d'entrer dans l'état d'esprit d'un prud'homme. Tout, chez lui, se traduisait par une perpétuelle fureur qui semblait le placer au-dessus des autres et faire fi des coutumes les plus tenaces et les plus respectées. Voyant Daniel et Turquant mettre pied à terre, et après les avoir considérés d'un regard chargé d'aversion dont ils furent incommodés, il se frotta les mains :

— Vous êtes condamnés quelle que soit l'échéance.

dans les mains, semblait leur demander comme une grâce leur propre conservation » !

Le goût immodéré du sang et des supplices devait emplir sa bouche désormais serrée sur un grognement de plaisir.

Tristan se tourna vers les Juifs. Avaient-ils peur ? En ce cas, ils savaient se dominer. Matthieu de Gournay avait dû les rassurer : s'ils aidaient les Compagnies à prendre Séville sans coup férir, ils sauveraient leur tête. C'étaient des hommes vigoureux, coiffés d'une aumusse de cuir dont les pans frottaient leurs épaules. L'un vêtu de noir, l'autre de gris, ils étaient ceints de cuir cordouan et armés d'un poignard à manche de corne. Grand nez et des yeux de furet ; une barbe brune, crépue, emmitouflait leur menton.

— Je les ai découverts au fond d'une vallée. Ils voulaient gagner le Portugal. Sans atermoyer, ils m'ont dit être Juifs et d'excellent lignage. Pèdre les avait bannis avant de quitter Séville.

— Taratata ! fit Guesclin.

Le Trastamare s'approcha. De jour en jour sa conduite devenait éminemment souveraine : démarche lente, gestes pesants, calculés ; froncements des sourcils même, – comme présentement – lors d'une journée sans soleil. Sa gravité, voire son inquiétude quelque temps avant son sacre, était devenue une solennité qui se voulait encline à la bienveillance. Quand il le fallait, il se faufilait avec agilité au milieu des hommes, se dépouillait de ses façons accessoires pour ne retenir que l'indispensable. Ainsi, comme maintenant dans ses mailles et ses fers d'almogavare, prenait-il l'attitude d'un saint Georges ou d'un saint Michel en présence de deux dragons à vrai dire inoffensifs.

— Je suis le roi. Qu'avez-vous à nous dire ?

Était-ce pluriel de majesté ? Henri incluait-il tous les témoins de cette scène dans ses propos et son regard circulaire ou bien s'assurait-il qu'il apparaissait bien pour un roi à ces deux hommes qui ne l'avaient jamais vu ?

Turquant fit une génuflexion, Daniel une révérence, et ce fut lui qui répondit :

— Monseigneur, nous sommes Juifs de bonne *linaje*. Pèdre nous a bannis par grande tricherie. Veuillez nous sauver, par Dieu !... Nous vous sommes garants que Séville vous sera rendue et octroyée. Nous vous la livrerons avant qu'il ne soit nuit !

— Comment ? dit Henri, les bras croisés, les jambes écartées comme pour attester de sa solidité de roi et de juge suprême. Si vous pouvez accomplir cette promesse, je vous ferai honneur et grande seigneurie.

Il offrait le pardon et la munificence à des hommes qui, lors du règne de Pèdre, n'avaient manqué ni de richesse ni de considération et qui, sans doute, disposaient de quelque trésor caché en Portugal.

— Sire, dit Turquant, je vous dirai comment vous aurez la cité. Il y a moult Juifs dedans. Ils ont leur ville à eux, fermée bien fortement. Ils ont aussi une porte pour eux et une issue qui leur appartient en propre. J'irai à eux faire des pourparlers. Il y en a assez qui m'accepteront pour garant et qui rendront la ville à seule fin qu'ils puissent y demeurer saufs et paisibles.

— Ah ! s'écria Guesclin. *Saufs et paisibles !...* Tout est dit !... Pourquoi sommes-nous présents, monseigneur et messires ? Pour mettre un terme à nos appertises[1] ? Pour laisser en paix les compères des infidèles des royaumes de Grenade et de Murcie ? N'avons-nous pas le devoir de replanter partout, en des lieux où ces malfaisants l'ont renversée, la croix de Jésus, et de venger sa mort par l'occision de tous ses ennemis ?

1. Prouesses.

— Ses ennemis sont morts depuis belle heurette, dit de loin Bagerant sur un ton amusé.

— Les ennemis du Christ sont immortels !

Il y eut des rires. Tristan, lui, se retint. Le verbiage du Breton signifiait qu'il trouvait l'humeur du roi inacceptable. Pour lui, toute clémence envers les Juifs et les Mahomets était chose inadmissible. Cet homme sans imagination – sauf dans les embûches – ne pouvait comprendre qu'en voulant se concilier les Juifs de Séville, le nouveau souverain tenait à consolider son trône. Séville était la retraite chérie de Pèdre, une cité où on le respectait peut-être encore. Compter sur les Juifs n'était pas dans l'esprit retors du Trastamare l'ébauche d'une accointance fructueuse, mais un signe élémentaire de sagesse.

Matthieu de Gournay sortit des rangs où de bon ou mauvais gré il s'était laissé enfermer :

— Lequel de vous me demeurera en otage ?

Insoucieux du regard que Guesclin lui lançait, il réaffirmait sa prérogative.

— Je serai votre otage, dit Daniel.

En fait, il s'adressait à Henri : protégé par le roi, il n'avait rien à craindre. Les deux Juifs firent serment de tenir loyalement le marché. Turquant allait sauter sur son cheval quand Guesclin s'avança et le retint par sa ceinture.

— Attends !... Tu peux t'enfuir si nous te laissons seul.

— J'ai promis.

— Promesse de Juif ne vaut pas un clou... Castelreng, suis-le comme son ombre... À pied, sans ta bannière... Conserve ton épée : si tu sens chez ce circoncis quelque malivolance, perce-le et reviens... Nous reprendrons nos apprêts là où nous les avons laissés... N'est-ce pas, monseigneur ?

Henri approuva et joignit ses mains :

— Sire Dieu, dit-il les yeux au ciel, si j'avais Séville en mon pouvoir sans coup férir, j'aurais bientôt toute l'Espagne.

— Vous l'aurez, dit Guesclin, de bon gré ou de force !

*
*   *

À chaque pas, les murailles semblaient grandir. Tristan, qui pataugeait dans la boue, n'avait échangé aucun mot avec Turquant depuis leur départ du camp et l'au-revoir moqueur du Breton.

Sitôt dans la haute ceinture de pierre et de brique, le Sévillan s'immobilisa comme s'il redoutait soudain d'échouer dans son ambassaderie et de se faire lapider par ceux de sa race.

— Ce Guesclin veut ma mort, messire, j'en jurerais.

Comme deux larmes – sincères ou non – roulaient sur les joues pelues du Juif, Tristan fut enclin à le rassurer, mais ce que cet homme avait été pour Pèdre dans un récent passé l'incita plutôt à la rigueur envers lui :

— Allons, messire !... Êtes-vous un homme ?... Nous ne sommes pas devant le mur des lamentations...

Lorsque Pèdre régnait en despote enjuivé, ce conseiller qui ne manquait sûrement pas de clairvoyance et d'orgueil, l'eût sans doute traité de tout son haut. Il ne fallait ni s'apitoyer sur son sort ni se montrer d'une rigueur extrême.

— Pèdre est parti en hâte. Il avait pensé que l'Alcázar lui serait un sûr refuge. De quelques-unes des fenêtres, il suivait les mouvements de vos compagnies. Une insurrection a eu lieu contre lui. Il a craint de périr par la main même de ceux qu'il avait enrichis. Une

Juive – eh oui, je vous l'avoue sans détour – une Juive est allée partager sa couche. Je la connais. Je sais qu'elle l'a mis en garde contre Daniel et moi-même et contre tous les Juifs et Chrétiens de Séville. En partant, non sans nous avoir menacés, le roi nous a dit qu'il se rendait à Grenade et qu'il obtiendrait l'alliance des Mahomets... C'est ce qui a mécontenté la plupart des Sévillans.

— Je crois, dit Tristan, qu'au lieu d'aller à Grenade, Pèdre se réfugiera en Portugal, à moins qu'il n'aille en Aquitaine circonvenir le prince de Galles dont l'aide lui serait plus précieuse encore que celle des Mahoms...

Turquant se garda d'approuver cette conjecture.

— Je crois que je vois juste, messire.

— Pourquoi, messire chevalier, en êtes-vous si certain ?

— Parce que je n'ai reçu aucune objection de votre part.

Ils étaient à vingt pas des murs en haut desquels des hommes, des femmes et des enfants s'appareillaient pour la défense.

— *Mucho ánimo, Francés*[1] ! cria une femme.

— *Mira, Francés* ![2] hurla un homme en remuant une lame d'épée au-dessus des têtes.

Turquant interpella dans une langue vive, ardente, cette population décidée à défendre sa ville. Sans doute lui donnait-il des garanties sur son avenir immédiat. Tourné vers son accompagnateur, il lui révéla que Séville était garnie de toutes sortes de munitions pour un siège de deux ans et qu'elle comptait, tant en soudoyers qu'en bourgeois, plus de vingt mille combattants, tous décidés à batailler plutôt que de se rendre.

1. Beaucoup de courage, Français.
2. Regarde, Français.

— C'est, messire, ce qu'ils ont mis en délibéré peu avant que je ne m'enfuie avec Daniel.

— Qu'ils se décident !... Guesclin n'attendra pas. Il les vaincra. De cela, je me porte garant !

— Il perdra moult hommes, messire, au franchissement des murailles, puis dans les rues étroites où ils se perdront.

— J'en suis aussi acertené que vous-même. Ce que je sais aussi, c'est que la perte de ces hommes ne fera que stimuler l'ardeur des autres. Mieux vaut dès à présent obtenir le rendage[1]. Une boucherie aboutirait à une issue pareille. Dans ces batailles-là, les femmes sont à plaindre. Et les enfants !... Mieux vaut pour eux la mort que ce qu'ils peuvent endurer si leurs époux et pères sont perdants !

Une cloche sonna ; puis plusieurs, désespérément.

— Les Mahoms et les Chrétiens se préparent, messire. La porte où nous sommes est celle de la Juiverie... On m'a reconnu. On nous ouvre.

Le grand huis de bois à deux battants béa en craquant sur ses gonds. Une rue apparut, emplie d'hommes armés, de femmes et d'enfants, tandis qu'une rumeur s'élevait, grandissante, moitié supplication, moitié psalmodie.

— Voyez, messire : ils nous accueillent.

Un galop. Tristan se tourna le premier.

— Merdaille ! dit-il entre ses dents.

Le roi Henri, Guesclin, Audrehem, Gournay, Daniel, le Bègue de Villaines, Espiote, Bagerant et quelques barons venaient de passer sous la voûte. Au-delà, deux mille hommes approchaient en avant-garde des Compagnies qui se déployaient, menaçantes : les routiers chantaient ; des épées cliquetaient sur les bou-

1. Reddition.

cliers et les targes ; quelques tambours bourdonnaient. Il y eut des cris. Le silence tomba comme lors d'un prodige.

— Alors ? cria Guesclin. Se rendent-ils ou quoi ?

Du haut de son cheval il dominait Tristan et sa main touchotait le haut de son épée.

— Tu vois bien qu'ils n'ont pas le cœur de contrester[1] !

— Entrons, dit Henri. Castelreng a raison : ils ne résistent pas.

— Certes, sire, approuva Tristan. Mais si vous voulez que Séville vous adopte et vous aime, quc l'armée reste où elle est : hors des murs.

— Il a raison, approuva Audrehem instigué par son horreur des batailles. Ces Juifs sont accueillants. Je les sens disposés à nous aider et à honorer leur suzerain.

Cependant, une autre rumeur grondait. Daniel s'adressa au roi puis à Turquant :

— Sévillans chrétiens et Maures se sont accointés. On dirait qu'ils veulent assaillir la Juiverie.

— Je le crains, dit Turquant.

Guesclin trouva une telle alliance « intolérable ».

— Des Chrétiens qui s'allient à des Mahoms méritent de subir leur sort. Pas vrai, grand roi ?

— Hé, hé...

Le Trastamare se trouvait dépassé. Il avait espéré un accueil unanime. La plus grosse partie de la population se regimbait. Lâchant les rênes de son roncin aux flancs pour une fois intacts, Guesclin tapota l'épaule de son compère couronné comme pour l'éveiller de ses songes funèbres.

— Sire, dit-il, et vous, messires, à mon jugement, nous sommes trop de gens entrés de ce côté. Je

1. Résister.

conseille que la moitié sorte et rassemble les meilleurs d'entre nous tous. Attaquez la prochaine porte, qui n'est point juive, si j'ose dire.

Et, s'adressant à Daniel :

— Y a-t-il une brèche au fond de cette rue, que nous puissions faire une sortie ?

— Un grand huis la défend, messire, qu'on peut ouvrir.

— Nous allons le faire. Mon seul nom, mon enseigne et ma seule présence suffiront pour éparpiller ces males gens !... Je connais les Espagnols : ce sont des couards aux yeux et aux dents de loups !

C'était désobligeant pour le Trastamare et les *ricos hombres* de sa suite. Guesclin s'avisa de Turquant :

— Juif, viens tôt en avant. Tu connais la cité tout entière. Conduis-moi ces chevaliers du côté où l'assaut leur sera profitable.

— Je ferai, messire, à votre gré.

Le commandement tomba, méprisant et hargneux :

— Suis-le, Castelreng... Et vous aussi, Audrehem, Gauthier Huet et les autres.

Tristan suivit à pied ces hommes à cheval. Il enrageait. « On me prendrait pour un varlet ! » Il vit la moitié de l'armée courir aux murailles et pousser à coup d'épaule les grands ais de la porte désignée par Turquant. Les vantaux béèrent sur une rue vide.

— Eh bien ! fit Calveley en faisant reculer ses hommes, c'est le meilleur accueil que nous puissions obtenir.

Lui aussi semblait repu de batailles, de sang, de larmes. Chrétiens et Maures s'étaient repliés sur la Juiverie pour lui faire payer sa trahison : on entendait des cris, des cliquetis d'épées du côté de la porte par laquelle Guesclin avait décidé de sortir. Puis ce fut le silence : le Breton sans doute, l'épée au poing, muet et formidable, avait subjugué la foule.

Audrehem apparut, exsangue et radieux. Fidèle à son habitude, il était demeuré en arrière.

— Gagné ! triompha-t-il. Tous proposent au roi les clés de cette ville.

À la tombée du jour Henri fit son entrée. De part et d'autre des rues qu'il empruntait devant ses capitaines et les mercenaires de France, les Espagnols hurlaient : « *Viva Enrique, muere Pèdre !* » Tristan qui chevauchait à la fin du cortège, entre Paindorge et Serrano, se demanda ce qu'on allait faire à Daniel et Turquant accusés d'avoir occis la reine Blanche comme cet arbalétrier, Rebolledo, qu'on avait enchaîné au tronc d'un arbre et sur lequel Bourbon et le sire de Beaujeu, lorsqu'ils passaient, crachaient avec un plaisir qui réjouissait Guesclin. Trois meurtriers, c'était beaucoup.

« Sont-ils coupables ? » se demandait Tristan. Il pressentait des châtiments terribles. Coupables ou non, aucun procès ne leur serait intenté. L'équité, la justice n'étaient point en usage dans les Compagnies. Bourbon et Beaujeu voulaient qu'on suppliciât Rebolledo ? Il le serait. Turquant et Daniel [1] avaient empêché une effu-

1. Turquant et Daniel ? Juan Pérez de Rebolledo ? Des précisions sur la mort de cet arbalétrier étaient fournies dans un manuscrit du temps du roi Pèdre, sorte de chronique de Jerez dont l'auteur était Diego Gomez Salido, archiprêtre de León, bénéficiaire de la paroisse San Mateo à Jerez. Ce manuscrit n'existe plus, mais un autre qui s'en inspire a été publié dans l'ouvrage *El libro del Alcázar, Memorias antiguas de Jerez de la Frontera, ahora impresas por primera vez*, publié en 1928. Nous y apprenons qu'après le départ de Pèdre de Séville (probablement le 19 mai 1366), Juan Pérez était *alcaide* à la fois de l'Alcázar de Jerez et du château de Medina Sidonia. Se voyant menacé à Jerez par un soulèvement des *Enriquistas*, il s'enfuit et fut rejoint le 20 mai sur le chemin de

sion de sang. Ils allaient vivre sous surveillance, mais il était probable que Guesclin, privé de la moindre dévastation dans la juiverie sévillane, leur chercherait querelle et les ferait occire s'il n'osait procéder lui-même à leur exécution.

— Croyez-vous, messire, s'enquit Paindorge, que nous resterons longtemps dans cette cité ?

Tristan se contenta d'un geste évasif. Sans qu'il sût pourquoi, Séville lui déplaisait. Sa vieille mélancolie s'y faisait plus forte, plus oppressive. Il craignait de s'y complaire. Bien que les circonstances le contraignissent à la tristesse et à la résignation, il ne devait se montrer ni distant ni froid envers autrui ; or, cette disposition d'un esprit mal heureux resterait sans doute une intention stérile, rien qu'une velléité comme tant d'autres. Il s'interdisait pourtant de vivre « à part », presque sans parler à des compagnons qui risquaient leur vie avec la sienne, non seulement parmi des Espagnols hostiles, mais aussi parmi les hommes de leur armée – pour autant qu'elle en fût une.

— Je ne me suis jamais senti si loin de la France.

— Si loin de Gratot ?

— Sans doute. Mais que sais-je vraiment de moi-même, sinon que j'ai de la peine.

Medina Sidonia. Blessé, il fut dépouillé des joyaux qu'il avait emportés. Conduit à Séville le 26 mai, il fut mis en état d'arrestation le 6 juin et pendu le lendemain aux *Caños de Carmona*, nom d'un aqueduc arabe qui existe encore. Cette version du XVIe siècle atteste que Rebolledo fut le meurtrier de Blanche. D'après Guichot (*Don Pedro primero de Castilla, ensayo de Vindicación critico-historica*, Séville, 1878, page 128) la version originale du XIVe siècle consultée à Jerez sur la demande d'un érudit sévillan, le Dr D. José Cevallos, racontait la mort de Juan Pérez comme un épisode uniquement politique sans aucune mention du trépas de la reine.

Pour se guérir de celle-ci, Tristan se détermina au silence. Le tour qu'avait pris sa vie lui assurait que rien n'était acquis. Il pouvait, comme Ogier d'Argouges, trépasser dans quelque contrée sèche et rocailleuse de cette Espagne du sud où il n'était que de passage vers une destinée désespérément opaque.

« Je suis contre mon gré en état de perdition. »

Peut-être, en ce pays perdu, allait-il payer de sa vie des crimes dans lesquels, jusqu'à ce jour de la fin mai, il avait refusé de s'impliquer.

Il se sentait sur le seuil d'un événement d'importance, mais ne soupçonnait rien de ce dont il s'agissait.

VI

Il fallait se loger. Serrano découvrit une maison d'aspect austère, pourvue d'une écurie spacieuse, sise à égale distance d'une mahomerie dont le minaret colossal en brique, couronné de quatre sphères d'or [1] formait une sorte d'écho à l'Alcázar, à l'est, et à la Tour d'Or, à l'ouest.

— Nous serons hébergés, dit-il, aux moindres frais.

Avant même que l'armée eût achevé de planter ses pavillons hors de la cité, la plupart des seigneurs, *ricos hombres* et capitaines avaient été pourvus de gîtes endeçà. Quelques-uns, dont Guesclin, s'étaient attribué maintes pièces du magnifique Alcázar. D'autres avaient choisi de vivre dans l'ombre des églises et des couvents : Santa Ana, Omnia Sanctorum, San Esteban, Santa Catalina – en construction. Nul ne logeait à Santa Cruz, le quartier juif, et les maussades à la recherche d'une impossible quiétude en ce pays bruyant, s'en étaient allés, après deux nuits de veille, chercher le repos à San Isidoro ou Santiponce, Castilleja de la Cuesta ou San Juan de Aznalfarache, à une lieue, une lieue et demie de Séville.

Tristan n'était guère enclin à sortir. Au-delà de

1. La *Giralda*, actuel vestige d'une immense mosquée.

l'écurie s'étendait un jardin dont le propriétaire, Paco Ximenez, un vieillard solitaire, lui avait accordé l'accès. Il y dormait dans l'herbe en plein après-midi, et si la nuit était trop chaude, trop moite, il y revenait s'allonger. Serrano et Paindorge allaient en ville se pourvoir en nourriture : le roi Henri avait entrouvert les coffres que l'amiral Boccanegra, ancien marmouset[1] de Pèdre, avait pu conquérir lors d'une opération dont on disait qu'elle n'était point à son honneur : quittant Séville avec quelques galiotes, il s'était lancé à la poursuite de Martin Yanez qui, sur un vaisseau, emportait le trésor de Pèdre. À Tavira, dans une courbe du Guadalquivir, il avait abordé la galère de son ancien ami, qu'il avait capturé sans peine. Henri lui avait donné, pour récompense, la seigneurie d'Otiel[2].

Convié par Audrehem à voir le châtiment de Rebolledo, Tristan promit d'y assister mais fit en sorte de s'y soustraire. Comme lui, ses compagnons préférèrent demeurer chez Paco Ximenez à soigner les chevaux et vider, ensuite, quelques gobelets de vin de Jerez. Ils surent que, suivi de Bourbon et Beaujeu à cheval, le présumé régicide avait été traîné, lié sur une claie, dans les rues et les ruelles. Tandis qu'on le suppliciait, il n'avait cessé de hurler son innocence. Son corps allait être pendu, pour y pourrir, aux *Caños de Carmona*[3].

Ils apprirent, le lendemain, que le roi de Grenade

1. Favori.

2. Otiel, désormais Utiel, est situé sur la route de Madrid à Valence, à mi-chemin de cette cité et d'Alarcón, dont il a été question plus haut. Cette donation fut effective le 17 juillet 1366. Quant au trésor dont Martin Yanez devait assurer la protection, il était de 36 *quintaux* d'or et de quantité de pierreries.

3. Le supplice – on ignore de quelle espèce – eut lieu le samedi 6 juin 1366.

avait envoyé des émissaires au roi Henri pour lui signifier son désir de vivre en paix. Cette paix, les routiers des Compagnies l'employèrent à piller les abords de Séville et la campagne. De toutes parts, des plaintes et des protestations s'élevèrent à l'encontre de ces hommes inguérissablement féroces. Le peuple s'arma. Craignant pour sa vie, Henri décida d'ouvrir en grand les coffres de Pèdre. Les routiers furent licenciés. Grande fut leur joie de pouvoir revenir en France.

Le roi voulut conserver Calveley et Guesclin à son service. Le Breton déclara qu'il resterait pourvu que ses satellites restassent. Quant à Calveley, Tristan apprit par Shirton, rencontré en ville, que lc géant d'Angleterre songeait à regagner l'Aquitaine une fois que les routiers de France auraient quitté l'Espagne : il laissait aux grands capitaines et à leurs hommes liges le soin de les conduire.

— Pourquoi ne nous joignons-nous point à eux, messire ? interrogea Paindorge, un matin, lorsque Bourbon et Beaujeu furent passés devant la maison de Paco Ximenez.

— Parce que, Robert, dit Tristan, pendant les lieues innombrables qui vont les ramener en France, les Compagnies vont se laisser aller à leur cruauté coutumière sans que nos prud'hommes aient suffisamment d'autorité sur elles pour les dissuader de répandre le mal. Nous nous sommes fait tant d'ennemis sur ces terres qu'il me paraît préférable d'attendre que la rancune des Espagnols s'apaise... Si j'avais à revenir maintenant, j'aurais le choix entre deux chemins. Passer par le Portugal et le traverser, puis costier la mer...

— Le chemin de Compostelle.

— Oui, Lebaudy... Ou bien costier la mer du Levant : descendre à Cadiz et trouver une nef qui nous ferait faire le tour, par des havres que je ne connais pas, pour atteindre Valence, Barcelone, Perpignan... Croyez-moi : mieux vaut demeurer, même si nous avons des fourmis dans la tête et les jambes, voire ailleurs[1]. Attendons.

Que faire ? Deux fois par jour, Tristan partait pour l'Alcázar afin d'obtenir des informations sur la vie menée par les prud'hommes en ville et aux champs et savoir si l'on avait besoin de lui. Il s'en allait déçu : Séville engourdissait l'ardeur des gentilshommes et des *ricos hombres*. Guesclin et sa dame vivaient une vie de monarques richissimes et le roi véritable – encore qu'il ne le fût pas selon certains tel Paco Ximenez – semblait s'abandonner à un amour tout neuf auprès de son épouse : l'or, l'argent, les joyaux les avaient rajeunis.

1. Le départ des Compagnies eut lieu vers la mi-juin. Elles eurent à combattre les Castillans, les Navarrais et les Aragonais qui les attendaient pour se revancher de leurs crimes. Elles durent s'ouvrir un passage sanglant afin d'atteindre les Pyrénées. Certaines hordes qui les constituaient allèrent se mettre à la disposition du prince de Galles, à Bordeaux : Édouard de Woodstock avait décidé d'aider le roi Pèdre. Une autre partie voulut pénétrer profondément en France. Elle se heurta à l'armée française grossie de forces réunies par le duc d'Anjou à Montpellier. La bataille eut lieu à La Villedieu, près de Montauban, le 14 août 1366. Les routiers remportèrent une victoire qui, sans être aussi éclatante que celle de Brignais, inspira au sombre illuminé qu'était le roi de France, une frayeur bien méritée. Pour purger son pays des Compagnies il les avait poussées en Espagne. Or, elles revenaient en France, entraînant avec elles Bourbon, Beaujeu et quelques prud'hommes. Elles se montraient toujours avides de meurtres et de pillages.

Le vaincu de La Villedieu fut Olivier de Mauny*, le cousin de Guesclin. Bertrand, selon certains historiens (Llaguno, don Vaissette) était revenu en France pour y recevoir de nouvelles instructions (et pour y mettre son trésor à l'abri) ce que contestent certains historiens modernes (en particulier R. Delachenal dans son *Histoire de Charles V*).

* Note p. 211

Un matin, il rencontra Matthieu de Gournay[1] sur le seuil de l'Alcázar.

— L'oisiveté vous pèse à vous aussi, *Francés* ?

— *Yes*, dit Tristan.

— L'on nous a rapporté à Calveley et à moi que votre Guesclin s'apprêtait à partir pour la France.

— Ah ? Je n'en savais rien. Dites m'en davantage.

— C'est malheureusement tout ce que nous savons.

L'œil de l'Anglais pétillait de curiosité. Tristan ne douta pas qu'il fût sincère. Il détailla brièvement cet homme vêtu en bourgeois mais qui portait au côté une épée d'un bel aspect à en juger par sa prise. Front haut sous le chaperon sang-de-dragon relevé, yeux noirs aux paupières clignotantes bien que le soleil fût encore doux, large bouche d'avaleur de mangeaille, menton pointu. Un ami ? Non, jamais. Un ennemi sans doute et ce serait dommage.

— Savez-vous à quoi je songeais, compère ? Que nos deux Alexandre – Henri et Guesclin – ont fait de Séville, à leur intention, une seconde Capoue.

— Je me le disais aussi. Je me le dis chaque jour.

— Guesclin se montre peu avec sa concubine. On dirait qu'il est gêné devant ses Bretons. La reine l'a en horreur. Elle le lui montre. Il l'appelle Jeanne de Pine

1. Il était le quatrième fils de Thomas Gurney, un des meurtriers d'Edouard II. Soldat de fortune, il fut marié deux fois en Angleterre. La première avec Alice, sœur de Thomas Beauchamp, comte de Warwick ; la seconde avec Philippa, sœur de John, lord Talbot. Vicomte de Santarem par la grâce d'Henri, il mourut à 96 ans et fut enseveli à Stoves-under-Hampden. Il avait gardé Brest en 1357 et, selon son épitaphe, il avait participé au siège d'Algesiras à l'époque d'Alfonso XIII. Il avait été de toutes les grandes batailles de son temps : Crécy, Poitiers, Nájera.

* Olivier de Mauny ne pouvait donc être auprès de son cousin en Espagne. Il n'allait pas tarder à l'y rejoindre.

à fiel[1]. Elle mène avec Henri... comment dire ?... de secondes fiançailles. Le bruit court que matin et soir, ils font ouvrir les coffres de Pèdre afin de plonger leurs mains dans l'or, l'argent, les joyaux... N'êtes-vous point, comme moi, impatient de quitter l'Espagne ?

— Oh ! si, fit Tristan dans un soupir. Mais je ne le puis encore bien que j'aie depuis longtemps achevé ma quarantaine.

— Qu'est-ce qui vous retient ?

— Guesclin.

Inutile d'en dire plus. D'un coup, dans la mémoire de Tristan, Teresa et Simon réapparurent. Il les vengerait et commencerait par châtier Couzic. Cependant, si le Breton revenait en France pour y recevoir des commandements et obtenir des subsides, il se pouvait que Couzic l'accompagnât...

— Venez, compère, dit Gournay. Nous demeurons tout près d'ici l'un et l'autre.

— C'est vrai. L'on m'a dit que Calveley avait l'intention de s'en aller, lui aussi.

— Il attend que Guesclin lui acquitte son dû[2]. Et croyez-moi, c'est une grosse somme !... Le Breton vit comme un satrape à l'Alcázar, et sa putain lui fait oublier ses devoirs.

1. L'épouse du Trastamare, Jeanne de Peñafiel, appartenait à l'illustre famille de la Cerda. Leur mariage avait été célébré le 17 mai 1350.

2. Le Breton, si honnête selon ses hagiographes, s'était engagé à payer à Calveley, pour sa participation à cette nouvelle reconquête de l'Espagne, une somme considérable. À l'époque où se situe cette scène, Bertrand devait encore à Calveley 63 008 francs d'or (gages pour l'Anglais et ses compagnies). Dans une lettre datée de Séville, le 3 juillet, il reconnaissait une autre dette de 26 257 florins. À ceci s'ajoutent 55 000 florins et le quart des rentes annuelles impayées de Borja et Magallón : 2 500 florins par an, soit une dette de 5 500 florins (*lire l'Annexe II*).

Ils cheminaient lentement dans les rues pleines d'une populace qui semblait avoir oublié qu'elle vivait sous la menace constante des pires routiers que la terre eût portés.

— Aimez-vous la cuisine andalouse ?

Tristan avoua qu'il ne la connaissait pas.

— Vous devriez sortir au coucher du soleil. C'est à la vesprée que la cité prend corps, change d'âme et s'embellit.

Cela, Tristan le savait. C'était le soir que Séville semblait s'éveiller. Une rumeur naissait. Les rues inanimées de son quartier commençaient à frémir d'une vie intense, fiévreuse. Les pas se multipliaient sur les pavés des rues. Des chants naissaient. Il ne savait vers quoi marchaient ces processions, mais se doutait que c'était dans la même direction : le plaisir. Bien qu'en Langue d'Oc les veillées de printemps et d'été fussent des plus longues, elles n'étaient ni bruyantes ni chargées de cette liesse diffuse qu'il percevait dans celles des Sévillans. Sauf peut-être à Limoux en certaines saisons où, hypocritement, hommes et femmes se dissimulaient derrière des faux-visages pour se livrer à d'effrénées bacchanales.

— Pour tout vous dire, messire Gournay, je voudrais être soit en Langue d'Oc, soit en Normandie. Je crois que j'aimerais une Espagne paisible. Je ne comprends guère ces gens et, je vous l'avoue, je ne fais point d'effort pour les comprendre. Je les sens secrets.

— Cette réserve hautaine, l'Espagne la doit sûrement aux Maures. Ils ont effrayé tous ceux qui ne leur ressemblaient pas !... Mais nous allons leur donner une leçon quand Henri sera vraiment souverain... Dites-moi, mon compère, n'êtes-vous pas allé dans une maison de danses ?... Non !... Entrez dans l'une d'elles. Vous y découvrirez, en même temps que moult jolies femmes, l'âme espagnole, faite d'effusions, d'allégresse et d'une sorte de hardiesse... je veux dire de provocation dans les mouvements des corps. Vraiment, quand on assiste à ces *sevillanas*, on ne pense plus que la guerre saigne ce beau pays !... Il vous faut voir cela. Il vous faut ouïr ces chants et les crépitements des *castañetas*... Et puis, la nourriture est délicieuse après ce que nous avons mangé depuis des mois !... Les œufs, le poisson frit, le *gazpacho*, les tripes à l'Andalouse, la queue de taureau au piment enragé... oui, c'est ainsi qu'on l'appelle...

— Je sais, messire. J'ai goûté pour ma part avec mes compagnons aux olives noires, aux chevrettes [1] du Guadalquivir et à ce qu'on nomme des *pavias* ou tranches de morue panées. J'ajoute que le vin est bon.

— Bon ? Le *manzanilla* c'est quelque chose de divin ! On en consommerait à grand'foison, comme on consommerait aussi l'amour des Sévillanes !... Rien n'est plus émouvant pour moi que ces *doncellas* entre treize et dix-huit ans dont les yeux, le sourire sont prometteurs de délices...

Tristan acquiesça. C'était vrai que ces donzelles sveltes et provocantes attiraient les regards des prud'hommes du Nord et de leurs soudoyers. La continence qui lui était imposée lui pesait si fortement qu'elle le contraignait à des rêveries qu'il n'eût osé confier à personne.

— Sortez une de ces nuits, conseilla Gournay. Si un air de guiterne criblé de la crécelle des *castañetas* vous attire, entrez. Vous n'en éprouverez nul regret. Par saint George, on a bien mérité de jouir un tantinet après les horreurs que nous avons vues et qui ne sont point achevées ! C'est la rançon de notre victoire !

1. Crevettes, particulièrement en normand.

« Victoire ? » se demanda Tristan cependant que l'Anglais s'éloignait d'un pas si ample et si vif qu'il paraissait pressé de rejoindre une belle.

Le soir même il sortit après avoir refusé la compagnie de Paindorge. Il entra dans une *posada* de la *calle de las Sierpes* et fut incontinent suffoqué par le vacarme, l'odeur, la quantité de gens qui se réunissaient là. On lui offrit un siège dans une sorte de loge qui dominait un échafaud[1] d'où il put observer d'emblée trois danseuses aux longs cheveux bruns tout aussi onduleux que leurs corps gaînés de taphetas vermeil. Subjuguées par les frémissements de deux guiternes dont les joueurs restaient dans l'ombre, elles tournaient, tournaient dans l'épanouissement de leurs robes aux vastes pans quelquefois retroussés jusqu'aux jarrets. Matthieu de Gournay eût sans doute exalté leur beauté, leur agilité, leur grâce assurément provocante. Leurs visages, leurs bras, leurs dents étaient d'un blanc d'albâtre, et leurs yeux des perles de ténèbres insondables.

« Manquait plus que cela ! » songea Tristan.

L'une d'elles, tout en tapotant les planches de son talon, avait remarqué sa venue. Elle lui souriait avec une insistance dont, plutôt que d'être content, il se sentit gêné. Quelques hommes, maintenant, le dévisageaient : les uns comme un intrus, les autres comme un bienheureux.

Une servante en robe noire dont le fasset[2] largement ouvert laissait paraître, sous l'entrecroisement des aiguillettes, des seins ronds, safranés comme des calebasses, lui offrit un gobelet long, étroit, dans lequel elle versa une rasade de manzanilla dont elle abandonna la

1. Estrade.
2. Corsage alors à la mode.

gargoulette sur la table où il s'était accoudé. Soudain, alors qu'il s'apprêtait à boire, la plus petite des danseuses, après une œillade vivace, enleva prestement son volet de dentelle, le mit en boule, cria et le lui jeta. Il ne l'atteignit pas, mais quelqu'un d'en-dessous, une femme sans doute, le lui lança, et dès qu'il eut en main cette sombre parure, son odeur embauma ses doigts et ses narines.

— Eh bien, dit Calveley en prenant place auprès de lui, on peut dire, Castelreng, que si Guesclin se fait fort de conquérir l'Espagne, les belles filles de ce pays sont disposées à vous prendre pour suzerain !

Tristan ne trouva rien à répondre. Se tournant un peu, il entrevit Shirton pour une fois sans arc, mais l'épée au côté.

— Croyez-le ou non, messire, j'ai grand-hâte de quitter ce pays. La plus belle fille de Séville, Tolède, Cordoue ne pourrait m'y retenir.

— La guerre n'est point achevée. Vous aurez moult occasions de sortir votre arme.

Tristan devina de quelle arme il s'agissait. Il sourit. L'envie le prit de demander : « Et vous ? » Calveley était-il marié ? Fiancé ? Ce géant devait effrayer certaines femmes et en exciter d'autres.

— Oui, messire, la guerre n'est pas achevée... J'en ai assez. Il me tarde de rentrer. Mon épouse m'attend.

— Ah ! vous êtes marié. Pas moi [1].

1. En juin 1368, Calveley épousa Constance, une des suivantes de la reine d'Aragon. Elle était la fille d'un baron de Sicile : Boniface d'Aragon. Ce mariage lui apporta des droits et une juridiction extensive dans la baronnie et la châtellenie de Cervelón, une possession du vicomte de Bruni proche de la rivière de Llobregrat, en dehors de Barcelone. Pierre IV lui avait offert les droits qu'il possédait sur Elda et Novelda, au royaume de Valence. La dot tout entière se montait à 40 000 livres de Barcelone. Novelda avait été donné à Matthew Gournay, le 22 décembre précédent, mais le roi y avait retenu certains droits, de même qu'à Elda.

— Je pressens les dangers du retour.

— Il est vrai. Les chemins doivent être infestés d'hommes décidés à nous occire. Si vous me permettez de vous donner un conseil, cheminez vers la mer du côté du Levant et, à Peñiscola, embarquez dans une nef en partance pour Narbonne.

— J'y ai pensé.

La servante apporta deux gobelets et un cruchon de manzanilla. L'Anglais l'en remercia, se servit, lampa et s'essuya les lèvres de son pouce avant de désigner à Shirton le récipient qui lui était dévolu. L'archer versa le précieux rubis comme un prêtre à l'eucharistie puis, la transsubstantiation accomplie :

— Savez-vous, Castelreng, que le roi d'Aragon a donné à Guesclin deux grands vaisseaux et une galée, apprêtés et payés pour six mois aux dépens de sa trésorerie pour aller outre-mer commencer une croisade contre les Mahomets ?

— Non, fit Tristan, ébaubi.

— Ces naves doivent être prêtes pour le commencement de l'année prochaine, précisa Calveley.

— Ah ? fit Tristan dont l'ébahissement redoublait. Il ne va tout de même pas nous entraîner au-delà de la mer pour combattre les Mahomets alors que le sort de Pèdre n'est pas achevé !... Le roi ne s'avoue pas vaincu et les Maures qui sont demeurés sur leurs terres ne nous ont rien fait, que je sache... ni d'ailleurs, je dois l'avouer, ce roi qu'on dit cruel. Cela doit être encore une idée de Guesclin [1] !

1. Bien qu'il détestât les Maures autant que les Juifs, Guesclin prétendait descendre d'Aquin, roi de Bougie, un Sarrasin qui, à l'époque de Charlemagne, avait occupé le château de Glay, près de Saint-Malo. Forcé de fuir, il avait oublié un enfant dans sa retraite, enfant qui, ayant pour parrains Roland et Olivier, avait fondé la lignée des Glay-Aquin, devenus par corruption Glayquin, puis

— Tout juste !

— C'est un fou d'orgueil et de cruauté, dit Shirton.

— Fleur de Chevalerie, le voilà Fleur de Nave[1], dit Tristan tourné vers Calveley.

— Il paraît qu'on doit m'offrir quelques nefs pour aller en Sardaigne soutenir la petite armée du roi d'Aragon. Eh bien, mon compère, il faudra me payer très cher si l'on veut mon épée, ma lance et mon concours !

Calveley but encore et Tristan l'imita. Les danseuses tournaient toujours. Leurs pas vifs et légers ajoutaient leur tambourinement aux sonorités des guiternes tandis que leurs corps prompts et sinueux déroulaient à l'envi, dans leurs flexions et pirouettes, les ressources infinies des poses ensorcelantes.

— Chez nous, dit Calveley, on les ferait brûler comme sorcières. À Séville, ce sont elles qui nous enflamment... tout au moins notre imagination.

Tristan resta coi, subjugué par la joliesse de mouvements empreints d'une ascendante volupté : ventre oscillant, fesses rebondies, bras attirants. Il était loin de la cordace des filles de Brignais et pourtant quelque chose s'en inspirait. Une sorte de pudicité dans une lasciveté effrénée. Il ne put s'empêcher de frémir dans le *vito* qui peut-être achevait la danse et que l'assistance soulignait en scandant :

Con el vito, vito, vito
Con el vito, vito va !

Guesclin. Bertrand rêvait de débarquer en Barbarie pour revendiquer son héritage.

1. Ces bâtiments de guerre et de débarquement devaient être à la disposition du Breton au début de mai 1367. Calveley devait avoir, lui aussi, dans les 40 jours après Pâques 1367, le service de 20 galées armées « *pour aler sus les anemis de la foy pour l'espace de quatre mois* ». *Nave :* navire, navet.

— La petite qui vous jette des regards si hardis se nomme Francisca. Ne croyez surtout pas qu'elle soit accommodante.

— Ah !

— Je n'ai point essayé de m'en accommoder. Ses amies, Juana et Beatriz, m'ont prévenu en son absence.

La façon dont Francisca vivait sa danse – avec des tournoiements sur elle-même, des sauts de côté, des cabrades brusques et vives, des gambades et mouvements de tête éloquents et pervers –, cette façon ne pouvait que *saisir* Tristan au plus profond de son être et, sans les sublimer, éveiller des désirs qu'il ne réprouvait plus.

— J'aime, dit Calveley, ces tresches[1] frénétiques. Et les trépignements des talons me font songer...

Tristan n'écoutait plus : il regardait Francisca. Il l'admirait. Elle semblait une flamme – robe rouge, dessous safranés – sur laquelle eût soufflé un vent capricieux. Ses pieds fins et nerveux dessinaient des figures vertigineuses ; ses jambes s'y montraient audacieusement et dans le tournoiement superbe de son corps, ses mains aux doigts mouvants révélaient l'ancestral désir, la promesse des ardeurs disponibles et l'excitement d'une possession qu'un seul geste, parfois, récusait. Calveley avait fait allusion aux sorcières. Il y avait de l'ensorcellement dans ces appels des pieds, ces œillades, ces signes des index que soulignaient maintenant des cris d'allégresse. Bien qu'elles fussent trois à se livrer aux regards et aux troubles appétits des hommes – peut-être à leur faim-valle –, il ne voyait que Francisca. Elle était tout ce qu'Aliénor, Oriabel et Luciane n'avaient jamais été. Son corps trépidant, ses cheveux d'un brun d'abîme, son visage d'une blêmité de statue

1. Non de la danse, en général, à cette époque.

soudainement transmutée en chair, ses yeux aux éclats de joyaux sublimés par les feux des innombrables chandelles le transportaient hors des lieux et du temps, au-delà de lui-même. Depuis sa venue en Espagne, il avait déjà éprouvé cette sorte de fascination. À Burgos, subjugué par la grâce et la virginité de Teresa, il s'était refusé à regarder les femmes, pour la plupart belles, qui se rendaient au sacre du Trastamare. À Tolède, il avait vu les *señoritas* aller et venir d'un pas leste dont le balancement des hanches ne pouvait que susciter, dans son esprit, la nostalgie d'autres mouvements. À Séville, à peine arrivé, il avait été touché par le charme insidieux du *meneo* [1], et des paroles déjà entendues lui étaient revenues en mémoire : « *Tiene mucha miel en las caderas* [2]. » Francisca n'avait pas que du miel dans les hanches. Elle y avait du feu. Pourrait-il s'y brûler ?

Calveley se leva. Il fit de même.

— Quoi, vous ne restez pas ?

— Point de tentation.

— Vous l'allez décevoir, compère. Elle est éprise.

Un sourire étirait les lèvres de l'Anglais. Moquerie ? Mépris pour ce qu'il assimilait à un renoncement ? Pire même : une faute.

Francisca dansait toujours, infatigable. Et ses mains aux doigts agiles modelaient des mots connus des seuls Sévillans ; des mots qui signifiaient l'amour et la mort et le désir de se perdre dans l'un ou l'autre. Une main donnait la réplique à sa sœur ; un pied menu, autoritaire, exprimait des vouloirs que son voisin approuvait. Tout un langage, un artifice, une convention. Un envol de la réalité vers le rêve. Jamais d'incertitude dans ces mouvements, mais des convictions et des emphases.

1. Ondulation du corps particulière aux Andalouses.
2. Elle a beaucoup de miel dans les hanches.

Peu à peu, cette danse, écriture des mains, devenait une page, et mieux encore, un hymne. Un sourire en guise de fleur à ses lèvres, Francisca se renversait en arrière, jouait de la hanche, jetait son pied, sautait, sourcils froncés ou déployés, comme un vol d'oiseau vif aux plumes satinées.

— Elle est, dit Calveley, l'émanation du plaisir.

— Plaisir d'avoir un corps qui ressemble à son âme.

— Un corps qu'elle aime et admire, compère. Un corps qui s'enchante de la musique tout autant que ses oreilles. Elle doit danser la cordace mieux que les putains d'Athènes. Je vous souhaite...

L'Anglais s'interrompit par crainte d'être obscène. Tristan ne cessait de regarder l'échafaud où les ombres dansaient aussi. Et quand Francisca fut seule, elle lui parut plus grande, plus lumineuse que la clarté qui faisait scintiller sa parure. « *À portée de mes yeux, à portée de mes mains.* » On eût dit une braise avivée par ses voltes, attisée par ses gestes tantôt ronds, tantôt brièvement aigus, toujours empreints d'une volupté sacrée, franche ou balbutiante. Ses cheveux si longs, si soyeux et si lourds adhéraient parfois à ses joues, à son front, et ses mains prestes en rejetaient les flammes brunes tandis que ses talons frappaient les planches avec l'impatience d'une fillette livrée à la fureur d'un caprice interdit. Et dans des douleurs simulées, elle enfantait de tout son corps, de toute son âme, des torsions et des pirouettes, des déhanchements où les redites et les repentirs s'évaporaient dans des sursauts. Les ombres couronnées de ses bras arrondis berçaient la frénésie d'une chair dont Tristan, charmé, imaginait l'arôme.

— Elle boit la musique et s'en saoule l'esprit. Ah ! compère, ces guiternes sont aussi enivrantes que les Sévillanes et le manzanilla !

Un lourd désir flamboyait dans les prunelles de Caveley bien qu'il sut que Francisca ne lui était pas destinée. Malgré sa haute taille, elle ne l'avait pas vu.

— Cette fois, compère, je dois partir. Hein, Jack ?

Shirton approuva du menton. L'Anglais vida son cruchon à même le goulot. Tristan l'imita. Ensemble, ils levèrent leur récipient en direction de la danseuse qui feignit d'ignorer l'hommage qui lui était dévolu.

— C'est un peuple étrange, dit Calveley en se dirigeant vers l'escalier par lequel on accédait à la rue. Il aime la tragédie. Il me paraît immodéré en tout. Depuis que nous sommes en Andalousie, je me sens... euh... différent. Mon sang n'est plus le même, et mes sens, par ma foi, ne le sont plus aussi. Ces Espagnols sont fous !... Des courses de taureaux ! C'est excitant car on y attend la mort d'homme. C'est répugnant car la bête ne peut que mourir.

— Vous faites, m'a-t-on dit, assaillir par des chiens féroces, des fauves et même des chevaux.

— Je n'assiste jamais à ces déduits[1]. Le seul que j'aime, c'est la guerre.

Tristan ne sut que répondre. D'ailleurs, parler lui coûtait. Il tenait dans sa dextre le volet ajouré que Francisca lui avait lancé. Absorbé par sa songerie, il n'était plus, à vrai dire, auprès de Calveley, mais proche de la jouvencelle. Il n'osait porter ce couvrechef[2] à son nez. Pourtant il tenait à connaître son odeur qu'il devinait capiteuse. Il revoyait aussi la moitié d'une jambe offerte à l'extrême, dans le bouillonnement d'une jupe fendue, elle aussi, à l'extrême. Une jambe de rêve, en vérité : pure et ambrée – troublante. Ah ! que l'Anglais partît afin qu'il pût plonger son nez,

1. Jeux.
2. Nom de la mousseline, nullement d'un quelconque chapeau.

sa bouche dans ces guipures neigeuses ! Elles semblaient sous sa paume et ses doigts pelucheuses comme...

Sur le point de franchir le seuil, il s'aperçut que la danse venait de s'achever. « C'est peut-être à cause de notre départ », songea-t-il, frémissant et renfrogné. L'air vibrait encore des frissons des robes et des guiternes. La rumeur de l'assistance redevenait excessive. Les danseuses avaient disparu. D'autres, rieuses, prenaient possession de l'échafaud.

— Pour vous, Castelreng, dit Calveley.

Un grand peigne planté dans ses cheveux rassemblés sur sa nuque, une fillette venait de surgir devant eux, insolemment belle, déjà, et hardie, triomphante. Elle tendait une fleur, une seule : un œillet rose panaché dont le rouge semblait une fraîche blessure. L'odeur grisa Tristan autant que la couleur.

— Ah ! fit Calveley. Le langage des fleurs m'est inconnu. Le connais-tu, toi ?

L'Anglais s'était tourné vers Shirton. L'archer sourit :

— Messire, dit-il avec admiration, cette fleur vous révèle qu'on vous aime.

— *Un momentino*, dit Tristan à la fillette. *Gracias. Muchas gracias !*

Il ouvrit son escarcelle.

— *No hay razones !* protesta l'enfant. *No hay razones*[1] *!*

Il voulut lui restituer le volet de Francisca.

— *No hay razones !* répéta-t-elle.

Mais preste, elle referma ses petits doigts sur les maravédis et disparut en sautillant parmi les hommes

1. Il n'y a pas de raisons.

et les femmes attablés ou non tandis que les guiternes accordées accompagnaient une nouvelle danse.

Calveley et Shirton s'en allèrent du côté de la Giralda. Tristan, humant parfois le volet de Francisca – odeur de femme, odeur de chair, odeur d'amour – revint lentement chez Paco Ximenez. Non, il n'appuierait pas ses lèvres sur ce carré de couvrechef. Non, il ne nourrirait aucune pensée absurde... Absurde ? Où allait-il pêcher cette sottise-là ? Il ne pouvait se retenir de flairer cette étoffe. Elle avait frôlé des cheveux bruns, des joues, un cou de cygne. Elle conservait encore cette odeur complexe de peau satinée, de toison comme exaspérée par l'ardeur de la danse. Non, l'amour véritable ne pouvait point naître ainsi. Mais l'aventure amoureuse...

Paindorge l'attendait. Les autres dormaient.

— Je m'inquiétais, dit l'écuyer.

Tristan glissa le volet blanc sous son pourpoint. Il s'était refusé à le bouler sur son cœur.

— Je me demande, messire, ce qu'ils font à Gratot. Nous en sommes si loin... .

Un être s'interposa entre eux. Une femme que Paindorge admirait : Luciane. Cependant, quand il fut allongé sur sa couche, ce ne fut point le souvenir lointain de son épouse qui hanta les songes de Tristan, mais la présence d'une Sévillane dont en chemin, avec un regret ulcérant, il avait jeté la fleur à l'odeur charnelle après en avoir sucé les pétales.

*

* *

Il dormit mal. Quand Paindorge l'eut rasé, l'envie le prit, brusque, impétueuse, d'aller piquer du nez dans le

Guadalquivir. Il en fit part à l'écuyer dont l'opinion fut négative :

— Hier, messire, j'ai vu deux hommes emportés par les eaux. Morts. J'ai idée qu'il y en a d'autres plus profond. Des Juifs certainement. Des gens de chez nous voudraient en purger la cité... Faut-il que je selle votre cheval ?

— Non, j'irai à pied.

Tristan ne refusa point à Paindorge la satisfaction de l'accompagner. Pour lui complaire, il ceignit Teresa, l'épée sacro-sainte, et se coiffa d'un chaperon gris, assorti au pourpoint dont la poche intérieure contenait l'offrande de Francisca.

Déjà, il faisait chaud et le ciel se couvrait. Le Guadalquivir semblait assombri, épaissi et alenti par ces brûlures annonciatrices d'orages. On eût dit que ses eaux s'immobilisaient parfois sous les feux intermittents qui blanchissaient les maisons mieux encore que ne l'eussent fait les badigeons des commères sévillanes. La vie active assemblait et démêlait dans la cité tout ce qui pouvait marcher – êtres humains et bêtes. Dans ses travées à peu près droites et ses venelles bosselées l'ombre frêle s'empâtait. Les minuscules boutiques regorgeaient de fruits et légumes, certains inconnus de Tristan. À la fois ateliers et comptoirs, la plupart des échoppes se groupaient par corps d'état comme à Tolède : selliers, tisserands, menuisiers, orfèvres, armuriers. Affairés ou placides, les marchands œuvraient et vendaient dans une pénombre moite et comme sulfureuse. Certains appelaient les chalands, d'autres les laissaient approcher après un aguet qui semblait avoir mis à mal leur patience. Les *pacotillas*, là aussi, avoisinaient les objets précieux. De ces antres de bois et de pierre s'exhalaient des odeurs fétides ou délicieuses. Les hommes semblaient en surnombre. Ce n'était pas encore le moment où les dames faisaient leurs emplettes. De gros bourgeois passaient dans des habits de prix. Des adolescents au visage de bronze jetaient des regards dédaigneux sur tout, particulièrement sur les femmes de basse condition comme pour faire oublier l'infamie de leur naissance ; des Juifs chapeautés, empêtrés dans leurs houppelandes brunes, pesantes, s'en allaient tête basse vers on ne savait quoi. Il y avait aussi des mâtinés de Maures et d'Espagnoles – ou inversement –, des *ricos hombres* dont le talon éperonné relevait le manteau de soie blanche ou vermeille et quelques *ballesteros*, l'arbalète sur l'épaule, l'aumusse de cuir coincée entre le sarrau de drap échiqueté d'or et de gueules, et la ceinture. Partout, des chiens efflanqués dormaient d'un œil, l'autre guettant les jambes des femmes qui, pour aller plus vélocement, ne craignaient point de se retrousser parfois jusqu'aux genoux.

— Elles nous regardent, dit Paindorge, comme des chasseresses le feraient d'une proie.

— Tu dis vrai, dit Tristan songeant à Francisca.

La reverrait-il ? Errait-elle maintenant ainsi qu'il le faisait ?

— Allons-nous à l'Alcázar ?

— C'est une bonne idée, Robert. J'en avais d'ailleurs l'intention.

Ils n'admiraient ni l'un ni l'autre ce palais dont les Maures, avant que le roi Pèdre le rénovât, avaient fait à la fois leur citadelle, la demeure de leurs princes et leur temple.

Guesclin marchait dans le grand patio qui, affirmait-il, empestait le Mahom à plein nez. Vêtu à la diable, un chaperon rouge à crête de coq sur la tête, il se sentait diminué, moqué sans doute, mais il ne pouvait vivre constamment en armure. Les ors, les argents et les broderies de pierre qui l'entouraient ne rendaient que plus évidente cette rusticité dont s'accommodaient difficilement les prud'hommes de France tout en donnant du mésaise aux *ricos hombres* et peut-être au roi Henri. Une cinquantaine d'entre eux, dont Paindorge et Tristan, suivirent le Breton dans des salles immenses, sonores, où quelques jours plus tôt la voix du roi déchu retentissait encore. Tristan leva les yeux sur les plafonds en bois *artesonados* et polychromes puis les dirigea sur les huis superbes devant lesquels veillaient des guisarmiers. Décidément, les splendeurs de cette demeure le laissaient froid. Il y avait trop de fatrasseries, trop d'arrogance en ces murs dorés, argentés et ciselés comme les parois d'une fierte[1]. Guesclin pouvait s'y sentir chez lui avec sa concubine. Il était le seul, sans doute, à apprécier ce palais : les *Gabatxos*[2] avaient élu domicile en ville.

Enfin l'on s'arrêta dans une pièce plus petite garnie de bancs installés le long des cloisons. Les baies étaient ouvertes. Le parfum singulier qui flottait partout dans Séville semblait se concentrer ici, à la fois irritant et suave avec, eût-on dit, une arrière-odeur de corruption.

— C'était ici l'ancien palais des Mahomets !

— Ah ! Bertrand, s'exclama Bourbon, vous avez le don pour choisir les lieux où nous nous sentons à l'aise.

— On dirait plutôt, fit Beaujeu en inspirant amplement, puis en expirant bruyamment un air sans doute aviné, on dirait que leur rancune d'en avoir été chassés se fait sentir !

1. Châsse d'un saint.
2. Nom péjoratif donné aux Français.

Oui, c'était un parfum indéfinissable. Autant que les pensées du Breton. Et tandis que Tristan imaginait une musique sarrasine, grinçante, nasillante, sous ces plafonds qu'un nuage, soudain, assombrissait, le Breton annonça :

— Messires, nous avons pendu le meurtrier de la reine Blanche. Mais ils étaient plusieurs : les Juifs Daniel et Turquant n'ont pas été justiciés !

Tristan leva les yeux vers les voûtes obscures. « Encore ! » songea-t-il. « S'il ne commet un crime par jour, il lui manque quelque chose. Il est vrai que les lieux s'y prêtent ! » C'était à l'Alcázar que Pèdre avait fait occire Don Fadrique, son demi-frère, le fils du roi Alfonso XI et de sa maîtresse, Leonor de Guzman[1], frère jumeau du Trastamare.

Il considéra tous ces hommes assis dont les épées, quelle qu'en fût la longueur, semblaient vouloir imiter l'alignement des jambes. Bourbon et Beaujeu, regaillardis par l'expiation de Rebolledo, se souciaient d'autant moins du châtiment des deux Juifs qu'on les disait sur le départ à la tête des Compagnies.

« Je vais aller les trouver... leur demander de me prendre avec eux. »

Eustache d'Auberchicourt souriait aux anges – qui devaient être des incubes. Ce grand routier sanguinaire qui fleuretait avec la Couronne d'Angleterre, puisqu'il avait épousé une princesse du Sang[2], fermait les yeux comme au sortir d'une nuit blanche.

1. Le 29 mai 1358.

2. En 1358-59, lorsqu'il régnait à Nogent-sur-Seine, Pont-sur-Seine et maintes forteresses, ce chevalier du Hainaut avait pris le titre de lieutenant du roi de Navarre, mais son chef restait Édouard III. Au moment où il rançonnait la Champagne et la Brie pour Charles le Mauvais, il était l'amant de la nièce de la reine d'Angleterre, Isabelle de Juliers, comtesse douairière de Kent, qu'il

Gourderon de Raymon, ou mieux : Guardia Raimon, seigneur d'Aubeterre, qui avait opéré en Bretagne avant de guerroyer pour son compte en Normandie, après Auray, grattait son nez relevé comme une poulaine. Alain de Mauny, fier d'être le cousin du grand homme, se grattait, lui, sous l'aisselle où peut-être nichait une puce. Sylvestre Budes, Aufrey de Guébriant, Yvon Duant, Thibaut du Pont, Eustache de la Houssaye, Jean Kerlouet, Guillaume Boistel, Jacques de Penéodic, Maurice de Trésiguidy, Naudon de Bagerant s'interrogeaient sans doute sur la forme que prendrait le châtiment imaginé par Guesclin. Compères de Calveley absent, quelques Anglais avaient cru devoir se rendre à l'invitation du Breton. Il y avait là John Creswey, Robert Briquet, Robert Scott, Helmehade, dit Raoul Elme, Yons de Lakonnet, Renaud de Vigneulles et quelques autres. Ils se curaient le nez, se touchotaient du coude, bâillaient : cette affaire ne les concernait pas. Ils allaient repartir en masse pour l'Aquitaine. La plupart de ces hommes avaient pris un coup de soleil de sorte qu'ils semblaient s'être barbouillés du sang de leurs victimes. Plus loin, le Bègue de Villaines, le bourc Camus, Espiote croisaient les bras comme des

finit par épouser avec faste, en 1360. Émerveillée par les prouesses de ce brigand sans scrupule, cette princesse lui adressait des messages d'amour qui redoublaient l'ardeur d'Eustache pour ce que Froissart et les autres chroniqueurs du temps appelaient les belles bacheleries (*bachelerie :* chevalerie, vaillance) et grandes appertises d'armes (prouesses). Outre ces lettres passionnées – qui peut-être furent publiées outre-Manche – la dame lui envoyait des coursiers, des haquenées, des témoignages multiples de son amour. Les armes d'Auberchicourt ne sont pas des plus simples : *parti d'or et d'hermine et sur l'or une fasce noire brestéquiée à lambeaux de gueules, et sur l'hermine trois hamèdes de gueules. Sur la première hamède, une coquille d'or, sur la deuxième deux coquilles d'or, sur la tierce trois coquilles.*

juges prêts à prononcer une sentence mûrie depuis longtemps dans leurs cerveaux obscurs. Audrehem et Jean de Neuville s'entretenaient à mi-voix.

— Messires, je vous ai rassemblés parce que, fi d'Henri, j'ai décidé d'en finir avec ces deux Juifs !

Si, à sa naissance, on avait appelé la grande horde des routiers la « Compagnie sans tête » (*signe capite vocabatur*) parce qu'elle n'avait aucun chef suprême, celle qui s'était répandue en Espagne pouvait s'enorgueillir d'être pourvue d'un « conduiseur ». Ce n'était point Henri, le nouveau suzerain, qui rendait la justice, mais son affidé suprême : Guesclin, lequel parlait de son compère couronné avec une familiarité qui peut-être eût offensé celui-ci s'il avait été témoin des conversations où le Breton lui faisait référence à défaut de révérence :

— Daniel et Turquant avaient été commis pour recevoir les rentes et les tributs que nous avons imposés aux Juifs pour préserver leur vie. Or, il semble que ces deux traîtres aient foulé nos mandements aux pieds !

— Ah ! fit le Bègue de Villaines dont un bafouillement n'eût fait qu'augmenter l'expression d'ébahissement un peu trop forcée.

— Eh oui, messires. Ils extorquaient à leurs compères bien davantage que ce que nous en avions décidé ! Ils majoraient de moitié plus qu'on ne leur avait commandé tant qu'ils en furent haïs et qu'on m'a raconté que ces deux Juifs maudits avaient fait étouffer la reine Blanche !

Bourbon et Beaujeu se penchèrent en avant, sans mot dire : ils attendaient la suite. Guesclin posa sa dextre sur son cœur :

— Par ma foi, messeigneurs, c'est bien la vérité.

Tous les Juifs de Séville les ont accusés et se sont portés témoins contre eux !... Tous !

Il y eut un silence : le roi entrait, suivi de ses *ricos hombres*, passant de la lumière aux ténèbres selon qu'il occultait ou non une fenêtre. Il s'était adoubé comme avant une bataille. Tout ce fer signifiait qu'il craignait d'être occis par un homme de Pèdre insoucieux de sa propre vie. Bourbon se leva et lui offrit sa place. Il acquiesça. Beaujeu et Auberchicourt se déplacèrent l'un à dextre, l'autre à senestre afin qu'il eût ses aises. Sur l'entrefaite, on entendit des bruits et des protestations, des cris même et des injures : poussés par des guisarmiers vêtus de la livrée royale, Daniel et Turquant apparurent, des poucettes aux mains, les visages gonflés, bleuis par des coups, et les vêtements déchirés. Couzic les suivait de près.

— Traîtres, larrons ! hurla Henri debout. Je ne savais point que vous aviez fait mourir la dame Blanche dans son lit en l'étouffant avec son oreiller ! Je vais vous livrer aux flammes !... Dites-moi la vérité ! Ne me cachez rien !

Il s'exprimait en français afin d'être entièrement compris. Sa colère paraissait sincère, mais sans doute se demandait-il pourquoi il avait mêmement accusé Rebolledo du crime alors que ces deux-là semblaient disposés à des aveux complets dans lesquels Couzic était pour quelque chose.

— Sire, dit Daniel, penché, humble et pleurard, demandez à Turquant car il fit tout : le fait et le meurtre.

Il y eut un « Oh ! » indigné du second Juif cependant que Daniel s'obstinait :

— C'est bien la vérité ! Je ne puis la cacher ! Pedro nous envoya à Medina Sidonia. J'allai jusqu'à la chambre de la reine mais n'osai y entrer. J'ai prié Turquant de partir avec moi... Je l'en ai prié cent fois !

Couzic retint par le col de son pourpoint – qui se déchira davantage – un Turquant indigné qui, privé de ses mains, donna un coup de pied dans la jambe de son compère :

— Menteur ! *Mentiroso !* Menteur !

Et s'avisant du roi qui le dévisageait, bras croisés, un sourire de biais à la bouche comme s'il s'apprêtait à cracher :

— Sire roi, je vois bien apparent qu'il me convient de mourir, mais ne me faites plus tourmenter par ce Breton.

— Je n'ai rien demandé de ce genre.

— Moi si ! cria Guesclin sans pouvoir dissimuler sa gêne.

— Bertrand, gronda Henri, ce n'est pas à vous d'infliger à mon peuple les punitions qui vous traversent la tête !... Nous ne sommes, céans, ni en France ni en Bretagne. Abstenez-vous, désormais.

— Bon ! Bon ! interrompit le Breton. Ce ne sont que deux...

— Assez ! Je sais ce que vous alliez dire... Moi j'ai besoin de cette communauté... Parle, Turquant !

Le Juif, presque rassuré, fit une révérence :

— Je dirai tout incontinent et ne vous cèlerai point, sire, que Daniel et moi sommes tout d'une confrérie et que la dame a été meurtrie par nous et par cinq autres Juifs qui ne sont pas ici.

Aucun doute : *cet homme récitait une leçon qui lui avait été apprise, à coups de poing, par Couzic.* Peut-être aussi à coups de lame car du sang, glissant sur son poignet, gouttait maintenant sur le pavement de marbre.

— Turquant ! s'écria Daniel. Tu parles follement.

Jamais je ne suis entré dans la chambre et je vous défendis de le faire ! Je savais bien, moi, que la reine avait été condamnée à tort et que le roi Pedro en aurait vilenie, car la dame venait de très noble lignée.

Tristan vit Bourbon et Beaujeu acquiescer un peu trop fièrement. Certes, ils n'avaient point précipité la dame Blanche dans les bras du roi Pèdre, mais ils s'étaient réjouis qu'elle lui appartînt. Ils connaissaient pourtant sa réputation de cruauté. C'était comme s'ils eussent livré une brebis à un tigre. Et ils s'en félicitaient encore : sa mort leur avait permis un voyage en Espagne où ils s'étaient copieusement enrichis.

— Ah ! larron, fit Turquant, que tu sais de tromperies.

Henri, d'un tour sur lui-même, interrogea du regard tous ces prud'hommes et routiers qui n'en étaient pas à un, deux, dix, cent, mille crimes près. Tous eurent un geste, un mouvement par lequel ils exprimaient soit leur indifférence, soit leur incompétence à juger, voire à immoler ces Juifs.

— Mais l'arbalétrier, messire, murmura Paindorge à l'oreille de Tristan.

— Ne vois-tu pas que ces deux-là sont terrifiés ? Ne vois-tu pas les regards que Couzic et Bertrand échangent ! Il a tout de Néron quand je le vois ainsi.

Guesclin rejoignit l'usurpateur. Sa hautaineté n'échappa à aucun des témoins, sauf à Henri, trop imbu de sa royauté nouvelle pour s'apercevoir qu'il était supplanté en toute chose, sauf au lit, par un Breton dont l'ambition diffuse n'échappait point à la perspicacité de ses pairs.

— Je vous certifie, sire, que nous saurons le vrai de tout cela bien avant l'heure de complies. Par la foi que je dois à la Vierge, s'il vous plaît ainsi qu'aux prud'hommes présents autour de nous...

D'un doigt, brusquement, il désigna Daniel et Turquant :

— Il y aura bataille entre vous deux !

Henri hocha la tête. Il se laissait pousser la barbe davantage, comme si un visage au poil long et dru pouvait authentiquer sa royauté plus encore que le sacre de Burgos.

— Je vous octroie, Bertrand, les atournements[1] de cette action. La vérité sera prouvée et le meilleur des deux innocenté.

Nul ne rit alors qu'un ébaudissement énorme et collectif eût dû souligner l'iniquité du procédé. Celui qui gagnerait ne prouverait que sa force et son habileté, nullement son innocence. Le vaincu ne serait pas nécessairement le plus coupable des deux... si toutefois ces deux-là étaient les meurtriers de la reine Blanche.

— Le meilleur moment, dit Guesclin, c'est... maintenant !

Il riait et frottait vigoureusement ses grosses mains inoccupées.

— Il devait s'ennuyer, dit Tristan. Voilà qu'une hâte le prend d'assister à une saignée. Il nous faut y aller sous peine de passer pour des femmelettes.

— Le porc ! enragea Paindorge. Il en boirait s'il osait. Je suis sûr que sa divine délectation, c'est d'enconner sa dame lorsqu'elle a ses menstres et d'admirer, après, son braquemart sanglant !

— Y a-t-il un champ clos ? demanda Bourbon alléché par le combat.

— Au pied des murs, messire, en dehors de la ville.

Couzic avait déjà examiné les lieux et choisi pour son maître une lice parfaite.

1. Préparatifs.

*
* *

L'orage couvait. Des nuages d'ébène, marquetés de nacre, remuaient pesamment au-dessus de Séville. Le soleil n'existait plus. On entendait des grondements.

— Le bon Dieu roule des futailles, dit Paindorge avec une amertume que Tristan ne lui connaissait pas. Croyez-vous, messire, que ces deux Jérémias soient coupables ?

— Pour complaire à Bourbon et Beaujeu, et pour satisfaire sa haine, Bertrand veut qu'ils le soient. Peut-être le sont-ils. Il n'est pas douteux que Pèdre a fait occire la reine Blanche. Rebolledo a nié. Ces deux Juifs, eux, ne nient pas mais avouent qu'ils se sont donnés à l'ouvrage... et l'outrage. Crois-moi : ils sont tellement effrayés, tellement irés l'un contre l'autre que si Bertrand, par Couzic, avait songé à leur faire dire qu'ils avaient aussi violé la reine, eh bien, ils en auraient convenu !

Le ciel déjà bien lourd se charbonnait encore. Parfois, en ses grandes charpies obscures chargées de mauvaiseté, un étincellement bref comme un coup de lame suscitait un roulement pareil au remuement de cent barriques lointaines. Alors, le vent se montrait. Quelques froides bouffées traversaient le champ clos et ses abords, et l'on entendait mieux, à l'entour de la lice, la rumeur des Sévillans agglutinés aux créneaux et devant les portes de la cité où maints chariots assemblés en hâte faisaient office d'*estrados*. On sentait chez ces gens une impatience infâme.

— Ils n'auront pas à voir, ce jourd'hui, des sangs de chevaux et de *toros* férocement martyrisés, mais des sangs d'hommes. Ça les excite, dit Calveley avec un ricanement où Tristan décela du mépris.

— Pour voir ces hommes s'étriper, dit Paindorge, vous n'aurez pas, vous, à vous lever sur la pointe des pieds !

— Je passais. J'ai vu cet attroupement. Briquet m'a renseigné sur sa nature... Deux Juifs vont s'entre-occire. La chose mérite d'être vue. On les dit couards en Angleterre. Je pourrai, à la Cour, témoigner du contraire.

Tristan se tourna vers ses compagnons : Paindorge et Serrano. Lebaudy et Lemosquet étaient demeurés chez Paco Ximenez : ils s'étaient proposés pour la garde des chevaux. En fait, chaque jour qui passait aggravait leur mélancolie. Les splendeurs de l'Espagne laissaient indifférents ces Normands de souche profonde.

— Les voilà, dit Paindorge. Ah ! quelles commençailles.

Précédé de ses *alferez* et d'une vingtaine de cavaliers, le roi apparut, toujours en armure mais nu-tête. Après avoir franchi une porte éloignée, il venait au champ clos sur un genet houssé de rouge, suivi de ses hommes liges, de Guesclin et de Couzic également à cheval, ces derniers devançant Daniel et Turquant à pied. On les avait vêtus de hoquetons pesants et coiffés d'une barbute. À leur hanche, au lieu d'une épée, un tranchelard se balançait dans son étui de cuir. Ils portaient à l'épaule un écu dont on avait gratté les armes et tenaient dans leur dextre un épieu. Et pour que de toutes parts on l'entendît, Guesclin hurla en désignant Turquant de sa main appesantie de fer :

— Or, pense de bien faire : ne te trouble pas. Si l'autre Juif est défait par toi, j'obtiendrai ta grâce.

Il n'en pensait pas un mot et devait déjà chercher par quel stratagème il éliminerait le vainqueur.

— Daniel fait si hideuse figure, dit Bourbon à son

cousin Beaujeu, qu'il semble, en vérité, mieux meurtrier que marchand.

Sitôt les adversaires au milieu du terrain, on leur fit un enclos environné de tous côtés par les chevaux. Seul le roi mit pied à terre et s'en alla lentement inspecter la fosse qu'on avait préparée, dont Paindorge, qui l'avait vue, disait qu'elle pouvait contenir deux corps – et davantage. Quand Henri, satisfait, s'en alla se placer devant ses *alferez*, Guesclin qui décidait ouvrit sa grande goule :

— Vous êtes bien armés, Juifs, cria-t-il. Allez combattre ensemble. Ne différez point !

Quelques gouttes tombèrent. Elles ressortissaient moins à pluie qu'à la sueur de l'effroi et de la violence issue de ces deux frères de race dont la culpabilité majeure, dans le trépas d'une reine, serait prouvée par un jugement du Dieu des catholiques alors qu'elle dépendait d'une autre justice et surtout d'une autre déité. Et peut-être les deux divins Juges se disputaient-ils dans les galetas du Ciel car les grondements redoublaient. Des volées d'éclairs livides lacéraient la voûte noire, gonflée de cette fureur grossissante qui maintenant donnait au jour à son mitan l'aspect d'une nuit de pleine lune.

Tristan se demanda s'il devait demeurer. Il n'osait s'avouer la raison de sa venue en un lieu qui, sur son pourtour, assemblait tout Séville, bien qu'il touchât de temps en temps, contre sa poitrine, le volet de couvrechef dont l'odeur s'était altérée.

— Ils grignent[1] ! dit Paindorge. Ces deux Juifs désormais se détestent.

— Je pars, annonça Serrano. Ce sera un combat injuste. Le plus fort l'emportera. Or, pour dame

1. Plisser les lèvres, montrer les dents.

Blanche, – si ce sont eux les meurtriers, et non Rebolledo –, il fallait que ce soit le plus fort des deux qui se charge de l'occire.

Le trouvère s'éloigna, jouant des coudes et provoquant des huées et des menaces. Tout proche de Guesclin, Couzic riait tandis que son regard allait d'un combattant à l'autre.

— Ce grigou[1], dit Tristan, mouille et jouit autant que son maître.

Puis son attention changea d'objet.

Quinze pas séparaient les adversaires. Daniel considérait Turquant assez fièrement, serrant son épieu d'une main sûre. Son écu paraissait affermi sur le devant de son plastron de mailles. Certes, l'on sentait que le poids de la jazerine aux anneaux minces et serrés lui devenait déjà une gêne, mais Tristan devina qu'il n'interviendrait point dans les mouvements que le Juif accomplirait. Turquant tenait son arme mollement. Son écu remuait. La guige devait avoir été mal assujettie à l'épaule et il n'était plus temps pour lui de remédier à cette inconséquence. Prudent et décidé, Daniel s'approchait.

— Ah ! soupira quelqu'un non loin de Tristan. Voyez Daniel : on dirait Achille sa Pélias en main[2]... Mais Achille n'était point Juif !

— Frère Béranger ! s'exclama sourdement Paindorge. Il y a moult semaines que nous l'avions perdu de vue.

— Hé oui. Peut-être, craignant d'être meurtri, est-il demeuré en arrière. Le danger n'est pas grand avec les

1. Gredin en langue d'Oc.

2. Seul Achille pouvait faire usage de Pélias. Cette lance avait été coupée sur le mont Pélion par le centaure Chiron.

vêtements qu'il porte. Peut-être aussi a-t-il souventefois soulevé sa coule et abaissé sa cuculle...

— ... pour encuculer quelques belles Espagnoles, dit Espiote en s'intercalant entre Tristan et son écuyer.

Puis, entrechoquant ses poings gras et pelus :

— Bon sang ! j'ai été retardé... J'ai bien cru que je manquerais à ce combat... Quant au moine, croyez-moi : il s'en paye !... Il est vrai que dans ce pays, il n'y a pas de prêtres sans concubines. Un homme, des femmes : voilà au moins ce que les Maures ont enseigné aux Espagnols. Oh ! Oh ! voyez-vous ça...

Les deux Juifs se jetaient l'un sur l'autre. Les fers des épieux traversèrent simultanément les écus et se faussèrent tant les heurts avaient été violents. Alors, abandonnant les hampes inutiles mais conservant les boucliers crevés, les deux hommes tirèrent les couteaux et s'entre-donnèrent maints coups que les mailles arrêtèrent.

— Turquant domine, dit Paindorge.

— Vrai, acquiesça Espiote. J'espère que l'autre se regimbera. J'aimerais voir durer longtemps cette chamaille.

— Pas moi, murmura Tristan. Voyez : Daniel est atteint au bras, juste au-dessus du coude. Les mailles sont percées, le sang coule.

« Les mailles... » songea-t-il soudain.

Que devenait Tiercelet, le mailleur de Chambly et le meilleur ami qu'il eût au monde ? Veillait-il toujours sur Luciane ou l'avait-il quittée pour rejoindre quelque herpaille où la vie lui serait plus libre et plus facile ?

Le sang de Daniel gouttait sur les herbes. Cependant, la navrure paraissait peu profonde.

— Traître ! hurla Turquant. Déloyal ! Comme tu t'es parjuré quand tu as juré Dieu qui bailla sa loi à Moïse. Il te doit abominer depuis que tu l'as parjuré !

— Tais-toi ! Tu as occis la reine ! Je n'en démordrai pas !

Il y eut un rire : Guesclin.

— C'est bon, dit le Breton, qu'ils parolent dans notre langue. Que le meilleur l'emporte vélocement : je crois qu'il va pleuvoir à verse.

Les nuages roulaient et semblaient vouloir toucher terre. Les éclairs redoublaient : plus vifs, plus longs ; le ciel craquait, s'écartelait et grésillait sous leurs décharges éblouissantes. Aux créneaux et devant les portes, les Sévillans criaient soit de plaisir en voyant les Juifs combattre, soit de peur quand leurs yeux se levaient vers le ciel. Tout n'était en haut que vacarme. Accrochées aux branches des arbres, les grandes bannières caligineuses s'y lacéraient et dissolvaient en volutes frémissantes cependant que l'orage grondait de plus en plus sombrement.

En bas, et pour mieux agir, les deux combattants avaient abandonné leur écu. Ils se frappaient où ils pouvaient, de sorte que sur un taillant à la face, la barbute de Turquant tomba.

— Sa joue est percée, dit Espiote.

— Daniel est touché à l'épaule.

— Ils choient ! dit Tristan.

Les hommes enlacés se convulsaient au sol. On entendit soudain la voix d'Henri qui, sans doute, s'adressait à Guesclin :

— Voilà de forts champions. Ils se comportent bien.

— Pour des Juifs !

Daniel avait désormais l'avantage. Allongé sur Turquant, l'arme levée, prête à s'enfoncer dans sa gorge, il sentit, comme tous les gens groupés autour d'eux, que le ciel s'enténébrait davantage. Les nuages crevèrent en même temps. Une pluie furibonde et glacée tomba. Les éclairs redoublèrent et la foudre jaillit, bruyante, éblouissante, attirée par la lame que le vainqueur probable brandissait.

Gluant de sueur, Tristan vit les deux hommes tressaillir comme si, tout à coup, le ciel ou l'enfer les précipitait sur un gril chauffé à blanc. Ils fumèrent, rôtis, convulsés, horriblement noirs dans leurs mailles un instant rougies au feu du ciel et il parut, à l'évidence, qu'ils avaient rétréci.

Seuls les deux Juifs avaient été touchés.

— Miracle ! hurla frère Béranger. Miracle !

Un homme, un écuyer quitta vélocement les rangs. Tristan crut reconnaître Pierre de Louesmes, le pennoncier de Beaujeu. Cette fuite égaya Guesclin.

— Dieu, messires, qui souffrit pour nous sur la Croix, nous a montré ce signe pour l'amour de la reine morte !... Monseigneur, il faudra faire sonner les campanes des églises et des moutiers.

— Je suis certain, dit frère Béranger, qu'après ce réel miracle, des Juifs et des Mahoms se convertiront [1] au Seigneur que nous adorons !

— Je suis certain, déclara le Breton, que la grande fosse que j'avais fait préparer sera bien trop profonde. Daniel et Turquant ne sont désormais pas plus gros que deux moutons cuits à la haste [2].

Tristan releva la singularité du propos. Les deux Juifs semblaient cuits à la haste, en effet. En hâte également, ils avaient trépassé. Éclair. Foudroiement, s'il pouvait employer cette formule. En fait, Guesclin devait être déçu. Il avait espéré du sang, des cris de

1. La chronique de Cuvelier indique que 1 500 Juifs et quantité de Sarrasins se firent baptiser. Et d'ajouter : « *la race maudite eut alors grande confusion* ». L'auteur jubile. Moins, certainement, que Guesclin à l'issue de cette intervention divine qui, de nos jours, pourrait s'expliquer simplement et scientifiquement.

2. Broche.

douleur et de haine dans cette empoignade entre frères ennemis. Le Ciel auquel il se référait fréquemment sans vergogne, lui avait joué un tour.

L'assistance se dispersait. Aucun homme n'osait s'approcher des corps calcinés mais des enfants tournaient autour, riant, sautillant, se montrant du doigt certains détails qui eussent épouvanté des adultes. La foule demeurait sur les murailles, persuadée qu'elle venait d'assister à un Jugement de Dieu inopiné, aussi effrayant qu'avéré, et qui subsisterait dans toutes les mémoires.

— Viens, Robert. Nous n'avons plus rien à voir en ce lieu.

— Certes, messire Tristan. Je n'en crois pas mes yeux et cependant, j'ai vu !

Ils revinrent lentement vers la cité.

L'orage grondait à la façon d'un fauve repu. Des lueurs de craie redoutables encore traversaient fugacement les nuées toujours noires, épaissies d'une pluie qui tardait à tomber. Le vent semblait vouloir les pousser vers l'est : vers les Maures de Grenade.

Les deux compagnons franchirent un seuil que des commères et leurs hommes débarrassaient des chariots vides. Une sorte de joie hantait ces manants : ils étaient accourus pour voir un meurtre ; le Très-Haut les avait gratifiés d'un miracle. Cette vie qui coulait et remuait autour de lui dans un tumulte de conversations accompagnées de gestes, de cris, de protestations parce que des mains s'égaraient parfois sur des croupes, ne pouvait intéresser Tristan. Il demeurait confondu par ce qu'il avait vu : deux hommes qui sans doute étaient naguère de connivence s'étaient entretués – ou du moins avaient fait en sorte de le faire parce que Guesclin, par le truchement de Couzic, les avait excités l'un contre l'autre. Bourbon et Beaujeu pouvaient être satisfaits : ils avaient voulu une vengeance ? Ils en avaient obtenu trois dont deux sous le sceau du prodige. Sitôt rendus dans leur fief, ils se répandraient en commentaires plus longs assurément que n'avait duré le singulier poignis. Seuls les animaux de leur demeure n'en seraient point avisés !

— Alors, vous avez vu ! C'était... Comment dire ? Magique...

Audrehem. Il y était aussi. Comme toujours au dernier rang bien qu'il n'y eût cette fois rien à craindre.

Il passa. Une femme le suivait de près, un gros œillet de parchemin planté dans ses cheveux surmontés d'un peigne d'écaille énorme.

— On dirait, observa Paindorge, qu'un loudier[1] a oublié sa fourche dans sa tête.

Tristan allait s'ébaudir quand advint devant lui le prodige espéré.

— Francisca.

— Quoi, vous la connaissez ! s'écria l'écuyer. Messire, ce matin je l'ai vue devant notre maison. Elle parlait à Ximenez... Elle demandait après quelqu'un...

— Tu aurais pu me prévenir !

— Je ne suis point entremetteur ni teneur de chandelle !

L'écuyer s'éloigna en hâte, insensible aux protestations des gens qu'il heurtait des coudes et des épaules.

« Il m'en veut ! » enragea Tristan. « Il pense à Luciane... Et moi, donc ! »

Francisca souriait toujours, dénuée, cette fois, de l'effronterie qui semblait l'essence même de son caractère. Était-elle venue pour lui en cet endroit, persuadée qu'il figurerait dans le rassemblement des

1. Paysan.

prud'hommes de France, d'Espagne et d'Aragon soucieux de voir deux Juifs s'entre-occire ?

Il la considérait en s'efforçant de lui dissimuler son trouble. Elle était vêtue d'une robe de tiretaine rouge, toute simple. Il voyait sous le col largement évasé, la courbure des seins fermes et bourgeonnants. Dessous, sans doute, elle était peu vêtue. Son armure était sa charnalité, sa simplicité, son charme. Belle ? Le mot semblait trop pâle et comme maladif. Ses cheveux réunis en deux tresses épaisses accusaient la matité de ses joues et la roseur de ses lèvres. Ses yeux noir-bleu étirés vers les tempes passaient de la langueur à la vivacité si promptement qu'il semblait qu'elle se plaisait à brouiller les sentiments du *Francés* ou à déconcerter tous ceux qui s'approchaient d'elle. Tristan ne voyait rien d'autre que cette apparition plus réelle encore que lorsqu'il avait assisté à ses danses.

— *Buenas tardes*, dit-il. *Habla francés ?*

— *Muy poco*, répondit-elle.

Ses mains se joignirent, des mains nues, petites, aux doigts prolongés par des ongles dont la longueur ébahit Tristan. Les griffades de cette fille devaient être redoutables.

Il ne savait qu'une chose : il l'admirait. Ce sentiment différent de la passion était fait du besoin de mettre un terme à une continence dont son caractère souffrait plus que son corps tout en se donnant l'illusion d'aimer. Il se composait aussi de la nécessité de mettre un terme à sa solitude. Peu importait qu'il apprît ou non les secrets de la jouvencelle – s'il se pouvait qu'elle en eût – : il désirait parler à une femme, se confier à elle, se mirer dans ses yeux, susciter ses sourires. Goûter, les paupières closes, le miel de sa présence. La voir, la perdre, la revoir. Peu importait que Francisca fût une danseuse et qu'elle se montrât, la nuit venue, à des hommes et des femmes épris de vibrances de guiternes et réjouis des contorsions qui les accompagnaient. Il songeait moins à s'attacher par les liens des sens qu'à sentir de loin en loin près de lui cette fille si *vivante* après tout ce qu'il avait vu. Déjà, en sa présence, sa condition de *fidalgo* s'exilait de son esprit et de son corps comme une puante défroque.

— Quel âge ? demanda-t-il.

— *Diez y ocho*.

Dix-huit. Son cœur était-il libre ? Apparemment oui. Était-il vraisemblable qu'une telle beauté dont la maturité triomphait à peine de l'adolescence fût venue jusqu'à lui sans avoir au passage embrasé quelques cœurs et enluminé maintes imaginations ? Avait-elle des parents ? Des frères et des sœurs ? Était-elle juive, moresque ou chrétienne ? N'y avait-il pas dans son voisinage quelques damoiseaux occupés à tresser des filets pour la captiver ?

Ils marchaient, lui de sa lourde foulée d'homme d'armes, elle de son pas léger de danseuse en repoussant parfois, sur le haut de son front, quelques cheveux indociles. Rafraîchi par la pluie pourtant brève, mais violente, qui avait précédé la mort des deux Juifs, le Guadalquivir exhalait une odeur désagréable dont Francisca semblait insoucieuse. Tristan l'observait du coin de l'œil. Il ignorait où ils allaient mais elle le savait, elle.

— Tu aimes Sevilla ?

— J'aime, dit-il, ta voix plus que toute Séville. L'éclat de tes yeux m'éblouit autant sinon davantage que cette Tour de l'Or qui nous voit passer.

— Te faut-il une guiterne, une vièle, un rebáb à toi aussi ?

Ce tutoiement l'aidait à s'exprimer. Il la devinait mieux, désormais : audacieuse, téméraire même et prête à rire de tout dans l'éblouissement de ses dents parfaites. Il mêlait au plaisir de l'avoir retrouvée la crainte de se lier plus que nécessaire. Celle aussi qu'elle fût ombrageuse et rancunière. La façon dont elle épiait les Sévillanes qui passaient, l'œil velouté et la démarche dandinée, n'était pas sans lui rappeler comment Luciane le surveillait en présence des femmes qui, un temps, avaient séjourné à Gratot après qu'il les eut arrachées aux mains des Navarrais : Ermeline, Adèle, Béatrix, Marie. Mais Gratot, c'était si loin !

— *Casado ?* demanda Francisca. *Novio ?* Marié ? Fiancé ?

À quoi bon mentir : il fit *oui* de la tête tout en trouvant le dépit de sa compagne agréable. Qu'espérait-elle ? Le mariage ? Sornette. Une espèce de fidélité de corps et de pensée tant qu'il l'approcherait ?

— Elle est belle ?

Certes, Luciane était belle et vertueuse. À quoi bon le lui dire. C'était comme s'il lui eût offert une meule pour aiguiser des couteaux aussi pointus que ses ongles.

— Tu l'aimes ?

Il saisit la main de Francisca et la porta à ses lèvres. Il en baisa l'avers et le revers, persuadé de lui rendre un hommage qui la rehaussait dans l'opinion déjà élevée de sa propre valeur. De fait, elle le considérait avec une gravité singulière comme si ce double baiser les affranchissait de longues commençailles – ou fiançailles – et qu'elle s'engageait envers lui à une fidélité qu'il ne lui demandait pourtant pas.

La pluie recommença. Un porche apparut au détour d'une rue. Il s'ouvrait sur un *patio* fleuri, vide de toute présence, sauf celle d'une colombe sur le rebord d'une amphore. Il y avait un banc ; Francisca s'y assit la première. Tristan sentit bientôt leurs hanches se toucher : elle avait fait en sorte de laisser la place vacante à sa senestre afin que l'épée dont elle n'avait pourtant pas paru se soucier ne leur devînt une gêne.

— Quand pars-tu ? T'en vas-tu avec les *fidalgos* [1] ?

— Je n'en ai pas reçu commandement.

— C'est l'homme à la face de singe qui est au-dessus de toi ?

Il rit, imaginant Guesclin sur la maîtresse branche d'un des arbres qui ceignaient l'Alcázar, pelant pour la manger une *granada* mûre. Elle lui reprocha, sourcils froncés, une gaieté dont elle se croyait l'objet et il la prit par l'épaule. Elle eut un mouvement pour se dégager. Il cessa quand il eut dit :

— Je voyais l'homme dont tu parles nu et pelu, dans un arbre, dévorant une *granada... mora* bien qu'il soit plus près du butor que du singe.

Le sourire nacré réapparut et Tristan se demanda s'il était encore temps de rompre ce qui n'était qu'une passionnette et pour lui et pour elle. Lançant un regard au-dehors, il se réjouit de voir que la pluie avait cessé. Les Sévillans recommençaient à encombrer la rue. Prenant Francisca par la main, il l'entraîna dans la cohue. Des corps les pressèrent l'un contre l'autre et il put tout à son aise voir de près ce visage aux joues d'enfant et au sourire de femme. Belles lèvres aussi, avides sûrement, et ces yeux dont la luminosité faisait oublier les ténèbres d'un jour d'orage, ces yeux aux paupières bleutées, aux sourcils longs et fournis qui donnaient à la sincérité des regards une candeur et un accent de vérité supplémentaires.

Il eût aimé la ceinturer d'un bras ; mieux : la saisir par la taille – face à face et frotter son ventre au sien.

1. Gentilshommes.

Recouvrer les sensations de l'amour, les soupirs de l'amour et peut-être bientôt les gestes. Comme un nouveau porche s'offrait à leur vue, il y entraîna Francisca et fermement l'appuya contre lui sans qu'elle se défendît de cette étreinte possessive ni du baiser qui la scellait. Un bonheur nouveau – ressuscité – l'envahit des épaules aux reins tandis qu'il sentait les ongles de la jouvencelle pénétrer la chair de ses bras, juste au-dessus des coudes.

Ainsi, elle ne se regimbait pas. Il était pénétré de sa tiédeur, de son ardeur, de l'odeur poivrée, mirifique, d'une chair qu'il sentait vibrer – à moins qu'il nc se méprît et que ce fût la sienne. Depuis longtemps déjà, Luciane était lointaine. Maintenant, elle n'existait plus.

— *Querido...*

Il avait maintes fois entendu ce mot-là. Qu'il fût ou non sincère avait peu d'importance. À défaut de se savoir aimé, il pouvait se prétendre admiré. Une femme tenait à lui, il tenait une femme. Il ne s'étonnait pas que les « choses », entre eux, fussent allées aussi vélocement. Francisca existait et le voulait pour amant. Une exigence plus forte que toutes les lois et convenances en vigueur les poussait l'un vers l'autre, irrésistiblement. Pour qu'un regard les eût appariés, pour qu'ils se fussent revus sans même se chercher dans la foule sévillane, il fallait que la Providence les eût choisis. Et qu'importaient ses intentions !

— Viens, dit Francisca.

Elle le prit par la main, insoucieuse des regards des gens et de l'étonnement de quelques-uns qui devaient la connaître – les hommes surtout.

— Viens, dit-elle derechef, les doigts encastrés dans ceux de cette main d'homme qui s'émouvait de se laisser faire.

Comme il hésitait l'espace d'un instant, elle regarda

autour d'elle et posa ses lèvres sur celles de ce compagnon dont elle savait si peu de chose. Baiser bref dont la voracité donnait à supposer une malefaim d'amour qui laissa Tristan perplexe.

« Au point où j'en suis... »

Pourquoi serait-il revenu en arrière ? Il n'éprouvait aucun remords et se refusait à encombrer son esprit soudain désenténébré d'un réseau de comparaisons insanes. Elle lui avait dit : « Viens » ; il la suivrait.

*

* *

Ils s'engagèrent dans des rues populacières aux façades peintes de couleurs variées, comme frottées de rose, de mauve, de vert. Ils voyaient du ciel quelques boursouflures où s'insinuait du bleu, ce bleu vigoureux qui n'appartenait qu'à l'Espagne et mieux encore : à l'Andalousie. Les maisons semblaient closes. Parfois, cependant, des treillis de bois à travers lesquels on pouvait voir sans être vu remuaient, éloignés d'une fenêtre par une main, ou se gonflaient sous une pression calculée ; alors, une tête se laissait voir, souvent fardée, coiffée de noir, embellie d'un œillet. Les lamelles de bois retombaient en cliquetant sur un mystère entraperçu.

— Où me mènes-tu ?

— Tu ne connais pas Séville. Je te la fais voir.

— Tu parles bien ma langue. Où l'as-tu apprise ?

— Ma mère a servi la reine Blanca quand elle était à Medina Sidonia. Mais tu n'en sauras pas plus... Tout ce que je peux te dire, c'est que Daniel et Turquant étaient... comment ?

— Innocents ?

— Oui, innocents[1].

Tristan n'insista pas. Le châtiment exigé par Guesclin lui avait paru ressortir à un diabolique déduit[2] plutôt qu'à la punition d'un crime. Par des procédés connus du seul Couzic, les deux accusés avaient accepté de s'entre-battre. Leur ignition véritablement foudroyante avait dû consterner les deux Bretons.

Après avoir assisté au « miracle » d'une double mort célestement donnée, les Sévillans eussent pu rentrer chez eux. Or, ils se répandaient dans les quartiers les plus reculés de la cité pour y publier la nouvelle. Dieu, ce soir, veillait au-dessus de Séville. Des vendeurs de beignets et de poissons frits s'étaient installés aux carrefours et des enfants, quelques maravedis en main, assaillaient leur éventaire. Parfois, un cavalier trottait – seigneur ou écuyer de France ou d'Espagne – ; Francisca poussait Tristan contre un mur ou le cantalabre d'une porte pour le protéger de son corps alors que partout ailleurs, c'eût été le contraire. Des ânes passaient aussi, outrément bâtés, chargés de bois mort, d'étoffes ou d'*alcarazas*, et celui où celle qui les conduisait, souvent vieux, haillonneux, subissait un flot de paroles outrageuses alors qu'on s'était tu au passage du *Francés* et du *fidalgo*. On sentait parfois une odeur de viande rôtie, l'exhalaison piquante d'une friture, mais le temps n'était pas venu de s'attabler. La rumeur grossissait. On entendait des chants, de rieuses insultes et des lampes s'allumaient, apposant leurs barrettes d'or dans les châssis à claire-voie.

— Ce soir, ils iront tous dans les maisons de danse, dit Francisca. Quand un émoi les prend et les tourmente, ils s'en défont ainsi : ils vont au *baile*.

1. Voir l'annexe consacrée à la reine Blanche.
2. Jeu, amusement.

— Tu y retourneras ?

— Il le faut, *querido*.

De mémoire, Tristan recréa la grand-salle où il avait vu Francisca dans ses œuvres. Les guiternes accrochées aux murs, les tambours et les tambourins à pompons ; les lanternes colorées alternant avec de vieilles bannières. Le balcon divisé en logettes où il s'était assis ; les tables alignées en bas, aux plateaux poisseux de manzanilla, d'*aguardiente*[1], de cervoise où venaient se désaltérer et sautiller des mouches. Il avait oublié les faces et les vêtements des spectateurs. Il savait qu'il y avait des femmes dans les parcloses, la plupart accompagnées. Leurs prunelles étincelaient comme des bossettes d'argent. Certaines s'éventaient avec de petits instruments qu'il n'avait jamais vus et dont la feuille de tissu montée sur des branches articulées pouvait se déployer ou se refermer : les *abanicos*[2]. Il fallait que Francisca l'eût envoûté pour qu'il eût recréé spontanément ce théâtre bruyant et coloré dans lequel elle avait répandu, à sa seule attention, la magie de sa présence.

Il s'aperçut qu'ils revenaient près du Guadalquivir.

— Tu vois, dit-elle, ce petit chemin d'herbe ?... On l'appelle la prairie d'Argent. C'est là que les soirs de forte chaleur les Sévillans viennent prendre le frais avant d'aller dans quelque *baile* où les femmes et les hommes dansent. C'est là, près du fleuve – est-ce ainsi qu'on dit ? – que les amours de Motamid Ibn Abbad et de son vizir s'achevèrent.

— Pourquoi ?

— Pouah ! cracha Francisca, les amours d'hommes !... Pourquoi ? Ils rivalisaient de poésie. En foulant

1. Eau-de-vie.
2. Éventails.

cette herbe, le favori improvisa. Voyant l'eau rebroussée par le vent, il dit au prince : « *Le vent a fait de l'eau une cuirasse d'écailles.* » Il s'attendait à ce que son altesse lui réponde quelque chose de mieux, mais une fille de mon espèce qui passait par là lui jeta comme un *clavel* – un œillet – cette réplique au visage : « *Cuirasse magnifique, en effet, surtout quand l'eau est gelée !* » La pertinence de cette fille et surtout sa beauté ont séduit le prince. Elle s'appelait Romaïka, elle était chrétienne, mais il en fit son épouse... Le vizir désespéré tua l'émir... C'était au temps du Cid, le plus grand, le plus hardi des chevaliers du monde. Si tu restes à Séville, je te dirai d'autres histoires. Celles du Cid t'enchanteront. Holà ! pourquoi regardes-tu ainsi le Guadalquivir ?

Tristan, d'une main derrière son cou, contraignit Francisca à regarder l'eau pâle, presque immobile.

— Le vent a fait de l'eau un miroir d'azur léger où étincelle, en ce moment, la merveille d'Andalousie. Et cette merveille, c'est toi.

Il n'exagérait pas. Francisca incarnait la beauté andalouse. Elle était toute tremblante d'émotion. Elle semblait réentendre, au fond d'elle-même, les mots qu'il avait prononcés. Les paupières baissées pour voiler le plaisir que lui inspirait cet honneur, elle dit simplement :

— Je ne sais pas si tu es hardi à la guerre. Je le crois cependant. Mais ce dont je suis sûre, c'est que tu es bon. Ce soir, pour toi, je danserai la *jota* [1]. Je porterai pour toi mes plus beaux bracelets.

1. Le nom se prononce *rota*. L'origine de cette danse remonte, dit-on, à un Maure de Valence, poète et musicien : Aben Jot. Il vivait au XIIe siècle. Expulsé de sa ville natale par Mouley Fared, il se réfugia en Aragon où il fut bien accueilli. Il y chanta la mélancolie de son exil et la joie de vivre. Ses chants devinrent danse et

Il ignorait ce que pouvait être cette *jota*. Il eût d'ailleurs préféré que Francisca restât près de lui n'importe où. Il se devait d'aller dans la maison de danse. Toute absence eût été une offense, un affront qu'elle ne lui eût point pardonné.

— Soit, dit-il, je serai présent.

Elle eut un sourire aussi bref qu'un clin d'œil.

— Viens, dit-elle. À présent, je t'emmène chez moi.

*

* *

La chambre était étroite et basse de plafond. La fenêtre, à peine plus large qu'une archère, s'ouvrait sur un tohu-bohu de toits roses et de terrasses blanches où des linges séchaient. Un rideau grossier qui avait été rouge devait parfois occulter cet orifice autour duquel le plâtre se craquelait.

Le plancher de bois rude grinçait. Point de cheminée puisque, selon les dires, Séville se riait des rigueurs de l'hiver. Il y avait le long d'une paroi un coffre aux flancs grossièrement ouvrés. Son couvercle supportait des objets de toilette dont un petit miroir d'acier poli qui pouvait s'accrocher à un piton enfoncé dans le mur, tout près d'une croix surmontée d'une branche de buis. Il n'y avait d'autres meubles qu'un lit des plus simple, une chaise paillée, une escabelle et une sorte de faudesteuil recouvert d'une étoffe antérieurement rouge, mais pâlie au soleil. Un broc et une cuvette, à même le par-

subsistèrent. Ce fut sur l'air de la *jota* qu'en 1802 les assiégés de Saragosse, encouragés par les femmes et les moines, tinrent tête fièrement aux troupes napoléoniennes (15 juin 1808 – 19 février 1809) ; *La Vierge du Pilier a dit / Qu'elle ne sera pas française / Qu'elle veut être capitaine / Des défenseurs de l'Aragon.*

quet, avoisinaient une guiterne. De son pied déchaussé, Francisca en frotta les cordes et son corps tout entier frémit au petit bruissement qu'elles exhalaient.

— J'en joue chaque matin. Elle est ma... confidente. Elle rit pour moi, pleure pour moi. Et d'autres, je ne sais d'où, lui répondent.

Elle saisit l'instrument et le mit sur son cœur. Il bourdonna sous ses doigts agiles.

— Vous n'avez pas cela dans votre pays.

— Certes... Mais nos guiternes ressemblent à vos *guitarras*. La tienne a des hanches qui ressemblent aux tiennes : bien creuses. Elle est élancée comme toi. Si je la touchais maintenant que tu la tiens, il me semblerait toucher un peu de toi-même.

— Alors touche-la ! Je sentirai tes doigts... sur moi... L'envie m'en brûle.

Le visage de Francisca n'avait rien perdu de cette expression étrange, – violence et langueur mêlées – que Tristan y avait décelée la veille. Il ne devait changer que dans la déception et la jouissance. Ses yeux, maintenant, brillaient de satisfaction et d'attente. Elle reposa l'instrument avec une lenteur, une tendresse exquise, comme une mère eût couché son enfant dans un lit puis, en deux gestes prompts et habiles, elle dénoua ses cheveux dont les ondes roulèrent sur ses épaules, son dos, sa poitrine comme un sombre camail, et ses sourcils s'allongèrent, arcs minuscules au-dessus des regards qui décochaient des traits dont Tristan se sentit atteint.

— Tu es belle. Je friolais [1] de te revoir et c'est toi qui maintenant me brûles.

Elle était debout, immobile dans la lumière avaricieuse d'un jour qui se mourait. Il voyait frémir sa

1. *Frioler* : griller, frire.

taille élancée, ses épaules nobles, son profil tourné vers la fenêtre où venait de se poser un moineau. Tout ce qu'elle possédait d'indolence et de langueur se révélait à lui seul. En fait, elle craignait de procéder avec trop de hâte et se demandait, anxieuse : « Que va-t-il penser de moi ? » Mais elle fit un pas vers cet hôte qu'elle avait voulu et qu'elle avait obtenu sans user des artifices de la toilette, de la séduction, ni même de ces œillades satinées dont les Sévillanes semblaient prodigues. Nul doute que son pucelage avait été cueilli lors de sa jeunesse prime et qu'elle aimait l'amour aussi bien que la danse.

D'un geste, désignant les murs puis le lit couvert d'une courtepointe où se mariaient le noir, le blanc et le vert, il lui demanda si elle vivait toujours seule. D'un bref mouvement du cou, elle répondit affirmativement, et comme elle se penchait à la fenêtre, il comprit qu'elle était insoucieuse de ce qui se passait au-dehors, qu'elle regrettait de lui avoir menti et voulait qu'il la vît ainsi, dans ses vallonnements et ses rondeurs, de la tête au pied qu'elle dénudait en s'aidant des orteils. Ses sandales glissèrent vers le dessous du lit où l'une d'elles heurta quelque chose de sonore, – sans doute un tambourin.

Alors, elle lui fit face. Il l'admira encore : le front haut, les lèvres roses, entre-closes sur les perles des dents. Le nez était petit, d'une stricte effilure, les joues à peine creuses, le menton hardi mais sans présomption, le cou long et gracile. De ses doigts ouverts, elle le dégagea des cheveux dont les boucles du devant sinuaient jusqu'à sa poitrine. Un seul regard, cette fois, renouvela le désir qu'elle avait du *Francés*.

Elle levait les yeux sur lui comme elle l'eût fait devant un juge alors qu'elle n'ignorait rien d'une admiration qui progressait encore.

« Bon sang ! » se dit Tristan.

Le désir lui chauffait les reins et embrasait sa tête. La solitude et soudain ce joyau de la féminité. Soudain aussi, dans ce pays où les Compagnies avaient répandu la haine, cette espèce d'amour hors de l'espace et du temps. La violence des battements de son cœur, pour une fois, n'était due ni au chagrin ni à la malerage mais à une sorte d'ivresse. Il voyait Francisca au travers d'une indicible griserie : la même qu'il avait éprouvée et réprouvée la veille, et les torsions de son buste, tandis qu'elle enlevait sa robe par le haut, ne pouvaient qu'exaspérer des sens trop longtemps moroses – ou endormis. Il tira parti du peu d'espagnol appris le long des chemins et des haltes pour lui dire qu'elle était plus belle encore dans sa robe de dessous, noire, brillante – du satanin sans doute – et elle s'approcha, scruta ses yeux avec une insistance profonde comme pour y découvrir matière à suspicion sinon à mécontentement.

— Vas-tu rester longtemps à Séville ?

Elle revenait sur cette question à laquelle, franchement, il ne pouvait répondre.

— Un jour viendra où je devrai partir.

— Dieu t'a placé sur mon chemin.

Elle montrait la croix, une croix de chêne brun terni en son milieu par des baisers humides. Tristan s'interdit de parler davantage. À quoi bon révéler qu'il lui tardait de quitter l'Espagne. Les regards obliques ou directs que Francisca lui lançait, tandis qu'il déceignait son épée, rejetaient son personnage de guerrier pour ne laisser subsister qu'un homme hanté par des envies qu'elle savait pouvoir contenter.

Il la prit dans ses bras et fit choir les derniers linges. Elle était près du lit et s'y laissa tomber pour s'allonger aussitôt sur le dos, pâle et tachée d'un brun profus, la tête reposant sur ses paumes et laissant ainsi paraître des aisselles aux goussets rasés. Il s'émerveilla tout autant de sa beauté que de la simplicité avec laquelle elle la lui avait révélée : sereine, naturelle – comme Oriabel naguère. Un regret l'envahit à cette pensée, mais il le rejeta comme incongru.

— Je suis ta *guitarra*. Ma rose est à toi si tu touches mes cordes. Je chanterai pour toi de tout mon corps.

Ce n'était pas la première fois qu'elle employait ce langage : il paraissait trop apprêté. Elle en avait choisi les mots de longue date ; il choisirait les gestes, les attouchements, les arpèges et la mesure. Francisca n'étant point une ribaude, il s'étonnait que les prémices de leur aventure eussent été d'une aussi courte durée. Dehors, la pluie tintait sur les tuiles roses, bombées comme celles de la Langue d'Oc, sans que son chant eût la tristesse qui, un moment, s'était insinuée dans les prunelles de la danseuse. Elle ne parlait plus mais de son souffle émanait une sorte de bercement, l'accent d'une âme qui souffre, espère et se résigne. Il ne la comprenait pas. Cet enjouement puis cette attente assombrie par la pluie qu'elle devait détester.

— Ces gouttes, dit-elle. As-tu songé que ce sont les larmes de Dieu ?

Non, il n'y songeait pas. Il n'y avait jamais songé. Il se dénudait sans qu'elle perdît un seul de ses mouvements. Son regard n'était pas appuyé. Il volait d'une partie de son corps à une autre, brillant, cligné, sans la moindre malice. Elle était suffisamment avertie sur les hommes pour ne point craindre le *Francés*.

— Tu es beau, fit-elle, pensive.

Était-ce suffisant ? Il sourit. Ce n'était pas une vertu qu'il fût beau. Et d'ailleurs l'était-il ? Cependant, il lui était infiniment doux d'être reconnu et accueilli comme tel, de se sentir admiré lui aussi. « Beau, moi ? » Aucune femme ne le lui avait dit encore. Il fallait que ce compliment fût le fait d'une étrangère pour qu'il prît, tout à coup, tant de saveur et d'importance. Elle ne l'examinait déjà plus avec la même admiration caressante, mais avec cette complicité, cette connivence et ce vacillement des yeux qui tout en récusant la convoitise ne la rendaient que plus véhémente. Il n'espérait plus, depuis longtemps déjà, qu'il pût exister une femme capable de le regarder ainsi.

Elle se poussa vers le mur pour qu'il eût ses aises et prit une attitude alanguie, voluptueuse, afin que, patiemment, il l'admirât.

— Je te plais ?

Ce n'était pas le langage qu'il attendait. Il eût aimé qu'elle fût silencieuse. Maintenant, ils semblaient se défier l'un l'autre. Il la surplombait et contournait d'un regard dont elle n'avait point coutume la courbe de la taille, le renflement des épaules, le modelé des seins sur lesquels elle apposa ses mains aux doigts écartés comme pour les soustraire à un examen qui leur serait défavorable tout en les lui laissant entrevoir.

— Tu me touches des yeux.

— Contempler, Francisca, c'est toucher du regard.

Cette lenteur la déconcertait. Ses joues se teintaient sous l'afflux du sang qui la brûlait tout entière. Belle, attentive. Et lui qui s'enivrait de cette découverte : une femme ! Depuis le temps qu'il avait été privé de ce trésor vivant : la nudité, la vérité d'une femme, il pouvait, il allait en profiter de son mieux !

Il effleura enfin d'une bouche tremblante, les hanches fermes, les cuisses, la touffe de mousse sombre différente d'autres broussailles qu'il avait imaginées parfois quand des envies le prenaient d'avoir un corps féminin près de lui et qu'il rêvait de voir cette amante inconnue devancer ses velléités. Or, ses songeries les plus hardies différaient de cette réalité qui s'exprimait avec Francisca, avec son corps, son regard, son attente, sa moiteur et le goût de sa chair d'ambre et de lait. Il la baisa sur la bouche, le cou, un sein. D'une torsion aussi vive que dans ses danses, elle se mit sur le ventre et il admira ses nasches[1] et ce potron fendu d'ombre courbe, doubles fruits soyeux dont ses lèvres errantes durcirent la pulpe, avant d'admirer les jambes fermes, étendues, épilées, d'une souple vigueur et qui, dès la vesprée, magnifieraient les airs de guiterne dans un étincellement de bracelets et de souliers aux reflets d'argent.

Elle soupira quand une main douce l'ouvrit. Il vit sa chair frémir et son grain se durcir. Elle se tourna, anxieuse de ces commençailles. Sans doute, ceux qu'elle avait reçus s'étaient-ils contentés de la prendre et de la lâcher avant un *adios* joyeux. Elle ne voulait plus parler. Elle se touchait et l'invitait à la toucher de la main ou de la bouche. Elle soupirait à grands traits, subjuguée par le regard qui cherchait dans son blason la brèche qu'elle lui montra de ses deux doigts en V, écrin dont le joyau rose méritait un hommage liche.

Il se coucha près d'elle, sur le flanc, l'épousant de tous ses membres, de toute sa peau jusqu'à ce que leurs tiédeurs se confondissent. Il se sentait comme malade de son odeur, malade de l'envie de s'en faire amourer alors qu'il n'avait éprouvé pour elle qu'une appétence forcenée. Il devinait chez Francisca un désir différent de ceux qu'elle avait connus, pur de toute image précise, de toute sensation préconçue, et d'autant plus palpitant que son imagination n'avait pas les largesses de la sienne. Jamais sans doute, hors de la danse, elle n'avait ressenti chez un homme une admiration aussi prenante que celle dont elle était l'objet. Elle apprenait

1. Fesses.

qu'elle pouvait être aimée, comblée en surface autant qu'en profondeur.

Il baisa son épaule et les fruits de ses seins, et des secousses réprimées le prévinrent qu'elle se retenait de rire. Joie et peut-être aussi orgueil : elle était tout à coup comme déifiée.

Épaule encore, aisselle picotante. Flanc, accroc du nombril, lèvres décloses. Soupirs accrus, lisière de la pâmoison. Une même exaltation les envahissait et elle disait : « Recommence », puis un chapelet de mots inconnus – peut-être une prière, une action de grâces tandis qu'il buvait dans un double baiser toute la magnificence des seins gonflés de vigueur et de vie dans lesquels un cœur battait.

Elle ne disait mot, maintenant, ennoblie par une espèce de respect craintif, comme atteinte, justement, par la grâce, traversée d'une certitude dont elle s'enivrait : elle touchait au bonheur parfait.

Elle se mit à gémir, à murmurer des mots, derechef dans sa langue tandis que de la sienne il la touchait dans ses recoins, ses mystères, le regard enfoui dans des ténèbres chatouilleuses. Les vagues chaudes d'une fureur douce les emportaient déjà, bien qu'ils ne fussent unis que par leurs mains jointes. Une force les nouait, le même désir de connaissance, le même besoin d'oubli par l'accomplissement d'un rite où ils se surpasseraient quelque éphémères qu'en fussent les richesses et les écumes indicibles. Elle lui donna sa bouche tandis qu'il s'engageait dans ses palpitations, lentement, et frappait la première mesure d'une danse qu'ils avaient retardée et qui les entraînait vers une liesse où, songea-t-il, les frissons des guiternes étaient inacceptables.

Elle le griffait. Il sentait dix petites dents s'enfoncer dans ses reins tandis qu'il s'enfonçait dans des abîmes où elle le maintenait, paupières closes comme pour voiler ses émois ou les retenir en elle. Un même souffle les subjuguait ; les mêmes contorsions, les mêmes saveurs les enivraient. Ils écoutaient leurs haleines se mêler tandis que la même jubilation se répandait dans leurs entrailles, leurs cœurs et jusqu'en leurs âmes. Dans le silence de la maison, dans le vide de la chambre où seul le lit grinçait, le moindre gémissement de Francisca exprimait plus de bien être que les lèvres qui l'exhalaient. Une trop longue abstinence contraignait Tristan à se dominer. Il s'obligeait à la lenteur alors qu'elle eût sans doute aimé plus de vivacité ; cependant, quoi qu'il fît, le plaisir qu'il lui donnait avant de s'en donner gagnait en ampleur, en délices. Il recouvrait ce contentement auquel il avait aspiré tout au long de ces semaines de sang et de larmes, analogue à celui de ses songes et pourtant dissemblable : sublimé par Francisca, et s'il sentait sa peau délivrée des griffades, les doigts mouvants de la danseuse y jouaient il ne savait quoi. Leurs attouchements semblaient aussi légers qu'un vol de moucherons.

Bonheur ! La passion de leurs sens parvenait à son terme. Le sang leur battait aux tempes. Ils se pétrifiaient, sursautaient tandis que dans la fièvre des ultimes mouvements, la féerie des derniers accords se réverbérait de l'un à l'autre, s'accentuait, leur tirait du fond de l'être des râles qui se confondaient en un seul avant que dans un cri de Francisca, pâmée, le bonheur les comblât de sa bénédiction.

Longtemps dura l'extase floue qu'ils s'étaient dispensée. Ils demeuraient unis, le souffle bref, le cœur battant gonflé de contentement, engourdis dans la grâce voluptueuse et sans nom qui les avait enveloppés comme un voile. Francisca semblait dormir. Son espérance assouvie se révélait par quelques battements de cils. Le Paradis n'existait plus ; son enchantement et ses sortilèges se dissolvaient dans l'ombre de la chambre livrée aux dernières lueurs du crépuscule. Et pourtant, ils l'avaient aperçu. Ils en avaient éprouvé les délices dans un moment d'éternité.

— Francisca...

— Oui ?

— Tu danses mieux ainsi que dans tes atours.

— Tu danses mieux que dans ton *armadura*.

Tristan sourit tandis qu'elle l'examinait de bas en haut, cherchant peut-être sur son corps les indices d'un désir de récidive.

— Je voudrais vivre nu avec toi pour compagne.

Les souples vagues qui les avaient unis, la bonace qui les avait désaccordés laissaient Tristan sur sa faim. Il regardait, ravi, le joli cou tendu vers lui, le menton et les joues qui avaient rosi sous la carde d'une barbe d'un jour. Il dit avec un enjouement sincère :

— Tu n'es pas une danseuse.

— Que suis-je donc ? dit-elle, comme outragée.

— Une femme belle, avenante, qui sait danser. Tu danserais dans un ruisseau qu'on oublierait celui-ci. Tu danserais sur un nuage qu'on te prendrait pour un ange... Tu danserais sur un fumier qu'on y verrait pousser des fleurs.

Il exagérait à peine. Il savait qu'il devait lui tenir ce langage-là pour qu'il pût maintenant ou plus tard renouveler leurs embrassements. La nuit précédente, il l'avait imaginée nue, chargée de bracelets et de colliers sonores, dansant pour lui seul ; désirable pour lui ; pour d'autres impénétrable. Allons, un seul bonheur ne lui suffisait pas. Il fallait que celui qu'il venait d'éprouver fût la promesse, l'avant-goût d'autres félicités. Francisca l'observait sans sourire, rose maintenant de son émoi et non des frottements d'une barbe. Elle dit d'une voix bien pesée, solennelle :

— Je voudrais te garder... que tu restes à Séville.

Elle l'y épuiserait, il en était certain. Elle ne s'était pas simplement, sincèrement donnée à lui : elle l'avait captivé. Bonheur sans mesure que de le sentir prisonnier de sa chair et généreux dans sa volonté de la satisfaire.

— Je t'attendais, dit-elle. Tu es la fleur de mes impatiences. L'œillet...

— Que tu mets à ta boutonnière, acheva-t-il cependant que les images précises de leurs derniers instants de liesse se présentaient à son esprit.

— Combien ? demanda-t-il.

— Combien *quoi* ou *de quoi* ?

N'osant lui dire : « Combien d'amants ? », il découvrit une autre formule :

— Combien d'amours avant le mien ?

— Je n'ai qu'un seul amant : le soleil de Séville. Il m'attend là, le matin.

Elle désigna la fenêtre.

— Il m'atteint là.

Elle posa sa dextre sur ses armes de chair. « *De sable* », songea-t-il, « *à une vergette de gueules.* » Elle riait, les yeux mi-clos, mais le regard net, avide.

Il se leva et prit dans son pourpoint le volet de couvrechef plié sur une odeur désormais légère, comme exsangue.

— Tiens, je te le rends avec regret... Est-ce ainsi que tu dis aux hommes qu'ils te plaisent ?

Elle gronda mais parvint à dominer son courroux.

— Je ne l'ai jamais fait jusqu'à hier au soir... Tu me plaisais tant...

Elle se mit à frotter l'intérieur de ses cuisses, flaira

le mol tissu et après un coup de dent au milieu d'un des côtés, le sépara en deux parts quasiment égales.

— Tiens, prends ça... Garde-le... C'est plein de nos senteurs liées en une seule... Quand tu penseras à ta Francisca, tu le porteras à ton nez, à tes lèvres... Qui sait même si tu...

L'audace de son propos l'effraya. Elle se leva d'un coup de reins, saisit sa robe et s'en protégea comme si elle craignait un viol. Ébaubi, incapable de dire un mot, il la regarda se vêtir, se coiffer, se parlant à soi-même, tapant du pied, réprouvant peut-être de s'être donnée si effrontément, rejetant d'un signe devant la Croix les subtilités auxquelles elle s'était prêtée et qui avaient agrémenté si voluptueusement la venue des flux et reflux qui l'avaient pâmée.

— Que te prend-il ? demanda-t-il enfin.

— Rien... J'ai péché par... *golosina*...

Elle eut un geste qui, sans nul doute, signifiait *gourmandise*. Il la ceintura d'un bras et de sa main libre lui souleva le menton afin d'avoir ses yeux dans les siens :

— L'amour n'est pas un péché...

Elle lui offrait un visage triste. L'obscurité ne laissait dans la lueur de la fenêtre que le contour d'une joue, le cou et une épaule. Mais ses yeux s'emperlaient, scintillaient. Il n'existait plus rien, dans son corps, de la bienfaisante animation des sens apprivoisés, puis libérés de leur léthargie. Elle était l'image même du repentir. L'amour l'avait transfigurée ; cette componction imprévue la ramenait à son véritable niveau : une fille du peuple, un joyau desserti de son chaton d'orfroi.

— Pars, dit-elle en tremblant. J'ai besoin d'être seule.

Il se dit que les mots ne serviraient à rien. Ni même

un soupçon de caresse. Il se rhabilla, ceignit son épée, passa ses mains dans ses cheveux en friche.

— Veux-tu toujours que je vienne ce soir ?

Elle lui montra son dos et dit :

— Je n'en sais rien.

VII

Tristan s'abstint d'aller à la maison de danse. Mangeant avec ses soudoyers au seuil de l'écurie, il en subit aussi sereinement qu'il le pouvait les allusions et les regards : celui, réprobateur, de Paindorge ; celui, admiratif, de Serrano ; celui, réjoui, de Lebaudy ; celui, compatissant, de Lemosquet, le seul qui eût deviné que la fête délicieuse s'était achevée en queue de Mélusine, autrement dit : en queue de poisson.

Les hommes se couchèrent. Tristan resta debout, adossé au chambranle de la grande porte derrière laquelle les chevaux sabotaient paisiblement leur litière. Il ne pouvait et ne pourrait dormir. Les circonstances, les faits, les conversations de la nuit et de la journée passée emplissaient son esprit avec une telle netteté qu'il ne pouvait croire au dénouement sec et désobligeant d'une liaison prometteuse. Contrairement à son attente, il n'était pas rasséréné : la fièvre de ses sens apaisée en partie débridait son imagination davantage que lorsqu'il se morfondait dans une fastidieuse chasteté. Il imaginait d'autres touchers, d'autres postures et flatteries. Ainsi que sa fugitive amante l'avait prévu, il portait parfois à son nez, à ses lèvres, témoin léger mais tangible de leurs ardeurs défuntes, le volet de couvrechef déchiré par des mains aiguës.

Une ombre s'approcha : Paindorge. Son visage exprimait plus de résignation que de reproche. L'écuyer prit les devants :

— Je n'ai pas à vous blâmer. Je vous comprends. Moi-même, si je voyais une fille disposée à m'accueillir chez elle, j'irais.

— Pourquoi es-tu là ?

— Pour vous dire de vous garder si vous revenez, au-delà de la minuit, chez Paco Ximenez. Malheur aux Français qui sont seuls ! Huit ont été occis la nuit dernière... Vous savez que les Sévillans ont des couteaux presque aussi longs que des passots... Nos hommes, on les a retrouvés dans le Guadalquivir. On dit que les restoriers [1] qui les ont occis sont des Juifs qui vengent leurs morts... Soyez secret... Vous n'êtes à l'abri ni de vos tentations ni de celles de ces gens dont nous nous sommes fait des ennemis... Votre danseuse aussi pourrait être meurtrie : on peut lui en vouloir de coucher avec vous... Tenez, par exemple : un gars qu'elle aurait éconduit... Elle ne doit pas manquer d'amoureux qu'elle rejette !

Quel sentiment ou quel événement imprévisible avait subitement changé l'humeur de Francisca ? Le remords d'avoir doublement péché – envers Dieu et davantage encore envers les Sévillans passés presque sans coup férir de Pèdre à un Enrique intronisé grâce à la racaille étrangère ? Avait-elle craint soudain de subir un châtiment dont elle avait auguré tout à la fois l'imminence et la nature ? Elle n'était pas la seule, à Séville, qui fût sensible à l'admiration d'un *Francés* et l'en remerciât en succombant à ses instances – voire en s'offrant à lui sans même tergiverser.

— Mieux vaut se faire occire en plein jour à la

1. Vengeurs : ceux qui restaurent l'honneur, l'autorité, etc.

guerre que la nuit dans une venelle obscure par un manant... ombrageux !

Tristan posa sa dextre sur l'épaule de Paindorge :

— Je te retrouve bien dans cette mise en garde. Tu es le meilleur des fauteurs [1] et la perle de l'écuyerie.

Paindorge disparut. Dans le silence revenu passaient, lointains, sur les ailes du vent, des airs de guitares et des trépignements.

« Elle danse la *jota* peut-être pour un autre. »

Non ! C'était impossible. Elle l'aimait : ses baisers, ses *encore* et ses gémissements le lui avaient prouvé. Il retrouvait à fleur de mémoire la splendeur d'une poitrine si magnifiquement épanouie dans sa simplicité que ses mains se courbaient à son seul souvenir comme pour en connaître encore le grain et la tiédeur. Il revoyait aussi sa hanche en pente douce. Lèvres serrées, décousues ; délectations lentes. Il la voyait, paresseusement allongée, appuyée sur un coude, chair claire dans un soupçon d'ombre grise. Elle avait pris sans le savoir une pose de déesse. Ainsi, elle associait le plus hardi laisser-aller à un air de grandeur souveraine, alliance merveilleuse et brève de tant de nonchaloir avec tant de majesté. La ferme assurance de son regard posé sur lui, debout devant elle, se mitigeait d'un air de crainte assurément hypocrite, car elle attendait aussi fermement que lui le moment où il se glisserait près d'elle. Il avait avivé, distendu ses désirs alors qu'elle eût voulu peut-être un amour simple. Il avait souhaité rassembler pour elle toutes les blandices de l'amour. Peut-être l'avait-elle cru insincère... Bon, voilà qu'il en

1. Dans l'acceptation ancienne : personne qui favorise, protège (quelqu'un), prête son appui. Il existait un féminin : *fautrice*. Le sens moderne est inversé.

avait envie comme s'il n'avait pas encore entrepris sa conquête !

Il dormit à peine et s'éveilla, comme disait Paindorge, l'épée haute. Il fit ses ablutions dans un baquet de bois, son écuyer allant emplir au puits une seille neuve qui fuyait un peu. Ensuite, il se rendit à l'Alcázar. Il y apprit, par le père Béranger, que Bourbon, Beaujeu, la plupart des prud'hommes de France et les routiers étaient partis. Abandonnant le clerc aux mœurs douteuses, il rencontra Shirton. L'archer lui annonça que le Trastamare avait décidé de rester deux mois à Séville pour négocier avec les rois ses voisins. Il tenait également à satisfaire les exigences de sa noblesse, à rétablir la sécurité partout ébranlée par la guerre, à contenter les malheureux, à obtenir des seigneurs, bourgeois et jusqu'au *pueblo bajo*, le bas peuple, une obéissance qui, depuis la venue des Compagnies sur le sol d'Espagne, s'en était allée en lambeaux.

— Le temps qu'il s'accorde à Séville va lui permettre de se préparer à une guerre contre nous, dit Shirton, puisqu'il sait que Pèdre obtiendra l'alliance du prince Édouard. On dit qu'il a envoyé Guesclin au roi d'Aragon pour lui imposer, soit de l'aider dans les prochaines batailles, soit de demeurer neutre, et il l'a chargé de voir Charles de Navarre pour le mettre en garde contre toute fausse alliance ou trahison [1].

— Il est vrai, dit Tristan, qu'on ne voit plus Guesclin.

Calveley s'approchait. Il avait entendu ; il rit dans

1. Guesclin fut-il en France peu avant le 14 août, date du combat de La Villedieu où les routiers, retour d'Espagne, écrasèrent l'armée française ? Certains auteurs l'affirment, bien qu'il soit probable que le Breton dut rester à Séville où la vie et les amours lui étaient belles. Ce voyage en France est contesté par Delachenal (*Histoire de Charles V*, tome III, page 359).

une barbe désormais aussi fournie en poils blancs qu'en poils roux :

— Par saint George, il est toujours à Séville. Il fornique... J'ai croisé ce matin la dame de Soria. J'ai cru voir un fantôme tant elle est pâle, les traits tirés... Je la plains. Il n'est point agréable, pour une haquenée, d'être saillie par un cheval de labour[1].

— Resterez-vous à Séville ? demanda Tristan à l'Anglais tout en surveillant Couzic qui, devant la porte d'accès aux appartements de son maître, semblait attendre la venue d'un messie.

— Je vais partir. Mes hommes s'en sont allés par un chemin différent de celui qu'ont pris les soi-disant Français. Henri a envoyé Matthieu de Gournay à Lisbonne pour obtenir du roi Pierre de Portugal qu'il demeure neutre lors des prochaines batailles... Il ne fait aucun doute, mon compère, que nous serons bientôt face à face, l'épée en mains. J'en ai tristesse.

— Moi également, Hugh !

Pour la première fois Tristan nommait Calveley par son prénom. L'Anglais fut sensible à ce témoignage d'amitié :

— Dieu, dit-il saura bien nous préserver du pire. N'est-ce pas ?

Shirton dans son sillage, Calveley s'éloigna de son pas de géant. Ses éperons d'or mat remuaient avec force. Leur tintement paraissait lugubre.

*

* *

1. La dame, dont on ignore le prénom, appartenait à la famille de Los Torres. Un des fils du Breton porta le nom de Beltran de Los Torres.

Tristan chercha la rue où Francisca l'avait conduit. Lorsqu'il l'eut trouvée, il reconnut la maison de la danseuse à son heurtoir : un petit maillet de cuivre qui frappait un socle rond, en partie décloué par les coups.

Regardant autour de lui, il ne vit que des gens et des chiens indifférents à sa présence. Après qu'il eut atermoyé un instant, il monta l'escalier de bois criard en son milieu, silencieux sur les bords, et fut devant la porte, *sa* porte.

Le cœur lui manqua. Collant son oreille contre l'ais de bois ciré aux tympans travaillés en carrés et rectangles, il crut percevoir un bruit dont il fut incapable d'interpréter la nature. Il chercha une brèche où pouvoir approcher un œil et fut déçu.

— Francisca, dit-il en tapant l'huis de l'index.

Rien ne bougea.

— Francisca ! *Un momentito... Estoy aquí por...* Et puis... *mierda* : ouvre-moi !

Il redescendit, les jambes rompues, la bouche amère, la rage au corps et revint lentement chez Paco Ximenez. Ses compagnons s'étonnèrent de le revoir déjà, mais seul Paindorge, d'un regard, condamna son silence et sa morosité tandis que Serrano lui montrait la guiterne qu'il avait achetée dans une échoppe, entre deux maisons de danse, *calle de las Sierpes*.

— Vous l'aimez ? s'enquit le trouvère à mi-voix.

— Elle est belle.

— Oh ! ce n'est pas d'elle que je parle, dit Serrano en tapotant la donte de l'instrument. C'est de l'autre : la danseuse.

— Comment sais-tu ?

— Elle est passée alors que vous étiez absent.

Un soupir de soulagement et de dépit confondus dégonfla les poumons de Tristan.

— Que t-a-t-elle dit ?

— Elle a demandé si vous logiez chez Ximenez. C'est tout... L'aimez-vous ?

— Je ne sais, avoua Tristan, sincère, mais j'aime son amour comme elle aime le mien.

Il retourna le soir à la maison de danse. Il n'avait pu dissuader Serrano de l'accompagner : le trouvère tenait à consacrer sa guiterne en un lieu approprié.

Le *baile* se nommait *Las Delicias*. Ce devait être l'un des plus réputés de Séville. La foule y était aussi nombreuse, aussi bruyante et d'aussi bonne humeur que chaque soir, sans doute. Une logette était disponible au balcon, retenue par une *señorita*, « pour vous señor », dit la servante à laquelle Serrano s'était adressé en dévisageant Tristan. Et d'ajouter :

— *Paciencia, espera.*

Le trouvère coucha son instrument le long de la balustrade d'où l'on dominait les consommateurs.

— Voyez, messire. Ces gens aux chapels étranges, ronds, plats, épais, sont des bouviers. Là-bas, ce sont des charpentiers... Il y a quelques hommes d'armes, – des Anglais – et des *ricos hombres*.

— Et Couzic et quatre Bretons, dit Tristan, courroucé.

— C'est vrai, messire. Mais leur méchanceté me semble s'être noyée dans le manzanilla... Ne vous souciez point d'eux et... D'ailleurs, la voilà !

Des mains crépitèrent. Des cris, hurlements, frappements de gobelets sur les plateaux des tables saluèrent l'apparition de Francisca, vêtue d'une robe noire qui lui léchait les jarrets. Tristan ne put qu'admirer cet atour simple, funèbre. Les menues fronces sur les épaules et les bras demi-nus, la molle retombée des plis au-dessus d'une grosse ceinture dont le cuir se confondait au satanin du vêtement et, plus bas, les sillons profonds, brillants, sévères, seyaient à l'immobilité de Francisca. Rien n'apparaissait ni ne se devinait d'un corps parfait dans ce fourreau cannelé qui, serrant les hanches, s'évasait vers le bas. La danseuse n'était plus qu'une grande fleur noire sommée d'un œillet rouge, les cheveux ramenés en queue de cheval et maintenus par un peigne immense. Sur son front pâle, une mèche simulait un crochet.

— Elle est belle, dit Serrano.

Plutôt que d'acquiescer, Tristan s'étonna d'une voix basse, agacée :

— Voilà Naudon de Bagerant. Je le croyais parti avec les autres.

Le routier, tête nue, salua la danseuse. Indifférente à cet hommage tardif et solitaire, celle-ci pirouetta sur ses talons. Tristan se vit adresser un sourire qui effaça toutes ses craintes, cependant que la foule attentive exprimait son désaccord ou son approbation par des « *Hou ! Hou !* » qui cessèrent lorsque deux guiterniers apparurent. Chausses moulantes, noires, et chemise blanche, ils avaient un air conquérant. Sur un clin d'œil de Francisca, ils s'assirent et grattèrent leurs cordes. Les aigus et les graves montèrent vers le grand socle de bois sur lequel s'animait la danseuse et jusqu'au balcon où les hommes et leurs compagnes s'étaient figés dans une espèce de respect dû à la double beauté d'une femme et d'une musique [1].

1. L'histoire de la musique espagnole ne diffère guère de celle des musiques de l'Occident. Quant aux danseuses andalouses, Martial (43-104) en avait célébré les mérites. Il est vrai qu'il était natif de Bilbilis, en Espagne.

Il existait, au XIVe siècle, une musique sacrée et une musique profane qui commençaient à diverger l'une de l'autre, résolument. Il advenait qu'elles se rejoignissent à tel point que certaines représentations données dans les églises – comme les *mystères* en France – n'avaient pas toujours un aspect très religieux. Ces mistères musicaux s'accordaient si étroitement avec le sens dramatique et le sens

Les instruments puissants et souples distillaient un air connu de Serrano. Attentif, le front dans ses paumes et les coudes sur la table, près du cruchon et des gobelets que la servante venait de déposer presque furtivement, il écoutait ou mieux : il laissait la musique le pénétrer. Déjà, Francisca s'animait. Déjà, elle exprimait par des figures et les formes fugitives de son corps tantôt caressé, tantôt flagellé, tout un monde inconnu de Tristan. Un monde qui échappait à la parole mais qui parlait aux nerfs, aux entrailles, aux sens. Déjà, le génie s'éveillait en elle avec cette toute-puissance naïve, instinctive et cependant calculée qu'il avait parfois décelée dans le foisonnement des figures de pierre aux tympans de Vézelay ou de Notre-Dame. Elle trouvait les gestes ou mieux encore, les formules qui révélaient des images d'amour, de joie, de violence. Bien que son abandon fût différent de celui qu'il avait connu sur sa couche, il reconnaissait dans ses mouvements et ses appels du pied cette ferveur sauvage qui différait d'une nature vouée à l'indolence et à la volupté avec autant d'inconciliation que la glace et le feu, le tigre et l'agneau. Une flamme insensée s'allumait et s'éteignait dans ses hanches.

— Elle danse bien, dit Serrano, rêveur. Elle est... comment dire *señor* ? La fierté de notre peuple... Ce qu'elle nous offre est un *paso* castillan.

Droite, la tête de profil sur le corps de face, Francisca évoluait sur place. Lorsqu'elle tournait, sa tête ne

mystique de la race qu'il en existe encore aujourd'hui. L'on peut voir, surtout à Séville, à la Fête-Dieu, une survivance de ces spectacles. C'est la *Danza de los Seises*, une danse d'enfants de chœur vêtus de bleu et de blanc et coiffés de chapeaux à panaches dont les évolutions ont pour cadre la cathédrale. Ce fut vers la fin du XIVe siècle que la musique se constitua un domaine profane qui s'accrut rapidement.

cessait de se présenter de profil, attitude noble qui rompait entre elle et l'assemblée le lien du regard et, la séparant ainsi du public, la hissait à une distance infinie de celui-ci, dans un autre monde connu d'elle seule. Tristan ne pouvait qu'admirer les mouvements de ces bras dont il connaissait la pulpe et le goût, et cette taille dont la souplesse inlassable semblait être un héritage des Maures et de leurs danses licencieuses. Le pas se développait par saccades brèves, impérieuses, et chaque courte avancée s'achevait par un coup de pied pour demeurer en pose. C'était d'une rudesse sèche et lascive, d'une beauté suprême, impudente, et Serrano, plus subjugué que ne l'était Tristan occupé à voir une autre femme dans les plis souples de la robe, murmura dans un soupir émerveillé :

— Elle rejoint en dansant les esprits de la terre !

La musique prit de l'ampleur et le trouvère ne parut guère étonné quand la foule, tout en battant des mains, se fût mise à chanter pour s'interrompre afin qu'une voix, une seule, ensorcelât les buveurs.

— C'est une *sacta, señor* : un cri arraché au cœur.

Le chanteur demeurait dans l'ombre. Sa voix montait, planait, ardente, montait encore, soulevant Francisca dans ses volutes énamourées, puis s'incurvait de loin en loin, en même temps que le corps flexible de la danseuse. On ne savait qui des deux incitait l'autre au chant ou au mouvement. Une pause les sépara et la voix repartit d'un coup d'aile puis cessa pour moduler, à la façon des Maures, une plainte dont la mélancolie parut briser la jeune Sévillane.

Tristan ne voyait qu'elle. Une sueur subtile illuminait ses joues. Ses traits s'étaient tirés. Elle cambrait son buste en arrière comme sous la volonté d'une étreinte d'homme, le regard extatique, un oblique sourire aux lèvres. Il semblait qu'il y eût des larmes dans ses longs cils.

— Elle danse aussi bien des bras que des pieds. Elle a sucé la *sacta* au sein de sa mère... Buvons à sa santé !

Le manzanilla tiède parut à Tristan plus poisseux que d'ordinaire. Quand il reposa son gobelet, Francisca s'en était allée. Un silence frémissant, chargé d'attente et traversé par les piétinements des servantes, succéda au chant de l'inconnu.

Tristan se leva pour partir. Il en avait assez vu et suffisamment éprouvé. Jamais il ne s'était senti aussi différent de ccs Andalous qui faisaient de l'existence une tragédie dont le seul remède semblait être un composé de chant et de danse. Francisca portait ce mal en son cœur. Leurs amours, s'il les poursuivait, subiraient cette sorte de mésaise. Or, du mésaise, il en éprouvait tant, déjà, dans le sillage de Guesclin, qu'il se refusait à en subir davantage. Cependant, Serrano le retenait d'une main légère, mais ferme :

— *Señor*, messire... Vous la préjudicieriez devant tous ceux qui l'admirent si vous partiez maintenant. Elle vient de danser ce qu'on nomme un miracle. Il est toujours suivi de l'enfer. Vous vous devez d'y assister.

— L'enfer ?

— Une danse qui pour nous est effrayante. Tenez, la voilà... Une dame d'enfer.

Francisca réapparaissait, enténébrée par la même robe, mais la tête couronnée d'une sorte de huve noire sommée d'une double rose rouge. Des rubans de velours tremblaient à ses chevilles. De loin, on eût pu les croire maculées de sang.

Elle avait maintenant un visage effrayant, un sourire de diablesse, des sourcils prolongés par un trait de charbon. Elle était, selon Serrano, une de ces succubes qui subjuguaient les chevaliers, filles pétries de langueur, de vent et de braise, toutes proches des éléments dans lesquels elles aimaient à s'enclore pour s'évaporer, leur malfaisance accomplie.

— Ces créatures ne sont pas tendres, messire. Elles ont au cœur la chaleur que la nature allume aux creux sans fond des rochers. Elles sont brûlantes comme ces flammes dont on dit qu'elles sont nées avec le monde. Les *castañetas* sont l'expression de leurs rires. Oyez ! Elles appellent, crépitent, ronflent, et leurs silences sont pareils à des petites morts... Oyez comme elles vous livrent un message ! Je jurerais que c'est une déclaration d'amour.

Les castagnettes avaient supplanté la guitare. On n'entendait plus que le timbre unique du bois entrechoqué. Le personnage qui s'animait dans les mains de Francisca, comme indépendant de ses doigts agiles, n'était d'abord qu'une sorte de serviteur fidèle, un compagnon de ses mouvements onduleux. Mais tout à coup, il était doué d'une âme profonde. Il répondait, appelait, consentait, farouche et lancinant, doux et vivant comme une cascatelle. Et c'était une espèce de connivence qui existait désormais entre la danseuse et ses instruments presque invisibles.

Tristan regardait, fasciné, cette fille qui l'avait touché, cette déesse issue du commun qu'il avait connue tout entière dans ses rondeurs et ses tréfonds, créer derrière elle, sur le mur chaulé, un étonnant fantôme noir, lui aussi, qui vivait une vie indépendante d'elle.

Elle prit une des roses piquées dans ses cheveux pour l'offrir à quelque imaginaire prud'homme, mais des esprits mauvais essayaient de lui dérober la fleur, et le fracas de ses pieds ornés de rouge suggérait une lutte sans merci. Ses mouvements s'idéalisaient. Elle ne subordonnait pas le geste à la pose et déployait de son front aux orteils, involontairement sans doute, une ineffable beauté, une idéale perfection. Lorsque la guitare se remit à trembler, elle parut exister moins pour l'instrument sibyllin que celui-ci existait pour elle.

Elle disparut une fois encore, laissant Tristan le souffle coupé tandis qu'une ovation montait, montait, visitée de cris, de hurlements et de sanglots.

— Les champions du champ clos pourraient lui envier ce triomphe, dit-il, la gorge serrée.

Il avait encore en tête les bruissements doux ou forts des castagnettes, les mouvements du torse et des hanches, le serpentcmcnt des bras et les variations des belles jambes aux figures énigmatiques. Il se souvenait de ces avant-bras nus au-dessus desquels affleuraient des yeux qui ne semblaient luire que pour lui.

— Va-t-elle redanser, Serrano ?

— Je ne le crois pas... Il se peut qu'elle nous rejoigne...

L'Espagnol saisit sa guiterne. Elle devint aussitôt, sur son cœur, autre chose qu'une boîte de bois résonnant sous la vibration des cordes. Il suscita tour à tour des plaintes mélodieuses, de vibrantes coulées de cristal, puis un bourdonnement d'abeilles affolées. Sous la caresse de ses doigts l'instrument exhala une bienfaisante plainte.

— La danse, chez nous, messire, n'est point un déduit [1] sans importance. Il y a en elle – vous en êtes témoin – quelque chose de sacré parce qu'elle est née devant les autels. Elle est l'offertoire chargé des désirs, des angoisses, des plaisirs et des chagrins. Sacrilèges sont ceux qui chercheraient ou n'y verraient qu'une simulation, une... saltation voluptueuse.

— Que penses-tu de Francisca ?

1. Jeu, divertissement.

— Ses paroles sont courtes et son visage long, son regard miroitant comme une étoile neuve...

— Et son cœur ?

— Une ombre... Elle est riche de vie, de passion. Elle est de celles dont on dit : « *La procession se déroule en dedans.* » Votre départ la meurtrira. Ses danses n'en deviendront que plus belles, si toutefois c'est possible... Avez-vous vu comment son sourire pouvait devenir une injure ? Un aveu ? Ses hanches vous ont parlé autant que son visage... Votre amour l'enchante et la désespère.

— Je pourrais en dire autant.

Tristan se tut : Francisca venait vers lui, pâle, un soupçon de sourire à la bouche. Une robe rouge remplaçait sa lugubre vêture. Elle semblait sortir d'un songe. À l'ivresse débordante de ses danses, elle opposait une sérénité de plomb. Il y avait un abîme de repentir dans ses yeux, une moue d'innocence bafouée sur sa bouche. La divinité païenne se cherchait un personnage qui ne fût ni danseuse ni femme. Tristan, incrédule, battit silencieusement des mains.

— C'est le tien ? dit-elle en posant son index pointu sur le bord du gobelet que Serrano venait d'emplir.

— C'est le mien.

Elle le saisit d'une main tremblante et vida d'un trait le vin épais dont le velours parut teinter ses joues. Ensuite, elle partagea la chaise du *Francés* sans se soucier d'indigner quelques dames qui, derrière leurs *abanicos* déployés, commentèrent son effronterie.

— Je t'ai plu, *querido* ? dit-elle en balbutiant.

— Oui.

— Si nous étions seuls, je t'aurais demandé de toucher mon cœur.

Sans doute dès la fin de sa jeunesse prime, ce cœur avait-il battu à mille sensations. Il y avait désormais et pour la vie, dans le regard de Francisca, la hantise du temps qui passe, le regret désespéré d'une adolescence achevée. Elle tremblait toujours. De quelque façon qu'elle se livrât aux événements de l'existence – à ceux qu'elle gouvernait comme à ceux qui la gouvernaient –, elle y consumait sa flamme et son impétuosité. Les tendres exigences de l'amour, les nostalgies passionnées d'après l'amour pouvaient-elles l'emporter définitivement sur son assujettissement rigoureux à la danse ? Y gagnait-elle sa vie ? Était-elle véritablement seule ?

— Où veux-tu que nous allions ? As-tu faim ? Veux-tu venir dans une *posada*, seuls tous deux ou avec Serrano que tu connais ?

— Je n'ai pas faim. J'ai soif. Emplis ce gobelet.

Et avant de le porter à ses lèvres :

— Je n'ai faim que de toi, dit-elle en se penchant, la bouche entrouverte.

Il retrouvait là sa faconde ; ce cœur qui, pour exprimer ce qu'il avait de plus intime et de plus passionné, semblait toujours avoir à sa disposition un langage qui ne s'endimanchait jamais de mots astucieux et de formules allusives.

— Je vous accompagne quelques pas, dit Serrano en empoignant sa guiterne.

Il s'en était à peine servi. Il l'avait emmenée à *Las Delicias* pour qu'elle s'imprégnât des bruits et des rumeurs que les danses fécondaient, pour qu'elle connût les langages des instruments de son espèce. En fait, à sa façon, il lui avait donné le baptême.

Dehors, il faisait chaud. Un croissant de lune brillait parmi les criblures d'étoiles.

— Regarde, *querido*, dit Francisca. Un *toro de fuego* a laissé ses cornes dans le ciel.

Elle riait, frissonnait. Tristan l'enveloppa d'un bras.

Il n'eût pas soutenu plus fermement un trésor. Sous les sourcils exagérément longs, fardés, luisants de kohol, les prunelles larmoyantes avaient la fraîcheur de l'émail, son éclat et sa dureté.

— On nous suit, dit Serrano.

— Les Bretons sans doute, enragea Tristan. Je les ai vus se lever dès notre passage.

Il les craignait. Nourri d'émotions diverses, il n'avait pas songé à saluer Bagerant, mais il avait perçu son rire. Ce ne pouvait pas être le routier qui s'était attaché à ses semelles, mais les Bretons. Sans doute voulaient-ils savoir, Couzic en tête, où logeait Francisca.

— Serrano, dit-il, reste un peu en arrière, puis retourne chez Ximenez.

— Et vous ?

— Nous allons bien trouver une porte ouverte, un patio pour y disparaître. Laisse-nous prendre de l'avance. Nous nous reverrons demain.

Serrano s'en alla. Bientôt, sa guitare joignit sa voix à la sienne. Il chantait en français une chanson de son pays :

Je la veux pâle toute pâle,
Je ne la veux pas belle et rose ;
Parce que les femmes très pâles
Seules savent garder l'amour.

Francisca était pâle, elle aussi, quand après avoir erré dans les rues, soutenue par un bras solide, elle alluma un reste de lumignon dans sa chambre.

— Je t'aime, *Francés*, dit-elle. *Cierto ! Por cierto* [1] *! Tristan, mi hombre !*

Elle se mit nue sans hésiter puis s'allongea, couverte

1. Certain ! Certainement.

d'un drap, pudique et même encharbottée autant qu'une nonnain qu'il eût contemplée au lit.

— J'ai froid, dit-elle.

Or, il faisait chaud. Séville suait par tous ses pores et ses citadins aussi. Il subissait désagréablement cette moiteur qui semblait émaner du Guadalquivir avec les dernières agitations des rues, des *posadas* et des *bailes*. La fièvre de la cité s'était infiltrée dans ses sens. Il avait envie de tout. Ce fut alors qu'en mots bien pesés, Francisca lui dit qu'il lui fallait un amour simple. Plus de ces délectations qui l'avaient enivrée tout en avivant son désir d'atteindre à la merveille de la joie et du plaisir. Les caresses hardies pouvaient offenser Dieu. Elle se sentait blessée de bonheur mais impudique comme une fille de joie. Elle redoutait qu'il la touchât de ses lèvres ainsi qu'il l'avait fait. Depuis, ses pensées n'étaient plus les mêmes. Sa nudité lui faisait peur. Ses seins la brûlaient dès qu'elle y touchait. Un feu qui sans doute était d'enfer la hantait si ardemment qu'il finirait par la convertir en flamme. Il la consumerait si elle osait des récidives.

Voulait-elle amoindrir ou ébiseler le désir qu'il avait d'elle, aussi puissant, aussi effréné que la première fois ? Pensait-elle vraiment s'être dévoyée ?

— Toi, dit-il, sentencieux, tu es allée à l'église. Tu t'y es confessée à un *padre* vicieux.

Il était si parfaitement dans son sujet, aux exacts confins de la chair et de l'esprit, qu'il avait trouvé, dans cette affirmation, l'expression parfaite et la révélation d'un conflit qu'il se refusait à examiner. Comme la plupart des femmes, Francisca était attirée par les blandices des hommes. Elle n'allait tout de même pas lui faire accroire qu'elle trouvait sa complète délectation dans une sorte de sainteté aussi vaine qu'hypocrite et dans les stériles triomphes de son esprit sur ses sens ! Il les avait exacerbés. Mieux qu'assouvis : glorifiés.

— Tu m'aimes moins, dit-il, que je ne le croyais. Moi, je t'aime profondément.

Elle avait commencé leur liaison par un lâcher de passions – une meute qu'elle ne commandait plus. Épouvantée par leur déploiement, leur dissipation et, surtout, leur variété, elle s'exaltait pour Dieu au lieu que ce fût pour son corps. L'exigence d'une purification lui paraissait nécessaire. Il lui fallait châtier une sensualité nouvelle dont la découverte et l'obsession n'étaient pas loin de l'horrifier. Elle préférait demeurer dans la plaine que d'atteindre les sommets où il eût aimé la mener.

— Je suis le Péché fait homme. L'instigateur de la débauche !

Il riait. Il la vit frémir. Soit : il l'avait *touchée*. Il n'implorerait pas son indulgence. Le trouble désagréable où ils s'étaient empêtrés occultait le brasier d'une passion commençante d'un rideau de voluptés qu'il n'écarterait jamais plus.

— Bon sang ! grommela-t-il à mi-voix, tes simagrées me gênent à présent d'être nu !... Tu danses tant l'amour qu'ensuite il te rebute.

Soufflant la chandelle, il se félicita que la lune fût indiscrète. Allongé, il sentit Francisca vaguement angoissée. Il eût pu l'étreindre simplement, rudement et sans plaisance – comme il eût accompli une besogne ingrate. Il y renonça.

« Où me suis-je fourré ? » songea-t-il avant de feindre le sommeil.

*

* *

Il continua pourtant d'honorer sa danseuse. Il eût pu l'aimer, il la contentait sans se contenter lui-même. Il découvrit qu'elle était superstitieuse : elle craignait les bris de cruchons, de chopines, le passage d'un chat noir devant elle, la nuit. Elle se coupait les cheveux à l'époque de ses menstres pour les égaliser afin de rendre cette période favorable à ses desseins. Elle croyait dur comme fer aux avertissements contenus dans ses rêves et les lui racontait, où qu'ils fussent, l'accusant de l'aimer moins lorsqu'il laissait paraître son indifférence voire son agacement. Elle le titillait d'une rancune perverse lorsqu'il lui apparaissait sous les traits d'un séducteur occupé d'autres femmes. Des querelles naquirent de ces plaideries nocturnes entrecoupées de bacchanales outrageantes pour elle, Francisca.

Sa passion d'amante faussement trompée s'en trouvait aiguillonnée. Son ardeur charnelle, alors, suscitait et redemandait les « choses » qu'elle avait souventefois repoussées comme insanes. Elle semblait une haquenée dont il eût passé une main sur la croupe et qui se fût mise à ruer. Il suffisait alors de jeter l'étincelle pour qu'elle s'embrasât, les dents serrées, le corps largement ouvert.

Afin que la jeune femme ne fût point agressée par des Sévillans ou des Bretons jaloux de cette liaison alternativement agréable et fastidieuse, il allait chaque soir à la maison de danse où les évolutions de Francisca et de ses compagnes ne le passionnaient plus. Il la ramenait chez elle dépoitraillée, son bras ployé sur une de ses épaules, sa main en coupe sur un sein dardé. Ils mangeaient à peine quelques *copas*, quelques *tapas* arrosés d'un vin plus digeste que le manzanilla. Ils se couchaient. Francisca n'était jamais ce qu'il avait souhaité qu'elle fût. Il avait des désirs, elle des exigences. Dans l'ombre, remuant au-dessus ou au-dessous de lui, elle l'accablait de diminutifs amoureux dont le sens lui échappait : *brujito, flaquecito, monilito, loquito*[1], et ses mains fraîches traçaient sur son corps des signes qu'un kabbaliste seul eût su interpréter.

Il eût voulu se libérer de ces amarres. Il préférait attendre afin que cette rupture eût pour objet son départ de Séville. D'ailleurs, il advenait que Francisca fût telle qu'il l'avait souhaitée : docile et tout à coup dévergondée, paisible, vibrante comme une guiterne. Il ne savait rien d'elle sinon qu'elle gagnait sa vie chaque soir à *Las Delicias*. Parfois, dans la journée, elle l'entraînait, recrue d'amour, sur les murailles afin d'y respirer mieux. Leurs regards erraient sur ce qui subsistait du camp des routiers, puis s'attardaient sur ce qui composait celui des hommes d'armes du roi Henri : des centaines de trefs et d'aucubes et une cavalerie qui ne cessait de grossir.

— La guerre approche, m'amie.

Tristan voyait alors les noires prunelles de sa compagne se poser, pesantes et interrogatives, sur son visage.

— Tu brûles de partir, affirmait-elle avec une sorte de grincement dans la voix.

Elle le voulait corps et âme, nuit et jour, guettant la moindre pensée, le moindre désir de fuite. Ils revenaient chez elle. Était-elle gaie, allait-elle se montrer non seulement disponible mais entreprenante qu'elle chantait la même chanson pour exorciser le malheur :

Dos besos, tengo en el alma
Que no sé apartan de mi

1. Petit sorcier, petit maigrelet, gentil comme un petit singe, petit fou.

El último de mi madre
Y el primero que te di[1].

Il avait moins faim d'amour que d'aliments. Chaque midi, alors que Francisca dormait ou simulait le sommeil, il se félicitait d'aller partager le repas de ses hommes. Lebaudy cuisinait « à la française », intercalant parfois un *puchero*[2] et quelques cruches de *pajarete*[3] à l'ordinaire. Le soir, morose, il revenait à *Las Delicias*. Francisca saluait sa venue d'une courbette et dansait hardiment, variant ses poses pour lui, donnant du pied fortement en avant comme pour conjurer les démons qui l'avaient assaillie dans sa solitude. Ils le savaient l'un et l'autre : leur passion se dégradait sans qu'ils pussent remédier à cette consomption de leurs âmes. Sans qu'ils le voulussent aussi. C'était moins un reste d'amour qu'un égoïsme forcené qui poussait Francisca à renouer constamment leurs attaches. Elle craignait, sans doute, d'être la risée de ses compagnes.

Un matin, devant l'Alcázar, il rencontra Calveley.

— Nous partons pour de bon, annonça l'Anglais. Bagerant sera des nôtres.

Cette précision ne démonta pas Tristan : il s'y était attendu.

— Naudon va toujours où son intérêt le pousse. Qui part avec vous ?

— Briquet, Creswey, Robert Ceni, Bertucas d'Al-

1. Deux baisers j'ai dans l'âme / Qui ne me quitteront pas / Le dernier de ma mère / Et le premier que tu m'as donné.

2. Plat composé de viandes variées et de légumes de toute espèce, très épicé. Ce mets forme à lui seul un plat de résistance.

3. Ou *paxarete*. Vin blanc doux, liquoreux, que produit le cépage de pedro-jimenes cultivé aux environs de Xerès.

bret, Garcie du Châtel, les bourcs Camus, de Lesparre et de Breteuil. D'autres encore.

— Vous quittez Henri définitivement ?

— Nous l'allons quitter, en effet. Nous venons d'apprendre qu'il va sortir de Séville pour se porter dans le nord, contre Fernand de Castro, l'allié de Pèdre... qui sera bientôt notre allié [1].

Tristan préféra ne pas répondre. Il comprenait d'ailleurs que le roi déchu fût allé demander l'aide d'un prince d'Aquitaine qui passait pour un homme de guerre accompli.

— Quel jour sommes-nous ? Je ne sais plus comment je vis.

— Ah ! Ah ! ricana Calveley, votre danseuse vous a tourné la tête. Comme Guesclin, vous avez confondu Séville avec Capoue. Nous sommes le lundi 24 août.

— Tudieu !

— Hé oui. Un conseil : fourbissez vos armes, votre armure et dites à vos compères d'en faire autant. Réapprenez à vos chevaux à vous supporter en selle.

— Je vous rends grâce, Hugh, de me rappeler à mes devoirs.

— Si j'étais vous, je partirais de nuit et devancerais

1. Le 24 juin, Pèdre arrivait à Saint-Jacques de Compostelle pour les fêtes de la saint Jean. Le 27, il faisait don Fernand de Castro comte de Trastamare. Le 29, il faisait occire l'archevêque de Compostelle devant sa cathédrale, puis, satisfait de ce châtiment d'un traître auquel il avait assisté, il prenait la direction de la France. Après un séjour à Saint-Sébastien, il partait pour Bayonne et y arrivait le 1er août. Sans doute fut-il informé du combat de la Villedieu (14 août) où les Compagnies vainquirent une armée française.

Alors que le 13 septembre, Henri, qui voulait combattre Fernand de Castro, se trouvait à León, Pèdre et le Prince de Galles négociaient. Le 23 septembre, à Libourne, ils signaient un traité d'alliance en vue d'une intervention des Anglais en Espagne.

l'armée d'un ou deux jours... *Elle* n'est pas, semble-t-il, fille à vous laisser partir aisément... Il y a du mérite, parfois, à fuir comme si l'on avait le diable... ou une diablesse à sa poursuite !

Sitôt qu'il se fut éloigné de l'Anglais, Tristan avala son sourire.

« Il a raison, mais il faut être un couard pour agir comme il me le conseille. »

Il revint le soir à *Las Delicias*. Francisca dansait déjà. Ses *castañuelas* crépitaient avec rage. Il savait que le *mâle* de ces instruments se tenait à dextre et donnait la cadence tandis que la *femelle*, à senestre, n'avait qu'un rôle d'accompagnement. Or, le mâle semblait d'une fureur extrême.

La danseuse ne fit guère attention à sa présence. Sans doute une de ses amies pourvue d'un guerrier de France ou d'Angleterre l'avait-elle informée du proche départ de l'armée. Abandonnant ses castagnettes et sa danse, elle chanta, fait inhabituel, une chanson assez lente d'une voix quelque peu criarde et cependant comme appauvrie :

Tus ojos para soles
Son muy pequeños ;
Para estrellas son grandes ;
Seran luceros
Es la chipé que son las Sevillanas
Lo que hay que ver
Lo que hay que ver son Sevillanas

Mi corazón volando
Se entró en tu pecho
Le cortaste las alas ;
Se quedó dentro
Es la chipé que son las Sevillanas
Lo que hay que ver

Lo que hay que ver son Sevillanas[1]

De retour dans sa chambre, sans qu'elle eût dit un mot depuis sa sortie de la maison de danse, Francisca se laissa choir toute vêtue sur son lit.

— Non, dit-elle quand il voulut procéder à son déshabillage, comme elle le lui demandait certains soirs. Laisse-moi. Va-t'en. Maintenant ou plus tard, il nous faut en finir.

Ses yeux trop luisants trahissaient plus de fatigue que de chagrin. Son haleine chaude sentait le vin. Le désordre de sa coiffure dont les mèches rayonnaient sur l'oreiller comme les flèches sinueuses d'un petit soleil noir ne rendait que plus pâle son visage mouillé d'une sueur inhabituelle. Mieux qu'elle ne le percevait peut-être, Tristan sentit que leur amour atteignait son crépuscule. La veille, à *Las Delicias*, il l'avait contemplée, comme toujours, en se merveillant qu'elle fût ce qu'elle était : une femme doublée d'un génie de la danse. La nuit lui avait été propice. À l'aube, contrairement à son attente, une sorte de chasteté avait empli tous les mouvements, tous les propos de Francisca. Ses battements de cils n'essuyaient pas des larmes : ils tamisaient des lueurs mauvaises. Alors qu'elle passait toujours un temps infini à lustrer ses cheveux, elle les avait gardés en friche, et c'était à peine si elle avait procédé à ses ablutions et soins coutumiers après l'avoir prié de se tourner face à la fenêtre. Or, il la

1. Tes yeux sont trop petits pour des soleils, / Pour des étoiles ils sont trop grands, / Ce seront des astres (Vénus). / Voilà vraiment ce que sont les Sévillanes ; / Ce qu'il faut voir, / Ce qu'il faut voir, ce sont les Sévillanes.

Mon cœur en volant / Est entré dans ta poitrine, / Tu lui as coupé les ailes, / Et il est resté dedans. / Voilà vraiment ce que sont les Sévillanes, / Ce qu'il faut voir, ce qu'il faut voir ce sont les Sévillanes.

connaissait par cœur, par corps ; il eût même pu ajouter : par âme. Cependant, il s'était soumis à cette injonction, mais son déplaisir d'être traité ainsi avait développé la gêne d'être en présence d'une femme acharnée à recouvrer tous ses aises. Elle se réjouissait, elle, de le voir obéir. Il semblait qu'elle eût pris sur lui une revanche dont le mobile lui échappait.

Ils dormirent, cette nuit-là, comme frère et sœur. Dans la matinée, après une toilette tout aussi sommaire que la veille, Francisca l'entraîna dans une petite église vide, puante mais chargée d'or comme une vieille mendiante qui se fût entêtée à résister au voisinage des sanctuaires maures, juifs et chrétiens. Ils s'agenouillèrent face au Christ et Tristan entendit sa danseuse implorer d'une petite voix de feutre :

— *Dignáos señor, bendecir a todos mi parientes, bienhechoras, amigos y enemigos ; proteged a mis superiores, tanto espirituales como temporales ; socorred a los pobres, a los encarcelados, los afligidos, los peregrinos, los enfermos y los agonizantes : convertid a los herejes e illuminad a los infieles...*

Elle se pencha. Il sut qu'elle pleurait silencieusement. Il voulut la consoler en posant une main légère sur son épaule.

— *No hay remedio*, dit-elle.

Il le savait bien qu'il n'existait aucun remède au mal qui la rongeait !

Il la quitta les larmes aux yeux, lui aussi. Il savait qu'ils se fussent trop tourmentés à passer la journée ensemble. Mieux valait qu'ils apprissent à se séparer.

Le soir, elle n'était pas à la maison de danse. Ses amies ne surent où elle était allée. La plus intime, qui parlait français, ajouta cependant :

— Ses parents sont de Santiponce. Elle y est peut-être.

Santiponce était un village à deux lieues de Séville. Une course légère qu'Alcazar eût fournie joyeusement.

— *No*, Lola, dit une autre danseuse, une blonde aux yeux noirs, peu farouche.

Et tout en remuant des épaules aux hanches :

— Vous ne la reverrez pas. Elle ne vous aimait plus. Elle me l'a dit.

Sur le seuil de *Las Delicias*, Tristan faillit se heurter à Bagerant qui s'en allait lui aussi.

— Que n'as-tu pris la blonde, Sang-Bouillant !... Bien pourvue en seins, en croupe, avide comme une chienne qui n'aurait pas bu depuis dix jours... Aucun sentiment mais une flamme... Je l'ai abandonnée après une semaine... Elle me brisait... Ta Francisca n'est pas de son espèce... Oublie-la ! Elle t'a tout de même rassasié, j'espère !

Tristan brusqua la séparation parce qu'il savait que le mouvement et le silence chasseraient ses lugubres pensées. Peut-être allait-il expier en souffrant quelque peu son infidélité à Luciane.

Il dormit sur l'herbe du jardin de Paco Ximenez. Lorsque Paindorge et Serrano le virent, de très bon matin, il était occupé à brosser son cheval.

— Tiens... fit simplement l'écuyer.

Il prit une étrille sur le pavé de l'écurie et, contournant Alcazar, il se mit à nettoyer son poitrail sans dire un mot tandis que Serrano, tout en chantant entre ses dents, sortait son Cristobal de l'ombre et en vérifiait les fers.

— Allons, dit-il en se relevant, tu peux couvrir cinquante lieues, peut-être davantage. Nous quitterons bientôt nos amis pour nous rendre à Segovia...

— Pourquoi Segovia ? s'étonna Paindorge.

— Parce que je suis né dans cette cité blonde. Parce que mes parents y vivent. Parce que j'ai vu suffisamment de choses laides pour aspirer à vivre parmi ses beautés.

— Nous te regretterons, dit Paindorge.

La réponse vint. Il parut qu'elle s'adressait à Tristan plutôt qu'à son écuyer :

— Il ne faut jamais rien regretter, *amigo*. Les regrets sont les poisons de l'âme. On se voit, on s'accorde, on se sépare. Il est vain de se mettre le cœur en lambeaux : on en a trop besoin pour vivre !

Paindorge acquiesça. Tristan continua de panser Alcazar.

DEUXIÈME PARTIE

LA PLAINE DE NÁJERA

I

Quand il crut pouvoir quitter Séville en toute quiétude, Henri de Trastamare suivi de ses hommes liges, de ses guerriers et de ses mercenaires fit mouvement vers la Galice dans l'intention de dompter les cités qui refusaient de reconnaître son autorité. L'usurpateur craignait qu'elles ne fussent avant la fin de l'année soutenues par don Pèdre et ses alliés anglais.

Les quelques chevaucheurs qui l'atteignaient après avoir failli périr en Galice ou en Estrémadure, affirmaient que l'influence du roi déchu serait d'autant plus grande sur son hôte, le prince de Galles, qu'il avait près de lui ses filles Constance, Isabelle et Béatrix. Cette dernière, fort belle, avait été récusée par l'infant don Fernand de Portugal, son fiancé, lors de la chute de Pèdre. Toujours « mariable », le duc de Lancastre, frère d'Édouard, accomplissait d'incessants progrès dans la conquête de ce cœur disponible.

— Pèdre n'a pas de cœur, Béatrix en a deux ! affirmait Henri qui, avançant sur un chemin sans embûches, avait parfois d'imprévisibles accès de bonne humeur.

Comme prévu, les Anglais ne bougeant pas encore, les cités, craintives, lui envoyèrent des délégataires portant les clés de leurs postils[1] et des actes de soumission qu'ils renieraient – nul n'en doutait – si Pèdre réapparaissait en vainqueur. Guesclin eût aimé « faire des exemples ». Depuis Séville, il jeûnait en quelque sorte : le seul sang que l'on versait était celui des bœufs, des vaches et des moutons destinés aux cuisines. Il y avait pourtant çà et là des Juifs et des hommes à tête de Maure.

Le chemin était long, la chaleur exténuante, mais Tristan et ses compagnons trouvaient jusque dans la poussière qui leur brûlait la face, une raison de se réjouir : ils remontaient vers le nord-est, vers la France. Les chevaux eux aussi marchaient sans regimber. On eût dit qu'ils flairaient les herbages normands.

Serrano les avait quittés à Salamanque, après que Tristan eut obtenu sa promesse de retourner à Séville et de s'y informer du sort de Francisca. Il obtempérerait sans que le résultat de ses investigations parvînt jusqu'à celui qui les lui demandait.

« Mon seul espoir est que je sorte de sa vie, Serrano. Que je quitte son esprit et ses sens. Mais si tu la revois, dis-lui que je l'aimais ! »

Tristan suivait l'armée mélancoliquement. Le souvenir de la danseuse le hantait avec la même vigueur que lorsqu'il avait appris sa disparition. Il s'interrogeait d'autant plus souvent sur l'anticipation, par Francisca, de leur rupture, que toutes ses conjectures avaient été déjouées. Pas un mot, aucun regret, aucun regard ou mouvement d'adieu ; aucune larme, cette perle d'une âme en peine. Elle l'avait abandonné avant qu'il eût trouvé le moyen de la dé-séduire. Il était le perdant d'un jeu dans lequel il avait mis beaucoup de son cœur et plus encore de sa patience. Le soir, allongé sur le

1. Portes des enceintes.

sol rude ou dans des herbes qui ne l'étaient pas moins, il songeait à leurs étreintes, à leurs soupirs. Les rares torrents issus des sierras sur lesquelles avaient chu des pluies d'orage lui suggéraient les colères passées de sa Sévillane, les imprécations mystérieuses et prolongées qui roulaient dans une poitrine haletante et jusqu'à des pâmoisons qu'il avait trouvées parfois exagérées après qu'il eut goûté à l'exquisité d'un corps qu'il revoyait plutôt dans sa magique vénusté que dans ses danses, même lascives.

Il vivait aussi souvent qu'il le pouvait entouré par ses compères. S'il apparaissait aux conseils, c'était qu'il se devait d'y assister, mais il se souciait peu des hommes présents à toutes ces parlures et encore moins de la substance de leurs discours. Et pourtant, il eût pu s'étonner chaque soir ou chaque matin : Calveley et ses Anglais étaient toujours là, mêlés aux *ricos hombres* de Castille, d'Aragon et aux prud'hommes de France, sauf Bourbon, Beaujeu et les routiers de renommée sinistre. Guesclin semblait toujours commander à Henri. Pour se protéger du soleil, le Breton avait circonscrit sa tête d'un linge blanc, épais, gonflé sur le haut du crâne.

« Le voilà maintenant coiffé comme un Mahom ! » avait dit un jour Paindorge.

Calveley, qui semblait ne plus supporter le voisinage de Guesclin et ses gailles [1] sur l'impuissance et l'impotence du prince de Galles, s'était empressé d'ajouter :

« Certes, Édouard est malade [2], mais lui, le Breton,

1. Plaisanteries.

2. L'abus des plaisirs, en particulier ceux que lui prodiguait son épouse, Jeanne de Kent, qui avait déjà ruiné la santé de son premier mari, Thomas Holland, allait être fatal au prince. Ce fut surtout lorsqu'il fut en Espagne que son état de santé se détériora vilainement. Froissart écrit que de ses gens, « *moult désiroient à retourner* (en Aquitaine) *car ils portoient à grand meschef la chaleur et l'air*

c'est sa tête qui va mal. Il prétend qu'il descend d'un soudan barbaresque. C'est sans doute vrai. Voyez sa coiffe toute gonflée de sa hautaineté. Il ne lui manque que la sorgure[1] ! »

Et Audrehem d'acquiescer tristement : il en avait assez du Breton, lui aussi. Il redoutait de nouvelles batailles parce que, cette fois, les Anglais seraient les ennemis. Il affirmait qu'il lutterait jusqu'à la mort – ce qui ne serait que l'avancer de peu, vu son âge – car il se refusait à tomber au pouvoir des Goddons, surtout si Édouard de Woodstock les commandait. Sauf peut-être Guesclin, nul ne savait pourquoi il en avait grand-crainte.

Le 13 septembre, alors qu'Olivier de Mauny venait de s'y joindre, l'armée fut devant León. Sans la moindre allégresse, la cité ouvrit ses portes au roi, aux chevaliers, aux capitaines. Quinze jours plus tard, ces hommes apprirent que le 23 du même mois, à Libourne, don Pèdre et le prince de Galles avaient signé un traité en vue d'une intervention armée des Anglais en Espagne.

On en sut davantage sur la fuite de Pèdre. Après s'être embarqué à Cadix, il avait trouvé un vent favorable. Sa nef, accompagnée de deux autres portant dans

d'Espaigne, et mêmement le prince en étoit tout pesant et maladieux. » La mortalité fut grande chez les Anglais. Selon Knyghton, 1/5 seulement de l'armée survécut. Walsingham écrit qu'il en mourut un grand nombre – de dysenterie et maladies diverses. Il ajoute (ce qui se disait alors) que le prince de Galles avait été empoisonné *Eduardus per idem tempus, ut dicebatur, intoxicatus fuit ; à quo quidem tempore usque ad finem vitae suœ nunquàm gravisus est corporis sanitate.* Le temps était proche où Édouard, devenu un énorme hydropique, ne se déplacerait plus qu'en litière.

1. Aigrette ornée de pierreries que les sultans et leurs dignitaires portaient sur leur turban.

leurs flancs une grosse part de son trésor, avait atteint le Portugal. En le recevant à Lisbonne, le roi Pierre avait supplié Pèdre de l'excuser de l'impossibilité où il se trouvait de le secourir. Et d'ajouter qu'il était tellement sensible à ses disgrâces que, s'il s'était trouvé en état de lui rendre service, il n'eût pas attendu qu'il prît la peine de venir lui demander une aide qu'il se voyait contraint de lui refuser vu la petitesse de son royaume et la médiocrité de ses forces armées. De Lisbonne, Pèdre, ulcéré, avait gagné la Galice où le fidèle Fernand de Castro l'attendait, résolu à se battre et à vaincre.

Don Henri voulait conquérir la Galice. Il la trouvait trop proche de Burgos. « Elle infectera cette cité », prétendait-il. « Burgos revenue à Pedro contaminera la Castille. En Galice, je m'assurerai de Charles le Mauvais et contiendrai le comte de Foix qui sait aussi vélocement renier ses alliances que le petit roi de Navarre. » Son inquiétude grandissait. Sa peur aussi, sans doute. On savait désormais que Pèdre avait renoncé à tout commandement : il accordait résolument sa confiance aux vainqueurs de Crécy, de Poitiers et moult batailles de moindre importance. On savait que Fernand de Castro s'employait à maintenir en Galice tout ce qui subsistait de l'autorité de Pèdre pour lui conserver ce lambeau de royaume.

Comme la plupart des prud'hommes attachés au sort de l'usurpateur et de Guesclin, Tristan voyait les efforts accomplis par Castro renversés chaque jour au profit du nouveau roi. Les grands seigneurs s'assujettissaient au maître du moment ; les cités contraignaient leur défiance. À Lugo, cependant, les événements tournèrent en défaveur d'Henri. Au début du mois d'octobre, il trouva une cité close, contenant une armée importante commandée par Fernand de Castro et, aux créneaux, des manants décidés eux aussi à se battre. Pour la première fois, Guesclin se montra perplexe :

— Je me demande par quel miracle nous pourrions franchir ces murailles ! Les échelades sont impossible, les portes sont épaisses et renforcées de fer. Bon sang ! s'il y en a, les Juifs doivent se sentir heureux[1].

Les murs, flanqués de cinquante *cubos* ou tours massives demi-circulaires, formaient, autour de la ville, un carré de mille toises de longueur, d'une hauteur moyenne de cinq toises, sans compter leurs merlons hauts comme un homme. Au centre de la cité, ce qui devait être une cathédrale en construction élevait au ciel le moignon de sa flèche.

— Ceignons cette bastille de nos fers et de nos aciers, suggéra Audrehem. Affamons-la ! Nous avons des vivres et l'eau ne nous manquera pas : j'aperçois une rivière. Installons notre logement sur sa rive...

— C'est le Miño, dit le roi.

— Lugo est sur une hauteur, fit Guesclin, pour une fois morose. De là-haut, ils se riront de nous[2] !

— Nous leur ferons payer leur outrecuidance lorsque nous les aurons vaincus, dit Henri. Pas vrai Calveley ?... Vous seul, grand comme vous êtes, me semblez d'un rapport convenable avec cette enceinte de pierre qui doit faire pâlir celle d'Avila !

— Si vous voulez, sire, conquérir cette ville, dit l'Anglais un tantinet moqueur car la tête du roi lui arrivait à peine au-dessus du nombril, il vous faudra deux mois... peut-être trois ou quatre... Et d'ici-là, le prince d'Aquitaine pourra vous prendre à revers.

1. Les murailles toujours solides, datent du IIIe siècle. Leur longueur est de 2 km 100, leur hauteur moyenne de 11 mètres.

2. Lugo est situé à 483 m d'altitude. De cette hauteur, on domine une plaine fertile et le cours du Miño.

— Qu'il vienne ! hurla Guesclin. J'en fais mon affaire. Mais s'il apparaît, Hugues, nous nous verrons dans l'obligation de te faire occire comme traître ainsi que tous les Goddons qui sont avec toi.

— Défie-toi, Breton, dit l'Anglais entre ses dents. Il n'est jamais bon de chanter victoire avant une bataille. Tu n'étais – c'est tout de même étrange – ni à Crécy ni à Poitiers. En fait, à te complaire dans des embûches où la victoire est sans mérite, tu ne sais rien des grands enchas[1]... Je t'ai déjà tenu en mon pouvoir... après que d'autres en aient fait aisément autant... Faut-il te le ramentevoir[2] ?

Le Breton grommelait comme un sanglier atteint d'une sagette à la gorge. Pour la première fois, Tristan le voyait gêné. Le roi aussi car il intervint :

— Ah ! cessez ce tençon, dit-il. Je vous en fais commandement.

Mais Calveley avait perdu patience. Il dit, comptant sur ses doigts :

— En 59, Knolles, mon bon compère, te prend au Pas d'Evran. L'année d'après, je t'attrape au pont de Juigné. Tu n'as soi-disant pas un sol pour acquitter ta rançon alors que nous te savons riche. Mais je te libère sur parole... et c'est le roi de France qui paie pour toi !... Quatre ans plus tard, c'est Auray. Te voilà repris. Cette fois par Chandos... et le roi paye encore ! Le roi, le Pape en Avignon, cette fois par la menace : tu peux dire que tu coûtes cher à ceux qui t'emploient !... Prends garde, si nous nous retrouvons face à face que je ne te reprenne pas, car ta rançon, cette fois, ruinerait Charles V et la France.

Guesclin avait porté la main à son épée. Un rugisse-

1. Combats.
2. Rappeler.

ment du roi Henri lui interdit de répliquer par les armes à une moquerie terminée en menace.

— Viens, enjoignit le Breton à Olivier de Mauny qui ne le quittait guère. Ce géant sera tout petit quand viendra la grande bataille... *que je gagnerai !*

Suivi de son gros cousin, il s'éloigna vers ses routiers. Calveley croisa les bras et, tourné vers le nouveau maître de l'Espagne :

— Craignez-le autant qu'un ennemi : ses embûches seront réussies mais ses batailles tourneront à son désavantage et, par conséquent, au vôtre.

Il partit à son tour, suivi de Shirton, vers quelques Anglais, témoins de l'algarade, et qu'il dominait de la tête et des épaules. Tandis qu'ils le congratulaient, il pouvait voir Guesclin et ses fidèles qui le huaient en agitant leurs poings.

*

* *

Henri décida d'assiéger Lugo quand, après avoir sommé Fernand de Castro de se rendre, il essuya un refus qui n'ébahit personne.

— Cet homme a du cœur, dit-il. Quel dommage qu'il ne soit point des nôtres ! Si je le prends vivant, je l'occirai moi-même.

Quelques assauts furent menés par les *almogavares* du roi. Inutiles et sanglants, ils n'eurent pour résultat que de mettre en évidence la volonté des Anglais de n'y pas participer, bien que les Bretons leur eussent proposé pour challenge de montrer aux Espagnols comment on enlevait une ville.

Les semaines passèrent. L'armée n'attaquant plus, l'oisiveté lui pesait. Dans un ciel toujours bleu, le soleil chauffait la terre, consumait les feuilles, les herbes, les hommes. On ne trépassait plus percé d'une sagette ou d'un vireton d'arbalète mais d'un mal qui mettait en sang les intestins : la *dissenterie*. Il y avait des sources à Lugo, près du pont sur le Miño : les *Baños*[1], à l'emplacement des thermes romains, mais l'eau en était si chaude, si mauvaise à l'odeur et au goût, que personne n'en voulait boire. Alors, on se trempait dans la rivière, on ouvrait quelquefois la bouche et il advenait qu'on mourût.

Ces morts troublèrent Henri. Lors des assauts menés contre les portes et les murailles, des hommes avaient trépassé pour rien ; maintenant, il en perdait encore comme si Dieu se mettait à soutenir l'adversaire.

— Il me faut conclure un marché avec Castro, dit-il un soir lors d'un maigre conseil négligé, une fois de plus, par les Anglais.

— Il défendra vigoureusement sa cité, regretta Audrehem en gratouillant une barbe qui semblait blanchir sous l'effet du soleil. Il est fidèle à son maître. Je ne l'en blâme point.

— Sauvez votre honneur, sire, dit Guesclin.

Tristan sourit de voir ce forfante qui n'en avait pas une once adjurer son complice couronné d'en montrer en décidant d'attaquer à outrance.

— Non, Bertrand, dit Henri, nous perdrions des hommes et j'en ai trop besoin. Nous allons revenir en Castille. Je vais y grossir notre armée dans l'attente que les Anglais viennent s'y frotter. Cependant, avant que de quitter ces lieux, il me faut négocier avec Castro.

— On ne négocie pas avec un ennemi : on le tue ou on l'emprisonne !

1. Sources sulfureuses thermales à 44°.

— Vous peut-être, Bertrand, mais moi, je suis un roi !

C'était bien dit. L'usurpateur n'avait cependant pas négocié à Barbastro, Briviesca et ailleurs, et les joyeuses crémations de quelques centaines de Juifs dans les temples de ces cités ainsi que l'occision des survivants dans les rues et les maisons n'avaient point rassasié sa haine. Ah ! certes, il était roi, mais un roi transitoire : si les Anglais assistaient Pèdre dans la guerre, il fuirait vers la France toujours sottement accueillante – à moins qu'il ne fût occis.

— Il convient d'adresser un message à Castro.

Tristan se sentit atteint par un regard dont il dédaigna la véhémence.

— Il a l'air de vouloir que ce soit vous, Castelreng, murmura Audrehem.

— Je n'irai point, messire. Je me suis incliné à Séville. Cette fois, le pervers trouvera quelqu'un d'autre... Pourquoi pas son très cher Olivier de Mauny ?

Et, défiant le Breton, sèchement :

— Le roi Henri qui commande à nous tous, même à toi, Bertrand, ne manque pas de prud'hommes dignes d'accomplir cette mission.

Le lendemain, Fernand de Castro accepta d'ouïr, sans quitter les murailles où il s'était penché, les propositions qu'un messager inconnu de Tristan formula au nom d'un suzerain dont il récusait l'autorité. Cependant, se sentant esseulé, craignant peut-être aussi la disette puis la famine, il accepta la trêve de cinq mois qui lui était offerte. La convention stipulait que, si avant Pâques de l'année suivante, il n'était point secouru, il restituerait aux capitaines du roi Henri non seulement Lugo, mais aussi toutes les forteresses occupées par ses hommes d'armes. Un choix lui serait proposé : quitter librement le royaume avec tous les biens qu'il pourrait emmener ou y demeurer en conservant ses honneurs et son nouveau titre à condition de prêter le serment d'hommage au suzerain reconnu par toute la Castille.

L'homme lige de Pèdre accepta les conditions. Henri se frotta les mains.

— En selle, maintenant, cria-t-il, le temps presse.

— Où allons-nous, mon roi ? interrogea Guesclin.

— À Burgos ! À Burgos !... De là, j'aviserai.

« Non ! » s'indigna Tristan, cependant que l'incurable plaie se remettait à saigner.

S'il était hélas ! contraint de suivre l'armée où qu'elle se rendît, il excluait de toutes ses intentions une visite à Joachim Pastor. Il était impossible qu'il allât trouver le vieillard pour lui annoncer, même chargé des pires résipiscences – comme un condamné l'eût été de ses chaînes –, que Teresa et Simon, sa pure et juvénile descendance, étaient morts.

« *Il apprendra notre retour. Il m'attendra !... Et s'il ne me voit pas, il soupçonnera la vérité !* »

Jamais il ne pourrait le regarder en face. Jamais il ne pourrait lui révéler comment ces innocents avaient péri. Ce double deuil était le sien avant même celui de cet aïeul estimable. S'il n'entraînait pas dans le néant de l'irréparable, comme pour Joachim Pastor, des espérances tendres et vivaces, il faisait de lui un parjure : il avait promis au vénérable drapier de soustraire ses petits-enfants aux cruautés des Compagnies. En fait, il les avait condamnés à les subir.

— Burgos ! soupira Paindorge. Ou *Burcs*[1] comme

1. C'est le nom que les chroniqueurs français donnent à cette cité.

dit Villaines... d'un seul coup. C'est loin, très loin : quatre-vingts lieues.

Devinant ses pensées, l'écuyer ne trouvait aucun mot pour le consoler ou l'exhorter au courage. En existait-il seulement ? Il avait veillé sur Teresa comme un frère, voire comme un fiancé l'eût fait. Il ne pouvait, une fois de plus, qu'imaginer ses frayeurs dans les mains des victimaires, ses cris, ses supplications, ses résignations, les outrages infligés sous les yeux de son frère afin que ces viols eussent plus de piquant. Il ne s'étonna point du silence qui le séparait de Paindorge – ou peut-être qui les liait l'un et l'autre dans une méditation lugubre. Ce silence se prolongea un long moment pendant lequel ils assistèrent imaginairement aux dernières palpitations de deux âmes dont les Bretons avaient souillé, écourté, désespéré la beauté. Il fallait que l'homme qui avait commandé l'immolation de ces enfants payât un jour ce forfait de sa vie. Il fallait qu'il redimât par son trépas toutes les morts stériles qu'il avait, d'un cœur joyeux et d'une conscience nette, répandues sur son passage. Il fallait que la balance de l'éternelle justice inclinât l'un de ses fléaux vers ce fléau vivant. Que le messie crucifié pour la rédemption des hommes leur réservât à lui, Castelreng, et au fidèle Paindorge, le châtiment de cet ignoble. Peu importait la longueur de l'attente.

« Si l'occasion m'en est fournie par Dieu ou par Bélial, j'abrègerai sa vie... Oh ! comme j'aimerais qu'il sache que c'est de moi qu'il tient sa mort ! »

Tristan tapota la prise de son épée :

« Tu mourras par cette lame ou tu t'escamperas par la vertu de cette poudre enclose en son pommeau ! »

Puis, retrouvant le regard douloureux de Paindorge :

— Ni Simon ni Teresa ne quittent mon cœur et ma mémoire.

— Elle était si belle que ça m'ennuyait qu'elle dût épouser un Juif.

Ils la revoyaient telle qu'ils l'avaient emmenée de Burgos, sur son genet qui lui au moins vivait encore. Belle et solide, confiante et mystérieuse, toute pleine du feu secret de l'espérance et pareille, dans ses habits, à quelque damoiseau voulant se prouver et prouver sa bachelerie[1].

— Je n'entrerai pas dans Burgos.

Tristan éprouvait plus qu'une angoisse : un sentiment désespérant de remords, d'inutilité ; le lourd fardeau d'un opprobre que Paindorge, sans doute, eût voulu alléger sans que sa compassion ne devînt une gêne.

— Si vous vous refusez à entrer dans Burgos et que le drapier apprend votre présence...

— Je suis sûr qu'il se doutera de mon échec... mais je n'aurai pas à subir ses reproches et son ire.

— Il n'a rien à vous reprocher. Vous êtes, il le sait, le contraire d'un couard. L'erreur, devant notre Dieu et le sien – si ce n'est le même – serait de refuser de le voir... Je suis certain qu'il vous pardonnera, si tant est qu'il ait à vous pardonner.

D'une tape sur l'épaule, Tristan exprima sa reconnaissance à Paindorge : il avait chassé de lui cette angoisse superstitieuse née d'un acte qu'il se devait d'accomplir.

— J'irai voir messire Pastor, dit-il, mais tu seras présent lors de ce face à face.

Et sourdement, la main sur un cœur dont la suppuration cessait en partie :

— Devant toi, ce déshonneur me sera moins cruel.

— Déshonneur ! s'indigna l'écuyer. Vous n'avez

1. Noblesse et chevalerie.

point démérité. Pour sauver ces enfants, vous avez failli trépasser !

Lemosquet et Lebaudy les avaient écoutés sans broncher. Ils montèrent en selle. Leurs mouvements et, semblait-il, leur hâte de chevaucher tirèrent Tristan de sa maussaderie.

— Hâtons-nous, messire, dit Lemosquet. On se froidit à ne point remuer.

On était le dimanche premier novembre. Le soleil brillait toujours, mais depuis deux jours, dans ce pays de creux profonds et de hauts sommets, un vent rigoureux soufflait sans trêve. Cette Toussaint annonçait des jours secs et froids et des nuits d'un frimas sans cesse aggravé. Paindorge, Lemosquet et Lebaudy s'inquiétaient : si l'hiver était rude, les chevaux souffriraient. Il fallait leur préparer des haussements chauds. Avec quoi ?

Tristan, sur sa dernière solde perçue à Séville, avait gardé quelques poignées de maravédis. Ils furent employés à l'achat de couvertures que ses soudoyers assemblèrent à petits coups d'épingle lors des haltes du soir. Au cours de l'une d'elles, on sut que la grande cité de Zamora venait de prendre le parti du roi Pèdre.

— Zamora ! s'exclama Henri au conseil qui, derechef, n'assemblait plus les Anglais. Ah ! les perfides. Pourquoi ? Pourquoi ? Nous y étions il y a peu. J'avais reçu des assurances...

Guesclin baissa la tête et donna quelques coups de pied dans un feu qui se mourait. Ses hommes étaient entrés dans Zamora. Ils en étaient ressortis fièrement : ils avaient *bretonné* les manants, les bourgeois, les nobles et les Juifs. C'était tout dire.

On apprit peu de temps après que Fernand de Castro avait quitté Lugo. Il commandait à moult gens d'armes, reprenait les places que Pèdre avait perdues en Galice et menaçait de punir le roi de Navarre s'il s'alliait avec Henri [1].

— Un parjure, rien d'autre ! tonna le roi. J'aurais dû l'occire !

« Comment ? » se demanda Tristan.

Ce mouvement vers Burgos le rapprochait des marches de France. Cette certitude réjouissante contrebalançait l'amertume d'avoir à affronter Joachim Pastor.

1. Cette guerre avait suscité des pactes apparemment solides, mais hypocrites. Charles de Navarre avait la spécialité de violer toutes les alliances qui lui semblaient douteuses ou néfastes, bien qu'il les eût provoquées ou accueillies avec une satisfaction participant du grand art.

Depuis son couronnement à Burgos, le Trastamare se montrait prodigue du trésor fabuleux amassé par don Pèdre. Le 5 avril 1366, Guesclin avait reçu le duché de Trastamare et Audrehem la baronnie de Servian. Le 11 avril, le nouveau roi avait donné au sire de Beaujeu 10 000 livrées de terre qu'il avait reçues du roi de France, excepté Servian, puisque offert à Audrehem. Ces donations ne furent pas suivies d'effet. L'année suivante, le Trastamare *revendit* à Charles V les domaines qu'il tenait de celui-ci (l'acte de vente est daté de Servian, le 2 juin 1367). Le 6 juin, à Nîmes, le duc d'Anjou ordonna de payer au prince 27 000 francs or, prix convenu (ordre de paiement à Pierre Scatisse, Trésorier de France : 9 juin). Enfin, le 27 juin, à Thézan, la reine de Castille, Jeanne, et l'infant, Jean, déclarèrent consentir à la vente conclue par le Trastamare en présence de Jean de Bueil, chevalier, chambellan du duc d'Anjou. Le même jour, la reine donna quittance des 27 000 francs.

Après avoir tenté sans succès de se maintenir en Galice, Pèdre était allé demander du secours au prince de Galles. Celui-ci et Charles le Mauvais se montrèrent exigeants : 1. – Cession de la Biscaye. 2. – 550 000 florins alloués au fils d'Édouard III. 3. – Don du Guipuzcoa et de Logroño au roi de Navarre. L'accord fut scellé le 23 septembre 1366, et les préparatifs de l'expédition contre Henri furent aussitôt entrepris en Guyenne, tandis que la guerre civile éclatait en Galice, sous l'impulsion de Castro, en faveur du roi détrôné.

II

Sous des nuages bas, épais et limoneux, Burgos, ville du Cid, avait un air lugubre. Les manants et bourgeois nombreux dans les rues et venelles baissaient la tête comme pour oublier ces revenants dont les armes, les armures et les haubergeons soigneusement fourbis lançaient quelques éclairs à défaut du ciel. Droit sur son cheval noir brassicourt, don Henri avait beau multiplier les gestes de bienveillance, rares étaient ceux qui battaient des mains. Aucune ovation ne saluait sa revenue. Hommes, femmes, enfants que l'apparat de ce retour eût pu séduire sentaient cet homme-là mieux assis sur sa selle ornée d'orfèvreries que sur un trône qui ne l'était pourtant pas moins.

L'armée répandit ses trefs, ses aucubes, ses écuries, ses armeries, ses forges, ses cuisines et le charroi de ses bordeaux loin des murs. Des mandements avaient été donnés aux capitaines : il fallait que l'on vît étinceler les aciers, les cuirs et jusqu'aux plus petits anneaux des mailles. Il importait qu'à la vue d'un tel spectacle les nobles et le commun fussent saisis de respect. Ce nonobstant, dans les murs régnait l'ombre de Pèdre. Toujours. Certains bateleurs pouvaient se truffer de lui en chantant des lais et rondeaux injurieux, la crainte qu'inspirait le suzerain déchu subsistait à Burgos, plus forte qu'ailleurs puisque dans la cité l'usurpateur avait été sacré sans la moindre objection et même dans une liesse à laquelle lui-même ne s'attendait point. L'on disait que la nuit, à la moindre grosse rumeur percée de cliquètements d'armes, les femmes rejetaient les draps et tombaient à genoux cependant que leurs hommes touchaient au chevet du lit conjugal la prise d'une épée ou l'arbrier d'une arbalète.

Si Henri sur ses pas répandait du mésaise, Pèdre effrayait. La fortune (non seulement celle qui se comptait en espèces de toute sorte, mais celle qui présidait à sa destinée) l'avait toujours secondé dans ses entreprises avant et surtout depuis son avènement. Il avait déjoué les complots et bataillé victorieusement contre ses adversaires. On le savait auprès du prince d'Aquitaine. On devinait que celui-ci rassemblait une armée pour qu'au moment propice il la conduisît en Espagne. On disait qu'au faîte des clochers des hommes veillaient jour et nuit, prêts à sonner la campane et, dans l'obscurité, à allumer des torches.

Après qu'il eut accompagné le roi et ses adulateurs à la cathédrale où ceux-ci voulaient se rasséréner d'une messe, Tristan quitta les murs et rejoignit ses compagnons dans un bosquet défeuillé où ils avaient trouvé suffisamment d'espace pour planter la tente et tendre, entre quatre arbres, une sorte de dais de bure sous lequel ils avaient assemblé les chevaux et Carbonelle.

— Vous auriez dû loger en ville, lui reprocha Paindorge. Vous auriez eu plus chaud parmi des murs solides.

— Je sais, mais je tiens à votre compagnie, et même à celle des chevaux. Nous aviserons si le froid se durcit.

— Pourquoi attendre ? demanda Lebaudy.

— Parce que je ne tiens pas à rencontrer Joachim

Pastor au détour d'une rue. Parce que je veux me préparer à cette entrevue... J'ai crainte, mes amis, qu'elle ne dégénère en procès, en querelle... en condamnation !

— Vous n'avez rien à vous reprocher, dit Paindorge.

— Certes, non, renchérit Lemosquet. J'ai perdu mon frère dans cet estequis[1] où nous avons protégé de notre mieux Simon et Teresa... Eudes et Petiton y ont aussi laissé leur peau. Il vous faudra le dire et redire à cet homme.

Tristan soupira. Dans cet affreux combat, sa flote[2] s'était réduite à cinq hommes, puis à quatre après le départ de Serrano. Combien seraient-ils à leur retour en France ? Ils n'avaient point encore affronté les guerriers de don Pèdre. Quand serait-ce ? Qui serait occis ?... Lui peut-être.

Il prit le premier tour de guet et fut plus irrité que d'ordinaire par le puissant vacarme et la puanteur d'une armée peu encline à s'endormir – comme si chaque homme qui la composait prolongeait son temps de vie active et de buverie avant la grande et obligatoire bataille qui le coucherait pour le dernier sommeil.

Quand il ouvrit les yeux, le soleil noyait encore Burgos dans un manteau de pourpre. Paindorge, qui terminait sa garde, lui apprit ce que Shirton venait de lui révéler avant de partir pour le camp des Anglais :

— Henri va réunir les Cortès. Il paraît qu'en chemin, il a envoyé des chevaucheurs aux seigneurs et bourgeois qui lui sont acquis.

Le jour même, l'on vit arriver à Burgos des gens de toute sorte, certains avec femme et enfants soit à cheval, soit dans des chariots peints à leurs armes, et le

1. Combat d'estoc. On écrivait aussi : *estekis*.
2. Petit groupe de guerriers.

lundi 4 janvier, le roi ayant voulu une célébration en grand bobant, Tristan se vit requis pour veiller sur sa personne et celle des *ricos hombres* connus et inconnus de lui.

Les maisons semblaient vidées de leurs habitants. On avait peine à avancer dans les rues, surtout dans celles qui contournaient la tour Santa Maria et la cathédrale du même nom, sa voisine, pleine et débordante du fait de la présence du roi et de ses fidèles de longue ou fraîche date. Sur le parvis où s'étaient assemblés les pennonciers et gonfanoniers, quelques édiles plébéiens et des représentants du commerce et du change, des hommes d'armes empêchaient péniblement la foule d'aller troubler un office destiné à rassembler, sous les voûtes énormes, tous les privilégiés qui croyaient ou feignaient de croire à la permanence de la royauté nouvelle. Tristan fut ébahi par cette fleuraison de vêtements et de bannières brodés d'or et d'argent, parfois de pierreries, tandis que s'exhalaient de l'édifice immense les chants échevelés du *Salve Regina*. Il semblait qu'aux illuminations de l'intérieur répondaient celles de ces soies, satanins et velours et qu'à l'antienne à la Vierge, qui devançait singulièrement vêpres et complies, – le roi, murmurait-on, l'avait voulu ainsi – répondaient, sur le parvis, les cris des vierges que tous les mercenaires du prince n'avaient pu ni déflorer ni même toucher du regard.

Le cortège sortit. Dans l'ombre du portail aux figures figées, don Henri et Guesclin parurent côte à côte. Le premier souriait, l'autre rongeait son frein sans raison apparente : on l'ovationnait, lui aussi. Ils allaient chevaucher de rue en rue dans le papillotement de leurs habits rehaussés d'escarboucles et suivis d'une kyrielle d'armures portées par ceux qui voulaient attester que la guerre restait présente et que la liesse du moment n'empêchait pas qu'on s'astreignît au respect de ses lois.

Tristan vit processionner lentement, sous leurs emblèmes déployés, l'alcade et les échevins, quatre évêques et leurs caudataires. Ils précédaient Henri, couronné, Guesclin, Audrehem et ce qu'il fallait bien nommer la Fleur de la Chevalerie de France, puis les Anglais de Calveley, tous vêtus en bourgeois à l'inverse des précédents couverts de plates et de mailles. Derrière les prélats et magistrats des cités voisines marchaient les bourgeois de Burgos, puis les confréries de marchands, chacune avec son enseigne accrochée au portant d'une hanste [1] dorée, puis la communauté des métiers – tisserands, merciers, couturiers, chaussetiers, maçons, charpentiers, serruriers, chaudronniers. Venaient ensuite, psalmodiant, les congrégations en robe : prêtres, moines, chanoines de la cathédrale et le dais de cendal à houppes et glands dorés sous lequel quatre clercs enfouis dans une coule à cuculle pointue, portaient à l'épaulée une Vierge à l'enfant. Et plus loin, achevant le cortège, quatre *almogavares* soulevaient un pavois sur lequel figurait un Cid coiffé d'une cervelière, vêtu de mailles et brandissant une épée. La statue, fortement colorée de vermillon et de safran, semblait venir à la rescousse d'un roi aux chevilles d'argile. Et la foule riait de voir son idole. Au moins *lui* chaque jour, il avait été grand.

Le ciel demeurait menaçant, bien qu'on n'y perçut aucun grondement et qu'aucun éclair ne vînt en lacérer l'écume grise. Laissant Alcazar l'emporter, Tristan suivait, observant sur les côtés les visages des manants et au-dessus, les tentures accrochées aux fenêtres où se penchaient des têtes enjouées. Parfois, un enfant auda-

1. Hampe.

cieux venait toucher son épée. C'était pour lui crier des insultes qu'ii connaissait déjà : « *Hijo de puta* » ou « *Puerco de Francés* », et d'autres qu'il n'avait jamais entendues, mais sur la signification desquelles il ne pouvait se méprendre. On le haïssait. On *les* haïssait moins parce qu'ils avaient contribué au départ de Pèdre que parce qu'ils étaient des mercenaires doublés de sicaires ; des anathèmes innocentés par un Pape couard ou pusillanime, des malandrins apparemment invincibles.

Un émoi violent et poignant le saisit lorsqu'au retour, alors que le cortège débouchait sur le grand parvis devant ce molosse de pierre qu'était la cathédrale, il crut entrevoir dans la foule un visage connu. Une grande barbe blanche, des sourcils épais, neigeux, sous le bord d'une sorte de chaperon, un nez quelque peu arqué. Plus rien n'exista. Ses yeux s'embuèrent. Il n'entendit pas le *magnificat* chanté par un millier de voix à l'instigation des prélats et des clercs.

« *C'est lui* », se disait-il. « *C'est lui et il m'a vu !* »

Quand la dislocation eut lieu, il galopa sous des huées, traversa une partie de Burgos déserté, franchit une porte et poussa Alcazar jusqu'à ses compagnons. Paindorge se saisit des rênes du cheval.

— Comme vous êtes pâle, dit-il. Vous l'avez vu, j'en suis sûr.

D'un hochement de tête, Tristan loua la perspicacité de son écuyer.

— Je crois que je l'ai vu et j'en ai de l'angoisse.

— Çà ! dit Lemosquet. De l'angoisse ?... Non, messire. La honte seulement vous tourmente le cœur... Pour moi, vous n'avez aucune raison d'en avoir.

— Pour moi aussi, dit Lebaudy en menant Alcazar dans le gîte qu'une palissade de branches mortes séparait de Carbonelle. Et si j'étais vous, pour me guérir de ce mal-là, j'irais sans plus tarder rencontrer ce vieillard.

— Aller devant le vieux Juif. Lui dire : « *Par faiblesse involontaire, par présomption et persévérance, il me semble avoir participé à ce double crime. Je m'en repens et m'en repentirai toujours. Me voici devant vous ; jugez, étrillez-moi !* » Auriez-vous, tous, ce courage ?

Il vit des têtes basses et un rire le prit qui les offensait tous et l'offensait lui-même. Alors, sans plus parler, il leur tourna le dos. Au loin, les campanes de la cathédrale carillonnaient avec furie. Tout Burgos frémissait d'une joie fallacieuse.

— J'y vais !

Incapable de contenir la rage qui le hantait, Tristan revint vers la cité. Il semblait qu'il marchait à son châtiment, qu'il allait vaillamment au-devant de l'opprobre. Quand les cloches se turent, il frissonnait toujours comme sous le souffle d'un vent de mort.

*
* *

Il marchait d'un pas lent et résolu. Il était détenteur d'une cause perdue, de celles qui souvent se composaient de toute la foi, toute la compassion, toute l'espérance et tout le vasselage [1] humains. Il se disait que les causes gagnées, au contraire, ne pouvaient que susciter l'orgueil, l'ambition à retardement et des appétits aussi insatiables qu'inavouables. Dans les premières, les vertus de l'homme se révélaient ; dans les secondes, toutes les passions sordides pouvaient éclore.

Il allait à contre-courant de la foule qui, maintenant,

1. Bravoure.

s'éparpillait vers les échoppes copieusement garnies en vins, cervoise, mangeaille et dont le charivari commençait. Tous ces gens égayés ne l'indisposaient pas : leurs paroles, leurs chants, leurs rires ne pouvaient l'atteindre. Si quelques-uns le heurtaient intentionnellement ou non de l'épaule, il leur pardonnait. Pourtant, lorsqu'une main le saisit par un coude, il se regimba et fit front, la dextre toute prête à saisir son épée.

— Je t'observais, dit frère Béranger. Je t'observe depuis longtemps... de loin... Ta tristesse m'afflige. À Séville, tu avais rencontré, absorbé gaiement l'antidote... Je devine – n'est-ce pas ? – que tu portes toujours le deuil de ces deux Juifs.

Il n'y avait aucune commisération dans cette question mais plutôt une déception immense. « Pourvu », souhaita Tristan, « qu'il ne renouvelle pas son sermon ! » Il revoyait l'homme en froc de bure se dépensant par la voix, le geste, la prière lors de l'assaut de Briviesca. S'il n'avait osé porter des fagots, il avait jubilé [1] lorsque Guesclin avait bouté le feu à l'église. Les hurlements qui en fluaient n'étaient point ceux de Burgos en fête.

— Leur mort m'afflige encore, mon père. C'étaient des enfants purs.

— Un Juif, mon fils, ne saurait être pur. C'est un être indéfendable.

Tristan, d'une secousse, éloigna la main pliée sur son épaule.

— Et la charité chrétienne, mon père ? Et l'amour du prochain ?... Qu'en faites-vous ?

La dextre du clerc s'envola au-dessus de sa tonsure comme s'il y rajustait une auréole dérangée par un coup de vent. Il ne se sentait ni concerné ni troublé.

1. Dans l'ancienne acception du terme : pousser des cris de joie.

Depuis qu'il vaguait en Espagne, sa face glabre s'était arrondie, – comme son ventre – et colorée. Sa bouche s'était durcie, flétrie, bien que sa lippe fût demeurée la même. Dans son regard passaient des feux d'enfer : ceux des cités embrasées avec sa bénédiction et celle de ses compères en froc de bure toujours lointains lors des chevauchées mais ô combien présents lors des exactions et des mauvaisetés mortelles. Il leur était donné d'ouïr plus de plaintes et de cris de douleur que d'aveux de conversion à la Sainte Église.

— La charité chrétienne, mon fils, me commande d'être exigeant en tout et pour tout. Rien ne me paraît inique et outrancier quand il s'agit de gagner des âmes au Christ. Il nous faut, gens de Dieu, assainir l'Espagne ! Elle en a grand besoin.

— S'il s'impose, mon père, cet assainissement revient aux Espagnols. Nous sommes céans des forains [1], rien d'autre. Je vous l'ai déjà dit à Tolède.

— Nous sommes la Justice divine ; nous sommes l'armée du Rédempteur !

— Une armée de mécréants, d'excommuniés, de mercenaires plus ou moins vils et commandés par des hommes plus vils encore dont la suprême joie est d'occire tout être humain dont la foi et la pensée ne coïncident point avec les leurs... Je vous l'ai déjà dit et je vous le répète.

— Si tu veux plaider pour tes Juifs, alors plaide. Que sais-tu d'eux ?

Tristan dut s'avouer qu'il savait peu de chose et qu'il lui advenait d'en mépriser certains : les barbus, chevelus, les hirsutes, les sales. Ils formaient une minorité. Les autres étaient à son image.

1. Étrangers.

— J'en sais, me semble-t-il, mon père, autant que vous.

Un sourire effleura les lèvres du clerc tandis qu'il tapotait le poignard accroché à une ceinture d'armes dont la boucle était un aigle aux ailes déployées.

— Ta présomption me met en joie, mon fils, plutôt que de m'attrister.

Tristan crut constater qu'il y avait, au fond des yeux bleu clair, derrière des prunelles trop fixes, l'expression misérable et lointaine d'une intelligence en voie d'extinction, mais qui voulait éblouir le monde de ses derniers flamboiements.

— Je parle hébreu, sais-tu, et je connais leurs livres. J'ai lu leurs prophètes, moi, Béranger Gayssot... Pour eux, l'étranger est un être impur car ils sont paraît-il sains : c'est écrit dans le *Deutéronome*[1]. Ils apprécient l'esclavage quand il est à leur service et l'achat d'enfants d'étrangers car il est dit, toujours dans le *Deutéronome* : « *Vous pourrez acheter des esclaves parmi les enfants des étrangers qui séjournent chez vous et parmi leurs familles qui vivent avec vous, qu'ils auront engendré dans votre pays ; et ils seront votre propriété. Vous les laisserez en héritage à vos enfants après vous pour les posséder comme une propriété : ils seront perpétuellement vos esclaves. Mais, à l'égard de vos frères, les enfants d'Israël, nul d'entre-vous ne dominera sur son frère avec dureté*[2]. »

Tristan chercha une objection sans en trouver. Frère Béranger poursuivit d'une voix qu'il voulait forte, pondéreuse – convaincante :

— Ils ne trouveraient point déshonorant, s'ils le pouvaient, d'enclore ces esclaves dans des prisons.

1. XIV. 21.
2. XXV. 44 et suiv.

Quant à leur présomption, elle est infinie. Ce n'est pas moi qui l'affirme, mais le *Deutéronome* ou Moïse, si tu préfères : « *Yahweh, ton Dieu, te donnera la supériorité sur toutes les nations de la terre* »... Et tu pourrais lire dans Isaïe : « *Ils se prosterneront devant toi la face contre terre et ils te lècheront la poussière des pieds*[1]. »

— C'est peut-être ainsi que l'on encourage un peuple qui se croit indigne à obtenir sa dignité.

Un rire. Peut-être signifiait-il que frère Béranger se trouvait pris au dépourvu.

— Ils ont plus, croient-ils, que de la dignité. Ils se prétendent supérieurs. Ainsi se courroucent-ils quand un Juif épouse une fille qui n'est point de sa race ou quand une Juive épouse un incirconcis. C'est un péché contre leur dieu. C'est écrit dans le *Livre de Néhémie*[2]. Cependant, la seconde façon de protéger l'espèce, ce n'est pas de se marier entre soi, c'est d'exterminer les gêneurs... Dans Jéricho livré à l'anathème, ils n'occirent pas seulement les hommes, les femmes, les enfants, mais les bœufs, les brebis, les ânes...

— Vous vous répétez, mon père, et c'est à croire que vous connaissez la Torah ou je ne sais quel Livre mieux encore que la Bible... Après tout, ces Juifs que vous exécrez firent ce que nous avons fait à Borja, Magallon, Briviesca et dans certains hameaux lointains comme Guadamur. S'ils se vouent les uns les autres à l'anathème et s'ils immolent leurs victimes à leur dieu, ne sommes-nous pas leurs émules ? Le Dieu de clémence et de bonté que vous avez l'heur de représenter ne vous adresse-t-il pas parfois un signe de réprobation ?

1. Isaïe, XLIX, 23.
2. XIII, 23-27.

Tristan sentit que la fureur du prêtre se haussait d'un degré :

— Ne compare jamais Dieu, le nôtre, à Yahweh ! Car il est terrible... Tu ne le connais point.

« Et lui, Béranger, connaît-il le nôtre ? »

— Terrible, reprenait l'ecclésiastique. « *Si vous méprisez mes lois* », dit Yahweh aux Juifs, « *j'enverrai sur vous la terreur, la consomption et la fièvre qui font languir les yeux et défaillir l'âme. Vous sèmerez en vain votre semence ; vos ennemis la mangeront.* »

— C'est ce que nous faisons céans au nom de Jésus-Christ !

— « *Je tournerai ma face contre vous et vous serez battus par vos ennemis. Ceux qui vous haïssent domineront sur vous et vous fuirez sans que personne vous poursuive. Je briserai l'orgueil de votre force ; je tendrai votre ciel comme de fer et votre terre comme d'airain. Je lâcherai contre vous des animaux sauvages qui vous raviront vos enfants, déchireront votre bétail et vous réduiront à un petit nombre, et vos chemins deviendront des déserts... J'enverrai la peste parmi vous. Vous mangerez la chair de vos fils et de vos filles. Je réduirai vos cités en déserts et vous disperserai parmi les nations*[1]. » Voilà ce que leur dit leur dieu... Est-ce un dieu de bonté selon toi ?

Tristan ne répondit pas. Son silence inquiéta l'homme dont la soutane portait des traces de sang et de boue et dont une ceinture de cuir large et cloutée soutenant un poignard surmontait la cordelière.

— Cette Juive, dis-moi, l'aurais-tu épousée ?

— J'ai déjà une épouse... Vous nous avez mariés.

— Eh bien, n'y pense plus. L'aurais-tu épousée ?

1. *Lévitique*, XXVI et suiv.

— Si je l'avais aimée, oui, assurément... et si elle m'avait accepté pour mari.

— Mais tu ne l'aimais point parce qu'elle était Juive ?

Cette inquisition avait agacé Tristan. Maintenant, elle l'indignait.

— Non... Elle n'était pas du genre dont j'aurais pu m'éprendre.

— Mais elle était du genre juif ! Les femmes y sont troublantes et malicieuses... C'est sa malice qui a agi sur toi.

Cette fois, Tristan sourit : Teresa malicieuse ! Décidément, tout était bon à cet homme de Dieu pour salir la jeune défunte. Concevant qu'il s'égarait en stériles propos, frère Béranger désigna la cathédrale :

— Vois comme cette église est puissante, imposante... Les édifices érigés à la gloire de Dieu ont tous cette majesté... cet orgueil même, oserai-je dire. J'en ai vu de différents loin d'où nous sommes : en Grèce... Je ne sais quand ils y ont été bâtis, mais ils sont vieux, très vieux. On les construisit en marbre, à la gloire d'une grand'foison de dieux du paienisme[1]... Je me garderai bien de te parler des images de pierre que j'ai pu voir dans ce pays ! Ces hommes et ces femmes nus qui furent moult adorés. La vérité, elle aussi toute nue, c'est que les imagiers taillaient la pierre et le marbre magnifiquement. Cela dura des siècles, m'a-t-on dit...

Tristan se demanda comment et pourquoi cet homme qu'il n'avait jamais apprécié s'était rendu dans ce pays dont il ne connaissait que le nom. Il n'eut pas

1. Paganisme ; latin ecclésiastique : *paganismus*. Nom donné par les chrétiens de la fin de l'empire romain aux cultes polythéistes.

à questionner le clerc – et c'était à croire qu'il avait deviné ses pensées.

— C'est Gautier de Brienne qui m'envoya dans ces contrées où les hommes sont amants et les femmes amantes... La débauche est partout. Elle se résorbera peu à peu sous l'effet de nos frères prêcheurs... que j'ai conduits...

— Le duc d'Athènes... murmura Tristan.

Il ignorait si le connétable[1] s'était rendu en Grèce. Il ne s'était jamais intéressé à cet homme, sauf à Poitiers où il s'était montré d'une prudence extrême, ce qui ne l'avait pas empêché d'être occis. On avait raconté, ne le voyant point, qu'il était allé mettre en garde la cité de Bourges avec deux chevaliers envoyés de par le roi de France : le sire de Gousant[2] et Hutin de Vermeilles[3]. En fait, il se tenait à l'écart au fond de l'armée, comme s'il pressentait son trépas et voulait s'y préparer dans la quiétude.

— Eh oui, le duc d'Athènes auquel j'ai dit ce que j'avais vu et ouï dans cette cité... Mais là n'est pas l'important. Ce qu'il faut savoir, c'est que les images que j'ai contemplées, si belles qu'elles me soient apparues, étaient celles d'une déchéance dont les Juifs

1. On ne connaît pas la date précise de la mort de Gauthier de Châtillon, connétable de France. On sait simplement qu'elle se situe en 1329. Gautier de Brienne, duc d'Athènes, lui succéda dans la dignité de connétable le 6 mai 1356, sur la démission de Jacques de Bourbon, comte de la Marche et de Ponthieu. Il mourut à Poitiers, le 19 septembre 1356.

2. Probablement Egousten, seigneurie de la Maison de Cayeu.

3. Hutin de Vermeilles, chambellan du roi. Il avait épousé Marguerite de Bourbon, fille de Louis Ier, duc de Bourbon, veuve, en premières noces, de Jean II, sire de Sully.

furent responsables[1]. Le poison contenu dans leurs propos détruisit, avec leurs facultés créatrices, la sérénité des Hellènes. Leurs sciences hermétiques, enfermant de troublantes et fallacieuses rêveries, servaient toujours quelque culte mystique... Crois-moi, mon fils, ces gens-là sont un peuple orgueilleux de leur ignorance. Ils dédaignent toute activité de la pensée. Ils aiment à violenter le goût, à défier les délicats, à s'exhiber volontairement dans une espèce de crasse. Ils ont la haine du beau et pour eux, la beauté est une offense. Ils veulent en tyrans l'égalité, mais ricanent de ceux qui s'emploient à son avènement. Ils ignorent que la foi consiste à mettre toute vérité en évidence, à l'extraire des éléments qui la souillent ou la ternissent afin qu'elle brille comme un diamant. Ceci explique la prolixité de leur dialectique, leurs moyens retors, leurs ruses, les équivoques de leur langage. Malicieux ou violents, ils plaident sans trêve. Loin de saisir les causes mêmes de nos maux, de nos vices et leurs relations avec les faits externes, ils considèrent leurs actes comme autant de sacrements. Comment s'étonner de cette exiguïté de jugement chez des esprits qui conçoivent que le monde fut créé à leur intention ? Ils se considèrent comme le point concentrique d'un univers qui n'est point nôtre et dont leur dieu, Jéhovah, doit les favoriser seuls au détriment de la plupart de leurs semblables, surtout ceux qui diffèrent de leurs croyances particulières. Leur Jéhovah est un hutin ! Il fait reproche à tous, il maudit... mais les assure qu'ils sont ses fils élus, le peuple béni parmi les peuples. Ils n'existent qu'en vue du temple et pour le temple et

1. Lire *Phidias ou le Génie Grec*, de Henry Caro-Delvaille (Alcan, 1922). Ce texte éblouissant débouche sur des conclusions singulièrement acides.

leur morale se résume en dix articles qui tiennent du miraculeux. Révélée une fois pour toutes, elle ne procède pas des efforts accumulés de la créature à se découvrir progressivement dans sa conscience et sa responsabilité. Les docteurs de la Thora ne sont que des ergoteurs de préceptes qui, loin d'élargir la foi à de grands principes, la rabaissent à des pratiques et des dévotions compliquées qui contrarient les textes en palliatifs tortueux, les déformant ainsi jusqu'à l'absurde. Ils vivent tous dans l'attente du Messie...

— Et nous ? demanda Tristan. Ce que vous dites ne nous concerne-t-il pas ?

— Nous par rapport à eux ? s'étonna le clerc. Ce sont des paroleurs qui dansent en priant, tête basse, comme s'ils avaient à se faire pardonner en toute chose. Nous n'avons point crainte, nous, de regarder le Fils de Dieu droit dans les yeux, même quand nous sommes à genoux... Nous savons assumer nos fautes, nos péchés et même, s'il le faut, nos crimes... Holà ! mon fils, où vas-tu ?

Tristan s'éloignait à grand pas. Il se détourna, mais à peine :

— Chez ce vieux Juif qui me confia Simon et Teresa. J'ai grand besoin qu'il me pardonne... Grand besoin !... Vous vitupérez par trop pour mon goût. Je ne suis qu'un homme simple et me veux dispenser de vos admonitions.

— Non ! Non !... Attends ! Attends ! Laisse-moi terminer !

Abasourdi et las, Tristan se résigna : « Quelles sornes va-t-il donc employer pour conclure ? Il s'enivre de mots dont il me saoule aussi !... C'est la dernière fois qu'il me prend dans ses rets !... Ah ! oui, la dernière ! » Il fit front.

— Attends, répéta frère Béranger. Si je te dis tout

cela, c'est par estime. Par tes propos, ton attitude et ton intransigeance, tu diffères énormément des autres... qui sont ce que tu sais... Je voudrais te convertir à la beauté des choses. J'ai marché, marché dans le monde... Oh ! je ne suis pas allé si loin que John Mandeville [1] qui visita l'Égypte et l'Orient... et en revint. La Grèce m'a suffi... Elle m'a merveillé, indigné, repoussé comme me merveillerait, indignerait et repousserait sans doute la terre de Jésus...

— ... devriez, dit Tristan, y faire un pèlerinage. Cela vous serait plus profitable que l'Espagne où les ennemis de notre foi – selon vous – ne sont point armés... Or, les Mahoms le sont. Ils n'ont plus Saladin mais restent redoutables.

Il eut envie d'ajouter insidieusement : « Est-ce pour cela que vous n'y allez point ? » Il s'abstint : on ne dialogue pas avec un crapaud.

Il fit un pas en arrière, face au prêtre. C'était fini : il allait s'en éloigner à jamais. Frère Béranger fit un geste. Tristan l'interrompit de la main :

— Non !

Alors, une idée lui vint, étincelante : il dégagea lentement son épée du fourreau, tint avec précaution la lame verticale et, l'approchant du visage du clerc, désigna du doigt la croisette [2] :

— Le signe du martyre de Notre-Seigneur Jésus. Savez-vous de quel nom j'ai baptisé cette arme ?

— Comment le saurais-je, dit frère Béranger, ébahi et prêt à tout.

1. Médecin à Liège et voyageur (Saint-Albans, 1300. Liège, 1372), il aurait visité l'Égypte et l'Orient. Les relations de ses voyages furent rédigées en français puis traduites en plusieurs langues. Ses livres connurent une grande vogue en Allemagne.

2. La prise et les quillons d'une épée forment une croix.

Les mots tombèrent comme des coups de taille :

— Je l'ai nommée Teresa. Ce sera, croyez-moi, l'épée de la vengeance.

Frère Béranger exhala un soupir si puissant que l'acier de l'arme se ternit :

— C'est la rémission de Dieu qu'il te faut, mon fils. Je puis te l'accorder maintenant si tu y consens... Tu vis dans le péché !

— Le péché d'amour... gronda Tristan.

Il ne s'en allait pas : il fuyait et l'homme et son éloquence malicieuse. Se pouvait-il qu'il eût, même imperceptiblement, raison ? À supposer que ce fût possible, cela ne changeait rien au dessein qu'il s'était forgé, lui, Castelreng. Une résolution d'autant plus solide qu'elle avait été prompte. Il affronterait le vieux Juif. Quel que fût son accueil et quelque grand que fût son ressentiment, ils guériraient peut-être tous deux en même temps l'angoisse de leur âme et les tourments de leur cœur.

*

* *

La vieille servante l'accueillit avec grâce et bonté. Pour elle, c'était chose faite : les deux enfants vivaient en sécurité. En quelques mots et gestes brefs, elle fit comprendre au visiteur que Joachim Pastor, absent, ne tarderait guère. Elle l'introduisit dans la pièce qu'il connaissait. C'était entre ces murs et sous ce plafond lourd que Teresa et Simon avaient conquis son affection.

Un moment, la poitrine pesante et le souffle anhéleux, Tristan hésita : devait-il rester debout près du seuil ou s'asseoir dans le haut siège de chêne sombre que lui désignait l'aïeule entre les accoudoirs duquel il avait vu le drapier s'installer ?

Elle disparut, le laissant toujours indécis, plus troublé qu'il ne l'avait imaginé en venant : apeuré, incapable d'imaginer autre chose que de frapper ses poings l'un contre l'autre pour conjurer un émoi terrible. Il alla s'immobiliser près d'une fenêtre et se confina dans l'examen des losanges de verre glauque sertis de plomb, puis dans la contemplation de la courette où Simon aimait à jouer, attirante comme un abîme sur lequel par malheur il se serait penché. Parfois son front brûlant touchait la vitre fraîche. Il imaginait Teresa gourmandant son frère ou riant avec lui ; Teresa rejetant les longues tresses soyeuses que des mains sales et sacrilèges avaient sûrement empoignées. Se retournant pour échapper à l'espèce d'envoûtement où il s'enfonçait, il retrouva dans cette lumière de sous-bois due au ciel d'orage, la longue table encombrée de rouleaux et cédules, les coupons d'étoffes dont la beauté lui importait peu, et au-delà, l'armoire à deux portes simples au milieu desquelles des plantations de clous de cuivre figuraient l'étoile de David.

Las d'être debout, il allait enfin s'asseoir quand il reconnut la voix du maître dans le flot de celle, excitée, de la servante. L'accent légèrement sec, la vibration comme languissante ou souffreteuse, lui pénétrèrent l'esprit et le corps. Il frissonna. Cette voix demeura comme un écho prolongé dans ses oreilles longtemps après que Joachim Pastor se fût tu. Le glissement des pas soudain se fit entendre et le vieillard parut dans la pénombre du soir, une chandelle à la main.

— Eh bien, chevalier, dit-il tout en allumant les sept mèches d'une ménorah. Je vous ai entrevu...

— Moi aussi.

— Votre retour inattendu confirme mes craintes.

J'ai senti ces jours derniers, au-dessus de nos têtes, une épée rouge et flamboyante... diabolique. Je me suis préparé au pire. J'ai prié. Je me suis dit qu'*ils* étaient en sauvement[1] car à Burgos, après votre départ, quelques enfants de notre quartier ont disparu. Il y a tout juste une semaine, on a découvert une fosse hors des murs. Garçons et filles mêlés... Vous comprenez ?

« Oui », fit Tristan de la tête.

Il n'osait trop croiser le regard du vieillard. Il ne se sentait nullement apaisé. Il n'était point surpris – ni indigné – que quelques enfants eussent péri. Seuls pour lui importaient Simon et Teresa. En demeurant claquemurés dans cette maison qui devait bien avoir une cachette sûre, ils eussent sans doute échappé au rapt et à l'occision.

— Je conçois, messire, votre indignation... et la partage.

L'image de frère Béranger s'interposa soudain entre les visages des deux enfants, affadis déjà dans ses souvenirs, et celui de ce vieux drapier dolent qui semblait *savoir* et atermoyait pour s'exprimer davantage. Béranger ! Son verbe inspiré pouvait ravir les chefs de guerre jusqu'à Guesclin dont l'éloquence se bornait à des aboiements. Ah ! oui, Béranger trapu et insolent dans sa bure écourtée ; son front bosselé, dur comme un roc, son œil étincelant sous un sourcil jarreux, le pli méprisant de sa bouche...

« Qu'un vent impétueux disperse ses paroles !... Ah ! certes, il saurait ce qu'il faut dire à cet homme à la barbe de prophète ! »

— Ils sont morts eux aussi, n'est-ce pas, mon ami ?

« *Mon ami* » ! Béranger eût dû entendre cela. « *Mon ami.* » Un sanglot s'échappa d'une gorge durcie, et

1. En sûreté.

Tristan ne put se retenir de pleurer comme un enfant qui, tout à coup, se fût trouvé orphelin.

— Oui, messire... J'ai fait... nous avons fait tout ce que nous pouvions. Une embûche... Ils étaient quatre fois plus que nous. J'ai perdu trois hommes dans cette ahatie[1]. J'ai failli périr aussi. C'étaient des Bretons. Une fois guéri, j'ai occis deux de leurs chefs. Il en reste un... J'attends l'occasion...

Il perçut le soupir que Joachim Pastor dominait difficilement afin de demeurer digne.

— Nous sommes, chevalier, égarés dans une forêt profonde. Toutes les clartés se sont éteintes. Nous attendons les bienfaits de Dieu mais il nous punit de nos excès. À force d'avoir fait fi de ses conseils, il nous amène au bord du gouffre...

— Je le crois aussi, messire.

— Cette guerre n'était point vôtre. Nous avions un roi terrible, cruel envers ses ennemis. Vous nous avez apporté, à la pointe de vos armes, un remplaçant qui ne trempe pas ses mains dans le sang d'autrui mais fait en sorte que ses truchements – Bretons et routiers – commettent eux aussi, à son instigation, des crimes inacceptables. La haine n'a cessé de tisonner l'Espagne. Nous avons l'expérience des passions brutales et des combats meurtriers depuis le Cid... et bien avant sa venue. La fleur de la vie humaine qui avait dépéri chez nous va perdre tout ce qui composait sa beauté, sa couleur, son odeur. C'est une puanteur de sang et de viscères qui se répand sur l'Espagne, et je pressens que les malheurs qui nous assaillent ne sont qu'un commencement.

Le vieillard s'animait sans qu'il prît pour autant plai-

1. Querelle, rencontre, fait d'armes. Les verbes *s'ahatir* ou *s'ahaiter* signifiaient s'engager de querelle.

sir à cette digression passionnée. N'osant imaginer la mort de deux enfants, il transposait sa douleur sur d'autres plans, mais en vérité, tous les mots qu'il employait aboutissaient à une seule expression : le deuil qui l'étouffait d'une étreinte fatale.

— Je n'ai plus rien au monde... La richesse n'est pas autre chose qu'une parure que l'on coud et recoud pour sa descendance. Le temps est venu où je dois poser l'aiguille. Les rejoindre.

— Non ! protesta Tristan.

Il essaya de parler. Il en fut incapable. Ses sanglots, cependant, disaient combien il était désolé. Il se sentait à nouveau l'âme noire, misérable, déchirée comme lorsqu'il avait aperçu ce qui subsistait de Teresa et de Simon devant le campement ignoble.

— Hélas ! chevalier, je m'éteindrai comme une flamme courbée sous un vent trop fort... Trop violent. Le temps n'est pas arrivé, nous en avons la preuve, où le loup et l'agneau paîtront côte à côte, ou le lion et le bœuf mangeront de la paille, où le serpent se nourrira de poussière. Plus de méfaits, de violences...

Tristan comprit que ces paroles n'étaient point venues toutes seules sur la bouche du vieillard. Il les avait apprises depuis longtemps, mais il les proférait peut-être pour la première fois. Quel prophète les avait lancées aux quatre vents ? Isaïe ? Jérémie ? Frère Béranger eût sans doute été à même de lui fournir un éclaircissement dont il n'avait nul besoin, à vrai dire.

— Je m'étais préparé à perdre ces enfants... Je les perdis, en fait, quand vous êtes partis.

La main sur ce vieux cœur qui battait certainement avec une force éperdue, épuisante, Joachim Pastor s'approcha de la fenêtre et leva les yeux au ciel. Dans un silence d'où Tristan se sentit exclu, sa rancune s'exprima, chevrotante et solennelle :

— Tu es trop équitable, ô Éternel, pour que je récrimine contre toi. Cependant, je voudrais te parler de Justice. Pourquoi la voix des méchants est-elle prospère ? Pourquoi vivent-ils en sécurité tous les auteurs de perfidies ? Tu les plantes et ils portent racine, ils croissent et portent leurs fruits [1].

La véhémence du vieillard avait décliné à mesure qu'il s'exprimait. Sa grandeur d'âme se révélait dans l'acceptation du voyage qu'il avait parcouru degré par degré dans l'infini des saisons et qui se concluait avec l'annonce de la fin de son sang. Il n'avait plus rien à percevoir – ni gages ni bénéfices –, il n'avait plus à se prouver et à prouver sa compétence en affaires. Sans doute avait-il dû endurer des revers, des mépris, des aversions : il n'était pas homme à se laisser dominer par le chagrin quelle qu'en fût l'ampleur. Cette sorte de vertige qu'offrait la complète solitude aux êtres suffisamment aguerris pour la supporter le maintenait au-dessus de l'épreuve qui lui était imposée. Sa double blessure saignait d'abondance. Il n'en avait jamais éprouvé de plus violente, de plus profonde et imméritée, mais rien de tout cela ne devait peser dans la balance de son jugement sur ce chevalier dont, il le devinait, le chagrin se doublait d'une honte infinie.

— Je me suis abusé sur ma vaillance, avoua Tristan. J'ai péché par présomption.

— Non !... Je me porte garant de votre intégrité. Vous êtes pur et vivez parmi des hommes haïssables. Vous avez tenu, bien que non coupable d'actions mauvaises, à vous redimer par un acte devant lequel le Cid lui-même eût hésité... C'cst pourquoi je vous conserve mon gré [2].

1. Jérémie.
2. Gratitude, reconnaissance.

Tristan s'inclina, les yeux embués, la gorge sèche. À subir, depuis sa jeunesse prime, l'influence d'événements souvent aventureux dont il n'avait cessé – vainement quelquefois – de tirer les conséquences, il y avait longtemps qu'il avait renoncé à cet évangile de fraternité humaine dans lequel, issue des enseignements de son père, des leçons de l'existence et de ses lectures épiques, sa pensée s'était éduquée, façonnée puis fortifiée. De loin en loin, deux grandes questions complémentaires avaient défié son entendement : existait-il une recette de bonheur ? Et le bonheur existait-il ? Il se disait : « Comment vivre ? Comment aimer ? Comment différencier l'amour de l'affection ? Comment servir la cause d'un roi même si l'on désapprouve ses excès et condamne ses absurdités ? » Solide, mais inachevé, incomplet et peut-être par trop sensible, atteindrait-il l'entéléchie comme les preux de ses romans et les chevaliers vrais, entrés dans la légende : Roland, Perceval, Lancelot et les autres ? N'était-il pas advenu, à ces parangons de vertu, de commettre des vilenies que les années ou leurs admirateurs avaient progressivement occultées ? Lui, Tristan, à vouloir faire le Bien s'était heurté au Mal sans le pouvoir vaincre. Pourquoi ? Il s'était interrogé maintes fois à propos de cette iniquité lors de méditations silencieuses, sur sa couche, à pied ou à cheval. Maintenant, devant ce vieux Juif plus résistant que lui à la douleur et à l'affliction, il s'interrogeait encore sans parvenir à démêler l'écheveau de ses repentirs, de ses excuses et de leurs contradictions. « *Ne vous chapitrez point* », lui répétait Paindorge, « *C'est la guerre. Elle seule est comptable de ce double trépas.* » Non ! Non ! Une certitude l'éblouissait : il en avait assez de la guerre et particulièrement de celle-ci ! Assez des champs où les batailles s'entretuaient, assez des embûches infâmes.

Gémissements des guerriers, plaintes des chevaux qui, pas plus que les hommes, ne comprenaient rien à leur sacrifice. Herbe rouge abreuvée de sang. Nuées écarlates. Tous ces hommes sortis de la même matrice étaient-ils les fils de Dieu ou du Diable ?

— Le fiel de la haine a envenimé les esprits. Je sais que ce Guesclin est un fou sanguinaire. Que la malédiction du Très-haut soit sur sa personne !

Tristan acquiesça, reconnaissant qu'en lui les éternelles idées du bien et du mal avaient changé de sens depuis que la crapule de Brignais, agréée par le roi de France, avait été lavée, décrassée de ses énormités par le Pape, certes sous la contrainte, mais effectivement. La haine à lui aussi envenimait l'esprit. Il mesurait parfois avec un certain effroi combien il différait du Castelreng de Poitiers, de Brignais, Cocherel et autres lieux où il avait exposé son corps et sa vie à des ennemis de toute sorte. La disparition de Simon et Teresa changeait encore sa nature au point qu'il était prêt à saisir ce vieux Juif dans ses bras pour pleurer sur son épaule. Un Juif ! Étreindre un Juif !... Il en était là. Par la malice de Guesclin ou l'intercession divine ?

— Je ne puis, dit-il, vous consoler mieux, messire... si je n'y suis parvenu.

Le vieux drapier jeta un regard sur le chandelier à sept branches dont les flammes semblaient fléchir.

— Je vois, chevalier, que vos yeux sont brillants. Vous retenez des larmes et souffrez au point de pleurer encore.

— Oui, messire.

— Je n'oserais en douter. Dites-vous pour vous consoler que votre échec est le fruit d'une volonté supérieure. Un fruit pourri comme chacun des cœurs de votre armée chrétienne.

Joachim Pastor ajouta, voyant Tristan changer de visage :

— C'est dur pour vous d'ouïr cela, mais c'est d'une évidence limpide. Soyez mon restorier[1]. Soyez *leur* revancheur. Mettez-y le temps mais frappez à la tête. Que votre bras soit animé par une force terrible et qu'il ne faiblisse pas !

— C'est mon intention.

— Alors, mon ami, nous n'avons plus rien à nous dire.

Tristan acquiesça. Le vieillard avait raison : il devait précipiter les adieux pour éviter de prolonger une souffrance qui les eût fait gémir tout en annihilant le courage du drapier. Cependant, l'idée de le laisser à son désespoir lui était intolérable. C'était comme s'il l'allait abandonner sur une route effrayante sans pouvoir le prévenir des pièges et des embûches que Dieu ou Satan préparait à son intention.

— Allons, il est grand temps, chevalier...

Tristan soupira : doucement, d'un grand geste, on le congédiait. Il ne put s'empêcher d'exprimer le sentiment qui l'émouvait et l'endolorissait pire qu'une blessure :

— J'étais venu céans comme un ami malheureux ; je repars comme un parent... tout aussi triste et affligé.

— Le meilleur de vous même appartient toujours à mes enfants, mon fils. Vengez-les. Usez sans barguigner des cautelles[2] qu'en d'autres temps vous auriez désavouées. Il y a des hommes qui méritent qu'on les insulte, les provoque et les affronte droitement. Il y en a d'autres dont il faut débarrasser le monde par la

1. Vengeur. Celui qui restaure.
2. Ruses.

meilleure des feintises... Même si je suis mort, je saurai que c'est fait.

Tristan s'inclina. Quatre pas et il fut sur le seuil de la salle. Il se retourna. Sur le fond verdâtre, illuminé, de la fenêtre, Joachim Pastor se détachait comme une sombre et magnifique image de prophète. Une main coincée dans sa ceinture, l'autre lissant sa grande barbe de neige, les yeux clos, il semblait attendre son heure dernière, celle où son esprit recouvrerait la paix.

III

Janvier fut infiniment rude. Situé très en hauteur[1] dans un site quasiment nu et sévère, Burgos avait la réputation d'être exposé aux rigueurs d'un climat immodéré : les printemps et les étés s'y montraient brûlants, le reste de l'année, il y régnait une infinie froidure.

L'Arlanzón dont les eaux grises contournaient la cité fut gelé sur toute la longueur de ses berges, elles-mêmes envahies des couches superposées d'un givre où de rares chevaux imprimaient de quadruples C sur les sentiers infréquentés tandis que les oiseaux affamés, par paragraphes entiers, racontaient les tribulations de leur quête du gras et du grain, à peine moins stérile, selon Paindorge, que celle du Graal.

Pour éviter de rencontrer Joachim Pastor, Tristan persévéra dans sa volonté de vivre hors des murs. Quelques poignées de maravédis prélevés sur sa solde acquittée par un trésorier castillan plus triste qu'un inquisiteur, lui permirent d'acquérir auprès des Anglais prêts à partir pour l'Aquitaine, une seconde tente, des couvertures et des fourrures. Ses compères ouvrant aussi leurs escarcelles, les chevaux furent pourvus en

1. 856 m.

paille et en trosses[1] de fourrage. Quant à la nourriture, il laissait à son écuyer, à Lebaudy et Lemosquet le soin d'y pourvoir. Qu'elle provînt des fumeuses cuisines de l'armée ou qu'ils l'eussent acquise *intra-muros*, parfois difficilement, elle ne cessait d'être chaude : le bois ne manquait pas.

Si le roi Henri et Guesclin, toujours fort entourés, s'évertuaient à paraître en ville, soit ensemble, soit séparément, les chefs, les *ricos hombres* et les *fidalgos* sortaient peu. Les grands seigneurs français ne se montraient guère. Les interminables et vains conseils où l'on haussait le ton et le menton avant de frapper du poing sur la table semblaient abandonnés. Tous ces hommes pour une fois désunis mais rapprochés par diverses affinités, confabulaient au coin du feu, tantôt chez l'un, tantôt chez l'autre, en buvant du vin chaud rehaussé de cannelle.

Février s'annonça par un vent violent. La neige chut en flocons légers, serrés, tout d'abord mouchetures, puis suaire. Des vols de corbeaux passèrent, lugubres et criards. Aucun des carreaux décochés par les arbalètes françaises ne les atteignit ; en revanche, les archers anglais en touchèrent quelques-uns.

— Toujours leur *supremacy*, comme ils disent ! enragea Paindorge.

— Oui, Robert. Shirton, le meilleur d'entre eux, a laissé son *long bow* dans sa housse.

— Cela signifie quoi ? demanda Lebaudy.

— Tout simplement, Girard, qu'il mange à sa faim.

Parfois sur son grand cheval houssé de velours noir afin qu'il ne prît froid, on voyait Calveley passer sur la rive de l'Arlanzón, lointain, si lointain qu'on eût dit un fantôme soufflant des vapeurs par la bouche et les

1. Bottes.

narines et se dédoublant à plaisir sur le miroir de la rivière. Il ne craignait pas, lui, que son roncin se rompît un membre en tombant. Quelquefois, il mettait pied à terre pour le mener par la bride. Tristan l'enviait tout en le désapprouvant : pour rien au monde, il eût mis la vie d'Alcazar en péril – ni d'ailleurs celle des autres chevaux.

— C'est un temps de glissades funestes, compères. Ménageons-les pour revenir en France aussi vélocement que possible !

Quel remède contre l'ennui et l'oisiveté ? Aucun, sinon deviser assis ou debout autour d'un *bracero* entretenu nuit et jour. Échanger les dernières nouvelles de l'existence à Burgos :

Commencées en novembre, les séances des Cortès se poursuivaient toujours [1]. Depuis quelque temps, il semblait que les événements s'entortillaient les uns aux autres, sans trêve, abondamment. Il ne faisait aucun doute que le roi Henri avait peur non seulement des Anglais, mais surtout de participer à l'inéluctable grande bataille qui l'opposerait à Pèdre. Les exigences de ses alliés bretons et routiers jointes à celles des *ricos hombres* avaient épuisé le trésor pourtant immense qu'il avait ravi au roi déchu. Il était conscient d'avoir dû ses succès à la lassitude qu'avait fait éprouver à la Castille une longue guerre contre l'Aragon. Il craignait que ses sujets les plus humbles et les seigneurs qui les avaient subjugués contre Pèdre ne consentissent plus aux nouveaux sacrifices provoqués par une autre guerre contre les meilleurs chevaliers et les meilleurs soudoyers du monde : les Anglais. Le plus sincère des alliés du roi Henri, Charles V de France, était incapable de lui fournir une aide supplémentaire. Charles de

1. Elles durèrent jusqu'au 15 février de cette année 1367.

Navarre était prêt à le trahir – si ce n'était fait. Plutôt que de lui envoyer quelques Compagnies fraîches, le roi d'Aragon le menaçait de rappeler à son service le comte de Denia que lui, Henri, avait fait marquis de Villena. Pierre IV réclamait en outre, impatiemment, l'exécution du traité qui devait lui livrer la moitié de la Castille[1], mais consentir à une cession pareille, c'était non seulement s'exposer au mépris de ses nouveaux sujets, c'était les inciter à trahir. L'on disait que Henri ne décolérait pas, sauf s'il avait à se montrer dans Burgos et particulièrement aux membres des Cortès. Il avait envoyé des chevaucheurs à Pierre IV pour s'excuser de ne pouvoir tenir ses promesses, et pour aggraver, s'il se pouvait, un différend qui pouvait susciter une guerre, le remplaçant de Pèdre refusait de livrer au roi d'Aragon le comte d'Osuma[2], fils de Bernal de Cabrera, proscrit en Aragon et naguère serviteur de Pèdre. À force de temporisations, d'instances, voire de supplications, – il en était capable – Henri avait obtenu de Pierre IV qu'il conservât à son service les Compagnies aragonaises commandées par Villena.

Paindorge qui n'avait ni les oreilles ni les yeux sous son chaperon rapporta un jour – le 7 février – que les Cortès, conscients des ravages et tueries provoqués par une possible victoire de Pèdre, venaient d'adopter une

1. Il s'agit du traité de Benifar (10 octobre 1363). Henri s'y obligeait de livrer à Pierre IV le royaume de Murcie et dix villes importantes des deux Castilles : Requena, Moya, Otiel, Canyet, Cuenca, Molina, Medina Cecil, Almazán, Soria, Agreda. Ce traité avait été précédé d'une convention signée le 6 octobre à Casteljón del Puente. Dans un traité précédent, celui de Uncastillo (25 août 1363) entre Henri, le roi d'Aragon et le roi de Navarre, Pierre IV se réservait tout le royaume de Tolède.

2. Il avait défendu Calatayud contre Pèdre et capitulé le mardi 16 août 1362.

taxe qui imposait une dîme d'un denier par maravédi sur toutes les ventes. Il était mal informé. Cet impôt avait été levé un an plus tôt. Il avait produit, on le savait maintenant, dix-neuf millions de maravédis : le pactole pour Henri. C'était pourquoi l'on avait vu converger vers Burgos des hordes de mercenaires. Or, le roi avait espéré compter des paysans dans les rangs de son armée. Tous avaient préféré demeurer sur leur terre pour défendre leur foyer contre toute attaque des Compagnies.

Henri craignait d'être occis par quelque mécontent de son entourage – ou d'au-delà. On racontait que, s'étant rendu au palais du roi pour exprimer une requête, un gentilhomme zamoran, Ferrand Alfonso, avait été roué de coups et blessé par des huissiers nombreux, insensibles à son rang et à ses objurgations. De retour à Zamora, distant de soixante lieues de Burgos, ce *rico hombre* y avait soulevé les manants, les bourgeois et les nobles et proclamé don Pèdre. Les défenseurs du château, qui n'avaient cessé de tenir pour ce prince, s'étaient alliés à leurs assiégeants. Complétée par des milices bourgeoises, la garnison avait accompli des courses dans la province et même épaulé les révoltés de Galice. Quelques troupes envoyées de Burgos par Henri avaient été vaincues par cette armée populaire qui, redoublant d'audace, avait envahi le royaume de León pour y semer la mort. Dans le chaos qui s'instaurait chacun voulait, en obtenant la faveur du peuple, s'assurer de son dévouement et, surtout, de son obéissance. Ainsi, don Tello, marié à l'héritière de Lara, tenait d'elle en dot la seigneurie de Biscaïe. Cette dame étant morte par la volonté de Pèdre sans laisser d'enfant, don Henri avait rendu à son frère cet héritage que le roi déchu avait réuni à la Couronne. Cette donation était contraire aux usages de la province et au vœu exprimé à la diète de Guernica en 1357, où les députés biscaïens avaient choisi pour seigneur le roi de Castille. Tello savait que son seul titre à la seigneurie de Biscaïe était aux yeux de ses vassaux son alliance avec la maison de Lara. Cette alliance n'ayant plus lieu d'être, il était douteux qu'ils voulussent confirmer la décision de Henri. Or, en novembre 1366, on avait appris qu'une femme venait de se montrer, à Séville, sous le nom de doña Juana de Lara, dame de Biscaïe. On l'avait amenée à Burgos et don Tello, qui savait à quoi s'en tenir sur cette prétendue princesse [1], l'avait reconnue pour son épouse et s'était évertué d'accréditer cette fable. Il avait vécu avec l'aventureuse, la traitant comme sa femme jusqu'à ce que des bavardages eussent rendu l'imposture publique. De plus, la noble dame prenant goût à la supercherie, l'on avait craint qu'elle ne se déclarât pour Pèdre et n'entraînât les Biscaïens dans son camp. Elle avait brusquement disparu. Les uns, comme Paindorge, l'imaginaient éplorée, assise sur son séant dans un cul de basse-fosse, les autres immobile, couverte de chaînes, au fond du lit de l'Arlanzón.

On évoquait moins don Pèdre et ses fureurs criminelles que son allié, le prince de Galles auprès duquel il avait trouvé un refuge doré. Régnant sur la Guyenne, le Poitou et toutes les provinces cédées à son père, Édouard III, par le traité de Brétigny, l'héritier d'Angleterre tirait des revenus considérables de tous ces pays riches, qu'il s'était gardé d'asservir. Sa cour, à Bordeaux, était des plus magnifique. Maints étrangers la fréquentaient, attirés, disait-on, par les courtoises manières du prince et son caractère doux, modeste et

1. La fausse dame noble sortait d'une prison, peut-être celle où la vraie avait été occise.

affable, tout autant que par les joutes, tournois, pas d'armes et autres liesses guerrières qui s'y succédaient. On rapportait qu'ayant mis « l'affaire d'Espagne » en délibération dans son conseil, les plus sages de ses ministres avaient été d'accord pour qu'il fournît un asile à Pèdre. Ils l'avaient dissuadé de l'accompagner dans une guerre indécise afin de rétablir sur son trône un tyran avéré [1]. La princesse de Galles, la belle Jeanne de Kent, s'opposait aussi à ce que son époux secourût Pèdre. Elle connaissait l'affreuse histoire de la princesse Blanche et abominait son meurtrier. Mais Pèdre avait des amis et la guerre des adeptes : Chandos, Felton, l'ennemi juré de Guesclin, et la plupart des chevaliers anglais et gascons. Ils ne cessaient, disait-on, de décrire au prince l'expédition d'Espagne comme la plus extraordinaire occasion qu'il pût trouver de renforcer sa gloire et de s'immortaliser en rétablissant sur son trône un allié qui n'avait d'autre protection que la sienne. Édouard, que certains intimes commençaient à appeler le *prince noir* eu égard à son caractère d'une méchanceté peu ordinaire, aimait à se sentir flagorné. Il se flattait lui-même avec délices d'être l'arbitre du destin de deux rois avant même d'empoigner le sceptre et la main de justice. Sa haine des Français lui faisait espérer de les voir derechef réunis contre lui afin de les écraser encore. Il désirait ardemment vaincre Guesclin, l'épouvantail. On disait qu'il avait dépêché un exprès [2] à son père, lequel, souhaitant voir augmenter les possessions de sa couronne, avait envoyé à ce fils pro-

1. Les conseillers du prince de Galles lui disaient, selon Froissart et Pedro Lopez de Ayala, que Pèdre était « *moult hautain et moult cruel et plein de merveilleuses sémilles.* »

2. Courrier, messager chargé d'une mission particulière. Le mot, dans cette acception, date de 1265.

digue un pouvoir illimité de faire ce qu'il jugeait à propos. Il joignait à sa bénédiction quatre cents lances et quatre cents archers menés par John, duc de Lancastre, un des frères puînés d'Édouard.

Bien que gros, hydropique, en mauvaise santé, le prince s'apprêtait à repartir en guerre. Toute la Guyenne avait été mise en branle pour lever des hommes et les pourvoir en armes et chevaux. Une incessante émulation animait les seigneurs. C'était à qui d'entre eux rassemblerait la plus belle compagnie et, au-dedans, les plus valeureux guerriers. Restait un seul point litigieux : comment entrerait-on en Espagne ? Le roi de Navarre avait promis à Henri qu'il empêcherait aux Anglais le passage sur ses terres. Maître absolu des gorges pyrénéennes, il pouvait, s'il le voulait, anéantir leur armée. Chandos et le captal de Buch qui le connaissaient bien ne désespéraient pas de le corrompre. Lors d'une négociation à Pampelune, ils avaient obtenu sa promesse de rencontrer le prince de Galles à Bayonne. Pèdre, présent à l'entrevue, lui ayant accordé tout ce qu'il souhaitait, Charles le Mauvais avait non seulement accepté que l'armée traversât son royaume, il avait décidé de joindre ses forces à l'armée anglaise.

« Et Guesclin ? » se demandait Tristan. On disait que si le marmouset du roi de France restait invisible, c'était qu'il s'était secrètement rendu à Barcelone, auprès de Pèdre IV d'Aragon. Le Breton y était demeuré quinze jours. Il avait trouvé son hôte fort refroidi pour les intérêts de don Henri et lui avait réchauffé le cœur. On racontait qu'étant parti ensuite pour la Langue d'Oc, il en ramènerait un millier d'hommes d'armes. Les meilleurs qui existassent. On les attendait. Un vent de souffrance et de mort soufflait sur Burgos et son pourtour. Les *ventas, posadas* et *paradores* ne désemplissaient guère. Parfois, issu d'une fenêtre entre-close, des cris accompagnaient une chanson à boire : « *Vive Enrique et muire Dam Piètre qui nous a été si cruel et si austère !* » Aucun capitaine, aucun soudoyer, aucun routier ne se méprenait sur l'imminence de la tuerie.

*

* *

Le mercredi 10 février à midi, Lemosquet et Lebaudy, des chaudrons à la main et des besaces au cou, s'en allèrent, comme chaque jour, chercher les portions de nourriture pour la journée à l'une des cuisines installée à proximité de l'église de *San Lesmes* en voie de finition. Ils revinrent en hâte, poussés par le froid, et furent heureux d'extraire d'un sac de tiretaine supplémentaire une galette qui, selon Paindorge, eût pu auréoler la tête d'un des apôtres de la cathédrale. Les deux soudoyers l'avaient acquise, en se cotisant, dans une *panaderia* sous surveillance anglaise.

— Shirton était parmi ceux qui veillaient au grain, dit Lebaudy. Sans lui, on n'aurait pas pu entrer.

— Une *tortilla* de plus, dit Paindorge.

Il avait pris un air rassasié mais ses yeux brillaient d'une sorte de concupiscence.

— Du bon froment ! dit Lemosquet. Du vrai. Les Goddons font merveille pour obtenir ce qu'ils veulent.

— La menace ? suggéra Tristan.

— Non, messire. L'or et l'argent dont faut pas chercher la provenance.

— Y a-t-il une fève ? demanda Paindorge que le grand gâteau doré, déposé respectueusement sur les paumes de Tristan, mettait soudain en appétit.

— C'est pas l'Épiphanie, bêta, dit Lebaudy. C'est la Chandeleur avec une petite semaine de retard.

— Cela fait donc un an... commença Tristan.

— Un an *quoi* messire ? interrogea Paindorge. Ça fait plus d'un an qu'on passe notre temps à trucher et noqueter [1] dans cette Espagne en semant le malheur...

— Cela fait un an, Robert, qu'Ogier d'Argouges est mort.

Les hommes consternés baissèrent la tête.

— Je n'y pensais pas plus que vous, mes compères, dit Tristan, touché par tant d'émoi. Vrai, je n'y pensais pas, mais il y a cette galette, cette Chandeleur, plutôt. Elle m'a déverrouillé la cervelle. Maintenant, je me souviens. C'est le jour de la Chandeleur, l'an passé [2] que nos vaillants routiers ont envahi Barbastro. Deux cents Juifs cramés dans l'église. Ensuite, Briviesca : deux cents autres [3].

— C'est vrai, dit Paindorge. Et nous en sommes tous dolents. Le lendemain de la flambée de Briviesca, votre beau-père était occis par Lionel, son fils. Mais ça ne mène à rien de vous tourmenter. Pensez à vivre, messire, partant à manger !

La galette était savoureuse. Tristan sentit renaître en lui, à mesure qu'il s'en délectait, ce goût de vivre qui parfois semblait s'éteindre ou plutôt s'exténuer entre deux tristesses, deux découragements nés de rien pour ce qui concernait son état d'homme de guerre et de tout pour sa condition d'exilé. Boire, manger : subsister. Il buvait car le vin était bon. Il mangeait parce que ce devait être ainsi. Mais était-ce vivre ? Il ne pouvait se

1. *Trucher :* vagabonder, *Noqueter :* errer la nuit, trembler de froid.

2. 2 février 1366.

3. Il y en aurait eu 250 selon les chroniques.

satisfaire d'assouvir ces désirs ordinaires, même si la présence de Paindorge et des deux soudoyers comblait en partie le vide d'une existence vouée à une destinée qu'il supposait plus chargée de ténèbres que de clartés.

Ce mercredi serait donc différent des autres pour cause de friandise. Cependant, l'estomac plein et le cœur vide, Tristan ne pouvait oublier l'absent. Ogier d'Argouges s'était réimposé si brusquement et fortuitement à sa mémoire qu'il en était dolent comme le matin de sa mort.

« Tout eût été plus net en sa présence... Plus cordial. »

On eût fait six parts de galette, dont celle du pauvre. On eût bien trouvé un récipient pour figurer le pot à aumône indispensable en cas de festivité chez les petits seigneurs comme chez les grands, à moins qu'on n'eût tiré la sixième rate[1] à la courte-paille. On eût bu et bavardé davantage qu'à l'ordinaire et sans doute évoqué les absents et les absentes plus éloquemment. Oui, c'était une malignité du destin qu'il pensât, ce jour de fausse Chandeleur, à tous ceux et celles qui à Gratot – et sans doute à Castelreng – songeaient à son absence avant de songer peut-être à sa personne. Or, comment faire autrement ? Il ne pouvait que se replier sur lui-même. Son visage gercé de froid devait avoir l'aspect las et résigné de ceux qui souffraient d'une male chance assidue en toute chose. Les traits et les formes de Francisca, déjà, perdaient leur netteté. S'il la voyait, c'était sans doute comme les chevaliers de Terre Sainte atteints, dans le désert, d'un ragle[2] qui faisait éclore au fond de leurs prunelles des cités

1. Part, portion.
2. Hallucination de la vue chez les voyageurs traversant un désert.

blanches, le minaret d'une mahomerie, le miroir d'une source et les inévitables palmiers. Il était seul. Quelque lucides, avenants et serviables qu'ils fussent, ses compères ne le pouvaient toujours comprendre. Il les entendait parler sans vouloir connaître leurs propos. « *À Gratot...* » À quoi bon y songer : Ogier d'Argouges n'était point là pour l'entretenir d'un dessein destiné à embellir le châtelet ou de l'acquisition d'un cheval à la foire de Lessay... ou de l'achat d'une charrue meilleure que l'ancienne chez le fèvre de Saint-Malo-de-la-Lande et dont il était sûr qu'elle biloquerait [1] mieux que l'ancienne, ouvrant dans le sol gras et doux des champs des enrues [2] d'où, au printemps, surgiraient des blés invulnérables aux intempéries... Seul !... Il devait s'efforcer de ne point l'être, s'évertuer à s'immiscer dans la conversation de ses hommes, lutter contre l'immobilité et peut-être, quitte à désobliger son écuyer, tirer Teresa de son fourreau et, faute d'une émoulerie depuis longtemps abandonnée par absence de meule [3], frotter sa lame avec un pan d'étoffe imbibé d'eau et de sable tout en songeant au jour où elle rendrait justice.

— ... du côté des Goddons, disait Paindorge. Je me demande comment lui et Calveley font pour le supporter.

Encore le célèbre Bertrand.

Tristan se leva. Besoin d'être seul ou plutôt de marcher.

Il se couvrit de son paletoc de laine, jeta, au sortir de la tente, un regard sur la mule et les chevaux qui, dans les parcloses improvisées par ses hommes et couvertes d'un paillis épais où le froid ne se faufilait

1. *Biloquer :* labourer profondément.
2. Larges sillons.
3. *Émouler :* blanchir une lame sur une meule.

guère, supportaient leur immobilité aussi malaisément qu'il supportait la sienne. Il marcha sans voir, autour de lui, la cohue des tentes et des cahutes d'où sortaient toutes sortes de voix et d'odeurs. Çà et là, colorant les nuées de plomb, une bannière ventilait, même celle qui ne pouvait qu'être abhorrée de Dieu et des innocents : *d'argent à l'aigle de sable becquée et armée de gueules à la traverse de gueules brochant sur le tout.*

Trois hommes quittaient le grand pavillon du Trastamare. Ils riaient. C'étaient Gomez Carillo, *camarero-mayor* d'Enrique, l'usurpateur ; Diégo Garcia de Padilla, grand maître de Calatrava sous don Pèdre et frère de Marie de Padilla ; Garcia Alvarez de Tolède, grand maître de Santiago sous Pèdre, lui aussi [1]. On les eût dit au sortir d'une taverne.

« Pour eux, le doute n'est pas permis : sitôt que Pèdre et ses alliés apparaîtront, ils seront déconfits quels qu'en soient le hardement et le nombre. »

Bien qu'il détestât les grands seigneurs français pour leur jactance, Tristan songea qu'il n'avait jamais vu de sa vie – don Tello et son frère couronné exceptés – trois aussi beaux exemples de philautie [2]. Il sentit que les regards de ces barbus vêtus de houppelandes d'écureuil doublées de soie passaient à travers lui sans le voir, bien qu'ils l'eussent observé dans des occurrences plus ou moins dangereuses.

« Une leçon », se dit-il. « Ils méritent une leçon et qu'elle soit sanglante, même si je dois en pâtir. Ces trois busards se croient des aigles de Tolède ! »

Était-ce l'esseulement qui le rendait amer – à moins qu'il ne vît tout à coup les gens, les faits et l'avenir

1. Il allait résilier son office, moyennant une indemnité en faveur de Gonzalo Mexia.

2. Amour exagéré de soi-même.

avec le regard d'un juste. À moins que l'âpreté de son âme fût devenue trop sombre, trop exigeante.

Il revint, morose comme devant, auprès des siens.

— Ça va pas, vous, dit Paindorge.

Plus encore que dans sa fonction d'écuyer, il entrait dans son rôle d'ami. Tristan ne lui répondit pas immédiatement, tout emmuré qu'il était dans sa mélancolie sans issue. Puis sa bouche eut comme un frisson – le même, sans doute, que l'eau des douves de Gratot effleurée par les soupirs du petit matin ou du soir.

— Nous sommes tous des pauvres gens... Je suis, je me sens tel un esclave contraint de suivre des Wandres[1]. Et je ne peux m'empêcher de penser à Ogier. Il dort à Briviesca, tout proche de moi, de nous... Je me dis que je devrais aller sur sa tombe *et je ne l'ose pas*...

— Il repose à dix lieues dans la paix du Seigneur.

— Qui sait ?... J'ai peur, soudain, pour sa fille, ma dame.

— C'est une preudefame, dit Lebaudy.

Cela signifiait-il que, pour cette raison, elle vivait en sécurité ? Certes, Tiercelet et Thierry veillaient sur elle...

— Oui, une preudefame, accepta Tristan. Nous vivons parmi des preux vrais ou faux... Mais moi, qui suis-je ?

*

* *

On se préparait. On ne faisait que se préparer sans savoir quelle serait la direction prise pour fournir à Pèdre la défaite dont il ne pourrait se remettre. Croisait-il Enrique de Trastamare de loin que Tristan le

1. Vandales.

trouvait toujours sombre et violent, humilié, semblait-il, par une déconfiture qui ne lui avait point encore été infligée. De Guesclin, nulle trace. Gisait-il quelque part au chaud avec sa maîtresse ? Il était impossible de se dire, comme le commun aimait si bien à le propager : « Quand un homme fait l'amour, il ne fait pas la guerre. » Ainsi, Charles de Navarre n'avait cessé d'engendrer des héritiers et des héritières [1]. Cela ne l'empêchait pas de pousser çà et là ses armées vers des ennemis qui deviendraient provisoirement ses amis – et inversement.

— Il paraît, dit un jour Paindorge, que le bel Henri enrage sans raison. Il en pleure, il en bave...

— Si César et Alexandre étaient, comme on le dit, épileptiques, c'étaient de grands capitaines. Pas le Trastamare, commenta Tristan. Mais tous ceux qui mènent les hommes au combat sont des malades. On sait, mais on n'ose trop le répéter, que Philippe Auguste avait quelques grains de sable dans le crâne [2]

1. Sacré à Pampelune à l'âge de seize ans (27 juin 1350), il eut de son mariage avec Jeanne de France : D. Carlos, qui lui succéda ; Philippe, mort jeune ; Pierre, comte de Mortain ; Marie qui épousa Alphonse d'Aragon, comte de Denia ; Jeanne, qui épousa Jean IV de Montfort, duc de Bretagne et, en secondes noces, Henri IV, roi d'Angleterre ; Blanche, morte à quatorze ans, Bonne dont on ne sait rien. À sa mort, le 1er janvier 1387, il laissait un bâtard, Lionel de Navarre, fondateur des maréchaux de Navarre.

2. Très porté sur les plaisirs de la bouche... et les autres (le chanoine Péan Gatineau écrit : *erat luxuriae pronus*), il eut maintes maîtresses et un bâtard, ce qui expliquerait l'indifférence qu'il manifesta envers sa propre épouse. C'était un véritable type de névropathe, un neurasthénique émotif redoutant la mort. Il était d'une irritabilité maladive, sujet aux impatiences, aux colères dont son petit-fils Saint Louis ne se rappela longtemps après qu'avec effroi. Dévot et fourbe, emporté, dur, cruel, jovial et sensuel, ses fonctions sensorielles étaient perverties. Il avait des hallucinations visuelles. Son chapelain rapporte qu'assistant à une messe à Saint-

et le sang pourri. Ce n'est pas à lui que revient le mérite de Bouvines, mais à des hommes sains : les manants des communes...

— Peut-être nous faudrait-il un saint Louis... hasarda Lebaudy.

Tristan haussa les épaules :

— Il n'avait rien d'un agneau. Il haïssait les Juifs. Il passe pour avoir été un grand malade[1]... Je crains

Léger-en-Yvelines, dans la forêt de Rambouillet, il vit un enfant à la place de l'hostie. Son odorat était particulièrement sensible. Selon le Dr Cabanès, l'homme du XIIe siècle était hypo-osmique.

Malade en 1179. En 1190, à Gênes, atteinte morbide sur laquelle on ne sait rien. En juin 1191, il éprouve devant Acre les symptômes d'une affection épidémique fébrile, infectieuse, qui régnait dans le camp des croisés et qui l'atteignit en même temps que Richard Cœur de Lion. Il s'agissait probablement d'une scarlatine. L'affection dura trois semaines, mais sept mois plus tard, Philippe Auguste endurait toujours les séquelles. En juillet de la même année : rechute et dysenterie. En 1208, maladie inconnue mais grave dans la campagne de Guyenne. Retour à Paris. En septembre 1222, premier accès de fièvre quarte et persistance de l'infection paludique. Saigné à outrance, il meurt des suites d'une imprudence : il n'avait pas observé la diète après la saignée. Il est mort certainement d'épuisement causé par la cachexie palustre. Peut-être s'agissait-il d'une crise d'albuminurie coexistant avec le paludisme.

Sa femme était morte en couches, en 1190, après avoir mis au monde des jumeaux.

1. Sur les 12 enfants de Louis VIII et de Blanche de Castille, sept moururent en bas âge. Les fils furent tous malades. Alphonse de Poitiers : paralysie, troubles oculaires, névrite, diphtérie. Il meurt d'un accès de paludisme. Charles d'Anjou meurt d'une maladie fébrile, mal définie. Il avait eu des accès paludéens en Égypte pendant la septième croisade et en 1259-60, des maladies de nature indéterminée.

Jusqu'à 27 ans, Saint Louis fut épargné mais reçut des saignées. Il souffrit alors d'une inflammation chronique des téguments. Enflure subite et douloureuse de la partie de la jambe droite comprise entre le mollet et la cheville. Partie qui devenait rouge sang. Cette inflammation succédait à une période de trois jours

tout de ces rois que le mal ronge sans retenue. Peut-être un jour, des hommes éclairciront-ils les abominations de Bertrand, de Pèdre, de l'usurpateur ; l'outrecuidance de Philippe le Sixième ou la sottise de Jean le Bon. Or, nous ne saurons rien de leurs discours...

— Peut-être, dit Paindorge, y aura-t-il dans la méchanceté des hommes plus terribles encore que ceux que nous connaissons.

Tristan offrit ses mains aux flammes d'un feu maigre :

— Qui sait si ces tyrans dont les actes nous indi-

d'adynamie, de prostration. Il ne pouvait quitter son lit. Il n'entendait rien et ne pouvait dormir. Une semaine après, il allait mieux et s'alimentait. Il s'agissait probablement d'un érysipèle malarique consécutif à un accès malarien.

C'est en juillet 1242 que le roi présenta les symptômes de cette infection paludéenne qui aboutit à la cachexie palustre et comme ultime conséquence : à la mort. Cette année-là, les troupes royales avaient guerroyé en Poitou et Saintonge contre les Anglais. Elles avaient été contaminées par les exhalaisons miasmiques des marais.

Rentré à Paris le 28 septembre, le roi éprouva une rémission passagère mais l'anémie consécutive à l'infection fit de tels progrès qu'il fut obligé de recourir aux prières des moines de Citeaux.

En décembre suivant : nouvelle rechute de paludisme. Pendant 3 semaines, le roi demeure entre la vie et la mort. Fièvre double, tierce, dysenterie, coma. Il s'en tire.

À peine débarqué à Damiette (1249) il a des accès de fièvre, tombe en syncope et la dysenterie le reprend. Il maigrit au point que les os de son dos étaient « merveilleusement aigus ».

Une épidémie de scorbut sévit dans le camp des croisés. Saint Louis a les gencives déchaussées, ses dents branlent : il les perd. Il est victime d'hémorragies cutanées ; des ecchymoses livides maculent ses membres. Il s'en remet jusqu'en 1253 et part pour la huitième croisade, le 16 mars 1270. Il a grand peine à monter à cheval. Sa faiblesse est telle que Joinville doit le transporter dans ses bras de l'hôtel du comte d'Auxerre aux Cordeliers. Le 17 juillet, il arrive à Tunis. Le 3 août, ses maux le reprennent. Il succombe le lundi 25 août, âgé de 55 ans.

gnent ne seront point alosés[1]. Qui sait si Bertrand ne sera pas comparé à un preux de la Table ronde ?

Il riait mais craignait que le Breton ne fût l'objet d'un culte d'autant plus dru, plus fort, qu'il serait immérité.

— De toute façon, dit Yvain Lemosquet, nous ne pouvons changer le cours des choses. Nous sommes des fétus sous le souffle de Dieu et de la mauvaise graine dans les mains des rois et de leurs truchements. Même le vin me semble amer car j'ai vidé le calice jusqu'à la lie.

Paindorge acquiesça. Il se sentait infirme de ces compains morts : Eudes, Petiton, Jean Lemosquet qu'il regrettait autant sinon plus que son frère.

— Nous ne pouvons, dit-il, renoncer présentement à notre état de mercenaires. Tous nos actes sont comptés bien qu'on les puisse dire honnêtes.

— Nous nous croyons à l'extrémité de l'horreur, mais y sommes-nous vraiment parvenus ? interrogea Tristan. Nos chefs et leurs bourreaux n'ont eu jusqu'à présent affaire qu'à des faibles. Or, voici qu'une armée – et quelle armée ! – se propose de nous vaincre. Notre cause est-elle perdue, si jamais cause il y eut ? Jusqu'à présent, celle du Trastamare a été le prétexte au déchaînement de tous les vices et des plus sombres passions humaines. Nous méritons d'être vaincus. Mais le serons-nous ?

Il ne cessait de se poser la question. Il n'acceptait plus son destin et savait que bientôt, il ne saurait plus, il ne voudrait plus savoir ce qu'était une illusion. La meilleure intention qui fût née de son cœur éprouvé depuis son entrée en Espagne s'était imprégnée de

1. Vénérés, loués, célébrés.

sang. Il s'était mépris sur ses qualités d'homme de cœur et trompé sur la bienveillance divine.

— Jésus lui-même, dit-il, a du sang sur les mains. Du sang espagnol !

Disant cela, il se demanda s'il continuerait à fréquenter les églises. Comment, après ce qui s'était passé à Guadamur, persister à ouïr la messe ? Comment acomminger [1] ? Comment *croire ? En qui croire ?*

Il se leva et tourna autour du feu. Il savait que le mouvement pouvait chasser la pensée, or, celle qui subsista dans son crâne figurait une plaine enneigée, jonchée de morts étendus dans leur sang. Expiation douloureuse que sans doute il méritait lui aussi pour être, simplement, ce qu'il était.

1. Communier.

IV

Le samedi 20 février, comme poussé par un vigoureux vent d'est, un chevaucheur apparut à l'aube devant les murs de Burgos. Il souhaitait parler à Enrique. Si le roi dormait encore, il fallait l'éveiller. Moins abjects que les huissiers de la Cour instaurée par le nouveau monarque, les archers de garde à la porte Santa Maria ouvrirent les vantaux. Connaissant les lieux, l'Espagnol galopa vers le centre de la cité.

On apprit peu après la nouvelle à laquelle on s'attendait depuis des semaines : l'avant-garde de l'armée anglaise avait quitté Saint-Jean-Pied-de-Port le 14 et commencé la montée vers Roncevaux [1].

1. Le col et ses environs faisaient partie de la *Merindad de Ultrapuertos*, enclave de la Navarre dont la capitale était Saint-Jean-Pied-de-Port.

Bien que la situation eût été critique dès son arrivée à Burgos, don Henri s'était montré persuadé de s'assurer soit le concours, soit la neutralité de Charles de Navarre. Outre une somme d'argent importante, il lui avait offert la province de Logroño, enlevée à la Navarre par Alphonse VI de Castille en 1076, et une partie de l'Alava et du Guipuzcoa, soit une part du territoire que Pèdre lui avait déjà promise. Charles ne savait pour qui pencher. Il avait reçu 56 000 florins de Pèdre et 60 000 doubles d'Henri. Il enrageait de ne pouvoir deviner qui serait le vainqueur d'une bataille inévitable. À peine avait-il eu scellé le traité de Libourne avec don Pèdre et

Le rassemblement s'était fait à Auch. Persuadé d'être trahi par Charles de Navarre, Lancastre avait neutralisé les cités susceptibles de s'opposer à son cheminement, particulièrement Mirande qui avait souffert de son passage. Il n'existait qu'une route praticable aux chevaux : celle qu'avait pris jadis Charlemagne et qui, partant de Saint-Jean-Pied-de-Port entrait dans la vallée de Roncevaux, franchissait les montagnes et suivait le cours de l'Arga pour venir déboucher à Pampelune.

— Que fera Charles de Navarre, messire ? demanda Paindorge à Tristan dès qu'on eut appris, dans Burgos, la venue des Anglais.

— Ce que je peux te répondre à coup sûr, c'est qu'il trahira ou Pèdre, ou Édouard ou Henri... et sans doute les trois à la fois [1].

le prince de Galles (23 septembre 1366) qu'il l'avait regretté et négocié avec Henri.

Pèdre s'était engagé à céder une portion de la Biscaïe aux Anglais – particulièrement les ports de mer. Il avait reconnu le prince de Galles son débiteur pour une somme de 550 000 florins d'or au coin de Florence. Cette somme et un autre prêt de 56 000 florins avancés par le prince et payés au roi de Navarre devaient être remboursés dans un délai d'un an. Les jeunes infantes, filles de Marie de Padilla, ainsi que les femmes et les enfants des seigneurs castillans demeureraient en otagerie à Bordeaux jusqu'au paiement de cette dette. Par son traité avec le roi de Navarre, Pèdre lui cédait la province du Guipuzcoa et celle de Logroño, indépendamment du subside qu'il lui versait. En échange, les deux princes devaient l'aider à chasser l'usurpateur. Dès la signature de ces traités de Libourne, le prince Édouard avait fait en sorte de commander à une vaste armée. N'ayant pas de quoi assurer la solde des hommes, ce grand dissipateur avait mis en gage – c'était chez lui une habitude – ses pierreries, et fait porter sa propre vaisselle d'or à la monnaie pour en distribuer le produit à ses hommes liges.

1. Effectivement. Henri n'avait pas perdu l'espoir d'obtenir soit l'assistance, soit la neutralité du Navarrais. À peine avait-il signé le traité de Libourne avec Pèdre et le prince de Galles que Charles le Mauvais sollicita l'usurpateur. Dans les tout premiers jours de

— Moi, dit Lebaudy, ce qui me paraît étrange, c'est qu'on n'a point vu Guesclin, pas vu Couzic, pas vu le cousin du Breton, Olivier de Mauny, cette grande goule...

— Mauny est au château de Borja[1] et il n'est le

janvier 1367, une conférence secrète réunit les deux hommes à Santa-Cruz de Campezo, sur le rio Ega, affluent de la rive gauche de l'Èbre, au nord de Logroño. Le Navarrais jura sur les Évangiles le contraire de ce qu'il avait juré à Libourne. Il s'obligea à interdire le passage de Roncevaux, promit de joindre toutes ses forces à celles de don Henri et même à les soutenir par son « corps de bataille ». Le traité de Libourne avait une copie conforme... sauf les noms de Henri et de Pèdre !

Charles fournit à ses interlocuteurs toutes les garanties qu'ils sollicitaient. Trois de ses châteaux de Navarre furent remis aux mains de trois seigneurs témoins et garants de la convention. C'étaient les châteaux de Laguardia, Buradón et San Vincente – entre Miranda de Ebro et Logroño (visibles encore). Les témoins étaient l'archevêque de Saragosse, Ramirez de Arellano, chevalier navarrais au service de la Castille et... Guesclin qui, retour de France avait amené quelques mercenaires bretons et français en renfort. Ragaillardi par ce dernier traité, Charles de Navarre tenta de dissuader le prince de Galles de se hasarder, par un hiver des plus rigoureux, dans les Pyrénées, mais l'Anglais, quoique malade, avait de qui tenir : il ne renonça point à entrer en Espagne en passant par la Navarre.

1. Borja était alors une place importante, située sur une éminence appelée *La Muela*, au sud-est de Tarazona, sur un affluent de l'Èbre appelé le Huecha. La famille des Borgia en fut originaire.

Quant à Olivier de Mauny, il n'était pas le cousin direct de Guesclin, mais le fils d'un cousin germain de celui-ci, donc son neveu à la mode de Bretagne. Il était gouverneur de Borja par la volonté du Breton qui avait reçu ce domaine du roi d'Aragon par un acte solennel du 9 janvier 1366 en même temps qu'il se voyait investi de Magallón. Mauny n'était qu'une sombre fripouille et un « combinard » (voir pages suivantes). C'est sans doute pour cela qu'il devint, en 1372, le chambellan de Charles V dit Le Sage et l'un des trois capitaines généraux de Normandie. En 1370, avec le produit des butins qu'il avait accumulés en Espagne, il put acheter le château de Torigny à Jean de Vienne (1341-1396), lequel, après

cousin de Guesclin qu'à la mode de Bretagne. C'est un routier et des pires. Quand un Breton se fait routier, il est béni par Satan, Bélial et toute la pourriture... Allons, les gars, il est temps de préparer vos armes, de sortir les chevaux peu à peu chaque jour afin de déroidir leurs jambes... et de prier de votre mieux sans pour autant aller attraper la crève à la cathédrale !

*

* *

Quatre jours plus tard, à prime, l'armée, Henri en tête, abandonna Burgos empêtré dans ses habituelles brumes nocturnes[1].

Lorsqu'il se fut retourné pour voir une ultime fois la cité, Tristan, qui chevauchait à l'arrière-garde, se reprocha de n'avoir pas rendu, la veille, même au risque d'être éconduit, une dernière visite à Joachim Pastor.

— Peut-être qu'il est mat, à présent, suggéra Paindorge qui versait dans la mélancolie. Il existe des chagrins, messire, qui tuent aussi efficacement qu'une épée.

Burgos leur laisserait en mémoire des souvenirs d'ombres aimées, de peines incurables et de froidure.

Les Bretons, les *ricos hombres*, les grands seigneurs suivaient le roi. Derrière venaient les Anglais, tous ensemble, en excellent arroi, puis les chevaliers de maigre importance, leurs lances et leur bagage. Derrière, les garçons[2] et l'innombrable ribaudaille[3] et les

avoir navigué jusqu'à la mer Noire au service du duc de Bourgogne, avait été nommé amiral de France.

1. Le mercredi 24 février, à six heures du matin.

2. Soldats subalternes que les gens d'armes menaient à leur suite, soit pour porter leurs armes soit pour les seconder en certaines occasions.

3. Les *ribauts* (ou parfois *ribauds*) constituaient les troupes légères.

enfants perdus[1]. Personne ne chantait ni ne riait : tous savaient qu'ils allaient conjointement à la bataille, même les Anglais dont une fois encore – la dernière –, on attendait la défection. Depuis quelques jours, Guesclin et Calveley ne se regardaient que de loin et l'on avait vu Henri s'employer à les apaiser l'un et l'autre.

— Où allons-nous ? demanda Lemosquet qui montait Babiéca et menait Carbonelle bâtée à la longe.

— Haro.

— Haro ?... Haro, dites-vous ? C'est un nom tout trouvé pour la prochaine bataille[2] ?

Après qu'elle eut monté, descendu des collines, sinué dans des gorges au sortir desquelles on distinguait, sur le ciel gris, les découpures de forteresses haut perchées, l'armée fut devant Santo Domingo de la Calzada. Les hommes étaient fourbus et les chevaux montraient des signes de fatigue. Comme toujours, les routiers et la piétaille espagnole établirent leur logement hors des murs et les seigneurs entrèrent dans la cité à la suite du roi et de Guesclin, suivis de Couzic mystérieusement réapparu.

Aucun palais, une vieille cathédrale, un couvent qui semblait vide et des maisons seigneuriales qu'on fit ouvrir en hâte et dont on repoussa les occupants dans les communs : hé quoi ? on avait sommeil après avoir piété toute la nuit sur des chemins difficiles, dans le froid, à la lueur de mille et mille torches puisque la lune était absente.

Après avoir entendu que, cédant à la requête de Gues-

1. Goujats ou valets d'armée.

2. Haro est situé à environ 80 km de Burgos, sur la rive droite de l'Èbre, entre Logroño au sud et Miranda de Ebro, au nord, dans un pays de vignobles (vins du Rioja). En vieux français, *haro* signifiait vacarme.

clin, le roi s'apprêtait à envoyer un message au prince de Galles pour le dissuader de l'assaillir, Tristan se hâta de disparaître afin d'échapper aux regards du Breton. « À d'autres », se dit-il, « la désagréable corvée. » D'ailleurs, quel que fût le ton de la mise en garde, le vainqueur de Poitiers n'en tiendrait aucun compte. Sûr de lui et de ses hommes, il devait se montrer inquiet et impatient d'un seul événement : le retour de Calveley et des quatre cents lances qui renforceraient son ost. Cette récupération comportait un précieux avantage : tous ces Anglais s'étaient aguerris sur le terrain ; ils connaissaient l'armement et la façon d'agir des Espagnols. Leur expérience ne pourrait qu'accélérer favorablement l'issue d'une bataille imminente.

Restait, en l'occurrence, l'attitude de Calveley. Atermoyait-il encore pour quitter l'usurpateur ? On l'avait vu s'éloigner puis réapparaître. Tantôt, il s'était montré enclin à rejoindre son suzerain, tantôt il y avait renoncé. Comment eût-il pu oublier qu'outre une solde abondante, l'ancien exilé lui avait dispensé dès son couronnement des titres et des terres ? Comte de Carrión, l'Anglais avait été nanti d'un apanage considérable. Ah ! certes, il n'avait guère eu le loisir de le visiter[1]. Il se promettait de s'y rendre lorsque la paix et Henri régneraient sur l'Espagne – s'ils y régnaient un jour – et ne se gênait guère d'avouer que la seule possession dont il était fier, c'était Bunbury, son fief dans la Grande Île.

Exposée aux vents, à la froidure et à l'expectative, l'armée demeura quatre jours à Santo Domingo de la Calzada. Les Castillans se plaignaient : ces gens du soleil haïssaient l'hiver plus que Pèdre. Après cinq lieues de marche dans une boue glacée, la vue de Haro

1. Carrión de los Condes est bâti sur le Carrión, affluant du Pisuerga et sous-affluent du Duero, au nord de Palencia.

les réjouit. Ils n'eussent pas ri et crié plus fort en présence d'une cheminée immense où se fussent consumés dix arpents de forêt. Là encore, après des effusions brèves, captieuses, on exigea le gîte et le couvert. Avenant et disert, Henri se vit offrir comme herberge [1], par des bourgeois effrayés, l'hôtel de l'alcade mayor. Le vin de Rioja mouilla la bonne chère. Certains chevaliers lichèrent jusqu'à l'ivresse. Et l'on commençait à roter çà et là quand un homme du guet ébahit les convives : des messages [2] attendaient sur le seuil qu'il avait déserté. Le pennoncier portait la livrée d'Angleterre.

— Pas d'Angleterre, rectifia Matthieu de Gournay lorsqu'un capitaine et ses quatre compagnons apparurent. N'as-tu pas vu, *hombre*, le lambel à trois pendants ?... Ce sont des chevaucheurs du prince de Galles.

Il y eut un silence éprouvant. Les cinq hommes qui avaient salué sur le seuil de la grand-salle entrèrent, apportant le froid du dehors et, dans le cliquetis de leurs éperons et de leurs armes, le pressentiment, pour tous, qu'on se trouvait de plain-pied dans les commençailles du très prochain affrontement.

De son avant-bras lourd de mailles, Calveley s'essuya la bouche et la moustache, se leva et marcha au-devant des Anglais, cependant que Shirton, Matthieu de Gournay, Jean Devereux [3], Gauthier Huet et les autres chevaliers de la Grande Île demeuraient debout, sur place, inquiets et soulagés à la fois. Certains touchotaient leur épée tout en épiant leurs voisins.

« Non, tout de même », songea Tristan, « nous ne commencerons pas céans à nous frapper sur la goule, mais la mort est déjà dans l'air. »

1. Gîte.
2. Messagers.
3. De son vrai nom Jean Deverues.

Les chevaucheurs étaient adoubés de toutes pièces. Leur chef salua le roi sobrement, puis Calveley. Il ignora Guesclin qui s'était approché.

— Sire, dit-il à Henri ébahi par cette ambassade, or, faites lire promptement l'écrit qui est scellé, de par le prince qui vous défie.

Il ouvrit la custode qu'il portait au cou et tendit au roi un rouleau de parchemin au bout duquel se balançait, à l'extrémité de sa queue de soie, le sceau du prince Édouard.

Le roi offrit l'épistole à Guesclin qui refusa d'en prendre connaissance.

« Sait-il lire ? » se demanda Tristan. Audrehem s'approcha, déroula le parchemin après en avoir examiné le sceau puis, se rengorgeant :

— Voilà, sire, ce qui est écrit : *Nous, prince de Galles, séant outre mer, ainsné*[1] *fils d'Édouard qui tient l'Angleterre et aussi le pays de Guienne, de Poitou, de Limoges, jusqu'à la mer bruyante, vous faisons savoir et signifions, comme votre ennemi, et nous vous commandons de fait, au nom du roi Pedro, que sans délai vous partiez d'Espagne. Et sachez que nous sommes pourvus et suffisants pour vous faire mourir comme un mécréant et courir sur vous à si grand effort que nous vous détruirons avec tous vos alliés.*

Audrehem sourit, fit : « Hi hi hi », comme s'il prenait connaissance d'une lettre comparable à une fanfreluche : quelque chose de tangible et d'insignifiant. Il reprit, sourcils froncés :

— *Mandons et commandons que, sans retard, Hugh Calveley et tous ceux qui nous appartiennent, viennent à nous sans faute et ne demeurent pas pour vous renforcer dorénavant, ou ils nous seront tous désobéis-*

1. Fils aîné.

sants et nous les regarderons comme des traîtres et nos ennemis, et ils perdront leurs fiefs et tout leur vaillant, et ils seront détruits ainsi que tout ce qui leur appartiendra. Et nous sommes dolents de ce qu'ils ont fait, car ils ne l'ont pas fait par notre commandement.

Le visage du roi changeait peu à peu. Il regarda piteusement Guesclin qui s'en aperçut et lui dit :

— Sire, j'ai bien ouï cette sommation. Si le prince nous menace de Bordeaux, encore n'est-il pas ici. Avant qu'il y parvienne, il pourrait bien avoir si grand embarras que mieux lui vaudrait qu'il fût en Orient. L'homme menacé qui est puissant et fort, s'il pleure pour une menace, ressemble à un enfant. Si Édouard est fort, nous le sommes aussi. Nous irons au-devant de lui. Si Dieu veut être pour nous et nous favoriser, nous pourrons avoir honneur au demeurant. On voit parfois un homme riche et puissant, quand l'orgueil le fait agir à son gré, se perdre à la fin par outrecuidance. Là où le cheval tombe, on l'écorche. Maudit soit de Dieu celui qui se troublera ! Si le prince a cent mille guerriers et que nous soyons vingt mille debout devant eux, si Dieu consent à soutenir notre droit, ils partiront d'Espagne avec lui ! Soyons preux et hardis et confortons-nous ! Qui a bon harnois toujours va en avant !

C'était bien dit, mais d'une présomption forcenée. Guesclin oubliait que le prince de Galles avait toujours vaincu les Français quel qu'en fût le nombre, le courage, l'armement. Et puis quoi ? se dit Tristan, le farouche Bertrand n'avait triomphé que dans des embûches. Cocherel était sa seule vraie bataille.

Calveley s'approcha. Plutôt que de s'adresser au roi, il préféra vider son cœur devant Guesclin qu'il dominait de trois ou quatre têtes.

— Ah ! dit-il, il convient que nous nous séparions. Nous avons été ensemble par bonne compagnie et nous

nous sommes comportés loyalement ainsi que des prud'hommes. Nous avons toujours eu du vôtre à notre vouloir.

Pour la circonstance, l'Anglais voussoyait le Breton. Il le faisait d'une voix coupante. Ce qu'on entendait n'était pas le propos d'un ennemi, mais presque. Un mépris mesuré vibrait parfois à la fin d'une phrase. Incidemment, et peut-être à son insu, Calveley révélait qu'on pouvait détester un chevalier et se montrer courtois avant de le quitter :

— Jamais en tous nos faits nous n'avons eu de disputcs.

« Sauf celles auxquelles j'ai assisté », se dit Tristan.

— C'est un fait, Calveley, acquiesça Guesclin.

— Nous avons conquis du butin et des dons. Jamais vous n'avez demandé de partager le bien conquis ni les prisonniers, pour donner à vos soudoyers ou pour payer les rançons. Je sais bien de vrai, et ainsi nous le pensons, que nous avons plus reçu que vous. Or, le temps est venu de nous séparer : je vous prie, beau doux sire, que nous comptions ensemble et ce qu'à tort nous aurons, nous vous le rendrons ou signerons l'engagement de le rendre.

C'était assez méchamment dit. Si quelqu'un s'était goinfré de trésors, c'était bien Guesclin. Si une compagnie n'avait cessé de grossir son butin, c'était – ô combien ! – la sienne. Si des guerriers n'avaient fait aucun prisonnier, c'étaient ceux qui, sans conteste, relevaient du commandement du Breton. Depuis longtemps Calveley avait son opinion sur cette engeance et son meneur.

— Sire Calveley, dit Bertrand d'une voix épaisse, graillonneuse, ce que vous avez dit n'est qu'un sermon pour moi, car jamais je ne pensais à ces choses. Je ne sais à quoi cela monte. Je n'y ai pas avisé. Je ne sais si vous me devez ou si nous vous devons. Or, soyons quitte à quitte, puisque nous nous séparons. Mais si dorénavant nous nous adressons l'un à l'autre, alors nous écrirons des nouvelles dettes. La raison veut que vous serviez votre maître. Il n'y a que du bien à cela. Un prud'homme doit agir ainsi. Bonne amitié fit notre accord, et nous nous séparerons en bonne amitié. Nous le voulons ainsi, mais j'en suis dolent. C'est ma conclusion. Puisqu'il faut que cela soit, nous vous recommandons à Dieu.

« Pour un peu, ce malebouche lui donnerait l'accolade ! »

Tristan voyant Guesclin faire un pas en arrière, fut singulièrement soulagé. Allons, l'hypocrisie des deux hommes cessait. Le roi s'estima contraint de dire quelque chose. Il le fit avec des sanglots, des soupirs. On eût dit un malade sentant venir l'instant de l'extrême onction.

— Ah ! beaux seigneurs, dit-il, il vous faut en aller pour renforcer et aider le prince de Galles contre moi. Il m'en pèse. Qu'il soit contre moi, je ne le puis amender. Mais vous pouvez, à mon avis, vous excuser à lui de me faire la guerre, quoique vous soyez ses hommes liges. Car un chevalier n'est pas tenu de s'armer pour son seigneur en pays étranger, s'il ne lui plaît, sinon contre celui qui lui aurait enlevé ou voulu enlever son héritage, ce dont je ne fis jamais rien au prince. Il est bien vrai que si un seigneur mène la guerre en pays étranger, contre un seigneur qui ait tenu en d'autres guerres des gens du pays de celui qui le guerroie, quand le seigneur commence la guerre contre celui qu'ils ont servi, ils le doivent laisser, mais pourtant, ils ne se doivent armer contre lui.

« Il a peur », songea Tristan. « Il est mort de peur ! »

— Sire, dit Calveley en s'inclinant bien moins que

de coutume, nous ferons pour vous, notre honneur sauf, ce que nous pourrons faire.

Il s'était exprimé d'une voix détachée. La crainte du roi empira :

— Seigneurs, dit-il enfin, s'adressant encore aux Anglais, vous êtes mes hommes liges pour les châteaux que je vous ai légués. Pour ce, je vous prie qu'en sortant de mon pays vous ne me fassiez aucun dommage, car vous savez que je vous ai loyalement payés. Et d'autre part, si d'aventure vous avez l'intention de vous armer contre moi, en dégageant votre foi, rendez-moi à temps les villes et les châteaux que je vous ai donnés, que je n'en puisse être endommagé, ni vous-mêmes blâmés.

Restant silencieux, les Anglais acquiesçèrent [1]. Mais des sourires mal maîtrisés frémissaient sur leurs bouches. Tristan se dit que le sang de routier qui échauffait leurs veines les pousserait à commencer la guerre dès le lendemain.

Il se leva de bon matin. Sitôt sur les murailles de Haro, Paindorge à son côté, il contempla la campagne. Par le fait de l'hiver, elle était comme en friche. De grosses étendues de neige subsistaient dans la plaine et les collines portaient des huves blanches à leur sommet.

— Qu'ils crèvent de froid ! broncha Paindorge. Cela fera quelques centaines de Goddons de moins.

La vieille haine le reprenait, d'autant plus forte qu'il s'était senti, pendant des mois, en amitié avec ces hommes.

— Calveley ne vous a pas dit adieu. Ni Shirton.

1. Ils se parjurèrent et commirent tous les excès en chevauchant vers le nord, à la rencontre du prince de Galles.

— Je préfère qu'il en soit ainsi. C'est éviter la tristesse d'une séparation.

Et prenant l'écuyer par l'épaule, Tristan le poussa vers l'escalier :

— Viens, allons au conseil. S'il est un émoi qui réchauffe mon cœur, c'est celui du roi. Il n'est pas abandonné, mais il se sent perdu.

Assis à la grande table moins bruyante que la veille, les capitaines buvaient qui une soupe, qui du vin chaud. Il y avait là, autour du roi, Guesclin, le Bègue de Villaines, Audrehem et l'inséparable Jean de Neuville, Olivier, Henri et Alain de Mauny, Guillaume Boitel, Silvestre Budes, Guillaume de Launoy, Guichard de Normandie et des Espagnols. Il semblait que les « petits » seigneurs faisaient une apparition. Les avait-on cherchés ou étaient-ils venus d'eux-mêmes ?

— Beaux compères, dit le roi, je vous prie que vous me conseilliez. J'ai grand besoin d'avis. Le prince de Galles m'a défié fièrement. Jamais armée telle ni mieux appareillée n'entra en Espagne depuis qu'elle fut gagnée par le roi Charlemagne. Il y vint en si grande puissance que Dieu, pour lui, fit des miracles. Or, Dieu nous soit en aide et la Vierge sainte ! Mon cœur les en supplie d'autant plus véritablement que je suis menacé d'orgueilleuse partie. Le prince de Galles est le plus hautain, le plus hutin qui soit en vie, présentement, celui qui a le plus grevé le noble royaume du roi de France, que le Ciel bénisse !

— Que le Ciel le bénisse ! approuva Guesclin.

Les hommes s'observaient. Les Espagnols, sous des sourires intermittents, cachaient péniblement leur inquiétude : ils savaient que s'ils tombaient au pouvoir de don Pèdre, leur vie s'achèverait dans des tourments dont les seuls préparatifs les épouvanteraient. Les autres – Français et capitaines d'aventure – voulaient, semblait-il, leur donner des leçons de confiance, voire de hautaineté. Audrehem paraissait un peu plus sûr de lui. Tout en buvant son vin brûlant à petits coups, il étrillait parfois, de ses ongles pointus et noirs, une barbe assez longue aux poils gris, ternes et mal taillés. Tristan se demanda comment il l'enfournerait dans son bassinet, et s'il en aurait le temps lors d'une embûche imprévisible. Le Bègue de Villaines se taisait – ce qui seyait à tous. Seul Guesclin, entre le roi morose et Couzic, aussi pâle et serein qu'une statue païenne, affectait une gaieté qui ne contagionnait personne :

— Roi, dit-il, et vous mes seigneurs, je vous affirme que si les Espagnols qui sont de votre parti vous veulent aider sans nulle tricherie, aussi bien que les Français qui sont là, je ne donnerai que très peu de ces princes qui montrent si grande ardeur. Mais, je vous prie, pour Dieu qui a tout en son pouvoir, ne vous fiez pas trop, Henri, en votre armée...

Et tourné vers le roi dont il avait senti le mécontentement :

— ... car je me doute trop qu'il y a de la couardise.

C'était une offense aussi bien pour l'usurpateur que pour ceux qui le suivaient depuis Perpignan, Barcelone, Tolède et Séville. Les capitaines espagnols s'étaient levés. Leur courroux fit sourire le Breton tandis que l'homme qui devait son trône aux Compagnies se défendait violemment :

— Par la Vierge sainte, Bertrand, je ne puis savoir le sens ni la folie des troupes dont vous mettez le courage en doute ! Peut-on deviner ce qui gît au fond du cœur de l'homme ? Seigneur, on ne connaît pas les faux par leurs fausses raisons : on connaît à l'œuvre la fausseté de l'homme, car les belles paroles ne sont pas toujours bonnes. Il me faut faire ma maison des matériaux que j'ai !

— C'est vrai, dit le Breton. Or, faites à votre volonté, et mandez partout, à pied et à cheval, gens de toutes façons, arbalétriers, archers ! Qu'ils viennent tous sans retard avec nous contre le roi Pedro !

— Je n'ai point attendu que vous me le disiez !... Vous savez, Bertrand, qu'il y a plus d'un mois, j'ai décidé que nous nous réunirions ici ce jour d'hui et demain... Hier au soir, avant le départ des Anglais, j'ai su l'approche des compagnies sévillanes... Tous mes fidèles seront présents !

Henri s'était courroucé. Le Breton s'inclina.

Au cours de la journée, Tristan vit arriver les Sévillans. Ils étaient vingt mille, selon leurs capitaines. Ils portaient la lance, l'écu, des hoquetons de cuir et des chapels de fer. Vinrent ceux de Burgos, ensuite : dix mille. Autant d'Aragonais. Puis ceux de Saragosse et de Tolède. Soixante mille en tout, disait-on. La campagne à l'entour de Haro en fut pleine. Une grosse rumeur l'envahit, constamment déchirée par les hennissements des chevaux et les meuglements des bœufs qui avaient tiré des centaines de chariots de mangeaille avant de devenir à leur tour nourriture. Ces cris d'hommes et de bêtes surplombés par les croassements de centaines de corbeaux ne sachant plus où s'abattre, ainsi que la puanteur qui s'amplifiait, eurent sur la fortitude de Tristan, déjà rechigné par le froid mais aussi enclin au doute, un effet des plus pervers. À peine fermait-il les yeux qu'il se revoyait à Brignais, par une même inclémence, soit sur les hauteurs du Mont-Rond, soit à proximité du logement[1] de Bourbon et de Tancarville avant que ne commençât la bataille. Il décelait dans ces prodromes de mouvements et de fureurs latentes, les présages d'une défaite aussi cinglante que

1. Campement.

le gel dévalant des sommets et d'une neige qui tombait parfois en giboulées brèves, étourdissantes comme un vol de mouches blanches. Ce fut sous ce temps de chien ou de loup qu'il vit Olivier de Mauny disparaître, entraînant avec lui une centaine de routiers, la plupart bretons.

— Où vont-ils ? interrogea Paindorge sans cesser de piétiner la boue floculeuse, tout en se battant les côtes. En Navarre [1] ?

1. Gouverneur de Borja, en Aragon, sur la frontière de Navarre, au nom de son cousin Bertrand, Olivier de Mauny accepta peut-être mal sa condition de subalterne. Il ne songeait qu'à s'enrichir, ce quc savait Charles de Navarre. Après une réunion secrète, Charles sortit de Tudela pour une partie de chasse sur la frontière d'Aragon au moment où les Anglais s'engageaient dans la vallée de Roncevaux (20 février. Le franchissement dura trois jours en raison des difficultés dues à la neige). Séparé comme par hasard de la plupart de ses veneurs, le roi se trouva entouré de Bretons commandés par Mauny. Ils le menèrent à Borja et proclamèrent que c'était à bon droit puisqu'il avait violé la neutralité en livrant passage au prince de Galles. En vérité, cette embuscade avait été concertée entre le roi et Mauny. Charles avait décidé de rester captif du Breton jusqu'à l'issue de la campagne. Il devait payer la complaisance de son geôlier en lui donnant une rente de 3 000 francs et la cité de Gavray, dans ses possessions normandes du Coutançais. « *On peut se demander* », écrit Prosper Mérimée, « *jusqu'à quel point cette transaction déloyale put demeurer inconnue de Du Guesclin, dont Mauny était le lieutenant ; inconnue du roi d'Aragon, dont l'un et l'autre étalent les hommes-liges. La politique astucieuse de Pierre IV, la rapacité des aventuriers, autorisent tous les soupçons, mais les auteurs contemporains n'ont accusé que le seul Olivier de Mauny...* » Et d'ajouter, amer (pas touche à Guesclin, héros sans peur et sans reproche !) : « *nous devons aujourd'hui imiter leur réserve.* »

Pourquoi ? Est-ce à coups de mensonges qu'il convient d'écrire l'Histoire ?

Cette pseudo-capture eut lieu le 11 mars après avoir été précédée, le 5, de la rencontre entre Mauny et Navarre au village de Peralta, près d'Alfaro, sur le rio Arga. Dans son *Histoire de Charles V*, Delachenal produit des documents qui ne laissent aucun

— Tu l'as dit : en Navarre, chez notre ami Charles.
— Ils ne peuvent, à si peu, inquiéter le Mauvais !
Tristan acquiesça sans mot dire. Guesclin avait formulé une idée ou un ordre et son cousin l'exécutait sans broncher.
— La Navarre, messire, dit Paindorge en toussotant, c'est justement par là que les Goddons et les Gascons s'engageront... si ce n'est fait.
— S'ils y vont, c'est qu'ils y précéderont le prince de Galles et son armée. Mais pourquoi ? Ils ne sont point gens à se faire occire pour la gloire.
— Guesclin doit avoir peur, messire, d'une trahison du Mauvais.
— Nous savons tous de quoi ce perfide est capable. S'il ouvre sans retard Roncevaux à Édouard, son armée se répandra dans la plaine et je crains fort...
Tristan s'abstint d'achever sa phrase. « ... qu'elle ne nous anéantisse, songea-t-il en tapant, pour le réconforter et réchauffer, sur l'épaule de son écuyer.
Plus tôt la bataille aurait lieu, plus tôt il connaîtrait son sort : vainqueur, captif ou mort. Il ne pouvait méditer que sur ces trois conjectures. Deux, d'ailleurs, étaient évidemment superflues.

*
* *

Le lendemain, dès l'aube, les trompes et trompettes sonnèrent. Les hommes quittèrent, armés, leurs tentes

doute sur le caractère concerté de l'opération.
Le lieutenant général du royaume de Navarre, Martin Enriquez, protesta contre l'arrestation de son maître. Or, selon des instructions reçues à l'avance, il joignit 300 lances à l'armée anglaise quand elle fut à Pampelune. Il ne fait aucun doute que Charles l'eût désavoué en cas de défaite des Anglais !

et leurs abris de fortune. La plupart, vu le froid, avaient dormi tout habillés, mais quelques seigneurs étaient en chemise et nu-pieds. « Comme à Brignais », ne put que constater Tristan. Et cette analogie, renforcée par ce second événement, ne fit qu'aggraver son mésaise.

Paindorge et Lemosquet coururent aux nouvelles. Ils revinrent ni gais ni marris : le roi Henri venait de décider d'une montre [1] pour la fin de la matinée : l'armée tout entière se réunirait à Bañares – entre Haro et Santo Domingo de la Calzada. Il y établirait son camp.

— On va, on vient, commenta l'écuyer. Nous étions à Santo Domingo ! Il fallait y rester... puisqu'il semble aimer cette cité.

— Ce n'est pas qu'il l'aime, dit Tristan. Neuville, le neveu d'Audrehem, l'a vu moult fois prier à la cathédrale. Elle abrite en ses murs le tombeau de saint Dominique. Henri n'a point cessé de solliciter son aide. C'est Dominique qui fonda cette cité. C'est lui qui fit bâtir le pont sur l'Oja.

— Il paraît, dit Lebaudy, qu'une poule et un coq vivants tournent et fientent sur sa sépulture et qu'Henri a voulu faire occire ces volailles. Les clercs s'y sont opposés : elles rappellent un miracle du chemin de Compostelle.

— Ah ? fit Lemosquet. Tu ne nous en avais rien dit.

Lebaudy jeta une main par-dessus son épaule :

— C'est si peu... Un pèlerin fut pendu pour vol. C'était une injustice. Son innocence fut proclamée par une poule et un coq qui, plumés et rôtis, se mirent à chanter ses louanges.

Paindorge s'ébaudit. Lemosquet haussa les épaules. Tristan, lui, ne songeait qu'à cette montre dont l'utilité lui semblait contestable vu le froid et le ciel de neige.

1. Une revue.

— Je me sens tel, dit-il, qu'un oiseau éclamé [1].

— Combien serons-nous, à nous geler le cul dans la plaine ?

— Cinquante mille, Robert. Peut-être davantage.

— J'ai idée que nous flairerons bientôt une puanteur de sang et de merde, dit Lemosquet. On s'adoube ou l'on va vêtus comme nous sommes ?

— Allons, allons, Yvain, grommela Paindorge. Tu sais bien que le roi veut nous voir armés de toutes pièces.

— Accordons-lui ce plaisir, fit Tristan, résigné. C'est peut-être le dernier qu'il éprouvera ces temps-ci !

*
* *

La plaine était immense et l'armée la comblait. Tristan, qui venait de la découvrir du sommet d'une butte, immobilisa son cheval afin de la contempler. Paindorge le rejoignit au pas lent de Malaquin houssé d'écarlate amarante :

— Holà ! messire... Nous les voyons enfin... Belle armée disposée en carré dans un arroi qui fait plaisir à voir... Qu'en dites-vous ?

— Je crois voir sous mes yeux un grand livre de guerre. Cent chapitres au moins et mille paragraphes... Qu'en restera-t-il quand Édouard les aura feuilletés ?

Tristan n'osait avancer. « Combien ? » se disait-il. Cinquante mille hommes ? Soixante-quinze mille ? C'était la première fois qu'il participerait à une montre. Le spectacle de celle-ci lui donnait des frissons. Derrière les gonfanoniers et pennonciers, les hommes avaient été rassemblés par compagnies, et celles-ci par

1. Qui a une patte ou une aile cassée.

fronts de combattants. Les chevaliers et les écuyers à cheval précédaient les piétons : archers, arbalétriers, guisarmiers, vougiers, coustiliers, picquenaires. De loin, ces armes d'hast semblaient un mur mouvant, sans brèche, crêté d'acier.

— Qui rejoignons-nous ? s'enquit Paindorge après avoir bâillé bruyamment.

— Les hommes d'Audrehem et de Pierre de Villaines.

— Où sont-ils selon vous ? Sommes-nous les derniers ?

— Rassure-toi : d'autres vont venir... J'envie Lemosquet et Lebaudy qui échappent à cette corvée. Au moins ne viendra-t-on rien nous rober en notre absence... Quant à Villaines, je reconnaîtrai sa bannière : elle est plus claire que sa parole [1] !

Ils avancèrent, Tristan retenant Alcazar houssé de velours pourpre, et se demandant, ce faisant, ce qui rendait son coursier nerveux : la terre dure, mais glissante, bien que la neige eût disparu, ou l'odeur de ces milliers d'hommes et de chevaux peu ou prou immobiles dans l'attente d'un roi et de ses hommes liges tant Français qu'Espagnols ?

Guerriers et chevaux prirent leur juste taille. Passant devant eux, à la recherche des prud'hommes de France, Tristan eut l'impression vive, agréable, que cette exhibition militaire où le meilleur jouxtait le pire lui était en partie destinée.

Sauf celui qui, au loin, fermait la montre, deux corps

1. Les armes de Villaines étaient : *d'argent à trois lions de sable à l'orle de gueules*. (*Dictionnaire héraldique de Charles de Grandmaison*, Migne, Paris, 1852). Enrique y fit porter un quartier des armes d'Espagne. Elles devinrent : *d'argent à trois lions de sable, au franc-quartier de Castille et de León.*

d'armée se faisaient face à dix ou douze toises de distance. Le gris céleste accentuait les brillances des plates, des anneaux et des écailles de fer, avivait l'éclat des cottes des hommes et des parures des chevaux, régénérait, par une sorte de contrariété, les couleurs des pennons, lances banderolées et bannières.

— Merdaille ! dit Paindorge entre ses dents. Si tout cela témoigne de quelques bonnes lessives, il n'empêche que les gars n'en ont pas fait autant !

Cette montre qui se voulait magnifique n'empêchait pas qu'elle puât. Les souffles oppressés et avinés des hommes et leur odeur de crasse et d'axonge, se faisaient plus intenses à mesure que Tristan et son écuyer s'enfonçaient parmi eux. Un grand courant d'air eût dispersé cette punaisie à laquelle s'ajoutait celle des chevaux, de leurs pissats et crottins. Mais le vent, comme apeuré, ne se manifestait guère. On entendait, tels de singuliers hommages à l'hiver sur le point de défunter, des toux et des éternuements, des éructations et des crachements.

Excepté les quelques milliers de routiers qui, depuis longtemps déjà, étaient revenus en France, excepté les centaines d'Anglais qu'il faudrait bientôt attremper[1] de la lance et de l'épée, ils étaient là, les soi-disant Justes. De leur dextre gantée de cuir ou de fer, les pennonciers et les gonfanoniers tenaient inclinée la hampe de leur signal. Coiffés d'une barbute ou d'une cervelière, ils portaient sous leur cotardie un haubergeon aux pans dentelés ou non. Telles de grosses tortues aux carapaces lisses, différemment bombées et attachées, des genouillères gonflaient leurs jambières. Certains barons avaient fixé leur jube[2], d'autres maintes bailloques[3] et même

1. Ajuster.
2. Crinière, crête de serpent ou cimier de casque.
3. Plumes d'autruche de médiocre qualité.

leur lambrequin sur leur heaume ou leur bassinet ; les plus modestes l'avaient orné de plumes d'aigle, de paon ou de coq. Çà et là, un écuyer arborait à son cou une médaille émaillée aux couleurs de son maître.

« Tous paraissent présents », songea Tristan. « On dirait à les voir coints si bellement qu'ils espèrent la venue du Paraclet ! »

Les seigneurs attendaient, assis bien droit derrière leur bannière. Leur roncin, leur genet ou leur palefroi apprêté avec soin, et contaminé par leur impatience, creusait le sol de ses antérieurs. Chaque chanfrein pointait sur son frontail un rostre redoutable : un cône, un long pyramidon acéré, à trois, quatre ou cinq pans, une vrille à l'extrémité aussi pointue qu'une alêne. La plupart de ces protections étaient pourvues d'œillères. Sous les grosses paupières de cuir, de fer ou d'étain, mi-closes, scintillaient de gros yeux écarquillés. On sentait ces chevaux inquiets d'être là, houssés, bardés, quelquefois jambés de mailles jusqu'aux sabots[1]. Ils rongeaient leurs mors, se regimbaient contre les frottements d'éperons, les écaveçades, le poids de leurs housseries et lormeries, celui d'une selle alourdie de sautoirs de tissus et d'aiguillettes, celui de leurs avalouères, flancheries, pannoncels auquel s'ajoutait – et ce n'était pas le moindre –, le fardeau d'un homme lesté de fer et d'armes, plus hautain et surtout plus exigeant qu'à l'accoutumée.

Tous ces hommes, Tristan les connaissait « de loin ». Ils étaient contents d'être là pour se faire voir du

1. Le chantre de Guesclin, Cuvelier, raconte qu'on vit à Nájera des chevaux ainsi fervêtus. Peut-être appartenaient-ils à la cavalerie espagnole. Il existe un précédent : les cataphractaires antiques protégeaient leurs chevaux des mêmes écailles de fer dont ils se couvraient le corps.

roi, fût-ce vélocement. Débordant des fourrures dont s'étaient parés les plus riches ou les présomptueux, leurs brassières et jambières fourbies lançaient des lueurs nacrées quand elles ne rehaussaient les couleurs de leurs pannes [1]. Il y avait en présentation chez ces seigneurs tout ce qui se forgeait, se rivait, se bouclait ou s'accrochait pour la défense du corps : des cottes gambaisées, des cottes-à-plaques garnies de panthères [2] en émail, des armures de plates enjuponnées de mailles, des tabards rajeunis par des ailes de housse [3], et la main qui tenait la lance disparaissait sous des anneaux, des écailles, des jointes [4]. Tous ces guerriers se sentaient prêts à livrer bataille et sans doute, certains, à mourir bellement.

1. C'était l'usage de porter des fourrures dans les grandes occasions. Il s'agissait, pour les prud'hommes, quelle que fût la saison, de faire paraître leur magnificence dans la richesse de leurs habits et cottes d'armes. Ils avaient recours au vair, à l'hermine, gris, martres. Ces fourrures étaient reconnues vulgairement sous le terme général de *pannes*. L'hermine d'Arménie était la plus recherchée. On lit dans *Garin de Loherans* :

Ge te donnerai mon peliçon hermin
Et de mon col le mantel febelin...

À Londres, en 1334 et 1363, deux arrêts du Parlement avaient interdit le port des fourrures à toute personne ne pouvant dépenser 100 livres par an. Et le moine Guillaume de Guigneulle de déplorer, dans son roman manuscrit du *Pèlerinage à l'humaine lignée* ;

Où sont bannières desploiées,
Où sont hyaumes et bachinets
Tymbres et vestus velues
À or battu et argent,
Et à autre comitoiement.

Ce furent Charlemagne et les Goths qui lancèrent la mode des fourrures... et disserter si *hermin* vient d'hermine ou d'Arménie emploierait trop d'espace.

2. Clous d'armure destinés à embellir celle-ci.
3. Bandes d'étoffe flottant après le vêtement.
4. Plaques de métal appliquées sur le gantelet.

Tristan imagina les crochets d'assemblage des jambières et des brassards engagés inséparablement – comme les siens – dans leurs œillets [1] tandis qu'il apercevait çà et là un passot [2] suspendu à une ceinture d'armes, un bran [3] fixé au troussequin d'une selle, une hache attachée sur un dos, un poignard ou une masse à une hanche. L'écu aux formes diverses, grand ou petit, touchait soit la cuisse du cheval, ou remuait contre une épaule – à moins qu'il ne fût embrassé et tenu en chantel [4] par une senestre solide. Sous les visières relevées des bassinets à l'arrière desquels ventilait çà et là quelque timbre de crête, les yeux luisaient dans une ombre blême, et le peu de front ou de joue apparue dans l'orbite de fer avait la pâleur d'un suaire. Tous ces hutins souffraient de la même fièvre algide : sous leur écorce et le bourras qui en amortissait le poids et la fermeté, leur chair tremblait en exsudant du froid.

« Et moi, Tristan ? »

Eh bien, pareil aux autres, il transpirait aussi. Moins

1. Les pièces d'armures ou *canons* protégeant la jambe au-dessus et au-dessous de la genouillère et celles protégeant l'avant-bras et l'arrière-bras de part et d'autre de la cubitière sont superposées en certains points de fixation. À l'origine, il s'agissait d'attaches de cuir de la même espèce que les bracelets de nos montres. Ce furent ensuite des crochets passant dans des anneaux soudés au fer. Enfin, au XVe siècle, on inventa un système plus simple qui consistait à fixer un bouton mobile sur la lisière du canon le plus proche du corps (ou canon inférieur), lequel passait dans une œillère ménagée dans le canon supérieur. Pour assurer la jonction, il suffisait de tourner le bouton... que Victor Hugo (*Eviradnus*) a nommé improprement *chaton*.

2. Épée courte et large.

3. Longue épée à deux mains.

4. *Embrasser l'écu* : passer son avant-bras dans les énarmes ; *le porter en chantel* : faire en sorte qu'on voie les armes qui y figurent.

de froid que d'émoi. Il allait assister à quelque chose de solennel et de vain. Ce n'était assurément pas immobile et en arroi parfait – ou presque – qu'une armée prouvait sa force et son unité, mais dans l'incertaine âpreté d'une bataille. La leçon de Poitiers restait intacte en lui. Le roi Jean et ses fils se croyaient des élus de Dieu, lequel les avait envoyés en enfer. Henri, quoique bâtard et usurpateur, se croyait béni de Mars et de Vulcain. Peut-être fuirait-il dès le premier désavantage, après qu'il eut fourni cinq ou six coups d'épée. Pour qu'il plantât quelques pouces d'acier dans le corps de Pèdre ou qu'il le tînt à sa merci, il lui faudrait un courage qui semblait lui faire défaut : jusqu'ici, on l'avait vu se tenir à table. Il allait maintenant devoir prouver qu'il savait se tenir à cheval, à l'avant d'une armée que Guesclin pensait mener à la victoire.

« Voire ! Il s'y connaît mieux en escarmouches qu'en vaste bataille. C'est la première fois qu'il affrontera le prince Édouard... qui n'est pas n'importe quel routier de grand chemin. »

Il se sentait à l'aise dans son armure. Alcazar les supportait sans peine. Son écu, maintenu sur l'épaule senestre par la guige de cuir tressé, exposait aux regards les armes de sa famille : *de gueules à deux tours d'argent*. Il avait ceint Teresa et serrait dans sa dextre la seule lance au fer en feuille de saule qu'il possédait. Le talon de sa hampe s'appuyait sans remuer sur le faucre de l'étrier.

« Je suis beau sans présomption. »

Luciane eût été fière de le voir ainsi. Et Oriabel. Et pourquoi pas Francisca ?

En soupirant tout en évoquant ces visages, il porta sa senestre au viaire[1] de son bassinet. « Bon, il n'a

1. Ventaille, visière ou encore : *carnet*.

point bougé. » La calotte de fer pesait à peine sur les trois cales[1] dont il s'était coiffé précautionneusement. Leur épaisseur amortissait toute contrainte. Paindorge, tête nue, et qui tenait un pennon aux armes des Castelreng, avait revêtu l'armure d'Ogier d'Argouges. Il menait fermement Tachebrun sans se départir d'une lippe boudeuse, comme s'il dédaignait tous ces guerriers de premier plan et surtout la piétaille alignée derrière eux. Les coiffes de fer des soudoyers et des routiers se mêlaient aux aumusses, camails et *celadas* des almogavares[2] arrivés depuis peu de Séville, Tolède, Cordoue – c'était du moins ce que prétendaient les rumeurs.

— Où est le Bègue ? dit Paindorge. Je ne vois pas son enseigne.

— Moi je la vois, juste devant.

Pierre de Villaines s'était adoubé d'une armure à la

1. Coiffe de tissu (et à cette époque, de laine) qui emboîtait le crâne et les oreilles.

2. Les almogavares composaient une milice irrégulière constituée surtout de Catalans. Ils avaient vaincu, en Morée, les barons de France et leurs hommes d'armes, ce qui avait contribué à leur renommée. C'étaient des paysans sauvages. Leur nom était presque une injure pour les chevaliers, même aragonais, qui se flattaient de guerroyer selon certains principes, à l'instar des prud'hommes français. Ce substantif d'*almogavare*, d'origine arabe, venait de la coiffure de ces guerriers qui n'était autre qu'un camail couvrant la tête et les épaules. On disait qu'ils en avaient introduit l'usage en Espagne, ce qui est faux : les Maures en portaient soit seul, soit rivé au casque. Leurs armes consistaient en plusieurs javelots et une hache d'une forme particulière. Ils ne couchaient jamais dans une maison et supportaient la faim et la soif avec une endurance qui forçait l'admiration. Leur cri de guerre était *hierro despierta !* (fer, réveille-toi !) Le Catalan Ramon Muntaner (1265-1336) qui participa à l'expédition de Roger de Flor en Orient et la raconta dans sa *Crónica de Jaime I*, a célébré leur courage contre les Grecs et les Turcs.

couleur d'eau. Une huppe de plumes d'autruche surmontait son bassinet complété d'un camail dont les anneaux de cuivre alternaient d'un rang sur l'autre avec des anneaux de fer. C'était beau mais peu solide, même s'il s'agissait de ces anneaux de Chambly à grosse rivure que Tiercelet avait pris en haine pour en avoir trop assemblé.

« Comme il me paraît loin, lui aussi !... Comme il me manque ! »

— Ah ! Ah ! vous voilà ! s'exclama Pierre de Villaines.

Tristan se demanda si ce « *Ah ! Ah !* » était une répétition due au bégaiement du chevalier ou s'il exprimait, tout bonnement, une satisfaction lourde de bienveillance.

— Messire, dit-il en s'inclinant, nous ne sommes point les derniers : il y a quelque vingt ou trente chevaliers après nous.

Puis, s'avisant de la présence de Jean de Neuville :

— Votre oncle ?

Ce fut le Bègue de Villaines qui répondit :

— Arnoul est avec... avec... les... grr... grands.

Messire Pierre en était marri.

Tristan mena Alcazar à la dextre de Jean de Neuville tandis que Paindorge passait derrière. D'autres seigneurs apparurent. Certains mirent une lenteur volontaire dans la recherche et l'adoption de leur place ; d'autres la choisirent au trot, sans doute pour prouver qu'ils avaient l'œil vif et l'auraient plus prompt encore à la bataille. Des rumeurs commençaient à s'épandre un peu partout dans la piétaille. On n'ignorait pas que la composition détaillée de cette armée avait été fournie la veille aux capitaines et qu'ils savaient qui servait qui et quelles armes seraient aux mains des gens de pied. Le gros rassemblement de ce matin d'hiver n'avait pour but essentiel que de rassurer le roi sur les forces dont il disposait.

— Le voilà ! dit Villaines uniment.

— Les voilà, dit sans émoi Neuville.

Ils étaient précédés de sept trompettes à cheval, en *tabardo*[1] de taphetas rouge et safran et chaperon de même. Des vastes entonnoirs de cuivre s'évasaient des lamentations plutôt que des sonneries. Jointes aux bourdonnements des sabots sur le sol aussi dur et vibrant qu'une peau de tambour, on se fût cru, à les entendre, au pied des murs de Jéricho. Surgies par spasmes brefs dcs calices sonores, les stances du septuor éveillèrent le vent. Les bannières et les estranières[2] de cendal, de velours ou de soie, toutes richement armoriées, frémirent et baloyèrent. Une bouffée glacée s'abattit sur l'armée.

— Un vent d'acier... bégaya Villaines.

— Holà ! messire, protesta Neuville. C'est plutôt un vent de victoire... du moins selon ce qu'en pense le roi !

Derrière les musiciens, deux pennonciers portaient très haut sur leur hampe dorée, les armes de la Castille, puis venait le roi, seul, dans une armure sur laquelle resplendissait une dalmatique armoriée, brodée de fils d'or et d'argent.

— Il est paré comme un évêque d'Avignon.

Neuville, qui révélait nûment une aversion longtemps tenue secrète, maîtrisa son moreau dont les écarts se succédaient sous l'effet, sans doute, d'une trompetterie qui ne cessait de déverser son flot de clameurs de plus en plus aiguës.

1. Cotte blasonnée fréquemment portée par les hérauts d'armes (tabard).

2. Drapeaux.

— Il semble que sa barbe ait poussé davantage... comme les fleurs de sa couronne.

Décidément, Neuville n'aimait point Henri. Parce qu'il allait le mener à la bataille ou parce que son oncle, Audrehem, le honnissait peu ou prou ?

— Il... il... est... bé... bé... bellement vêtu, dit Villaines.

D'où l'usurpateur tenait-il cette armure noire, rehaussée de damasquinages, d'appliques d'orfèvrerie et de fichures d'argent[1] ? Mais de Pèdre, évidemment ! Il l'avait trouvée dans ce qui subsistait du trésor de Séville abandonné en hâte par son possesseur. Le bassinet couronné était surmonté du château à trois tours de la Castille, crénelées, ce qui fit dire à Paindorge que comme les limaçons, le roi emmenait sa demeure sur soi.

— Le lion du León est absent, dit Tristan.

— Il peeeut pas... Po... porter tout su... sur son chef !

Le cheval du roi, houssé de velours vermeil sur son giral[2] miroitant, figurait, en quelque sorte, le coussin de cérémonie sur lequel reposait ce joyau d'homme. Derrière lui, Guesclin reconnaissable à son flotternel blanc frappé de l'aigle noire, et Audrehem, paré d'une cotte à ses armes – *bandé d'argent et d'azur de six pièces à la bordure de gueules* –, devisaient tout en

1. L'art du damasquinage était déjà très au point et florissant en Espagne. Lire : *El damasquinado de Toledo*, par Félix del Valle y Diaz, Tolède, 1991.

2. Ancienne forme de *girelle*, housse de cheval. Pièce d'armes (de la fin du XIVe siècle au XVIe) qui protégeait les épaules et le poitrail du cheval de guerre, se prolongeait de chaque côté de la selle et se composait, ordinairement, d'une unique plaque de fer ou d'acier, allant jusqu'à couvrir la croupe. C'est l'ancêtre du caparaçon, apparu un siècle plus tard.

examinant les seigneurs, les capitaines et au-delà les troupes. Ensuite venaient les privilégiés, tous admirablement fervêtus : don Sanche, frère du roi ; les chevaliers de l'Écharpe et, précisa Neuville, un jeune historien que Pèdre avait chassé, ne le trouvant plus à son goût : Pedro López de Ayala. Puis venaient don Tello, le comte de Denia, le marquis de Villena, d'autres encore avec leurs écuyers et leurs bannières sur lesquelles les chaudrons semblaient s'entrechoquer.

— C'est beau, dit Neuville. Je me souviendrai de cette montre.

— Une belle montre, enchérit Tristan, mais les pennonciers sont des hommes de peu. Avant Cocherel, c'était Bertrand Goyon qui tenait la bannière de Guesclin, Pierre de Louesmes celle de Beaujeu, et non des malandrins. Le grand bobant[1] demeure mais les usages s'en vont. Il est vrai que nous ne sommes pas un ost, mais un gros, un immense ramassis d'herpailles !

— Je je je, dit Villaines, me me souviendrai du cccamp de...

— *El encinar de Bañares*, dit Paindorge. On nous a parlé d'un bois de chênes verts, mais je n'en vois aucun.

— Comment voudrais-tu, Robert, procéder à une montre dans un bois ?

— Les chênes sont dans ce creux, dit Neuville en désignant du menton l'amorce d'un vallon[2]. Si les Goddons venaient par là, ils pourraient fondre sur nous avantageusement.

— Fondre ? ricana Villaines. Ffffondre par ce... temps de pruine[3] !

1. Pompe et vanité.

2. El encinar de Bañares est situé au N.-E. de Santo Domingo de la Calzada.

3. Gelée blanche.

Dans la moquerie, son élocution devenait méconnaissable. Neuville n'en parut ni ébahi ni affecté.

— Voici les dieux, dit-il. Ils vont nous ennorter à saigner Pèdre.

Ils approchaient dans une rumeur de fers aheurtés, de froussements d'étoffes et de sabotements. Les trompettes jouaient toujours, à croire que les Espagnols avaient un souffle inépuisable. Le roi fit un geste de bénédiction. Guesclin salua, maussade. Audrehem eut pour son neveu un clin d'œil bienveillant. Il portait savamment son écu, de sorte que si l'on voyait, sur le devant ses armes, on apercevait aussi, au revers, les deux bâtons d'azur semés de fleurs de lis, passés en sautoir. Tous les maréchaux de France portaient ainsi ces bâtons fleuris pour marque de leur dignité.

« Il se fait voir... mais quand on agira ? » se demanda Tristan.

L'ostentation du personnage ne cessait pour lui d'être irritante.

Les suivants passèrent, hautains ou moroses, et l'on eût dit à les voir si détachés, si distants des autres prud'hommes, qu'ils avaient gagné toutes les guerres et que les clameurs des trompettes de la Renommée – qu'ils étaient seuls à entendre – subjuguaient celles qui enfin se taisaient cependant que le roi et sa suite allaient occuper le milieu du champ afin que leurs sujets pussent équitablement ouïr leurs harangues.

— Est-ce un héraut... qui qui va lire ?

Le Bègue de Villaines semblait inquiet.

« Heureusement », se dit Tristan, « que ce ne sera pas toi. À babiller[1] comme tu le fais, nous y serions encore au soleil resconsant[2]. »

1. Bégayer en ancien français.
2. Le soleil couchant.

Les poings aux hanches sur son cheval immobile, Guesclin resplendissait de force et de santé. On disait qu'après avoir rompu avec la « dame de Soria », il vivait secrètement avec une meretrix[1] de toute beauté extraite d'un bordeau de Séville. Il avait l'air d'un argousin considérant lentement – en connaisseur – une grand'foison de fils de putes.

— À vous, Henri, dit-il hautement. On gèle sur ce pré.

On gelait, en effet, malgré les caresses safranées du soleil. Il se pouvait qu'il neigeât encore. Les Goddons qui avaient sûrement peiné à Roncevaux devaient souffrir dans leur chair et dans leur âme sur ces terres hostiles, propices aux embûches. Cependant, la froidure n'interromprait point leur avance et leur désir de batailler demeurerait ce qu'il était au départ de Bordeaux.

— Messires ! hurla don Henri, et vous tous... Le prince de Galles a franchi les monts. D'après ce que je sais, moult hommes de son armée sont morts de froid et moult chevaux aussi !... La nourriture fait défaut. Les guerriers que nous aurons devant nous seront malades et affamés... Réjouissons-nous !

Il s'exprimait en français, sachant bien qu'il serait compris de tous les prud'hommes et des *ricos hombres*. Pour lui comme pour les rois de France, la piétaille importait peu. D'ailleurs, le caractère de cet homme couronné en hâte et dans la peur était de ceux qui défiaient l'intérêt des gens simples. Sa majesté du moment était manifestement aussi fausse que sa jactance. Cet ancien routier n'eût pas manqué de défaillir dans son ascension vers le pouvoir suprême sans les efficaces appuis de Guesclin, Calveley et des routiers de tout poil – ses anciens compères. Le grand Anglais

1. Ou *mérétrice* : courtisane.

et la plupart des pendailles[1] absentes, restait Guesclin, trop hargneux, trop entiché de gloire et de richesses pour que, dans son tréfonds, il eût le Breton en sincère estime. L'apparente urbanité de son visage, sous les tours d'or sommant son bassinet, n'empêchait point de discerner, au-delà des traits animés par son discours, l'excessive sécheresse d'un esprit retors qui ne se complaisait que dans l'arrogance et la convoitise des biens d'autrui, assouvie par la moleste. Pour le moment, contemplant d'un œil sec ces milliers d'hommes assemblés dans un silence déférent et un ennui grandissime, il se forgeait des armes contre Pèdre et son allié d'Angleterre sans vouloir songer à quel profit tourneraient les avanies de la guerre.

— Je compte sur vous !

— C'est surtout son or qu'il compte sur nous, grommela Paindorge.

Neuville sourit, approbateur ; Villaines fit « tsitt, tsitt », chose qu'il savait dire sans désagréable coupure, et Tristan s'aperçut qu'il n'écoutait pas. Il vit Henri quitter ses compagnons et passer devant le front des troupes. Les grelots que son cheval avait au mors, ceux qu'il avait accrochés à ses boutreaux[2] tintaient joyeusement, et puisqu'il fallait crier son plaisir de chevaucher auprès d'un roi qui n'avait apparemment pas froid aux yeux, Guesclin clama son enseigne :

— *Guesclin !... Notre-Dame, Guesclin !*

Ce fut comme une ruée de cris, un tumulte dans lequel chacun plaçait son hurlement et sa ferveur.

— *Or, avant mes compagnons !* cria Villaines d'un trait.

1. Ramassis de gens bons à pendre.

2. Courroies ou chasse-mouches retombant de l'avaloire ou de la croupière dans les anciens harnais.

— *Au brut ! Au brut !* vociféra Neuville.

— *Malou !* aboyèrent quelque cinquante Bretons.

Tristan s'abstint. Il ne hurlerait rien, pas même à la bataille. Il y mourrait ou reviendrait à Gratot. Mais avant, justement, il passerait à Castelreng. Il avait besoin de voir son père. De l'étreindre. De lui dire qu'il avait agi comme un fou en quittant le château familial. De faire la paix avec Aliénor. De voir l'enfant qu'elle avait eu de Thoumelin de Castelreng, ce dont il doutait.

Un tel état d'esprit ne le rassura pas. Pour qu'il pensât soudain et si fortement aux absents, n'était-ce pas par crainte de périr bientôt ? Et Luciane ? Pourquoi n'apparaissait-elle que maintenant dans son esprit ? Pourquoi Tiercelet la suivait-il de si loin ? Il allait falloir, à Gratot, raconter dans tous ses détails le trépas d'Ogier d'Argouges. Il allait falloir...

Les trompettes rejouèrent. Des compagnies entières remuèrent et les chevaux se mirent en branle pour regagner Santo Domingo de la Calzada.

— Vingt mille geniteurs[1] au moins dit Paindorge en maîtrisant Malaquin irrité d'être demeuré immobile.

— Trente mille piétons, dit Neuville.

— Reste à à à savoir com-com-combien ils sooont en face !

Combien ? On le sut le soir-même, lors d'un conseil extraordinaire, en présence d'un chevaucheur épuisé.

— Sire, dit-il au roi Henri, ils sont en puissance, même s'ils ont souffert et diminué depuis le Pas-de-Roncevaux. Ils sont plus de vingt mille, armés de chevaux couverts de fer[2]. Jamais nul homme ne vit plus

1. Ou encore *genetours* ; cavaliers montés sur un genet. Ils étaient armés de dards, de lances et d'un bouclier de cuir souvent ovale : *le cètre.*

2. Ils étaient, en réalité, 22 000.

noble assemblée, et ne mena en son armée un tel appareil que le prince de Galles. Le duc de Lancastre et le captal de Buch y sont, et le comte d'Armagnac et Olivier de Clisson... et Jean Chandos et les frères Felton qui ont l'avant-garde sous leur commandement.

— Que Felton, dit Guesclin, se fourfile en arrière, sinon je l'occirai avec rage et plaisir ! Quant à Clisson, je lui fournirai un coup sur le haterel[1] et ferai porter sa tête en Bretagne !

— Don Pedro est présent, lui aussi, près du prince. Il chevauche orgueilleusement. Il se réjouit du secours qu'il mène avec lui si largement.

— Je sais, fit Guesclin, ce qu'il se dit en lui-même. Quelque chose comme : « Si je parviens à tenir le jeune bâtard, j'ai Dieu en garant que je le ferai traîner à la queue d'un cheval et accrocher au vent. Les Guesclin, Audrehem, Villaines, Mauny et moult autres subiront les mêmes tourments. Tous ceux de Séville, qui rendirent ma cité à Henri, auront leur paiement ; tous ceux de Tolède auront leur condamnation et je les ferai souffrir de maux largement ! » Voilà ce qu'il espère, messires !

— Hélas ! fit le messager.

Il était jeune : vingt ans. Il avait ses mains couvertes d'engelures et Tristan l'imagina, observant dans la neige durcie au gel, le passage de l'armée du prince de Galles et d'un compère découronné qu'il détestait peut-être du fond du cœur.

— Hélas ! reprit le chevaucheur, depuis le temps de Charlemagne, je suis sûr qu'on ne vit une telle armée. D'après ce qu'ont dit mes compères, il faut compter dix-sept mille hommes à cheval, tous à l'Anglais. Chacun d'eux a une bonne lance acérée, l'écu au col, l'épée au côté et le cheval couvert de bardes solides.

1. Le cou.

Jamais on ne vit gens si bien ordonnés. Puis suivent cinq cents hommes de pied, gens très étoffés, arbalétriers mais surtout archers de bonne renommée. Puis des chevaliers, des piétons encore et encore. Les chariots et les sommiers suivent en bon arroi. L'armée à plus de trois lieues de long...

— Et Navarre ? demanda Henri dont la pâleur affleurait sous la barbe.

— Le prince de Galles lui a envoyé une ambassaderie. Il l'a prié que la voie lui soit livrée sans retard. Charles leur a abandonné l'entrée de la Navarre.

— L'infâme ! cria Guesclin.

Le chevaucheur acquiesça et reprit :

— Le roi de Navarre a commandé à ses gens que l'armée qui venait ne soit pas inquiétée... et qu'on en serait remercié en bon et bel argent. Mais je vous dis pour vrai que ceux de la contrée cachèrent et enfermèrent les vivres et les emportèrent jusque dans les forêts. Les Anglais n'ont trouvé ni pain, ni chair salée, si bien que l'armée du prince en fut affamée !

— C'est bien, dit Audrehem. Ils seront affaiblis.

— Ces gens, messires, ont passé les landes en telle puissance que personne ne vous le dirait mieux que moi. Ah ! cette armée... On y pouvait voir trompettes, chalumeaux et cors sarrasins. Grand fut l'effroi qu'elle semait autour d'elle. La compagnie des guyennois était des plus belle ainsi que celle des comtés de Foix et d'Armagnac. Il y a aussi des Poitevins et Gascons... Des bannières et enseignes par centaines... Ils ont également des arbalétriers génois et leurs archers anglais et écossais... Cinq mille au moins... Les bêtes de somme : roncins, mulets et mules, sont moult chargées. Un chariot s'est renversé. On a pu voir son contenu : tentes, pavillons, riches arcs turcs, bombardes, épées, épieux. Ni Alexandre, ni Charlemagne, Artus et le duc

Godefroy en Terre Sainte ne menèrent un tel convoi. La famine les a pris en pays navarrais. D'autres auraient rebroussé chemin, mais ils viennent. Ils approchent... On dit que Navarre met le siège à Logroño...

Le chevaucheur se tourna vers le roi et dit d'une façon penaude, car il redoutait son ire.

— Ce que je sais, sire, c'est que plusieurs cités se sont soulevées contre vous dès l'annonce de la venue des Anglais et du roi Pèdre. Vous aviez assemblé six cents *fidalgos* dans la province de Soria pour qu'ils y fassent la loi en votre nom. Ils se sont ralliés aux rebelles. Salvatierra [1] a proclamé don Pèdre et ouvert

1. Cité importante de la province d'Alava, qu'il ne faut pas confondre avec Salvatierra en Aragon dont le roi de Navarre s'était emparé en 1364. Salvatierra est la première ville de Castille située sur la route qui mène à Burgos en passant par l'Alava.

Le prince de Galles avait divisé son armée en trois corps. L'avant-garde était conduite par le duc de Lancastre et Chandos. Cette avant-garde précédait d'un jour le second corps de bataille commandé par Édouard d'Angleterre accompagné de don Pèdre. À un jour suivait l'arrière-garde. Elle était sous les ordres du roi de Majorque, des comtes d'Armagnac (Foix) et d'Albret. Olivier, sire de Clisson, en faisait partie. Il était arrivé de Bretagne deux jours auparavant et amenait avec lui 300 gentilshommes. L'armée se composait de 40 000 hommes d'infanterie et 30 000 cavaliers qui, à l'inverse des Français, ne dédaignaient pas de combattre à pied parmi la ribaudaille.

Cuvelier conte une aventure dont il semble le seul à avoir eu connaissance – s'il ne l'a inventée. Le roi de Navarre, retiré à Logroño, aurait fait venir en cette ville, muni d'un sauf-conduit, Olivier de Mauny et ses frères. C'était un piège. Voyant Olivier cerné, Eustache de Mauny aurait tué un des agresseurs. Les autres l'auraient occis. Cependant, les Mauny tenaient en otage le fils de Charles le Mauvais. Sa restitution aurait permis la mise en liberté du Breton et de ses compagnons. Or, s'il y eut une convention entre Olivier de Mauny et Charles de Navarre, on ne trouve point trace d'un guet-apens de cette espèce. Cet Eustache-là n'est d'ailleurs pas cité dans les chroniques.

ses portes aux coureurs de l'armée anglaise... Agreda aussi.

— Tudieu ! fit Henri.

C'était un cri de douleur plus qu'un cri de rage.

— Nous réduirons cette ville en charpie ! décida Guesclin.

C'était lui qui se comportait en roi.

— Demain, dit Audrehem. Il faut partir d'où nous sommes.

« Pour reculer », se demanda Tristan, « ou pour aller au-devant de monseigneur Édouard ?... S'il me prend, je serai occis sur-le-champ ! »

Il se refusa de penser davantage au combat qui s'engagerait sous peu. Il s'aperçut alors que frère Béranger, qui se tenait parmi les prud'hommes de France, l'observait d'un œil froid et soucieux.

« Ce n'est pas le regard d'un clerc mais d'un inquisiteur. Sans y être obligé, il maniera l'épée... Sans doute, à sa façon de regarder les dames, aime-t-il à employer son braquemart si l'occasion lui en est fournie. »

— Puis-je connaître les noms des prud'hommes dont le prince de Galles s'est entouré ?

— À quoi bon ! fit Guesclin. Peu me chaut de les connaître.

— À moi si, fit Henri, mécontent. Parle !

Le chevaucheur eut un mouvement de gêne. Il ne les connaissait pas tous et de plus, il tombait de fatigue et de froid. Henri tapa du pied.

— Sire, j'ai vu des dizaines d'enseignes, bannières... Mes compagnons qui, parfois, ont guerroyé de France, m'ont cité des noms... Je veux bien essayer de vous les rapporter... Il y a, circonstant [1] le prince, les grands que je vous ai nommés... Il faut y ajouter les

1. Entourant.

maréchaux d'Aquitaine : Guichard d'Angle et Étienne de... Cousentonne[1] qui portaient l'un et l'autre un pennon de Saint-Georges. Puis Guillaume de Beauchamp, fils du comte de Warwick, Hugues de Hastings, le sire de Rais, qui sert Chandos à trente lances ; le sire d'Aubeterre, messire Garsiot du Châtel, messires Richard Canton, Robert Ceni, Robert Briquet, Jean Cresuelle, Aymery de Rochechouart...

« L'homme », songea Tristan, « qui aima l'épouse de mon beau-père... Qui l'aima si profondément que, par déception, il devint routier. »

— Gaillard de la Motte, Guillaume de Clayton, Willebolz le Bouteiller et Pennenel...

— La Fleur des malandrins, résuma Guesclin. Moult d'entre eux qui nous ont quittés...

— Je ne sais, messire, dit le chevaucheur. D'autres noms me viennent : Louis d'Harcourt, vicomte de Châtellerault, le vicomte de Rochechouart, le sire de Pons, les sires de Parthenay, Poyanne, Tonnay-Bouton, Argenton... Tous les Poitevins, en somme. Thomas Felton, sénéchal d'Aquitaine, Guillaume, son frère, Eustache d'Auberchicourt... les sénéchaux de Saintonge, de la Rochelle, du Quercy, du Limousin, d'Agenais, de Bigorre...

— Assez ! hurla Guesclin... Quels que soient ces prud'hommes, nous les vaincrons. Nous leur fournirons une leçon telle qu'ils s'en reviendront chez eux la queue basse... s'ils survivent, cela va de soi !

— Bien, dit Henri au chevaucheur. N'en dis pas davantage[2], va te réchauffer sous mon pavillon...

1. Estievene de Cousenton : *Stephen Cosington.*

2. Il y avait encore, selon Froissart : « messire Richard de Ponchardon, messire Néel Lornich (Nigel Loring), messire d'Angrises (Johnes, dit le comte d'Angus, le comté d'Angus étant situé en Écosse), messire Thomas Balastre (sir Thomas Banaster, 56e cheva-

Henri, satisfait, se frotta les mains :

— Le prince de Galles est un vaillant et preux chevalier ; et pour qu'il sente que c'est sur mon droit que je l'attends, je vais lui écrire une partie de mon entente.

Il regarda Guesclin, lequel eut un geste évasif. Il détestait, visiblement, des commençailles de cette espèce.

— Un clerc, dit le roi. Un clerc.

Frère Béranger fit un pas en avant :

— De quoi rédiger, sire, et je vous servirai.

Il y avait une écritoire dans le coffre royal. L'encre en était liquide, ce qui, par ce temps de gel, tenait du miracle. Assis sur une escabelle, frère Béranger, une longue plume d'oie entre le pouce, l'index et le majeur, déclara qu'il était prêt.

— Écris, dit le roi. *À très-puissant et honoré le prince de Galles et d'Aquitaine... Cher sire, comme nous ayons entendu que vous et vos gens soyez passés*

lier de la Jarretière), messire Louis de Merval, messire Raymond de Moreuil, le sire de Pierre-Buffière et bien quatre mille, tous hommes d'armes (... puis vinrent) le roi James de Mayogres (Majorque), le comte d'Armignac, le sire de Labreth, son neveu : messire Bernard de Labreth, sire de Gironde, le comte de Pierregord, le vicomte de Carmaing, le comte de Comminges, le captal de Buch, le sire de Clisson, les trois frères de Pommiers ; messire Jean, messire Helye et messire Aymemon, le sire de Chaumont, le sire de Mucident, messire Robert Canolle (Robert Knolles), le sire de l'Esparre, le sire de Rosem, le sire de Condom, le soudich de l'Estrade, messire Petiton de Courton, messire Aymery de Tarse, le sire de Labarde, messire Bertrand de Tande, le sire de Pincornet, messire Thomas de Wettefale, messire Perducas de Labreth, le bourc de Breteuil, le bourc Camus, Naudon de Bagerant, Bernard de la Sale, Hortingo, Lamit, et tout le ramenant des Compagnies ». Ils se conduisirent effectivement en routiers, prenant ce qui leur plaisait où ils le voulaient, ne payant jamais, sans que Navarre, et pour cause, n'osât protester. Ne leur avait-il pas ouvert et permis le passage ?

par deçà les ports et que vous ayez fait accord et alliance à notre ennemi, et que vous nous voulez gréver et guerroyer, dont nous avons grand'merveille, car oncques nous ne vous forfîmes choses ni ne voudrions faire pour quoi ainsi à main armée, vous doiez venir sur nous pour nous tollir tant petit héritage que Dieu nous a donné ; mais vous avez la grâce et la fortune d'armes plus que nul prince aujourd'hui, pourquoi nous espérons que vous vous glorifiez en votre puissance pour ce que nous savons de vérité que vous nous quérez pour avoir bataille, veuillez nous laisser savoir par lequel lez vous entrerez en Castille et nous vous serons au-devant pour défendre et garder notre seigneurie... Écrit le 28 février... Achevez, clerc, à votre gré[1].

Frère Béranger parut ravi du voussoiement. Guesclin haussa ses puissantes épaules. Un héraut fut mandé, jeune, efféminé, enveloppé dans des fourrures de loup et de mouton.

— José, va-t-en au plus droit que tu pourras par devers le prince de Galles et lui baille ces lettres de par moi...

Le parchemin, scellé, fut dans la main du jouvencel.

— Monseigneur, volontiers, je remettrai ces lettres... Le prince doit être encore en Navarre...

— Où qu'il soit ton devoir est de les lui remettre.

Tandis que le héraut s'éloignait, Tristan l'imagina agenouillé devant le prince Édouard tandis qu'un clerc d'Angleterre lisait le texte écrit par frère Béranger. Puis le silence et l'exclamation joyeuse de l'Anglais : « *Vraiment, ce bâtard d'Henri est un vaillant chevalier et plein de grand'prouesse !* » Et, s'adressant au héraut : « *Ami, vous ne pouvez encore partir. Quand il plaira au prince, il écrira par vous et non par autre.* »

1. Dimanche 28 février 1367.

Et le jouvencel de répondre comme c'était l'usage : « *Dieu y ait part.* » Quand reviendrait-il ? En quels termes serait la réponse du prince ?

Tristan se retira en se répétant ces questions. Dehors, il faisait de plus en plus froid et c'était à se demander quelle alliance l'hiver avait choisie : Pèdre et le prince de Galles ? Don Henri et Guesclin ? Le vent qui s'était mis à souffler par clameurs brèves, agressives, venait du nord. Autrement dit : de Bordeaux et de la Navarre.

— Et puis, merde, on verra bien ! se dit Tristan, le dos courbe et les oreilles picotantes.

Batailler par ce temps de froidure infinie lui paraissait une folie, mais il se pouvait que l'ardeur des combattants n'en fût que plus tenace et plus chaude. Oui, on verrait bien. Une chose était certaine : on allait transpirer sous les plates d'armures et les mailles des haubergeons.

Tristan vit Paindorge se hâter à sa rencontre.

— Ah ! messire, messire, grommela l'écuyer, je viens d'en apprendre une bien bonne !

— Quoi ?

— Nous aurions pu être débarrassés du Breton.

— Quand ?

— Lorsque les Goddons nous ont quittés.

— Ah ?

Les cheveux ébouriffés, les lèvres tremblantes, l'écuyer était sous le coup d'une rage infinie :

— Avant leur départ, ils ont voulu occire Bertrand.

— Qui ?

— Je ne sais... Calveley, lui, l'a su. Et devinez...

Tristan revit le Breton pendant la dernière montre : l'œil hardi d'un Spartacus et l'esprit d'un fils de Bélial.

— Je devine qu'il a prévenu Bertrand.

— Oh ! s'étonna Paindorge. Et ça vous semble bien ?

— Non, pour ce qui concerne Bertrand, Robert, mais parfait pour la Chevalerie... et pour moi-même !

Et Tristan se remit à marcher : il en avait assez dit[1].

1. Jean de Venette qui fut sans doute l'auteur de la *Chronique des Quatre premiers Valois*, raconte :

« Aucuns Angloiz, qui estoient allés en Espaigne avecquez monseigneur Hue de Kervelley, parlementerent ensemble secretement d'occire monseigneur Bertran de Clacquin dedens son pavillon. Ung d'iceux Angloiz dist leur convine à monseigneur Hue de Karvelley qui le fit assavoir à monseigneur Bertran secretement. Car le dit monseigneur Hue de Karvelley ne voulloit pas estre coulpable ne consentant de la mort d'ung si preux et vaillant chevalier comme monseigneur Bertran de Clacquin. Quant monseigneur Bertran scut qu'ilz le devoient ou voulloient occire, il fit telle diligence qu'il fist prendre aucuns de ceulx qui avoient sa mort pourparlée et les fist mourir. »

Ces exécutions durent être secrètes – *si elles eurent lieu*, car enfin Calveley n'eût pas dénoncé ses hommes. Quant au fait qu'il eût prévenu Guesclin du danger, ce fut certes par esprit chevaleresque mais aussi par précaution : le Breton lui devait des sommes *énormes* qu'évidemment il ne lui versait point !

V

Le lundi 1er mars, au milicu de la matinée, l'armée s'ébranla lentement. Sans tenir compte d'aucun conseil, don Henri, persuadé que le prince de Galles faisait mouvement vers Burgos, avait décidé de franchir l'Èbre auprès de Haro pour camper à Treviño[1], à quelques lieues de Salvatierra dont il savait les habitants acquis à Pèdre. Comme toujours, l'avant des Compagnies chemina en bon arroi, promptement, tandis que les hommes de l'arrière-garde et l'essentiel du charroi musaient sur des chemins de neige et de glace labourés, craquelés, crevassés par les fers de la cavalerie. On apprit le soir seulement qu'un chapelet d'attardés avait péri lors d'une escarmouche avec une reconnaissance anglaise qui s'était aventurée dans la vallée de l'Èbre[2]. Des chariots de vivres avaient été pillés. Quel qu'eût été le nombre des victimes – certains traînards disaient vingt, d'autres davantage –, Henri refusa de s'en soucier. Ils avaient rechigné d'al-

1. Plus précisément au village d'Añastro, à l'ouest de Treviño, situé sur un petit affluent de l'Èbre : le rio Ayuda, à 30 km au N.-E. de Haro et 20 km au S.-E. de Vitoria. C'était la seule voie montueuse allant vers Miranda et Burgos.

2. Cette escarmouche est racontée dans le poème du héraut d'armes Chandos.

ler à la bataille ? Elle était venue jusqu'à eux. Ils étaient morts sans gloire, abandonnés de Dieu.

Sous son pavillon hâtivement dressé, le roi réunit son conseil. Il divulgua aux prud'hommes ignorants de cette audience, qu'un chevaucheur français dont il tut le nom, lui avait apporté des recommandations de Charles V dont il semblait tout à la fois marri et honoré.

— Compères, dit-il, j'ai pris acte des admonitions du roi de France. Il m'engage à ne pas combattre en bataille rangée contre un guerrier tel que le prince de Galles. Il est vrai, messires les Français, que les rois de votre pays et son bon peuple ont souffert de la cruauté de cet homme. Mais nous sommes en Espagne avec moult Espagnols, et je sens la victoire à portée de ma main ! Eh oui, Bertrand... Je vous vois sourire. En douteriez-vous ? Charles V, il me semble, à Poitiers...

— Sire, tonna Guesclin que l'allusion à la fuite du prince héritier, lors de cette bataille, semblait ulcérer grandement alors qu'elle eût dû le laisser indifférent, gardez-vous de tirer des leçons trop hâtives d'une défaite où je n'étais point !

« Il nous voudrait faire accroire qu'avec lui, nous eussions gagné », se dit Tristan. « Quelle présomption ! J'aurais bien voulu l'y voir ! »

— Point de bataille rangée, sire ! insista le Breton.

— La bataille sera ce que j'en ferai[1].

Guesclin se résigna. Audrehem vint à sa rescousse :

— Combattre les Anglais en bataille rangée, c'est leur donner, Henri, des armes contre nous !

1. Pedro López de Ayala écrit, à propos de cet entêtement : « *Sobre esto Mosen Beltran de Claquin é el mariscal de Audreham... fablaron con el rey D. Enrique de parte del rey de Francia todas estas razones que le enviabla decir e mandaba a ellos que fablasen con el por tae manera que la batalla non se ficiese* ».

— La bataille sera ce que j'en voudrai faire !

Content de lui, le roi se répétait. Nullement ébahi par cet entêtement, Tristan se souvint de l'obstination de Jean II, dit plus tard « le Bon », peu avant l'affrontement des Français et des Anglais, commandés par le prince de Galles, dans les champs bossués de Poitiers-Maupertuis. Henri, en ce moment, ressemblait au défunt roi de France : même regard acéré entre des paupières pâlies, gonflées par des insomnies dont la nature importait peu ; même bouche en friche, dédaigneuse, même menton pelu soulevé par une témérité tellement quellement affectéc quc Gucsclin, dans son coin, souriait sans respect.

Le Bègue de Villaines, le maréchal d'Audrehem, Thibaut du Pont, le comte de Denia, don Gil Bocanegra, l'*amirante* d'Espagne à l'avant des prud'hommes groupés autour de don Henri, sourcillaient de le voir s'emporter alors qu'en l'occurrence, il eût dû s'en remettre à Bertrand que sa singulière ardeur mécontentait.

— Sire, dit le Breton sans bouger de sa place, vous avez pu ouïr ce que vous a dit le dernier chevaucheur : le prince de Galles s'est entouré de la grande chevalerie d'Angleterre et de ses alliés les meilleurs. Je sais bien que vous pouvez avoir plus grand nombre de gens que lui, mais les siens ont toujours suivi les guerres plus que les gens de cette contrée. Je ne vous conseillerai nullement de combattre le prince en bataille à présent ; nequedent[1], on peut garder les passages des rivières contre lui et le tenir si à dépourvu de vivres qu'il lui conviendra de répandre ses fourrageurs et ses hommes d'armes pour aller recouvrer des vitailles et du fourrage. Nous qui connaissons déjà le pays, nous

1. Cependant, néanmoins.

trouverons bien avantage sur eux, et de fois à autre, nous pourrons les battre. Vous pourrez ainsi abaisser leur armée sans crainte de préjudicier la vôtre. Alors, par la suite, quand vous les verrez affaiblis, vous les pourrez bien combattre et déconfire aisément l'héritier d'Angleterre.

Les chevaliers s'accordèrent à ce conseil. Henri, têtu, n'y voulut point souscrire : une victoire sur le prince de Galles et sur Pèdre grossirait sa renommée dans toutes les Cours du monde.

Tristan quitta le pavillon du roi. Il fut rejoint par Arnoul d'Audrehem emmitouflé dans une pelisse de mouton qu'un muletier lui avait cédée, sans doute, contre une poignée de maravedis.

— Content de vous rattraper, Castelreng. Savez-vous ce que le Breton vient de me dire ? « *Maréchal, je dis et affirme qu'aussitôt qu'ils verront la bannière du roi Pedro et du vaillant prince, nos gens s'enfuiront. Je ne me fie en eux pas plus qu'en l'oiseau qui vole. Et je vous jure Dieu le père que j'aimerais mieux être pris en bataille que le roi Henri. Car si Pèdre le tient, il le fera mourir comme le plus fol traître, le plus fol mécréant qui soit au monde. Et si j'étais pris, j'aurais quelque garant qu'on s'accorderait avec moi pour or et pour argent.* » Henri est fol et haustre[1]. Il tient à sa bataille. Elle m'inquiète comme il m'inquiète. Et vous ?

— Messire, dit Tristan, sachez-le : si je tombe au pouvoir du prince d'Aquitaine, il me pendra ou décollera.

— Tiens donc !... Et pourquoi, mon ami ?

« Mon ami ! » Il y allait fort, le maréchal de France. Était-ce parce qu'il était inquiet, lui aussi ?

1. Hautain.

— Je ne puis, hélas ! vous en dire plus, messire. Quand le roi Charles n'était que le lieutenant de son père, il me confia une besogne qui me poussa dans la gueule du loup... ou du léopard... J'en pus sortir... Mais je puis vous avouer que monseigneur Édouard, qui sait ostoier[1], me connaît et réprouve. On le sait : la haine est chez cet homme un désir incessant. Il jouira de me faire occire, – s'il ne m'occit pas lui-même.

— Eh bien, dit Audrehem en remontant le col de sa houppelande, je dois vous le confesser : il me réprouve aussi. C'est pourquoi nous allons devoir œuvrer pour la victoire... quelque ardue qu'elle nous paraisse.

— Eh oui, fit Tristan, morose, en s'enserrant plus fort dans la couverture de laine qu'il avait prise pour manteau.

*

* *

Le lendemain, toujours lente, frileuse, étirée, taciturne, l'armée se remit en marche. Où allait-on ? Vers les montagnes. Et quand on y serait ? Mystère. Qui avait décidé qu'on patrouillerait du matin au soir dans une neige et une boue sans cesse plus épaisses, plus glissantes ? C'était Guesclin, pardi !

Le Breton avait convaincu Henri d'attendre l'adversaire à l'abri d'une forteresse d'où il serait possible de le voir venir de loin. Comme le roi hésitait sur le choix d'un château, Guesclin avait décidé de prendre pour gîte celui de Zaldiarán. Il ne cessait de répéter sur tous les tons qu'il fallait escarmoucher l'ennemi à outrance et manœuvrer afin de l'attirer dans l'intérieur du pays : les rigueurs d'un hiver qui s'éternisait, les fatigues et

1. Combattre dans l'ost.

la faim-valle l'éprouveraient autant que des vols de sagettes. Cependant, au cours de la nuit, les capitaines castillans s'étaient ralliés aux résolutions du roi contre celle d'un mercenaire : si l'on faisait quelques pas en arrière comme le préconisait Guesclin, si l'on embûchait plutôt que de combattre en face, on avouerait tout à la fois une faiblesse de caractère et une infériorité dont Pèdre et le prince de Galles se gausseraient à bon droit. Les provinces cédées à l'invasion se déclareraient contre Henri. La défection s'étendrait sur toute la Castille. Les *ricos hombres* avaient rappelé à leur souverain que l'année précédente, Pèdre avait perdu son royaume pour n'avoir point livré bataille alors qu'il était en force à Burgos, et venait d'apprendre le martyre de Briviesca. Il n'avait donné aucun mandement à ses milliers de partisans parmi lesquels les manants et les bourgeois étaient les plus acharnés à vouloir se battre. Le samedi des Rameaux[1], il avait fui, perdant tout à la fois et l'honneur et son trône. « *L'honneur* », avait proclamé Henri, « *m'enjoint d'aller au-devant de l'ennemi. Il m'interdit d'abandonner à la vengeance de Pèdre des cités et des hommes qui se sont déclarés pour ma cause !* » Néanmoins, afin de concilier sa fougue avec la prudence inhabituelle de Guesclin, il avait consenti à appuyer son armée aux montagnes qui séparaient l'Alava de la province de Burgos. Les capitaines avaient reçu leurs instructions : des contingents nombreux occuperaient les cols. Le gros de l'ost serait concentré à Zaldiarán[2] dans une position forte. On attendrait ainsi l'attaque des Anglais.

1. 28 mars 1366.

2. La citadelle de Zaldiarán – ou Celdiarán –, aujourd'hui disparue, occupait une situation parfaite sur un piton abrupt dominant l'étroit défilé qui jouxte la route de Treviño à Vitoria, au passage des montagnes entre l'Alava et la vallée de l'Èbre. La vue y embrassait toute la plaine de Vitoria.

— Une envaye[1] ? s'étonna Paindorge en découvrant, du haut de Tachebrun, le château embrumé au sommet d'une montagne grise, apparemment abrupte. Comment allons-nous accéder à cette forteresse ? Les chevaux n'en peuvent mais. Ils me font grand-peine.

C'était la vérité. Malaquin, qu'il menait à la longe, trébuchait parfois. Coursan, le destrier de Lebaudy, remuait sa lourde tête comme s'il réprouvait la prochaine montée. Babiéca, que Lemosquet avait adopté, regimbait parfois, gênant le rechange navarrais, Pampelune, que le soudoyer menait d'une main par une corde assez courte. Carbonelle piétait de son mieux. Quant à Alcazar, il semblait à l'aise dans l'écume tantôt blanche, tantôt noire des chemins et des sentiers.

— Vous ne regretterez pas, messire, demanda Paindorge, d'avoir offert tous nos autres chevaux, sauf Coursan et Carbonnelle, à ce mire de Santo Domingo ?

— Il refusait d'abandonner quelques blessés qui ne pouvaient marcher. Tu le sais : les laisser à leur sort, c'était les condamner à être occis, soit par les manants de la cité, soit par les Goddons ou les disciples de Pèdre.

— Je les ai vus, dit Lemosquet. Ils chevauchent à deux par cheval... Je ne sais si Carbonnelle suivrait si bien sans longe. Elle est peut-être amourée d'Alcazar.

Sans répondre à cette facétie, Tristan leva les yeux vers les hauteurs :

— Ce château ressemble à ceux de Puylaurens, Quéribus, et surtout Peyrepertuse.

— Imprenable, dit Lemosquet.

— Oh ! Oh ! c'est à voir. Pour Simon de Montfort, tous les châteaux pouvaient être conquis. Il n'a cessé

1. Attaque ou encore : *envahie.*

de le prouver dans une guerre affreuse. Celui de Zaldiarán est toutefois plus élevé.

— Ces montagnes, dit Lebaudy en désignant quelques pics neigeux, ce sont celles qu'ils appellent la sierra de San Lorenzo[1].

Lemosquet grognonnait. Souffrant du froid plus que ses compagnons, il leur demandait de temps en temps d'une voix geignarde s'il pourrait, vu ses pernions[2], manier valablement son arc ou son épée. Il eût pu conserver cette crainte en lui-même ; il préférait l'exprimer. Tristan s'en irritait parfois sans oser le lui montrer.

Il regarda la montagne dont il commençait à gravir la pente douce, couverte d'arbrisseaux enfarinés et rabougris. Elle lui parut la plus belle de la sierra dans sa forme élancée, ses déchiquetures, ses escarpements çà et là hérissés de sapins adultes dont les cagoules blanches, parfois, laissaient tomber des charpies. Il allait falloir s'enfoncer là-dedans et, lorsqu'on serait rendu au château, en redescendre certains jours en avalanche de quelques centaines d'hommes pour aller dans un col escarmoucher l'ennemi. Puis remonter en regrettant les morts privés de sépulture et en exhortant les blessés à la résignation sinon à la patience.

Il avait tenu à suivre Henri, Guesclin, les prud'hommes et les *ricos hombres* d'assez près. Il se demanda quelles étaient les pensées du roi. Il voulait dominer l'Espagne ? Il allait devoir se contenter de dominer du regard cette vaste nature qui, obligatoirement, allait un prochain jour se maculer de sang.

Monter, monter encore. Le froid devenait dru et le vent plus pointu. Plus sifflant. Là-haut, le grand châ-

1. 2 303 mètres d'altitude.
2. Engelures.

teau semblait petit, hostile. On ne distinguait rien de ses tours et tourelles. Soit qu'il eût été arasé, soit qu'il n'en existât point, aucun donjon ne dominait l'enceinte couleur de plomb où rien n'étincelait. Zaldiarán était-il vide ? Si oui, pourrait-on y trouver du fourrage pour les chevaux et du bois pour se chauffer ? Et l'essentiel pour tous les hommes : la nourriture ?

Nul maintenant ne parlait. La plupart des regards convergeaient sur cette singulière bouche de pierre qui les avalerait entre ses chicots. Monter, monter toujours. Les chevaux alentissaient le pas. On abordait quelquefois des corridors sinueux entre des falaises rocailleuses. La procession s'y étirait ; les voix rebondissaient sur les parois d'où s'essoraient des corbeaux maigres comme des ermites jeûneurs, bien que cette espèce fût rare en Espagne.

« J'ai bien fait de me séparer de quelques roncins. Ils commençaient à nous être une gêne pour la surveillance et les soins... Nécessité fait loi. N'empêche que je les regrette car ils étaient bons et moult vaillants. »

— Courage !

— *Mucho ánimo !*

C'étaient les seules exhortations que l'on adressait à la piétaille. On écrasait parfois les invisibles sillons d'un champ. Parmi les cohortes de routiers et de Bretons, on se demandait si l'idée d'aller s'enfermer dans cette aire que des aigles hantaient sans doute, était d'Henri ou de Guesclin. On se mouillait jusqu'aux jarrets. On n'osait trop regarder ces murailles rébarbatives qui se dressaient devant, toujours, avec une sorte d'obstination – ou de férocité. Et l'on montait – bêtes et hommes – morose, essoufflé, vers ce château qui jouait à cache-cache, solide, certes, mais sinistre sur le ciel blême et brumeux. On n'osait trop se retourner, nullement par vertige mais pour ne point être déçu et se dire qu'on n'avançait guère. On entendait avec le froy [1] des sabots, des râclements d'armes d'hast réduites à un rôle de bourdon, des toux, des crachements, des soupirs brefs et bruyants, des admonestations furieuses. L'armée montait toujours. Fallait-il être fou ? Jamais les Goddons n'accompliraient cette ascension !

« Ils attendront que nous crevions de froid et de faim. »

Toujours ces parois abruptes, verruqueuses, saupoudrées de neige par endroits, couvertes de glace en d'autres. Pas d'arbres ici, et là un boqueteau de fantômes d'où émergeaient, d'un suaire haillonneux, quelques os noirs et noueux où se juchait parfois un freux, un merle, voire un coulon. Et le château, de plus en plus gros, inexprimablement sévère comme s'il se refusait à héberger ces centaines de pèlerins en armes tandis que des milliers d'autres froidiraient dans la plaine.

— On sera serrés ! dit Paindorge.

— Nous aurons plus chaud ainsi.

— Est-il habité ? interrogea Lemosquet.

— Je n'en sais rien, Yvain. Peu importe d'ailleurs : il nous faut y aller.

Monter encore. Comme à Puylaurens, Quéribus, et Peyrepertuse. La neige, tantôt épaisse, tantôt plissée, aplatie par le vent.

— Dire qu'on a sué sous le ciel de Séville !

— Hé oui, Robert ! approuva Tristan.

— Et bien mangé, ajouta Lemosquet.

— C'est vrai ! dit Lebaudy. Le pot-au-feu andalou... Les tripes...

— La queue de taureau au piment enragé et le ragoût de mouton ! dit Paindorge. Et le *pescado frito*...

1. Ou *froi* : bruit ou sabotement.

Tristan sourit :

— C'est ce qui s'appelle, compères, avoir du cœur au ventre.

— Et vous, messire, qu'est-ce que vous aimiez en sus de votre belle ?

Lemosquet regretta d'autant plus son propos que Paindorge l'avait souligné d'un « *Oh !* » indigné. Tristan préféra s'ébaudir que de grommeler un reproche. Séville était loin, très loin, et Francisca également.

— Ce que j'aimais, Yvain ? Les *tapas*, ces goulardises que l'on mange à la volée. Les olives noires...

— ... dans une marinade de thym, acheva Lebaudy.

— Les chevrettes[1] du Guadalquivir !

— Et les *pavias* ! s'exclama Paindorge. Ces tranches de morue panées, frites dans une grosse poêle d'huile d'olive. Et les *yemas*, ces jaunes d'œufs sucrés.

— Avec un bon vin, dit Tristan. *Jerez, Montilla...*

— *Puerto de Santa Maria*, renchérit Lemosquet.

— *Manzanilla !* soupira Lebaudy. Moi, j'ai un bon souvenir des perdrix de Tolède !... Quand vous étiez couché chez Pedro del Valle, on est sortis, Yvain et moi... moult armés... On est allés – oh ! pas longtemps – chez Adolfo, qui est un...

— *Asador*, compléta Lemosquet. Un rôtisseur, quoi ! On a mangé deux perdrix chacun et bu du vin de la *Mentrida...* Oh ! n'ayez crainte : c'était tout près de la maison de l'armurier et Paindorge...

— Je leur ai dit, fit l'écuyer contrit, de faire vélocement.

Silence. Ils se sentaient soudain le ventre creux et la bouche emplie de salive. Comme Alcazar venait de glisser sur un nid-de-poule à demi plein de glace, Tristan mit pied à terre. Ses hommes en firent autant. Bien

1. Crevettes.

qu'ils se fussent confectionné des moufles avec des morceaux de laine, ils souffraient des mains. Tristan enfouit sa dextre sous son aisselle senestre, tenant les rênes d'Alcazar de ce côté, joints à la longe de Carbonelle dont Lebaudy le soulagea.

— Bon sang ! enragea-t-il, quand arriverons-nous ?

— Bientôt, messire, dit Paindorge.

Le château, en effet, grossissait pas à pas. Serait-il accueillant ou revêche ? Qui était assez fou pour vivre l'hiver là-dedans ? Enraciné dans des éboulis coiffés de capuces blanches, il paraissait monstrueux et désert.

— Par ce temps... commença Paindorge.

Une longue sonnerie de trompe l'interrompit.

— Au moins, dit-il, nous savons maintenant que quelqu'un nous attend !

Le porche béait sous la herse dont on ne voyait que les dents. Quelques soudoyers, les uns porteurs de flambeaux, les autres armés de vouges et d'épieux, formaient la haie. Au bout : des bâtiments comme dans tous les châteaux. Point de châtelain, de châtelaine ; pas même des serviteurs. Il fallut improviser à mesure de l'entrée des hommes dans l'enceinte. Tandis que le roi, Guesclin et leurs fidèles étaient conduits dans un logis aux fenêtres duquel étincelaient et rutilaient les lueurs d'un grand feu, Tristan, ses compères et leurs chevaux furent dirigés vers une étable de vastes dimensions, occupée par des almogavares et leurs genets. Au-dessus d'eux, les affenoirs bâillaient sur du vide. Bien qu'il se fût préparé à une déception de cette espèce, Tristan ne put contenir son courroux :

— Je puis me passer de nourriture. C'est un désagrément que je peux comprendre. Mais nos chevaux ? Allons-nous devoir galoper sus à l'ennemi avec des roncins et des coursiers fortraits ?

— Rassurez-vous, messire, dit un Espagnol occupé

à bouchonner son genet pommelé. Il y a du fourrage en haut : j'y suis monté. Les serviteurs de Zaldiarán vont nous en pourvoir.

— *Gracias, compadre.*

Et tourné vers ses compagnons, Tristan leur confia :

— Je suis fourbu... Vous voyez ce coin, là-bas, où il subsiste de la paille ? Je vais aller m'y coucher. Veillez à tout... Des milliers d'entre nous vont devoir dormir dehors...

Il se coucha entre deux inconnus qui remuèrent à peine à son contact. Vraiment, ce soir, il était las. Combien de jours allait-on vivre sur ces hauteurs inclémentes ? Jamais Édouard ne monterait jusqu'ici. Toutes les chances étaient en faveur d'Henri et de Guesclin : ils disposaient d'une cavalerie importante et, surtout, d'une infanterie et d'une archerie habituées à la guerre de montagne, d'où un avantage énorme sur des troupes armées lourdement qui, de surcroît, ignoraient le terrain où elles ne tarderaient pas à s'engager.

*

* *

Sans que la froidure s'adoucît, le ciel redevint bleu. Puis la neige fondit les après-midi pour redurcir lors des vesprées. Les abords de Zaldiarán se couvrirent de tentes de toile ou de peaux de bêtes. Plutôt que de donner le fourrage aux chevaux dans les écuries et les étables, on l'étendit par touffes à l'extérieur de l'enceinte. Cinglé par le vent des cimes, l'air plus clément revigora la plupart des bêtes. Au coucher du soleil, elles réintégraient leur gîte à l'intérieur du château. Les moins chanceuses passaient la nuit avec la piétaille, auprès des feux où flamboyaient des sapins entiers.

L'oisiveté de Tristan le poussait soit hors des murs,

soit sur leurs larges aleoirs[1]. Il contemplait les sommets à l'entour, les insondables cavités rocheuses où s'aventurait parfois la couleuvre d'un chemin et, au-delà, les fragments de plaine où des arbres, peu à peu, quittaient leur harnoi glacé.

Attendre. Il ignorait ce qu'on attendait, mais ce dont il était certain, c'était que la résignation alourdissait ses pensées tandis que sa santé dépérissait. On mangeait peu, à Zaldiarán ; le vin même chaud y était rare. Le froid sec du dehors, humide du dedans, nouait et durcissait les muscles. On dormait mal sur une plate litière. Les murs suintaient. Il regrettait de ne pouvoir fréquemment se laver. Par deux fois, à l'aube, en se traitant de frileux pour se donner du courage, il était allé se rouler, se frotter dans un carré de neige épaisse et propre. Maintenant, elle était devenue boue.

Henri et sa petite cour ne sortaient que pour arpenter le chemin de ronde et se pencher parfois, entre deux merlons pointus, à la recherche des Anglais. Il advenait que, cédant à l'émoi d'une hallucination, Henri tendît l'index en criant : « *Là !* » Il se méprenait, confondant l'ombre d'un nuage entre deux versants et le cheminement de l'armée adverse. La nuit, suivi de deux porte-flambeau tout aussi enveloppés que lui dans une épaisse galvardine, le roi guettait quelques lueurs. Il n'y avait que celles, immobiles, des étoiles.

À chaque aube un soleil sinistre se levait. Non pas rouge : cramoisi. Le sang tombé du ciel coulait sur les montagnes comme de larges coupures faites à leurs têtes, suintait dans les gorges profondes, – les *barrancas* –, teintait çà et là l'eau pétrifiée d'une grande mare pour se putréfier on ne savait où.

Paindorge se disait démangé par l'envie de partir.

1. Chemin de ronde.

Tristan n'osait trop réprouver son franc-parler et son impatience, ni d'ailleurs Lemosquet et Lebaudy. Aucun homme ne venait d'en-bas, porteur d'un message. Aucun ne descendait pour savoir où se trouvaient les Anglais et ce qu'ils préparaient. Audrehem, disait-on, dormait toute la journée ; le Bègue de Villaines, avec la pointe d'un clou, gravait sur les murs des jouteurs et des tournoyeurs. Les autres Français jouaient aux jonchets avec des brins de paille.

— Que fait Guesclin, messire ? A-t-il amené sa putain jusqu'ici ? On dit qu'elle se vêt en homme...

— Peu me chaut, Robert, qu'elle soit là ou non.

— C'est lui qui a voulu venir à Zaldiarán.

— Lui ou un autre... N'aie crainte : il médite son coup. C'est un bidau, un pétau [1] qui dans le bien comme dans le mal sait toujours ce qu'il fait. Un homme sans attemprance [2]. Tu verras qu'un jour, nous irons au-devant des Goddons.

Un matin, une rumeur circula : on allait descendre escarmoucher don Pèdre et ses alliés. On sut qu'au

1. Paysan.
2. Sans modération.
Il est opportun de consigner ici que dans son roman : *la Compagnie blanche*, Conan Doyle, tel Alexandre Dumas dans la plupart de ses ouvrages, a multiplié les erreurs, prouvant ainsi qu'il se souciait peu de l'Histoire. Le père de Sherlok Holmes, qui raconte les aventures des Anglais avant Nájera, situe son action par un temps fort clément : ses archers sont torse nu, ses montagnes brunes avec des précipices profonds de plusieurs centaines de mètres. Et soudain, sans qu'on sache pourquoi, c'est l'hiver mais sans ses infaillibles conséquences. Pour Doyle, les paysans espagnols sont des êtres vils qu'il faut traiter en esclaves. L'armée anglaise dégringole, malgré la neige, dans des ravins pour escalader sans raison des crêtes (à cheval). Les buissons sont touffus et l'action qu'il décrit *complètement imaginaire*. Pourtant, les chroniqueurs anglais de l'époque sont une mine d'informations pour qui veut les lire.

cours de la nuit, un chevaucheur était parvenu jusqu'au roi pour lui apprendre que les manants et les bourgeois de Salvatierra s'étaient montrés si empressés envers les Anglais que ceux-ci, pleins de confiance, n'avaient point hésité à continuer leur avance. Ils progressaient vers l'ouest : Vitoria sans doute. Ils suivraient certainement le cours du rio Zadorra en direction de Miranda de Ebro et Haro pour obliquer vers l'est et Logroño. Comment connaître leurs intentions ?

— Hé ! Hé ! fit Audrehem lors du premier conseil sérieux réuni en fin de matinée dans le tinel de Zaldiarán tiédi par la chaleur que dégageaient deux cheminées d'encoignure. Messires, le meilleur moyen de savoir où sont et vont nos ennemis, c'est de partir à leur recherche.

— E... é... évidemment ! acquiesça le Bègue de Villaines.

— Pardi ! fit Guesclin.

Il croisait les bras, soucieux, le front bas, le regard torve dirigé soit sur l'un des feux, soit sur le roi qu'il sentait indécis. La veille au soir, Tristan l'avait entrevu seul sur le chemin de ronde, les yeux souvent levés comme s'il espérait trouver dans les constellations qui venaient de s'illuminer soit un réconfort, soit une réponse aux questions issues de cette guerre où se révèlerait, sous peu, la supériorité de Pèdre ou de Henri.

Don Tello, frère du roi, accoudé auprès du Breton sur le plateau de la table immense aux pieds tordus en lyre antique, envoya quérir le chevaucheur. Il apparut bientôt, pâle, décoiffé, inquiet et fébrile : on l'avait tiré du lit. C'était un jouvenceau ; il avait le sommeil pesant.

— Seigneurs, dit-il dans un français convenable, j'ai quitté l'armée du prince hier, au soleil levant. Je vous jure Dieu qu'on ne vit jamais de telles gens, ni de si fière apparence, ni en si bon arroi[1] ni si moult guerriers... Mais ils n'ont que manger et jeûnent pour la plupart, car par toute la Navarre, ils n'ont rien trouvé.

Tristan sentit le regard de cet adolescent éprouvé par le froid et l'angoisse s'arrêter sur lui comme sur un chef. Il l'en dissuada d'un sourire. Le chevaucheur alors se tourna vers Villaines, Guichard le Normand, Guillaume Boitel, Thibaut du Pont, Audrehem et son neveu. D'autres encore.

— Parle ! enjoignit Tello, plus orgueilleux et autoritaire que son roi de frère englué dans une méditation confuse.

— Qui donc fait l'avant-garde ? demanda Guesclin en tapant des deux poings sur la table, alternativement.

— Felton, messire, est le conduiseur de l'avant-garde. Un parent le compagne. En tout cinq cents lances. Ils pillent le pays, je puis vous l'acertener[2].

— Ça, dit le Breton, je le devine. Tu vas venir avec nous et nous verrons ce que nous pourrons faire.

Puis s'adressant aux frères du roi, inquiets, au coude à coude :

— Messires, vous viendrez avec moi.

— Soit, dit don Sanche.

— Bien, dit don Tello.

— Audrehem, Villaines, Neuville... et vous, Castelreng... Et vous, vous, vous...

Le doigt épais, tendu comme un vireton d'arbalète, désignait les compères d'une action pénible et périlleuse.

« *Il m'a voussoyé* ! » songea Tristan. « Je ne me

1. En bon ordre.
2. *Acertener* : affirmer.

méprends pas : ce n'est point du respect mais un dédain profond. »

Il se leva tandis que le Breton continuait :

— Nous leur montrerons qui nous sommes... s'ils ne le savent déjà !

— Et moi ? demanda Henri en feignant l'indignation. Mes capitaines ? Mes hommes ?

Guesclin, comme exaspéré, prit une inspiration profonde :

— Vous, roi, j'ai pourpensé à votre tâche. Quand nous reviendrons, je vous veux prêt à partir pour Nájera la Grande. Il paraît que les chaingles[1] en sont épaisses et hautes, la place large et la nourriture en suffisance. Les Goddons, j'en suis sûr, n'oseront l'assaillir...

Et debout, faisant signe à l'assistance de se lever, elle aussi :

— Messires, nous partirons cette nuit. Préparez torches et falots ardents car il faut éclairer la voie jusqu'à ce que nous soyons dans la plaine. Nous ne pouvons pas nous permettre de perdre un seul cheval avant de courir sus aux Goddons... Rassemblez vos hommes.

— Nous serons combien *d'asaltadors*[2] ? demanda Denia auquel Guesclin s'était efforcé de ne point trop prêter attention.

— Si mes comptes sont bons, comte, quelque cinq cents.

Disait-il vrai ? Disait-il faux ? De toute façon, il y aurait bataille et bataille terrible puisque c'était Felton, l'ennemi juré de Guesclin, qui menait l'avant-garde anglaise.

1. Murailles d'enceinte.
2. Assaillants.

*

* *

Une aube froide et nacrée. Les falots et les flambeaux jetaient sur les murailles tourmentées des lueurs dont le poupre annonçait des ruissellements d'une autre espèce. Don Tello, don Sanche et Guesclin chevauchaient en tête. Derrière, le Bègue de Villaines, Neuville et Audrehem courbaient le dos. Tristan et Paindorge les observaient. Ce n'était plus, chez tous ces conduiseurs, l'exultation malfaisante de Briviesca ni celle, pompeuse, de Burgos au moment du sacre. Quelque chose pesait sur ces hommes, et les cinq cents guerriers qui suivaient derrière, au pas incertain des chevaux, leur semblaient peut-être trop peu pour vaincre les composants d'une avant-garde.

— S'il n'avait pas su, dit Tristan, que Felton commandait à cette compagnie de Goddons qui doit être composée de fourrageurs, nous serions demeurés au château [1]. Mais il le veut occire parce que, peut-être

1. William ou Guillaume Felton (1312-1367) avait participé à toutes les guerres d'Édouard III en Écosse, Flandre, France. Il avait fait merveille auprès du prince de Galles à Poitiers, puis avait affronté Guesclin à Pontorson où il avait été capturé. Nommé sénéchal du Poitou par le roi d'Angleterre (1360), il avait pris une part active à la guerre de succession bretonne. Quatre mois après l'affaire du Pas d'Évran, le 26 novembre 1363, Jean de Montfort et Charles de Blois avaient signé, à Poitiers, en présence du prince de Galles, une trêve qui devait durer jusqu'au 24 mars 1364 (Pâques). Ils avaient décidé de se retrouver à Poitiers à carême prenant, c'est-à-dire au commencement de février 1364 avec tous les otages échangés de part et d'autre en vertu du compromis d'Évran, excepté Guesclin, otage pour Charles de Blois, qui prétendait ne pas être soumis aux mêmes obligations que les autres ; excepté également Guillaume Latimer, Jean Boursier et Jacques Ross, otages pour Jean de Montfort... qui n'étaient pas demeurés là où ils avaient promis d'établir leur résidence.

avec raison, il a attenté à son honneur. Or, toute la question est de savoir s'il est honorable. À mon avis, pas plus que l'Anglais : Felton l'a invité à l'affronter l'épée en main. Il a refusé ce combat à outrance.

— Il va le retrouver.

Or, Montfort, à la fin de 1363, voyant la guerre se rallumer entre Charles de Navarre, son allié, et le duc de Normandie, reprit son offensive contre Charles de Blois. Le 24 février 1364, la trêve avait vécu. Guesclin, alors à Rouen, décida que son otagerie ne durerait qu'un mois et qu'au bout de ce temps, il recouvrerait la liberté de ses mouvements. Cette déclaration fut faite (dit-on) en présence de 200 chevaliers et écuyers (ce qui paraît contestable, voire impossible). Montfort, au commencement d'août, plaça le Breton sous la surveillance de Robert Knolles. Fin août, Guesclin remercia son hôte, se rendit à Vitré puis à Dinan pour y épouser Thiphaine Raguenel. Or, le 9 décembre, il reçut un cartel de Guillaume Felton, daté du 24 novembre, qui l'accusait d'avoir trahi sa parole et demandait qu'il fût traduit en justice. Il exigeait qu'ils se battissent : « *Et avec l'aide de Dieu, je vous prêt à le prouver contre vous par mon corps, comme chevalier doit faire, devant monseigneur le roi de France* ». Les deux adversaires se combattraient « *le mardi avant la mi-carême prochaine* »... si le roi de France était toujours dans le royaume (or, le roi Jean s'embarqua pour l'Angleterre le mardi 3 janvier 1364). Curieusement, un duel fut décidé, pour le 15 février, entre un cousin du sénéchal du Poitou : Thomas de Felton, et Olivier de Mauny, le cousin de Guesclin avant que Guesclin et son accusateur ne comparussent devant le Parlement de Paris réuni en séance solennelle (27 février). Le jeudi 29 (c'était une année bissextile), bien qu'aucun des 200 chevaliers témoins de la déclaration du Breton n'eût été entendu, Guillaume de Felton eut la surprise d'apprendre que sa plainte était irrecevable. Qu'il ne pouvait appeler Bertrand à l'affronter en duel. La seule compensation qu'on lui offrit fut l'arrêt par lequel il n'était pas tenu de payer les 100 000 francs de dommages et intérêts réclamés par son adversaire.

N'est-il pas singulier qu'un Anglais eût été jugé par un Parlement français dans cette affaire ? On peut remarquer, en cette occurrence, que Felton ne manquait pas de courage puisqu'il était venu à Paris quasiment seul, au cœur même d'un pays ennemi.

— Certes, mais dans une embûche. Et de plus, il ne sera point seul.

— Vous le haïssez toujours autant.

— Ma rancune a deux noms : Simon et Teresa.

— C'est Couzic le bras.

— Et Guesclin le cerveau.

Le soleil se leva sur des champs endormis dans leurs draps de neige. Quelques torches et falots s'éteignirent et l'on chemina par trois ou quatre de front, parfois entre des mares craquantes, miroirs que l'astre encore violemment rouge teintait de son sang. Tristan tapota l'encolure de Malaquin qu'il sentait à la fois vaillant et docile. Il l'avait préféré à Alcazar : le cheval blanc, plus véloce que le roncin noir, supportait malaisément le poids d'une armure complète. Il avait bien fallu qu'il se vêtît en guerre pour aller au-devant des Goddons.

La compagnie chemina dans des terres grasses, pustulées de taupinières, où le printemps s'était déjà faufilé. Il y avait, çà et là, des étangs voilés de hautes herbes et quelques masures basses et comme abandonnées. Des arbres autres que des sapins commençaient à paraître, sous lesquels, parfois, tel un champignon à la belle saison, s'arrondissait la coiffe d'une cahute construite en claies de joncs qui laissaient suinter une pâle lumière. Tristan observait et se laissait conduire. Il ne savait si l'on allait vers l'Èbre ou si l'on s'en éloignait. Des Espagnols menaient les seigneurs et les *ricos hombres*. Ils devaient connaître le pays. Combien de lieues encore ? Des ruisseaux miroitaient ; la rosée emperlait les herbes et les branchettes et la terre se bossuait. Ces coteaux élevés et boisés eussent pu servir de refuge à cinq cents hommes, mille sans doute, mais rien ne permettait d'y déceler une seule présence. La neige, ici, avait fondu. Le sol était trop froid encore pour qu'il se transformât en boue.

Une plaine apparut. Vide. Pendant que le soleil brillait d'un vif éclat, des souffles tièdes répandirent sur ce grand espace paisible une senteur d'herbe et de mousse.

— Nos capitaines s'arrêtent, dit Paindorge.

— Ils vont se concerter. Pour qu'ils s'accordent, il leur faudra du temps.

— Que vont-ils décider et qui va décider ?

— Ah ! ça, messire, dit Paindorge, les Espagnols sont moult nombreux [1] !

Après une assez longue attente, Tristan et son écuyer furent informés par Audrehem qui, en fait, s'adressait à son neveu.

— Nous allons nous séparer. Un gros corps de guerriers de chez nous auxquels se joindront des geniteurs castillans va continuer d'avancer. Qu'il y ait bataille ou non, ils se replieront vers Ariñiz [2] avant la vesprée. J'en serai... Jean, veux-tu en être ?

— Oui.

— Et vous, Castelreng ?

— Certes... Mais que fait donc Guesclin ?

— Il se mussera quelque part pour intervenir à bon

1. Henri avait demandé du secours au roi d'Aragon. Don Alfonso, marquis de Villena, lui avait envoyé 500 lances. Parmi les conseillers du roi, il est question du Besgue de Fayeul (ou du Fayol) qui serait sans doute le sire de Fagnoelles ou Faignole, de Thibaut du Pont, d'un comte d'Ayne qui ne durent pas avoir un rôle important dans la suite des événements. Parmi les Espagnols, on comptait Tello et Sanche, les frères du Trastamare, don Alfonso, comte de Denia (fils de l'infant Pedro d'Aragon), Pero Gonzalez de Mendoza, Pero Moniz, Maître de Calatrava, Juan Ramirez de Arellano, Pero Ruiz de Sandoval, Ferrand Osores.

2. Maintenant Ariñez, sur la route de l'Alava, à 7 km de Vitoria. Cet épisode non daté par Pero Lopez de Ayala se situe courant mars 1367, à quelques jours de la bataille de Nájera.

escient... Oh ! Oh ! vous semblez déçu... S'il y a une échauffourée, croyez bien qu'il en sera.

— Qui commandera notre troppelet[1] ?

— Le comte de Denia... si j'ai bien ouï ce qui se disait. Je le seconderai ainsi que Villaines.

Tristan ne s'occupa plus de rien. Pas même de Guesclin. C'était son habitude, au Breton, de préférer les fourrés épais aux champs bien dégagés où les adversaires avaient loisir de s'observer. Ici, que craignait-on ? Arbres noirs aux branches ruisselantes, herbes courtes broutées par un hiver cruel – il n'y avait pas que le roi déchu qui le fût. À l'entour, des bois nus, sauf aux lieux plantés de pins. On entendait toujours bruire des eaux courantes : là-haut, très loin, les montagnes fondaient ; leurs sueurs dispersées s'assemblaient en rigoles infinies pour devenir ruisseaux et grossir les rivières. Au pays tourmenté de Zaldiarán succédait une campagne où il devait faire bon vivre du début du printemps au fin fond de l'automne.

Ce fut Paindorge qui, à travers le piétinement des sabots, discerna des bruits suspects.

— Messires, dit-il à Audrehem, Villaines et don Tello qui chevauchaient côte à côte, arrêtez-vous... Oyez ce qui semble errer non loin de nous.

On entendit des meuglements et bêlements ainsi que, parfois, des grincements d'essieux privés d'axonge.

— Les Goddons, dit Audrehem. La plaine où nous sommes doit s'affaisser quelque part. C'est pourquoi nous ne voyons pas nos ennemis. Dieu m'est témoin qu'ils cherchent un gîte et qu'ils s'arrêteront pour reposer toutes ces bêtes.

1. Petite troupe.

— Peut-être, dit don Tello, attendront-ils le gros de l'armée... Où est Bertrand ?

— Là, dit le Bègue de Villaines en désignant une pinède dont l'une des cornes s'enfonçait profondément dans la plaine. Il peu-peut... leur couper... le passage.

Dans la crainte, Villaines recouvrait une élocution quasi parfaite.

— Que faisons-nous ? demanda Audrehem. C'est Felton qui passe, là-bas.

— Avançons droitement... Armons-nous de défiance.

Étant frère du roi, don Tello porta ses bras en avant, montrant ainsi qu'il entendait exercer le commandement.

On avança rectilignement à sa demande sans voir les fourrageurs de Felton. Cependant, alors que la compagnie avait couvert une lieue, un coureur que don Tello avait envoyé en avant revint à bride abattue vers les chefs : il avait aperçu à l'orée d'un bois, le long d'un ruisseau, quelques pavillons ennemis ainsi que des bannières dont les couleurs et les meubles furent immédiatement reconnus par Audrehem, Villaines et Tristan.

— Trois veaux ; deux en haut, un en bas, séparés par une fasce de gueules, dit le coureur dont la formulation fit sourire Villaines.

— Calveley ! s'extasia Audrehem. Ainsi, il est parmi eux... Les autres ?

— *D'argent à une pile de gueules.*

— Chandos.

— Il y a aussi, messires, un écu d'argent et d'azur frappé d'une rose rouge.

— Lancastre.

— Allons les voir de près, décida don Tello, car je

suppose que moult autres grands seigneurs sont avec Lancastre[1].

— Et Felton ? s'étonna Villaines.

— Plus tard.

Il y eut une nouvelle concertation, les désaccords s'atténuèrent et ce fut le « *Vamos a ver* » décisif. Chacun des prud'hommes voulant précéder ses pairs, l'allure devint vive. Tristan et son écuyer se trouvèrent entourés d'hommes d'armes à cheval. Tous, issus du commun, n'avaient pour parage que leur vaillance. Des groupes s'essaimèrent qui vers les bois, qui vers des paquis dont l'herbe drue mêlée d'un peu de neige seyait aux foulées des chevaux.

Tristan et Paindorge demeurèrent au centre.

— C'est Tello qui nous conduit, messire. Je ne vois plus Audrehem, son nieps[2] et Villaines.

Ils devaient être à l'arrière. Maints chevaliers français n'ignoraient pas qu'Audrehem arrivait toujours au bon moment dans les batailles : quand le sort penchait pour la bannière aux lis. Il était même advenu que, se

1. Calveley n'avait fait qu'un passage chez Lancastre. Il semble qu'il lui ait laissé quelques hommes. Quant à Chandos, il était venu en Espagne « *avec mille deux cents pennons dessous lui, tous parés de ses armes – d'argent à sept pels aiguisés de gueules* (Froissart s'est certainement trompé, les armes de Chandos étant dans la formulation anglaise ; *argent a pile gules*). Il y avait aussi avec Lancastre « *les deux maréchaux d'Aquitaine, messire Guichard d'Angle* et messire Étienne de Coursentonne* (Coursenton-Estievenes ou Stephen Cosington) *et avoient pennon de Saint George en leur compagnie.* » Il y avait encore Guillaume de Beauchamp, fils du comte de Warwick, Hugues de Hastings, les sires de Nevill (Jean et son fils Raoul) et le sire de Rais (Raix, Roye, Roie). « *Breton qui servait messire Jean Chandos à trente lances et à ses frais pour la prise d'Auray* », etc.

* Ex-Guichard d'Oyré, traître à la France.

2. Neveu. Jean de Neuville.

trouvant à proximité d'une presse mortelle, le maréchal n'y eût pas pris part sous des prétextes aussi avantageux que sa personne. À Brignais, sa pusillanimité avait été si patente qu'on pouvait lui donner un nom diffamatoire.

— Croyez-vous que nous trouverons Lancastre ?

— Si nous manquons ce coup, il saura nous trouver.

Le froid vif s'insinuait entre les plates des armures. Il traversait les jointures des gantelets et la basane couvrant les paumes des mains.

— Sommes-nous, messire, en suffisance ?

Mieux valait répondre par un geste évasif. Deux longues journées de cheval, trois peut-être, suffisaient, elles, pour pénétrer en France. Cinq ou six pour se trouver en vue de Castelreng. « *Voir père et le serrer dans mes bras. Saluer Aliénor comme une gentilfame. Voir mon prétendu frère et rejoindre Luciane... Pour cela être vivant !* » Si la plupart des Anglais de Felton étaient des archers, l'escarmouche serait chaude pour les deux partis. À moins que l'attaque ne fût rondement menée. Or, que valait Tello en tant que capitaine ?

— À senestre ! hurla Paindorge.

Une centaine de cavaliers passaient en haut d'une colline. Des Goddons. Calveley peut-être. Une chose était sûre : en trop petit nombre, ils refusaient le combat [1].

1. Avant cette affaire brève et sanglante, le duc de Lancastre avait reçu des renforts dont peut-être ce jour-là il avait négligé la présence. « *Jean Chandos, connétable d'Aquitaine, moult étofféments et en grand arroy* (...), *messire Raoul Cantois, messire Gautier Orsuich (Urswick), messire Thomas de Daimer (Damer), messire Jean Grandçon (Grandison)* », puis toujours selon Froissart, « *Clinton (Clyton), Courson, Prieur, Guillaume de Ferniton (Farington), Aymeri de Rochechouart, Gaillart de Lamotte et messire Robert Briquet* (un routier qui se voit donner du messire) ». Comme son père Édouard III lorsqu'il avait débarqué à Saint-

— *Cobarde* ! hurla un Castillan tout en désignant leur conduiseur.

Oh ! non, ces hommes n'étaient pas des couards. Ils avaient gagné toutes leurs batailles. S'ils trottaient vers Lancastre, il les fallait devancer pour les empêcher de donner l'alarme.

— Ils viennent ! cria Paindorge. Tu les as insultés ? Les voilà !

Effectivement, les Anglais descendaient la pente. Une fois dans la plaine, ils se disposèrent de front afin de barrer le passage à la chevalerie, à l'écuyerie et aux genétaires devant lesquels don Tello agitait son épée tout en contraignant son coursier à des cabrades présomptueuses.

— Une centaine, dit Tristan, hayés et rangés [1] comme il faut... Pas de Calveley, même si ces hommes ont sa bannière. Peut-être n'est-il pas loin. Il leur faut d'autant plus de courage pour nous interdire le chemin que bon nombre d'entre eux, pendant près d'une année, ont partagé notre sort... Il se peut que Jack Shirton soit parmi eux.

Et plus haut, de façon à être entendu de don Tello :

— Nous avons été compagnons d'armes. À quoi bon nous escarmoucher... Il conviendrait de paroler. Ils nous accorderaient le passage.

Vaast-la-Hougue, le 12 juillet 1346, le prince de Galles, pressentant une bataille acharnée, avait décidé d'armer chevaliers les seigneurs jeunes et moins jeunes capables d'illustrer une entreprise qui fortifierait, s'il en était besoin, sa renommée. Il fit chevalier le roi Pèdre, puis Thomas Holland, le fils que son épouse, Jeanne de Kent, avait eu d'un premier mariage. Vinrent ensuite : Hugues de Courtenay, Philippe et Pierre de Courtenay, Jean Trivet, Nicolas Bond, etc. Au total 300 guerriers. Édouard III n'en avait adoubé que quinze dans l'église de Quettehou.

1. Disposés en haie.

— Vous aberrez, messire ! hurla don Tello. Nous n'avons plus aucun ami chez eux depuis le jour où ils ont abandonné mon frère ! Ils n'ont plus à mes yeux un visage connu !

Il commandait. Ah ! comme il se prévalait aussi de son armure certainement tolédane, neuve, resplendissante – en avait-il acquitté le prix ? Il s'enorgueillissait du cimier garni de plumes d'autruche noires – un lion d'or – qui sommait son bassinet dont la visière grande ouverte semblait avaler sa tête. Il était fier de son cheval superbement fervêtu et qui disparaissait presque tout entier sous ses bardes. Sa défense de croupe formait une grande carapace protégeant l'arrière-main depuis ses reins couverts par les quartiers de la selle, d'où deux fortes tiges soutenaient la palette du troussequin, jusqu'à la queue. Des flançois couvraient les flancs et se rejoignaient à la barde de poitrail, disposée en demi-cercle, talutée en avant pour ne pas gêner les tibias de l'animal et le défendre des coups de lance. L'encolure était protégée, sur le dessus, par des bardes de crinière : des lamelles taillées en chevrons, arquées et rivées sur le camail de mailles habillant le cou. Le chanfrein à menins d'oreilles semblait d'argent ; la protection des yeux y était assurée par deux demi-sphères de métal tandis que la région nasale était relevée en coquille afin de ne pas gêner la respiration. Ainsi couverte, cette bête déjà énorme avait un aspect déplaisant.

« On ne sait lequel des deux ressemble à l'autre », se dit Tristan, « mais le fait est qu'ils sont superbes... Reste à savoir ce qu'ils vaudront dans la mêlée. »

Don Tello décida qu'on avait le temps. Le temps, pour lui, de passer entre les rangs de ceux qu'il nomma soudain ses amis :

— Nous allons, messires, leur fournir une leçon...

C'est vrai, nous avons été, les Goddons et nous, compagnons d'armes. Nous nous sommes portés moult fois la santé. Mais c'en est bien fini de l'amitié... Le père Béranger nous a bénis quand nous sommes partis...

« Je ne l'ai pas vu », se dit Tristan. « D'ailleurs être béni par cet homme-là peut nous porter malheur tellement il est hideux ! »

— Oui, messires, nous allons leur montrer qui nous sommes !

Don Tello se grisait de mots creux. Il était à l'apogée du délire et – qui sait ? se demanda Tristan – se voyait sans doute dans la peau d'un roi. Il voulait se différencier de son frère qui, à son goût, laissait trop la bride lâche à Guesclin. On allait voir enfin qu'il savait ostoier. On allait voir l'argile où il était empêtré par la force des choses, devenir bronze. Tous ces hommes qui l'observaient et l'écoutaient, la plupart ébahis, allaient pour un temps, – celui d'une victoire –, changer de maître. Insatiable, il lui fallait ce jour d'hui le triomphe, la renommée, le respect de ses chevaliers et de ses ennemis.

— Nous les occirons tous ! dit-il, pour conclure en regagnant sa place devant sa cavalerie.

— *Oh ! qué pequeña caballeria fecite* [1] ! grommela un écuyer qui avait insinué son cheval entre Malaquin et Tachebrun.

Tristan le remercia d'un sourire :

— Les *escuderos* [2], messire, me semblent avoir plus de cœur et de mémoire que les *caballeros*. Mais voyez ce qui nous attend : nos anciens compères se préparent à nous donner le baptême du sang.

1. Oh ! que petite est ta chevalerie.
2. Écuyers.

Les Anglais avaient apprêté leurs armes : épée, vouge, épieu. La guisarme espagnole, plus petite et plus étroite que la française, et le fléau d'armes à deux têtes de fer garnies d'aiguillons pesaient à leur dextre : ils avaient eu le temps, sur les champs de batailles, de se composer des harnois solides et de se fournir en bel et bon acier.

— On va leur passer sur le corps. Nous sommes à cinq contre un, dit un Français que Tristan ne put reconnaître.

— On va en faire un grand essart[1] ! affirma don Tello. Messires, pour le roi et la Castille !... Brochons[2] !

La cavalerie s'ébranla. Tristan et Paindorge suivirent, l'épée au poing, et se trouvèrent soudain sur la troisième ligne tant, autour d'eux, les Castillans et les Français avaient hâte de trancher l'ennemi, de l'assommer ou de l'empoindre. Ils ne sentaient plus le froid. La sueur de la mort, sur leur dos lourd de fer, avait une tiédeur presque bienfaisante. Tristan regretta d'avoir renoncé à prendre son écu pour se protéger des épieux dont il discernait mal la pointe.

— Dieu jugera !

Il y eut des cris, des heurts d'armes, des hurleries et hennissements. La haie adverse se rompit. Tristan et son écuyer la franchirent sans avoir à atteindre ou dégager quoi que ce fût. Comme ils se retournaient, indemnes, pour revenir sans grande hargne à la bataille, ils virent fuir les Anglais vers un homme qui, auprès de son cheval, avait assisté à la charge. C'était un géant de placide apparence.

1. Ravage.
2. Éperonnons.

— Calveley ! dit Tristan. Il a vu cette empainte[1]. Les réchappés galopent vers lui. Il nous fera payer cette humiliation.

Il eût fallu poursuivre les perdants pour éprouver la satisfaction d'une victoire probante, avérée. Don Tello s'y opposa.

— Il nous faut, hurla-t-il, nous saisir de Lancastre.

Sans souci des morts et des blessés – Anglais, Castillans, Français –, on repartit. La compagnie de don Tello se grossit de quelques centaines d'hommes qu'Henri, peut-être, avait envoyés en renfort. Les Bretons et leur dieu n'étaient pas parmi eux.

— À quoi songes-tu ? demanda Tristan à Paindorge.

— À l'été, messire. À me ventrouiller dans une rivière pour en sortir propre et revigoré.

— Je me contenterais d'une baignerie à Paris. Si nous y revenons, je t'offrirai un bain pour souper[2].

— Je vous en regracie à l'avance. Où irons-nous si nous ne périssons pas en Espagne ?

— À l'hôtel Saint-Pol. Les étuves qu'on y trouve sont à toutes celles de Paris ce qu'une couronne d'or est à des chaperons. Des fournaises qu'on dit les plus belles de France et le plus grand fournois. Elles ont un pavement en pierre de liais, des lambris des bois d'Irlande et des portes de fer treillisé. Les cuves sont aussi en bois d'Irlande avec des cercles de cuivre maintenus par des bossettes dorées. J'y suis allé il y a longtemps. Mais nous pourrions aussi aller aux étuves du Palais, à la pointe de la Cité. Il y a des lits. Les ablutions faites,

1. Attaque.

2. Ce pouvait être un témoignage de politesse. Les étuves de l'hôtel Saint-Pol avaient une chaufferie (fournaises) importante ainsi qu'un grand *fournois* où l'on mettait les pots destinés au chauffage des cuves.

on peut s'étendre sur des matelas de coton, voire, si l'on y met le prix, sur des draperies de Chypre. On peut se faire oindre le corps d'huile douce et fleurant bon par de belles dames et boire de l'hypocras. On a jusqu'à deux fonds de bain[1] par personne.

Mieux valait confabuler ainsi que de penser à la prochaine bataille. Elle ne pourrait être que terrible : Lancastre et certainement Chandos !

— Apprêtez-vous ! hurla don Tello.

Les épées, – quelques unes ensanglantées – jaillirent des fourreaux. Les épieux et les armes d'hast quittèrent les épaulières où elles reposaient pour s'appuyer, par leur arestuel, sur le bout du pied ou le faucre de l'étrier. Tristan, Teresa au poing, ne vit rien de ce que les hommes d'avant-garde découvraient devant eux, mais comme le pas des chevaux devenait trot, il devina que le camp de Lancastre était en vue. Peu importait maintenant le nombre d'hommes qui le composaient, leurs titres et leur bachelerie[2]. Il fallait avancer dans le tambourinement des sabots ; il importait de se croire « innombrables » et plus ardents, plus hardis que les ennemis. Il faudrait deviner où se tenait Lancastre. Comment, de quelle armure il s'était adoubé. S'inquiéter d'une envaye[3] à revers conduite par Calveley ou quelque autre puissant seigneur. Revenir à Lancastre : se demander s'il monterait son cheval et en cette occurrence quelle serait la robe de celui-ci, non point pour l'occire mais pour les retrouver, lui et son maître, s'il advenait qu'on les perdît de vue.

Brusquement ce fut le galop et les cris : « *Castille !*

1. Serviettes de bain.
2. Hardiesse et chevalerie.
3. Attaque.

Castille ! » qui ne cessaient de se multiplier tandis que les sabots grondaient comme un orage.

Debout sur ses étriers, Tristan aperçut les Anglais sur la rive d'une rivière au seul lieu, sans doute, où il était possible de mener boire leur cavalerie : la berge, doucement inclinée, y était plate, herbue et dix ou douze roncins sans harnois s'y abreuvaient. Les deux hommes affectés à leur surveillance et qui tentaient de fuir s'affalèrent touchés par une volée de carreaux décidée par les *ballesteros*.

Don Tello et ses hommes liges poussèrent leurs chevaux dans le courant et parvinrent sur la rive opposée, effrayant les roncins, cependant qu'on sonnait du cor entre les arbres.

Dans un bouillonnement d'écume et des cris de triomphe, la moitié de la compagnie passa la rivière. Elle se désépaissit, renversa les tentes, abattit ses lames sur quelques têtes et quelques épaules. Un seul mot : « *Castille !* » se mêlait au choc des armes, aux hurlements des assaillants et des Anglais. On se poussait ici et là pour abattre un homme ou le culebuter et piétiner. On hurlait toujours et toujours « *Castille* » et renversait tout ce qui tenait encore debout : râteliers d'armes, chenets de bois dressés sur des feux faméliques, troncs de baliveaux soutenant des selleries et lormeries.

— Lancastre ! Lancastre ! Montre-toi ! enjoignit don Tello à l'Anglais.

Pas un mot en écho dans les vociférations et le vacarme des aciers frappant d'estoc et de taille. Mais un cri retentit, entre deux mugissements de cor. Un cri qui valait son pesant de force et de hardiesse :

— *Chandos au prince Édouard !*

Tello et ses compagnons immédiats refluèrent sous une poussée vigoureuse. Une cinquantaine de chevaliers dont les chevaux, les armes et les harnois avaient été apprêtés en hâte, dans le secret des fourrés lointains, se précipitèrent dans la mêlée, la disloquèrent, la rejetèrent, contraignant Tello à repasser vélocement la rivière – ce qu'il fit si hâtivement que des huées s'élevèrent chez les ennemis. Des sagettes jaillirent des *long bows* gallois. Des Castillans et des Français commencèrent à tomber de leurs montures épouvantées.

— Retraite ! Retraite !

Était-ce Audrehem qui hurlait ainsi ?

— Retraite ! Retraite ! hurlèrent des hommes contaminés par cette épidémie de frayeur mortelle.

Un cri domina le tumulte joyeux des Anglais. Un cri de chef, sans nul doute. Et celui qui le poussait certainement dans ses mains jointes en cornet ne pouvait être que Lancastre :

— *Good work, what do you think of it*[1] ?

S'il s'adressait à Tello que voulait-il lui dire ?

L'arrière-garde à laquelle appartenaient Tristan et son écuyer tourna bride dans la rivière, heurtée de front par les fuyards, et s'éloigna au grand galop, piteuse et soulagée. Se retournant, Paindorge s'écria :

— Messire ! Messire ! Il semble que ce soient les hommes de Calveley qui accourent, sur la butte, à la rescousse de Lancastre et de Chandos !

— Ils ont mieux à faire qu'à nous poursuivre.

— Tello voulait un grand treu[2] de Goddons. C'est l'échec.

— Il se retourne pour voir s'il n'est pas pourchassé !... Nos gens ont abattu plus de tentes et de feuillées que d'Anglais... Tello s'est effrayé quand il a vu Chandos... C'était lui : son pennoncier tenait bien haut sa

1. Du beau travail. Qu'en pensez-vous ?
2. Ravage.

bannière : *d'argent à une pile de gueules*. La pile, il nous l'a mise !

Tello revenait au galop. Dans son sillage, quelque cent hommes, – des Castillans – semblaient aussi inquiets que leur prince.

« Nous sommes deux cents, peut-être davantage, qui n'avons pas fourni un coup d'épée tant la berge où nous pouvions passer était étroite et encombrée par une cohue de guerriers de chez nous *qui hésitaient à se battre*. Cela promet pour l'avenir ! »

Tristan ne regrettait rien. Il avait remisé Teresa dans son fourreau. Il la tapotait parfois : sa présence le rassurait. Une seule idée occupait son esprit : revenir à Zaldiarán, se réchauffer à un feu gros ou maigre et dormir. Était-ce l'approche du printemps qui lui donnait tout à la fois cette mollesse et cette gravité – plutôt cette maussaderie ? Il regarda passer comme un éclair la bannière or et argent de Castille avec ses lions et ses tours, puis le bassinet de don Tello grand ouvert. Un nez blême pointait à cette lucarne de fer. « Il est tout essané ! [1]. La peur lui tord les tripes. » Il entendit le frère du roi s'écrier à l'intention des Français :

— Ce n'est pas une défaite, seulement une déconvenue. Ils étaient plus nombreux que je le pourpensais !

Des voix s'élevèrent :

— Nous nous revancherons, messire !

— *Paciencia ! Espera !*

« Espérer quoi ? » se demanda Tristan. « Ils ont fui sitôt que les Anglais leur ont montré leur détermination dans ce qui ne fut qu'un esparcin [2]. Guesclin a raison : si nous devons livrer une grande bataille, ils fuiront dès que les Goddons se montreront entreprenants,

1. Hors de sens.
2. Confusion, dégât.

comme des brebis en présence d'un chien hargneux ! Pèdre les escarchera[1] pour se venger de leur trahison. Et le sang dissoudra ce qui reste de neige ! »

Il avançait, songeur, dodeliné par un Malaquin tout aussi maussade que lui. De nouveau, il était entouré d'hommes d'armes, – quelques-uns blessés, penchés sur l'encolure de leur genet à la robe parfois rougie de place en place. Il n'osait regarder ces guerriers. Ils avaient accompli leur devoir. Envers les bêtes blessées, il se sentait enclin à une compassion qui n'était pas un sentiment neuf. Leur innocence, leur obéissance, leur ardeur, leur courage – car elles en étaient pétries – eussent dû être respectés. Mais pour hâter la fin des adversaires, d'aucuns pensaient obligatoire de meshaigner sinon d'occire leurs montures. Eût-il couru sus aux Goddons en abrochant Malaquin s'il avait été Castillan ? Vaine question. Il n'était qu'un mercenaire assujetti au roi de France. Un chevalier d'aventure dont la solde, depuis deux mois, n'arrivait plus dans la tasse[2] : des trésoriers avaricieux thésaurisaient pour le meilleur et pour le pire – du moins le prétendaient-ils.

Il s'aperçut que la compagnie ne suivait pas les mêmes voies qu'à l'aller. Don Tello la menait entre des collines assez hautes, verdâtres, qu'il semblait connaître. Où allait-on ? Certainement vers Ariñiz, donc vers Victoria.

— Personne, dit Paindorge. On nous avait dit que Felton...

— Il chevauche à volonté. S'il est présent, nous le verrons... Tiens, vois ces hommes qui sortent d'un bois !... Rassurons-nous : c'est la bannière de Castille.

1. Chasser, poursuivre.

2. Bourse, escarcelle. Les artisans qui les confectionnaient portaient le nom de tassetiers.

— Ils sont moult nombreux !

Les deux compagnies s'assemblèrent.

— Denia, Sanche et leurs hommes commenta Tristan. Où sont passés Guesclin, Villaines, Audrehem... et les autres ?

Quoiqu'il les trouvât indignes d'intérêt, voire, tout simplement, d'égard ou de déférence, il se sentait sans eux esseulé, vulnérable. Or, il pouvait évaluer à deux mille le nombre de cavaliers qui l'entouraient. De quoi se défendre d'un ennemi nombreux ou de l'attaquer avec succès.

Soudain, au moment même où il y songeait, les Anglais apparurent, poussant devant eux des bœufs, des porcs, des moutons.

— Merdaille ! gémit Paindorge. Va falloir recommencer.

On s'arrêta et consulta. Deux mille contre cinq cents fourrageurs. C'était moins une bataille qu'une aubaine.

— Un chevaucheur vient vers nous, dit Paindorge.

— C'est un héraut de Felton. Je le reconnais d'autant mieux que, courtoisement, il ôte son bassinet... Ne te souviens-tu pas qu'il était à Paris lorsque l'Anglais vint défier Guesclin au Parlement ?

— Non, messire. J'en ai tant vu, des visages, depuis que j'erre auprès de vous !

Le comte de Denia avait décidé d'avancer seul à la rencontre de l'Anglais. Point trop loin, cependant, pour qu'il fût écouté des siens.

— Sire, dit-il au héraut, qui êtes-vous ? Dieu vous pardonne.

— Un des hommes liges de William Felton[1], messire. Le compagnon de son frère Jean et d'autres che-

1. Il y avait trois Felton ou *Felleton* : Thomas de..., Guillaume ou Guille ou William de... et Jean.

valiers : Richard Tanton, d'Angus, Hastings, Gaillard Vigier... et permettez que je m'arrête là.

Il immobilisa son cheval, reprit son souffle et lança d'une voix où le dédain vibrait, hostile et menaçant :

— Et vous, qui êtes-vous ?

— Je n'en ferai pas secret. Je suis le comte de Denia qui sied en Aragon et mes compagnons sont Espagnols.

— Or, dites, messire, si cela vous semble bon : Bertrand Guesclin est-il en votre compagnie ?... N'en faites point mystère...

— Nenni, messire, dit Denia en s'inclinant avec cérémonie. Vous ne pourriez lui chercher querelle. Nous sommes Espagnols et quérons le combat. Je vous le dis pour moi. S'il plaît à Dieu, nous l'aurons contre les Anglais.

— Vous l'aurez à bref délai !

Le chevaucheur tourna bride et galopa vers ses compères. À peine leur eut-il adressé la parole que la plupart des fourrageurs mirent pied à terre après avoir éloigné leur butin bêlant et mugissant. D'autres galopèrent vers une éminence à la pente abrupte auprès de laquelle ils libérèrent leurs chevaux et les poussèrent vers le sommet afin de les protéger.

« Cinq cents hommes. Les écus au col et les armes au poing. Les pennons sont levés... Ils se placent bien mais sont trop près l'un de l'autre. Ils jettent leurs cris et nous attendent. »

— Apprêtez-vous à prendre votre eslai[1] ! hurla Denia, entouré de ses *ricos hombres*.

La colline se composait de terre et de cailloux qui se dérobaient sous les pieds, roulaient, bondissaient. Les genets, tout alertes qu'ils fussent, seraient en diffi-

1. Élan.

culté pour gravir cette pente : un sol traître et les sagettes ennemies.

— Salauderie de guerre ! grommela Tristan.

Il cracha et vit Tello tourné vers ses capitaines :

— Seigneurs ! Par la poitrine de nous !... Nous tiendrons meshuy-ci [1] ces gens ! Nous les devrions ore avoir dévorés ! Avant ! Avant ! Combattons-les de meilleure ordonnance. On n'a rien si on ne le compare !

Les roncins de France et les genets d'Espagne refusèrent d'aller plus avant que cinq ou six toises de talus. Les chevaliers jurèrent et, redescendant, se mirent à encercler les Anglais, à revenir gravir la pente, à la redescendre encore. Quelques arbalétriers hardis décochèrent des carreaux sur cette masse d'hommes par trop agglomérés d'où jaillissaient des invectives. Se penchant sur Malaquin, Tristan qui n'avait pas encore bougé, vit du sang perler dans l'herbe. Aucun doute : la sole de l'antérieur gauche avait touché quelque chose de dur et de coupant. Il mit pied à terre, vit la blessure et s'adressant à Paindorge :

— Je combattrai ainsi. Emmène mon cheval au large et restez-y.

— Mais, messire...

— Obéis. Malaquin est navré. La sole avant senestre. Essaie de le soigner : je ne veux pas le perdre.

Les premières sagettes galloises sifflaient. Paindorge s'éloigna, menant les chevaux par la bride. Les Espagnols se mirent à pousser leurs montures vers la pente, encore et encore.

« Deux cents hommes d'armes et autant d'archers prêts à périr ! »

Déjà des genétaires basculaient de leur selle. Déjà

1. Aujourd'hui, à présent.

des chevaux seuls s'en allaient au galop. Le bruit confus d'une bataille qui ne se décidait qu'incomplètement retentissait : halètement des hommes secoués par les foulées et froissement des jambières – fer et coutil ou futaine – sur le flanc des bêtes en rangs serrés. Déjà des cris de mort et hurlements de haine. Des cliquetis assaisonnés du frissement des viretons et des sagettes. Putain de guerre !

« Tu n'es pas seul à pied, Tristan. On te fait signe. Vas-y. Tu ne peux passer pour un couard !... Oui, oui, tout ça est plein de grosse déplaisance... Vas-y... Ce sont aussi tes ennemis ! »

Voire ! Il avait partagé avec certains d'entre eux vie quotidienne et mangeaille. Ils ne différaient point de lui. « Tiens, Shirton, par exemple... » Était-il présent ce matin, sur cette pente ardue, son *long bow* prêt à cracher des sagettes meurtrières ?

— *Castille au roi Henri !*

Denia furibond désignait les Goddons de la pointe de son épée.

— *Avant ! Avant !*

Les chevaux tourbillonnaient, inutiles dans ce qui deviendrait, infailliblement, un combat de piétons.

Un Anglais téméraire jaillit de l'ensemble de ses compères. À cheval. L'épée haute, il fournit quelques coups pour se dégager et parvint à percer la muraille mobile pour fuir et chercher du secours. Des carreaux vrombirent à sa suite mais aucun ne l'atteignit.

« Si les hommes de Lancastre, Chandos et Calveley arrivent, nous sommes perdus ! »

Soudain, avec la violence d'un tir d'archerie jailli vers le ciel, quatre ou cinq cents cris de malerage éclatèrent :

— *England ! England ! Pedro ! Pedro !*

Ces noms dégorgés avec forcennerie s'engloutirent

dans toutes les imprécations de la langue anglaise. Tandis que cette vocifération monstre submergeait les « *Castille* » et le nom abhorré de l'usurpateur, les Anglais, précédés d'un jet de sagettes, dévalèrent la pente en une charge furieuse, à pied. Les armes d'hast et les lances écourtées taillèrent et empointèrent de l'homme et du cheval avec une rage qui semblait incapable de s'assouvir. C'était une descente de forcenés, d'une sublimité folle, un grand élan de haine, une ruée de fauves privés de leurs proies qui, toutes proches, paissaient dans la plaine ; une vague de fer et d'acier qui déferlait avec un feulement de tempête : un sacrifice mortel.

Des Castillans et des genets tombèrent, saisis de frayeur par cette fureur, ces hurlements, ce courage. Et les chevaliers descendirent à leur tour, se frayant un passage parmi leur piétaille pour frapper, percer, pourfendre, trancher. Tristan qui combattait à l'avant des piétons castillans ne voyait que des poings de fer crispés sur des armes de toute espèce, des guerriers aux têtes funèbres, hargneuses, serrées dans des bassinets aux visières relevées, aux cimiers empanachés de plumes molles. C'était une trépidation folle, frémissante, sur les écus armoriés dont chaque lame adverse épluchait la peinture : une mêlée pareille à celle de Poitiers, bourdonnante d'enseignes et de cris gutturaux sortis de gosiers en feu. C'était un combat inégal, une mêlée déloyale et féroce où une seule chose importait pour lui, plus lancinante que la victoire sur l'ennemi : préserver sa vie, protéger son corps, le tout confondu dans la pensée de Dieu et de saint Michel.

— Qu'ils fuient ! Il n'y a point de déshonneur en l'occurrence.

Son armure lui pesait. Il avait conservé son bassinet ouvert. Bien que Paindorge l'eût soigneusement assujetti à son colletin, il redoutait qu'il ne s'en détachât et ne se mît à branler autour de sa tête. L'excitation mortelle et lugubre ne l'atteignait point. Il se sentait dépossédé de toute haine. Il fallait se battre ? Il se battait. Estiquer ? Il estiquait de la pointe de Teresa, mais sans passion, sans cette espèce de volupté qu'il avait ressentie avant que de fuir vers Poitiers, quand tout était fini, sans honneur ni mérite. Les Anglais reculaient de trois pas pour revenir à l'assaut avec plus de violence et de hardiesse. Certains tombaient et se relevaient demi-morts pour fournir malaisément un dernier coup d'épée, dégorger un dernier cri farouche, verser un ultime sanglot de rage et de mépris. D'autres demeuraient roides, gisants de fer sanglants sur un suaire d'herbe pauvre.

Un capitaine goddon essaya de monter sur son roncin affolé pour percer quelques assaillants de sa lance. Le cheval refusa de s'immobiliser. L'homme tira sur la rêne. Le cheval se cabra ; la rêne se rompit. Le grand serpent de cuir s'enroula autour du gantelet. Tandis que l'homme, furieux, essayait de se dégager, un vireton l'atteignit dans le dos. Initiative mortelle : il chut et fut méritoirement piétiné.

Une rumeur enveloppa celle de la bataille : un millier de cavaliers accouraient, hurlant : « *Castille ! Castille !* » à s'en rompre la gorge. Aucun doute : ils venaient de Zaldiarán. Un vol de dards et d'empennes froussantes perça le ciel dans leur direction. Des hommes chancelèrent et s'abattirent et quelques chevaux s'effondrèrent. Certains purent se relever pour reprendre un galop inutile.

« Ils se battront jusqu'au dernier ! »

La plupart des Castillans avaient mis pied à terre. Certains, se faufilant sur le terrain adverse, y égorgeaient les blessés et les mourants avec des couteaux longs, étroits, à virole et manche de bois. Se méprenant sans doute, ils devaient parfois occire des compères hardis et aventureux.

« Merdasse de guerre ! »

Sans cesser de grogner, Tristan se protégeait de son mieux, éloignant les épées soudainement inquiétantes, déjouant les épieux dont la lame de Teresa brisait la hampe. Il ne put faire autrement que d'occire, en l'empointant à la poitrine, un homme qui tentait d'abattre son fléau d'armes sur lui.

« Un de moins !... Je les hais et les admire ! »

Ils étaient furibonds et vaillants, capables de résister jusqu'à la venue des renforts. Malgré l'appoint inattendu de ceux de Zaldiarán, il lui semblait que la bataille durerait jusqu'à la nuit. Par malheur pour les tenants du roi Henri. Et comme il se défendait d'une atteinte à l'épaule, portée par un seigneur dont il crut reconnaître l'armure, il sua soudain d'angoisse, irrémédiablement :

« Naudon de Bagerant ! »

Était-ce le routier ? Sa visière était close. Belle armure. Épaisse, donc pénible à porter en cette occurrence où tout allait vélocement sur une pente friable. Un épieu vola, redoutable. « *Non ! Pas moi !* » Le bois vibra en frôlant la cubitière dextre et l'arme atteignit la croupe d'un genet qui s'enfuit, emportant son cavalier dont un cuissard ruisselait de sang.

— Vive Pèdre !

Était-ce Naudon ? Impossible. Il eût combattu découvert des sourcils au menton. Il reculait. Il disparut derrière un cheval et dans un court espace inencombré, Tristan vit des piétons de sa compagnie occupés à tirer sur les colletins de mailles ou de fer des gisants pour leur planter leur lame dans le cou.

Il les maudit. Il ne concevait pas la guerre ainsi. Un

homme à terre, incapable de tenir une arme, méritait d'être épargné.

La ruée anglaise alentissait ses descentes. Maintenant, les premières vagues hésitaient à s'élancer à corps perdu contre les Castillans. Des chevaux virevoltants passaient à portée de leurs armes, mais c'était aux hommes seuls qu'ils assenaient leurs coups. Cependant, les Felton s'encoléraient sous leur bannière. Ils avaient attaqué, attaqué à outrance et se sentaient épuisés, – perdus.

« Audrehem !... La fin serait donc prochaine ? »

Le maréchal donnait de grands taillants en direction d'une armure de fer qui reculait, reculait, tombait à la renverse après avoir trébuché sur un corps. Avec un « han » de bûcheron, le Français abattit sa lame sur son adversaire qui l'évita d'une roulade. Un coustilier se précipita et derechef, passant par le défaut du colletin et du plastron, une lame commit un sacrifice.

« Des malandrins sans desserte [1]... Sans charité... Il faudrait leur hurler maintenant de se rendre !... Felton !... Thomas ou son frère ? Est-ce bien Thomas ou Jean ? L'autre, c'est William... Voilà l'un des deux percé par une lance... L'autre monte à cheval [2]... galope... la lance baissée... Il perce d'outre en outre un chevalier de Castille... On l'entoure. Vingt armes... Il est mort ! »

La bannière du prince de Galles était maintenant entourée d'une centaine d'hommes décidés à se défendre uniquement. Les arcs crachaient encore des sagettes mortelles ; les arbalètes adverses, d'un maniement lent, incertain, tiraient à leur tour, tuant les

1. Mérite. 420 Anglais souffrirent de cette bataille : occis, blessés, prisonniers.

2. C'était William.

archers. Les cris ne cessaient point, au contraire : la hurlade ne se composait plus que de cris brefs dépourvus de toute autre signification que la douleur : « *Aïe ! Oh ! Tue !* » Des chevaux, une jambe brisée ou tranchée par une guisarme, frémissaient, incapables de se lever, la mâchoire tremblante, les yeux au ciel.

« Merdaille de guerre qui s'en prend toujours aux innocents ! »

Les Anglais étaient si proches qu'on pouvait voir leurs prunelles exorbitées, leur bouche méchante, leur résolution de tenir coûte que coûte ; les sinuosités du sang sur leur poitrine ou leurs membres de mailles ou de fer. Un cheval. Mort, une sagette entre les yeux. Un autre, une genetoire [1] fichée dans le troussequin de sa selle orfevrée...

— Ils descendent !

Qui criait ainsi ? Audrehem.

— Castille au au rrroi...

Villaines. Les Anglais dévalaient la pente, excités par l'envie de mourir en beauté. Tristan vit surgir devant les premiers rangs castillans, où il était, une multitude d'armes, pennons et bannières. La fin. Nul espoir de renfort pour les Goddons, alors qu'une nouvelle escadre [2] apparaissait pour la Castille.

« Nous sommes fous ! »

Il le fallait, en vérité, pour s'entre-tuer maintenant. Pour s'entre-tuer pour deux hommes, Pèdre et Henri, aussi méprisables l'un que l'autre. Il fallait être fou pour confronter mortellement ce qu'on avait de meilleur en soi : le corps et l'âme dans un pays gelé qui ne vous était rien ! Donner son énergie et répandre son

1. Sorte de javelot, de sagaie.
2. Escadron.

sang pour sa chevance[1], sa famille, son pays et son roi : certes. Mais ici, dans ces montagnes inexorablement hostiles ? Comprendre... Comprendre, c'était ajouter à son désarroi une maussaderie définitive. Rien n'était clair. Qui avait raison ? Pèdre et ses suppôts d'Anglais ? Henri et le roi de France ? Toutes les ingéniosités et les hontes de la malfaisance s'incarnaient en eux.

Une sagette se fracassa sur le bassinet que Tristan ne pouvait clore. Quelque chose encore le frappa sur la nuque. Une masse ou un fléau. Dans une rumeur d'enfer que traversaient des hurlements désespérés, il entendit confusément un double cri : « *Victoire ! Victoire !* » et songea : « Audrehem. » Ses oreilles bourdonnaient. Le fer qui englobait sa tête ne fut plus qu'une sorte d'entonnoir où confluaient tous les bruits d'une bataille à son terme.

« Je vais vivre ! Je veux vivre ! »

La colline jonchée de morts de toute sorte se mit à sauter à la rencontre de son visage.

*
* *

— J'ai craint de mourir.

— Ce n'est pas pour cette fois, messire, dit Paindorge agenouillé. Un coup de bec de corbin[2] qui n'a guère enfoncé votre bassinet. J'y remédierai. Je l'avais bien ajusté à votre colletin. Tant mieux !

— Aide-moi à me lever.

Sitôt debout, Tristan ne put se retenir de frissonner. Honte et dégoût. Une grande jonchée d'hommes et de

1. La propriété, le château et ses dépendances.
2. Marteau d'armes.

chevaux couvrait la colline. Certains corps remuaient faiblement. Que ceux-ci fussent d'hommes ou de bêtes, les coustiliers castillans leur donnaient le coup de grâce et certains riaient d'inspirer de l'horreur et de la répulsion à ces hommes, ces chevaux qui exhalaient leur dernier souffle. Ils jouissaient d'occire aussi aisément des êtres que, vivants, ils n'eussent osé affronter. Trente détrousseurs dépouillaient les victimes.

— Un cimetière sans terre au-dessus, dit Paindorge.

— Peut-être, dès ce jourd'hui, le cimetière des espérances d'Henri. Sache-le : les Goddons ne nous pardonneront pas ce grand treu. Le fiel de la revanche envahira leur bouche, leur cœur. Nous allons tous souffrir. Nous, dans notre corps et notre conscience ; Henri et ses affidés petits et grands dans leur prétendu honneur et leur foi répugnante. Nous étions ce jour d'hui à six ou sept contre un. On ne peut affirmer que ce fut une bataille. Le prince de Galles écumera de malerage. Ses fureurs sont terribles. Je garde souvenance des champs de Nouaillé, de Maupertuis et de Poitiers. N'oublie jamais : les Anglais sont les meilleurs !

Tristan se détourna vers quelque vingt prisonniers mal en point que les Castillans ne cessaient d'invectiver : « *Hijos de putas ! Puercos d'Inglès ! Pedro es una mierda !* » Un commandement troua ces invectives qui indisposaient jusqu'aux Aragonais.

— *Los presos*... les prisonniers en avant !

La voix de Tello, hargneuse. César lui-même, en son temps, n'eût pas employé ce ton dominateur.

— Il va les montrer à son frère.

— Et à Guesclin[1]. Vois : il n'oublie pas de faire

1. Cuvelier a incorporé son héros dans cette bataille, et des historiens l'y ont mis délibérément. Or, le Breton n'y prit point part. Tant mieux pour les rares survivants anglais !

La résistance héroïque des guerriers du prince de Galles fit l'ad-

pousser devant lui, comme des captifs non négligeables, les vaches, bœufs, moutons et porcs.

Paindorge eut un lourd mouvement d'épaulières :

— Je crains que même privés de pitance, les Goddons ne nous taillent en pièces... comme à chaque fois que nous les titillons. Êtes-vous en état de chevaucher ?

— Quelques rumeurs dans ma tête ne sauraient m'en empêcher. Comment va Malaquin ?

— Il tiendra bon. Il est navré petitement à la sole. J'ai ôté le caillou qui le gênait. Je le soignerai à Zaldiarán.

— Je crains, Robert, que la forteresse ne soit vide, ce qui serait une erreur. Là-haut, avec le bétail pris aux Goddons, nous pourrions tenir plusieurs semaines en sachant nous restreindre. Dans la plaine, nous allons nous trouver à la merci de quinze ou vingt mille hommes décidés à nous ôter le goût du pain : à la fureur des Goddons résolus à venger les Felton et leurs fourrageurs, s'ajoutera celle de Pèdre et de ses almogavares !

Tristan porta sa dextre à l'arrière de son bassinet. Son index trouva l'endroit embouti par l'acier qui l'avait renversé.

miration de quelques-uns de leurs ennemis et le souvenir de la glorieuse défaite de Thomas Felton, sénéchal de Guyenne, de William Felton, chevalier émérite et de leurs hommes se conserva pendant des siècles dans la province d'Ariñiz. On peut y voir le tertre où William et son cheval percés de coups, tombèrent. Les gens du pays l'appelèrent en leur langue : *Inglesmendt* et d'autres *Altura de los Inglesos* : la butte de l'Anglais. Aujourd'hui, la tradition semble perdue et personne ne connaît plus la butte de l'Anglais. On trouva, autrefois, sur un terrain isolé, à 500 m au sud d'Ariñez, des ossements d'hommes et de chevaux et des débris d'armes et d'équipements métalliques.

— Tu as raison, Robert. C'était bien un marteau d'armes.

— Je n'ai aucun mérite. Le voilà.

C'était un bec de faucon. La pointe se recourbait comme la mandibule supérieure d'un oiseau de proie. Le manche, long de plus de deux pieds, était en bois de sorbier. Une douille inférieure formait la prise d'acier de la main et une autre, supérieure, portait le marteau façonné à pans coupés. Deux saillies en demi-sphères figuraient les yeux de l'oiseau dont le bec crochu ressemblait davantage à celui d'un aigle que d'un faucon. La panne était terminée par une calotte, comme le dessus du marteau, et cette calotte supérieure s'ornait d'un petit bouton. C'était, maniée à deux mains, une arme aussi homicide qu'une masse ou une plommée. Tristan passait un doigt sur la nèfe[1] ébréchée quand Paindorge s'exclama :

— Oh ! messire... Voyez les initiales sur la douille d'en bas.

Deux lettres avaient été gravées, en onciale, sur l'acier noir à force d'avoir été empoigné : *NB.*

— Oh ! Oh ! voilà, me semble-t-il, une double réponse à une question que je me suis posée : *nota bene*, autrement dit ; *remarquez bien* et *Naudon de Bagerant.*

— Hein ? fit Paindorge, troublé. Croyez-vous qu'il était avec eux ?

— J'en jurerais.

— Alors, messire, il est mort ou prisonnier. Il nous faut nous en assurer.

Tristan retint son écuyer par sa cubitière :

— Mort, lui ? J'en serais ébaubi. Il a disparu sur cette pente comme il a disparu sur celle de Brignais au

1. Partie renflée du bec d'un oiseau de proie.

plus fort de la bataille... en bon fils de Bélial qu'il est !... Il aurait pu m'occire et s'en est dispensé.

— Pourquoi ?

— Parce qu'il éprouve pour moi une sorte d'estime. Tout bonnement. Il semble qu'il y ait toujours, dans le cœur noir des méchantes gens, des replis lumineux aussi minces que des rayères[1] dans les murailles des châtelets les plus lugubres. Ces brillances ne durent point. J'en ai profité ce jour d'hui.

Tristan devança son écuyer jusqu'au champ de bataille d'où s'éloignaient les détrousseurs et les victimaires. Une fois encore, il regarda les dépouilles d'hommes sanglants, quelquefois mutilés, puis les corps figés des chevaux épars. C'était, se dit-il, singulièrement beau, ces morts et ces bêtes occises. Ils avaient été, chacun à leur façon, héroïques. Et l'héroïsme était bien la seule vertu qui subsistât dans ces têtes, ces cœurs immobiles à jamais. Déjà, des corbeaux et des freux essorés des ronciers et des forêts voisines, s'abattaient par grappes noires, bruyantes, irrespectueuses, sur ces preux aux sommeils peut-être délicieux.

— Les oiseaux ne savent pas... dit Paindorge.

— Et les hommes, Robert ? Les hommes savent-ils ?

*

* *

Le roi Henri avait quitté les hauteurs de Zaldiarán pour repasser l'Èbre et gagner Nájera, première cité de Castille que l'on rencontrait après Logroño sur le chemin de Burgos. À ceux qui demandaient pourquoi, les

1. Jour étroit pratiqué dans une muraille.

ricos hombres répondaient qu'il voulait établir son logement sur les lieux mêmes de sa défaite, sept ans plus tôt, afin de conjurer la male chance [1]. Or, l'important, c'était plutôt de vaincre Pèdre et les Goddons associés à sa destinée.

Le soir de la grande victoire de don Tello sur les fourrageurs anglais, on amena les prisonniers d'Ariñiz devant le roi et Guesclin, assis à la même table sous le pavillon royal.

— Ah ! mes *compadres*, confia l'usurpateur à ses fidèles, que voilà, voyez-vous, une bonne journée.

Il était heureux, joyeux. Il s'enquit, auprès des Anglais las et pantelants, de l'état de l'armée du prince d'Aquitaine. Ils avouèrent qu'ils n'avaient pas mangé à leur faim depuis leur entrée en Navarre, après les tourments de Roncesvalles.

— Vous mangerez ! affirma Henri.

Sa magnanimité suait l'hypocrisie. Les prisonniers, d'ailleurs, y furent insensibles. Après les affres d'une bataille héroïque, la faim leur faisait moins défaut que

1. Une première bataille avait opposé les armées de Pèdre et de Henri à Nájera, le 24 avril 1360. Henri y avait été défait par Pèdre qui n'avait pas voulu – erreur fatale – pousser plus avant sa victoire. Cette année-là, à la mi-mars, désigné par le roi d'Aragon comme son procurateur en vue de l'invasion de la Castille, le Trastamare avait envahi cette province et massacré tous les Juifs de Nájera. Il s'était avancé jusqu'à Pancorbo. Contraint à la retraite par Pèdre, il s'était porté sur Briviesca et Miranda, puis établi à Azofra, devant Nájera. Un prêtre de Santo Domingo de la Calzada avait prédit à Pèdre une défaite et le roi l'avait fait brûler vif. Le 24 avril, Pèdre avait dispersé l'armée de Henri. Elle avait battu en retraite vers l'Aragon.

À cette époque, Henri et Tello s'étaient trahis l'un l'autre. Sans doute, s'il n'avait été malade, Pèdre eût-il affiché une supériorité et une audace qui eussent réduit Henri au silence. L'histoire de la Castille s'en fût trouvée simplifiée.

le repos, fût-il éternel. Tous saignaient d'une main, d'un bras, d'une jambe. La fierté plus qu'un reste de vigueur les maintenait debout. Don Tello les examinait d'un œil sombre – celui qu'il devait avoir aux courses de taureaux quand la bête meurtrie n'en pouvait mais.

— Beau frère, lui dit le roi, vous avez grandement bien exploité. Je vous en sais bon gré et vous guerdonnerai temprement[1], et sachez bien que tous les autres viendront par ce pas. Nous vaincrons ! Nous vaincrons par votre aide !

Don Sanche, qui s'était inquiété, sourit. Audrehem fit un pas en avant :

— Sire, dit-il en grattant sa barbe parce qu'il cherchait ses mots, sauve soit votre grâce, je ne vous veux reprendre de votre parole, mais je la voudrais amender un tantet... et vous dis que, quand par batailles vous vous assemblerez contre le prince, vous trouverez là des gens d'armes, des vrais, car vous aurez en face la fleur de toute la Chevalerie du monde. Ce sont des gens durs, sages et bien combattants. Ils préféreront mourir de plain-pied que de fuir. Et si vous me voulez croire, vous les déconfiriez tous sans coup férir si vous faisiez garder les détroits et les passages pour que leurs pourvéances[2] ne leur puissent venir. Vous les affameriez et les écraseriez par ce point. Ils retourneraient dans leur pays sans arroi ni ordonnance. Dès lors, ils seraient à votre volonté.

Henri ne cacha pas son courroux. Quoi ! on lui proposait la cautelle[3] à l'appertise, la victoire sans gloire au triomphe éclatant. Sa voix tonna et pour la première fois depuis son couronnement, les éclairs de son regard

1. Je vous récompenserai bientôt.
2. Provisions.
3. Ruse.

parurent s'être illuminés au contact de sa couronne d'or :

— Maréchal, par l'âme de mon père, je désire tant à voir le prince et d'éprouver ma puissance à la sienne que jamais nous ne partirons sans bataille. Et, Dieu merci ! j'ai et aurai bien de quoi. Sept mille hommes d'armes, chacun monté sur un bon coursier et tous couverts de fer qui ne ressoigneront[1] trait ni archer. Vingt mille autres gens d'armes montés sur des genets et armés de pied en cap. De surplus, j'ai bien soixante mille hommes des communautés, à lances et archegaies à dard et à pavois[2] qui feront un grand fait.

— Mais...

L'objection du maréchal fut balayée d'un geste : le tranchant de la main avant celui de l'épée.

— Tous ont juré, messire Audrehem, qu'ils ne failliront pas, devraient-ils mourir devant l'ennemi... De sorte que je ne dois point m'ébahir de quoi que ce soit, mais me conforter grandement en la puissance de Dieu et de mes gens !

Audrehem recula. Rien d'autre ne se révélait sur son visage au pelage inculte qu'une déception sans fond. Il avait participé à certaines batailles – parfois d'assez loin –, il venait de retrouver, dans le langage du roi, les propos qu'il avait ouïs à la fin du règne de Philippe VI et lors de celui de Jean le Bon qu'il avait poussé, à Poitiers, à la bataille alors qu'il eût fallu freiner son ardeur belliqueuse.

— Soit, dit-il, vous avez tout le commandement.

Disait-il cela pour déplaire à Guesclin ?

Le Breton avait écouté, bras croisés, sans jamais laisser paraître une velléité de contradiction. Il regret-

1. De *ressoigner* : craindre.
2. À épieu et bouclier.

tait visiblement de n'avoir pas occis Felton dans un affrontement à sa convenance. Il semblait aussi qu'il se morfondait d'être parmi ces Espagnols pour le moment téméraires parce que l'ennemi ne leur était point apparu. La présomption du roi, pour malencontreuse qu'elle fût, semblait le réjouir : Henri allait savoir ce qu'était une terrible bataille. S'il tombait dans les mains de Pèdre, le suzerain déchu lui ferait endurer le châtiment suprême : il serait précipité dans une vaste cuve d'eau bouillante[1] jusqu'à ce que ses chairs se séparassent des os. Y avait-il songé ? Il ne le semblait point tant paraissait immense sa certitude de vaincre.

— N'ayez crainte, maréchal, et vous aussi, mes bons amis de France. Avez-vous vu une aussi grande armée que celle qui nous entoure ?

Nul ne broncha. L'usurpateur se tourna vers les Anglais dont certains défaillaient par fatigue et perte de sang :

— N'est-ce point un heureux présage ? Ils ont connu notre ire et notre violence.

Et paternel, l'index tendu vers les vaincus :

— Vous mangerez.

Cette promesse indigna Guesclin. Il se leva, contourna la table et se mit à marcher devant les Anglais.

— Par Dieu, dit-il, franc roi d'Espagne, si vous me voulez croire, vous viendrez à honneur et vous déconfirez votre ennemi mortel sans bataille ni péril.

— Je sais, Bertrand, quel homme merveilleux vous êtes...

Une voix s'en vint troubler l'attention de Tristan. Presque un murmure : « *Asinus asinum fricat* » – l'âne frotte l'âne. Ces trois mots latins désignaient deux

1. C'était un des châtiments préférés de Pèdre.

hommes s'adressant des éloges outrés. Celui qui les avait proférés n'était autre que frère Béranger qui devait trembler dans son froc à l'idée de se trouver bientôt mêlé à une bataille acharnée. Tristan ne se détourna pas pour voir à qui cette confidence était adressée. Ce pouvait être Audrehem, Jean de Neuville ou le Bègue de Villaines. Ou d'autres. Guesclin ayant recouvré son grand souffle indigné reprenait, toujours marchant, sa senestre serrée sur la prise de son épée :

— Faisons de bons fossés devant notre logement et que tout le charroi y soit mené devant nous. Que je sois convaincu de trahison si le prince ne s'en retourne en fuyant. Quand nous les verrons tous défaits, nous leur courrons sus à cheval : il n'en demeurera aucun qui ne soit attrapé. J'ai Dieu en garant qu'ils sont tous affamés, je le sais de vrai. S'ils nous courent sus comme des gens affolés, ils ne peuvent plus durer. Par rage de famine qui les travaille tant, ils voudraient livrer bataille tôt et incontinent, et qui voudrait attendre tant seulement trois jours les verrait tous fuir sans délai, comme le cerf fait devant les chiens.

Tristan approuva ce discours. La seule façon de vaincre les Anglais consistait à les attendre de pied ferme derrière des chariots et des levées de terre. C'était, en somme, adopter les principes qui leur avaient fait obtenir des victoires incontestables. Or, cette manière d'envisager l'affrontement ne reçut aucun agrément des chevaliers de Castille. Le comte de Denia se fit leur interprète. Bras croisés, sourcilleux et sûr de lui, il exprima son courroux d'une voix sans doute aussi coupante que son épée :

— Or, je sais, Guesclin, qu'on vous tient pour hardi ; mais c'est pour rien car vous avez peur...

— Messire, gronda le Breton en dégageant un tiers de son épée.

— Allons, allons, Bertrand, dit Audrehem en repoussant l'arme dans son fourreau. Laissez-le parler.

— Vous avez peur, insista Denia, je le vois clairement, ou vous aimez bien peu le profit du roi. Avons-nous eu l'étrenne dont les autres sont durement ébahis ? Sire Bertrand, vous n'êtes dans la compagnie du roi que douze cents chevaliers et écuyers de France. Vous croyez plus valoir que toute l'armée du roi, qui a plus de gens que le prince de Galles. Je veux que vous sachiez que, s'il y a bataille, les Espagnols et les Aragonais vaudont bien les Français. Et il semblerait à la Chevalerie d'Espagne, si vous maintenez plus longtemps ces paroles, que vous avez la colique. Me croira qui voudra, j'en dirai mon avis : livrons bataille demain !

Tristan regarda les Espagnols : assurément, ils approuvaient Denia. Ils le révéraient. Sa victoire sans gloire sur une cohorte de fourrageurs, en même temps qu'elle avait excité son orgueil, lui avait valu cette admiration dont il se délectait sans retenue. Guesclin, lui, avait subi sans trop broncher les invectives destinées à ternir, dans l'esprit du roi, les mérites de la Chevalerie de France, prouvant ainsi peut-être le peu d'estime qu'il lui témoignait. Sa fierté de huron n'était point écornée. Et si Audrehem et les autres ne se regimbaient point, eh bien, tant pis pour eux.

— Comte de Denia, dit le Breton d'une voix péniblement contenue, je veux bien que vous sachiez que, s'il y a bataille contre le prince, il sera ouï autant et plus de nouvelles des Français que de vous et des Espagnols. Par mon serment, si nous combattons demain, je vous le dis : nous serons déconfits. Je serai mort ou pris ; grand mal en adviendra au roi et à ses gens. Mais pour ce que vous en avez parlé ainsi et que vous m'avez fait vilainement reproche, foi que je dois à

Dieu ! demain, nous livrerons bataille et je la mènerai à mon commandement. Là pourra-t-on voir ma bonne volonté, et si je suis un traître ou un couard !

Henri, le front bas, malheureux de se montrer résigné, s'approcha de Guesclin et lui toucha l'épaule.

— Je ferai, lui dit-il, à votre volonté.

Dans l'assistance, Tristan ne vit qu'un seul sourire : celui de Couzic. Il y avait longtemps qu'il n'avait point remarqué ce sicaire. Où était-il passé ?

— Je ferai à votre volonté, répéta le roi tout en lançant à Denia un regard désespéré.

— Il n'en peut être autrement, fit Guesclin. Puisque j'en ai juré, je tiendrai mon serment. Si vous voulez débeller[1] vos ennemis, fiez-vous à moi !

— Bien dit, confia Audrehem à son neveu. Denia est un outrecuidant. Nous le verrons à la bataille.

*

* *

Prévenus de la proximité de l'ennemi par la défaite de leurs fourrageurs dont quelques-uns étaient parvenus à s'enfuir, le prince de Galles et don Pèdre n'avaient éprouvé qu'une hâte : jucher leurs troupes sur une montagne entre Vitoria et Ariñez. Des coureurs apprirent à Guesclin et à Henri que l'arrière-garde anglaise était encore à sept lieues au moins du corps de bataille et qu'elle progressait lentement.

Un dilemme se posa : fallait-il quitter les hauteurs fermant le chemin de Burgos et se porter à la rencontre de ce lambeau d'armée pour l'anéantir – comme le proposait Denia, soutenu par Tello et Sanche – ou

1. Combattre victorieusement.

devait-on demeurer immobiles et prêts à tout, – le meilleur comme le pire ?

Se fiant à Guesclin moins résolument que de coutume, Henri se détermina, non sans mal, à ne pas abandonner une position qui, si elle n'était avantageuse pour sa gloire, avait l'excellent mérite d'être profitable à sa vie.

— Jamais, dit Guesclin, le matin qui suivit son algarade avec les Espagnols, Édouard n'osera nous attaquer là où nous sommes. Je crains qu'il n'aille chercher un autre champ de bataille.

Denia revint à la charge d'une façon moins âpre mais tout aussi impertinente :

— J'ai interrogé cette nuit quelques Anglais. Le prince Édouard a laissé derrière lui moult malades. La neige, le changement de nourriture, voire la disette ont fait périr les chevaux par centaines. Les Navarrais, les Castillans et les Aragonais ainsi que les montagnards de Biscaïe ont, par leurs escarmouches, mis les Anglais en grand trouble. Ils sont arrivés lentement sur Burgos par Navarrete, Nájera et Santo Domingo de la Calzada. Tous les hommes sont épuisés, les chevaux et les mules aussi... Ils sont nos prisonniers pour peu que nous le voulions !

— J'ai grand-hâte de vous voir les combattre, messire, dit Guesclin.

Sachant que la dispute allait recommencer, Tristan quitta le pavillon royal. Il faisait beau. Les sierras et les vallées avaient recouvré leur peau verte et le ciel son azur, et le vent sa douceur si pareille à l'haleine d'une femme. Au bas de la montagne, la Najerilla, un des affluents de l'Èbre, encaissée dans de hautes berges, scintillait. Cette rivière constituait un retranchement supplémentaire que les Anglais, immobiles sur la rive droite de l'Èbre, à Navarrete, voyaient peut-être – ou tout au moins leurs coureurs. Il y avait, entre les deux armées, un intervalle de quatre lieues. Il pouvait, en une nuit, se combler subrepticement.

— Eh bien, messire, dit Paindorge, qu'avez-vous ouï à ce conseil ?

— Je l'ai quitté, Robert, avant qu'il ne s'achève. Que font, dis-moi, Lemosquet et Lebaudy ?

— Comme toujours, les soins des chevaux et des armes. Ils ont peur, j'aime autant vous le dire. Nul n'ignore autour de nous les dissentiments de nos capitaines. C'est de mauvais augure, comme on dit.

— As-tu peur, toi aussi ?

— Grand'peur, je le confesse.

— Moi également. Je crains que Denia et ses compères ne cherchent l'appertise [1] dès le commencement de la bataille et, ne la trouvant pas, s'en aillent au grand galop. Ce ne sont que des baveux [2], des malebouches.

— Il fait beau, dit Paindorge en regardant le ciel. Savez-vous quel jour nous sommes ?... Non !... Le premier avril.

— Du printemps enfleuri nous savons peu de chose. Vois : de la boue partout, ce qui rendra la bataille lourde, glissante. Gare aux chutes, Robert ! Il te faudra en prévenir Girard et Yvain.

— Je le leur dirai, mais voyez, messire !

Tristan partagea l'ébahissement de son écuyer.

Un héraut du prince de Galles avait franchi les premières défenses castillannes. À cheval, la bannière d'Édouard le Jeune au poing, il montait le chemin conduisant au logement du roi Henri. Une cotte frappée d'un écusson aux armes du prince couvrait en partie

1. La prouesse, l'exploit.
2. Bavards.

son armure dont le bassinet ouvert laissait paraître un visage rêche, pâli par l'émoi d'être pris et exécuté.

Paindorge se saisit du frein du cheval noir aux harnais simples, soigneusement apprêtés. Le héraut l'en remercia mais refusa qu'on l'aidât à quitter la selle. Une fois à terre, il considéra, autour de lui, l'attroupement des soudoyers et des seigneurs avides de connaître les raisons de sa présence.

— John de Northbury ou *Norbrey*, comme disent les gens de France... au service du prince de Galles, messires.

La voix tremblait mais s'efforçait à la hautaineté.

— Où puis-je, messires, trouver le roi Henri ?

— Suivez-moi, dit Tristan. Robert, veille au cheval.

Puis, avant d'accomplir un pas :

— Vous pouvez, messire, confier votre bannière à mon écuyer : il ne saurait la profaner ni permettre que d'aucuns lui manquent de respect.

— Soit, dit le héraut. Je suis venu seul et désarmé... et il ne me déplaît point de vous trouver sur mon chemin.

Il n'avait pas de ceinture d'armes. La selle de son cheval, qui semblait las, était dépourvue, elle aussi, de l'épée d'arçon qui eût pu s'y trouver [1]. Tristan vit Paindorge s'adresser à Lemosquet et Lebaudy, présents au premier rang des curieux, et les deux garçons s'éloigner en hâte. « Que vont-ils chercher ? » se demanda-t-il. Tourné vers l'Anglais, il le vit plus pâle encore lorsqu'il se fut décoiffé. Il avait vingt-cinq ans. Il était blond avec des cheveux assez longs et un soupçon de moustache – pour se donner un visage austère. Les

1. En signe de paix, on plaçait l'épée nue diagonalement inversée le long du flanc de l'animal, c'est-à-dire la poignée inclinée vers le sol, près du talon du messager, et l'estoc, pointé vers le ciel.

yeux bleus, sous de gros sourcils touffus, exprimaient plus de crainte que de curiosité.

— Adoubé depuis peu ?

— Non, messire. Écuyer.

— Je vous l'ai demandé sans malice... Une bataille se prépare...

— Oui, messire.

Inutile de parler davantage. D'ailleurs, la rumeur provoquée par la venue du messager d'Édouard le Jeune avait fait sortir du pavillon royal Henri, Sanche et Tello, un hanap à la main, et Denia qui rongeait un os de mouton.

— Un noncierre [1] du prince de Galles, annonça Tristan.

Denia jeta son os et se frotta les mains. Sans doute l'Aragonais pensait-il que ce messager venait proposer une trêve. Rien n'était plus stupide, en vérité.

Ayant distingué Henri d'entre ses frères, le héraut accomplit une genouillade qui, si elle lui coûta, ne semblait due qu'aux articulations de son armure.

— John de North-Bury, dit-il, coupant bien un nom qu'il eût pu exprimer d'un trait. Au service du prince de Galles, duc d'Aquitaine. Je dois vous délivrer une lettre d'icelui.

— Soit, venez.

À la suite du roi, le messager pénétra dans le pavillon. Henri lui proposa de s'asseoir, ce qu'il refusa d'un geste. En revanche, il vida un hanap de vin de Rioja que Villaines lui avait présenté. Sa soif étanchée en hâte, et tandis que ses joues se coloraient, le héraut hésita à prendre la parole.

— Où êtes-vous ? demanda Henri. Nous voulons la bataille aussi fortement que votre suzerain.

1. Messager. L'on disait aussi : *message*. De *noncier* : annoncer.

Northbury s'inclina :

— Je suis autorisé à vous donner réponse. Nous sommes allés à Navarrete et passé un pays qu'on appelle le Pas de la Garde. Nous avons fait halte en une cité qu'on appelle Vianne[1]. Le prince de Galles, le duc de Lancastre, le comte d'Armagnac et tous les seigneurs s'y sont rafraîchis deux jours, puis nous avons franchi la rivière qui départ la Castille et la Navarre[2].

— Où ? demanda Henri froidement.

— Au pont du Groing[3]. Nous avons cheminé parmi les vergers et les oliviers et trouvé là meilleur pays qu'avant.

Le héraut s'interrompit, respectant sans doute les recommandations qu'il avait entendues avant de se jucher en selle. Henri profita de son silence :

— Ce que je puis affirmer, messire Northbury, c'est qu'où que vous soyez, nous irons vous combattre.

Le héraut s'inclina. C'était bien ce à quoi le prince s'attendait.

— Voici, dit-il, la lettre de mon suzerain.

Il tira du rebras[4] de fer de son gantelet un parchemin plié, scellé d'un petit sceau et le remit au roi qui s'adressa aux hommes les plus proches de lui : Denia et Tello.

— Faites appéler au lire messire Guesclin.

Le Breton n'était pas loin. Il apparut entre Couzic et frère Béranger sous la bure déchirée duquel brillaient des mailles.

1. Viana.
2. L'Èbre.
3. Logroño.
4. Manchette, crispin.

— Qui va lire ? demanda le Breton avec une espèce de hargne.

Craignait-il qu'on l'en priât ?

— Je lirai, fit Henri. C'est à moi qu'on s'adresse.

Et d'une voix forte, pesante, il commença :

— *Édouard, par la grâce de Dieu, prince de Galles et duc d'Aquitaine, à honoré et renommé Henri, comte de Tristemare qui, pour le présent, s'appelle roi de Castille.*

Il y eut des rumeurs de mécontentement auxquelles l'usurpateur fut sensible. Pour ne pas, sans doute, regarder ses hommes liges et ses alliés en face, il approcha le parchemin de son visage et poursuivit :

— *Comme ainsi soit que vous nous avez envoyé unes lettres*[1] *par votre héraut, et qu'elles ont contenu plusieurs articles faisant mention que vous sauriez volontiers pourquoi nous tenons à ami votre ennemi le roi Dan Piètre notre cousin, et à quel titre nous vous faisons la guerre et sommes entrés à main armée en Castille, répondant à cette, sachez...*

Henri s'interrompit, nul ne broncha.

— *... que c'est pour soutenir droiture et garder raison ainsi qu'il appartient à tous rois et enfants de rois, et pour entretenir grandes alliances que notre seigneur de père, le roi d'Angleterre et le roi Dan Piètre ont eues de jadis ensemble. Et parce que vous êtes aujourd'hui renommé de bonne chevalerie, nous vous accorderions volontiers à lui si nous pouvions, et ferions tant par prière envers notre cher cousin le roi Dan Piètre que vous auriez au royaume de Castille grand-part, mais de la Couronne vous faut déporter et de l'héritage. Si ayez conseil et avis sur ce, et sachez encore que nous entrerons audit royaume de Castille*

1. Froissart dixit.

par lequel lez[1] *qu'il nous plaira le mieux. Écrit de lez le Groing, le trentième jour de mars*[2].

Guesclin avait écouté les yeux mi-clos, sans interrompre le roi. Comme nul n'exprimait sa pensée, il prit parti d'ouvrir une fois de plus sa grande goule avec, cependant, moins de fermeté que de coutume :

— Sire, dit-il à Henri, sachez que brièvement le prince et vous vous combattrez. Je connais bien le prince[3]. Il serait temps de penser à la bataille et d'ordonner vos hommes.

Le héraut écoutait. Bien perspicace eût été celui qui aurait pu concevoir ses pensées. Devinait-il l'usurpateur moins sûr de lui qu'il le laissait paraître ? Et que

1. Côté.

2. On se souvient que lorsque le prince de Galles avait passé les « détroits de Roncevaux », le 20 février 1367, Henri lui avait adressé, le 28 février, de Santo Domingo de la Calzada, un message pour protester contre une agression injustifiée. Cette première lettre, qu'il est inutile de reproduire, fut connue grâce à Roland Delachenal (1854-1923) qui la publia dans son *Histoire de Charles V* (tome III). De celle du prince Édouard et de la réponse du roi Henri, il existe plusieurs versions. Celle de Froissart (ci-dessus – *Chroniques*, édition Buchon, livre I, 2e partie, chapitre CCXXXI). Celle du Héraut de Chandos (*Vie et gestes du Prince Noir*, vers 2909-2950). Celle de Rymer (*Foedera*, III ; II. 823-826). Celle de Delachenal fut découverte au British Museum dans un manuscrit de la Bibliothèque Cottonienne (manuscrit *Caligula* D. III) ainsi que des copies contemporaines.

Cependant, les citations que Prosper Mérimée a publiées de ces lettres et qu'on trouvera par la suite, sont tirées des Chroniques de Pedro López de Ayala, qui fut chancelier de Castille et suivit de près, contrairement à Froissart, les péripéties de cette guerre.

Pas une seule fois, Cuvelier, le chantre de Guesclin, ne mentionne ces démarches et ces échanges de correspondance. Quant aux historiens modernes, ils les ont laissés sous leur coude... s'ils les ont lues, ce qui n'est pas certain.

3. C'est ce qu'on peut appeler une affirmation gratuite.

pensait-il de ce Breton dont la redoutable réputation n'était pas, elle, usurpée ?

— Bertrand, dit Henri, le menton haut et ferme, la puissance du prince ne saurait m'inquiéter car j'ai bien trois mille chevaux armés, je le répète, qui seront sur les deux ailes de mes batailles, et j'aurai bien six mille géniteurs, et bien vingt mille hommes d'armes, les meilleurs qu'on puisse trouver en Castille, Galice, Portugal, Cordouan et Séville, et bien soixante mille piétons avec lances et archegaies. Tous ont juré qu'ils ne failliront pas à leur besogne... J'obtiendrai le meilleur par la grâce de Dieu. J'ai lc bon droit pour moi. Je n'admets point que le prince veuille que je me désiste d'une couronne que je tiens fermement sur mon chef en faveur de Pèdre. Dieu jugera, vous dis-je !

Le Breton et don Henri s'étaient avisés depuis longtemps de la présence du héraut immobile et attentif. Aucun d'eux n'eut regret de son propos. Tristan jugea exorbitante la confiance de ce roi que les gens du Midi de la France jugeaient comme un routier – ni plus ni moins. Peut-être était-ce aussi l'opinion du prince de Galles qui n'en différait guère.

— Messires, dit Henri majestueusement, je me dois de répondre au prince de Galles.

Puis, tourné vers le héraut, inquiet et rassuré à la fois – il serait sauf, puisqu'il y aurait réponse :

— Nous allons vous donner à boire et à manger dans le pavillon où je prends mes repas. Je vais aussi vous fournir quelques présents, puisque telle est la coutume[1]. Julio, emmène-le et prends soin de lui.

Il s'adressait à l'un de ces écuyers hautains comme des matadors qu'il traînait à sa suite et qu'on ne voyait

1. Ce furent, selon Ayala, des tissus d'or, des pierreries et maintes poignées de maravédis.

apparaître qu'en fin de combat. Celui-ci, Tristan l'avait vu parmi les victimaires, sur la butte où les Felton et leurs fourrageurs avaient péri. Il devait avoir atteint la satiété : Northbury n'avait donc rien à craindre.

On fut soudainement entre soi, et comme Henri consultait les principaux capitaines castillans et étrangers sur la réponse qu'il seyait d'envoyer au prince, la plupart furent d'avis qu'il n'en fallait envoyer aucune, attendu qu'Édouard le Jeune ne s'était pas adressé au roi de Castille et que le roi Henri, par conséquent, n'avait pas à prendre connaissance d'une lettre adressée au comte de Trastamare. D'autres, comme Audrehem, Villaines, Neuville, soutinrent qu'au moment de s'entre-tuer, l'excès même de la courtoisie ne pouvait être imputé à la faiblesse. Le roi trancha : il répondrait, dit-il avec sérénité.

On envoya chercher un tabellion. En vain. Frère Béranger s'offrit à remplir son office. Aussitôt, il fut pourvu d'une grosse écritoire et s'attabla pesamment, ignorant soudain les capitaines : le roi seul importait pour lui.

— J'y suis, dit-il après avoir éprouvé, sur le bord de son index senestre, la flexibilité d'une plume d'oie à la hampe baguée d'or.

Le roi se mit à marcher en se frottant parfois le menton ou le front.

— *Don Henri, par la grâce de Dieu, roi de Castille et de León*[1] *à très-haut et très-puissant seigneur don*

1. Selon le protocole ordinaire, Henri devait joindre ses autres titres : roi de Tolède, Galice, Séville, Cordoue, Murcie, Jaën, Algarve, Algeciras, seigneur de Biscaïe et de Molina. Modestie ? Sans doute pas, mais complaisance envers le roi d'Aragon auquel il venait de céder le royaume de Murcie.

Édouard, ains-né fils[1] *du roi d'Angleterre, prince de Galles et de Guyenne, duc de...*

Le silence poussa Tristan à une initiative :

— De Cornouailles et comte de Chester, sire, dit-il.

— Écrivez, intima Henri à Béranger, penché sur un parchemin de qualité médiocre.

Puis, remerciant Tristan d'un geste, il reprit :

— *... salut. Nous avons reçu par votre héraut une lettre de vous, dans laquelle se trouvent des choses dites par notre adversaire, par où il nous semble que vous n'avez pas été instruit exactement de la vérité. Sachez donc que, depuis quelques années en çà, ayant pris possession de ces royaumes, il les a gouvernés de telle sorte que toutes gens qui le savent et l'entendent se puissent étonner que si longtemps on ait souffert son règne. Or, dans ce royaume de Castille, il a tué la reine doña Blanca de Bourbon, sa femme légitime. Il a tué la reine doña Léonor d'Aragon, sa tante, sœur du roi don Alphonse, son père. Il a tué doña Juana et doña Isabel de Lara, filles de don Juan Nuñez, seigneur de Biscaïe, ses cousines. Il a tué doña Blanca de Villena, fille de don Fernand, seigneur de Villena, afin d'hériter des terres de ces nobles dames et s'en est emparé. Il a tué trois de ses frères : don Fadrique, maître de Saint-Jacques, don Juan et don Pèdre. Il a tué don Martin Gil, seigneur d'Alburquerque. Il a tué l'infant d'Aragon, don Juan, son cousin. Il a tué maints chevaliers et écuyers des principaux de ces royaumes. Il a tué ou pris à force plusieurs dames ou damoiselles, quelques-unes mariées. Il a usurpé les droits du Pape et des prélats. Pour lesquels excès qu'il serait trop long de rapporter, Dieu, dans sa merci, a fait que tout le royaume en a montré son ressentiment afin que le*

1. Fils aîné.

mal ne s'accrût chaque jour davantage. Et tandis que dans sa seigneurie, il ne trouvait pas un homme qui ne lui fût obéissant, tandis que tous s'empressaient à le servir et l'aider pour la défense de ses États, Dieu a rendu contre lui sa sentence, en sorte que de sa propre volonté, abandonnant son royaume, il s'est enfui.

Don Henri fourragea dans sa barbe, content de lui et râtissant loin ses idées. Nul ne bronchait. Frère Béranger dont le piquant de la plume séchait, en frotta l'extrémité contre sa paume. Signe de Croix et peut-être exorcisme.

— *De son départ*, reprit don Henri, *les royaumes de Castille et de León ont eu grande reconnaissance et allégresse, louant Dieu dans sa miséricorde, de les avoir délivrés d'un seigneur si dur et si redouté. Librement alors et de leur propre volonté, tous sont venus à nous et nous ont choisi pour leur roi et seigneur, autant les prélats que les chevaliers, les gentilshommes, les communes et les villes du royaume.*

Nouvelle interruption. Frère Béranger saupoudra son parchemin comme il l'eût fait d'une tranche de viande et le retourna promptement.

— *Ce n'est pas un fait dont il se faille merveiller, car au temps des Goths qui conquirent l'Espagne, desquels sommes issus, telle était la coutume. Ils prirent et prenaient pour roi qui mieux leur semblait digne de les gouverner. Cette loi s'est longtemps gardée en Espagne et s'y observe encore aujourd'hui si bien que, du vivant du roi, on prête serment à son fils aîné, ce qui n'a lieu dans aucun autre royaume de la chrétienté.*

Le roi soupira. En avait-il trop dit ou insuffisamment ? Tello, Sanche, Denia hochaient approbativement leur tête penchée, comme si leurs idées pesaient trop lourd d'un seul côté. Guesclin et Audrehem, songeurs, semblaient absents de ce pavillon trop étroit pour une trentaine d'hommes. Tristan voulut sortir. Impossible : outre que sa reculade eût déplu, trois rangs de *ricos hombres* rendaient sa retraite impossible.

— *Pourtant, et à ces causes dessus dites, nous tenons que nous avons droit à ce royaume qui nous a été donné par la volonté de Dieu et de tous, et que vous n'avez nul motif juste pour aller à l'encontre. Et, s'il faut livrer bataille, combien que, quant à nous, il nous en déplaise, l'honneur commande que nous mettions notre corps en avant pour la défense de ces royaumes a qui nous sommes si étroitement tenu, contre quiconque les viendrait assaillir. Pour quoi, par cette présente lettre, vous avisons au nom de Dieu et de l'apôtre saint Jacques, que vous n'ayez à entrer à grande puissance en nos états, car, le faisant, nous ne pourrions qu'entendre à les protéger par les armes.*

Un homme applaudit : don Tello. Les autres eurent un sourire fugace. « Rien d'autre ? » demanda d'un regard Henri à l'assistance. Il semblait qu'il eût tout dit. Alors, en s'approchant de frère Béranger, la plume haute :

— *Écrit en notre logement de Nájera, le second jour d'avril 1367*[1].

C'était légèrement antidater cette lettre : un détail sans importance. D'ailleurs, le 2 avril, Northbury serait auprès du prince Édouard.

Tristan sortit enfin. Paindorge l'attendait avec impa-

1. Ayala transcrit ainsi la fin de cette lettre : « *Por ende vos rogamos e requerimos con Dios e con el apostal Santiago, que vos non querades entrar asi poderosamente en nuestro regnos faciendo en ellos daño alguno ; ca faciendolo, no podemos escusar de los defender. Escrita en el nuestro real cerca de Nájera, segundo día de abril.* »

tience. Lemosquet et Lebaudy avaient rejoint l'écuyer. Il y avait un bissac accroché au pommeau de la selle anglaise.

— Du pain, du bacon et un cruchon de vin bien clos, dit Lemosquet.

— Il a mangé, compères, ou il mange encore.

— Eh bien, il baillera cela à un ami, fit Paindorge. Le cheval a eu, lui, quelques poignées de fourrage. Il me faisait pitié.

— Deux brassées, messire, corrigea Lebaudy. Et il a bu... Cette attention a déplu aux Castillans. J'ai dû les menacer de mon épée. On vous en parlera sans doute.

— Bah ! fit Tristan. Quand don Henri lui-même offre à dîner au héraut d'Angleterre et va le combler de présents, ce n'est pas un crime que de donner de la cévade[1] ou du foin à son cheval !... Mais Lemosquet, tu ferais bien d'aller veiller sur les nôtres. Et de les tenir prêts...

— Alors, messire, c'est la guerre ? demanda Paindorge tandis que les deux soudoyers s'en allaient.

Tristan n'eut pas à répondre : don Tello et Denia, qui venaient de quitter Henri, s'approchaient, le sourire aux lèvres :

— C'est la guerre, écuyer !... Vous allez voir comment nous, Espagnols, vaincrons cette armée que les gens de votre espèce n'ont jamais pu dominer !

Tello levait haut son menton barbu et tapotait son épée. Denia, lui, tapotait l'épaule de son compère, soit pour l'approuver, soit pour lui enjoindre une modération qui n'était pas dans son caractère.

— Le roi, mon frère d'armes, vous montrera, mes-

1. Avoine.

sires, si vous y êtes présents, comment on gagne une bataille[1] !

C'était insultant et jamais ces deux drôles n'eussent ainsi parlé devant Guesclin. Donner prise à leurs propos eût été provoquer un estekis[2] dont Henri, Guesclin et la plupart des capitaines se fussent indignés. Mais pouvait-on se laisser mépriser de la sorte ? Pressentant qu'il était allé trop loin dans l'injure, Tello entraîna son compère.

— Les immondes ! grommela Paindorge. Si ça se trouve, ils seront les premiers à fuir lors du grand boutis d'armes !

— Ils souilleront leurs braies de merde et de pissat !

Tristan caressa le doux chanfrein du roncin anglais qui se laissa faire. Un bon cheval, sans doute, lorsqu'il était bien nourri. Noir à la crinière longue, brillante comme celle de Francisca. La cicatrice d'une embarrure[3] comme un trait de craie, se voyait sur son coude senestre. Il ne risquait point, en l'occurrence, de s'en faire une seconde.

— Dieu te préserve aussi, ami, comme il préserve tous les miens, d'Alcazar à Carbonelle !

« Francisca », songea-t-il derechef. Mais qu'allait-il penser à elle maintenant alors que cent mille hommes s'apprêtaient à s'entre-tuer !

1. Fils de l'infant En Pere et petit-fils du roi Jaime II d'Aragon, Don Alfonso était comte de Denia et de Ribagorza. Il se fit le protecteur du poète chevalier Pere March. Denia est situé à l'extrémité sud du golfe de Valence, et le comté de Ribagorza dans la zone montagneuse du Haut Aragon. Zurita livre quelques lignes sur l'amitié de Henri et de Denia : *entre el conde de Ribagorza y el de Trastamara habia une muy estrecha amistad, y gran confederacion con homenajes y sacramentos : y eran compañeros de armas. – Anales de Aragon.*

2. Ou *estequis* : combat d'estoc.

3. Égratignure que se fait un cheval contre son bat-flanc.

— Gagnerons-nous cette fois ? demanda Paindorge.

— Nous le saurons dans un jour ou deux.

— Il paraît, messire, que l'on va nous pourvoir d'une escherpe[1] afin de nous reconnaître dans la mêlée. Couleur rouge...

— Comme dans ces maudites arènes !... Le sang, dessus, ne s'y verra point.

Mieux valait s'abstenir d'ajouter quelque chose.

*

* *

Tristan ne vit pas partir le héraut du prince de Galles. Paindorge, qui avait veillé sur son cheval jusqu'à ce qu'il l'eût enfourché, dit qu'il s'était éloigné entre quatre chevaliers de Castille ayant pour mission de le conduire sans dommage jusqu'aux limites du camp anglais – ce qui était une façon de découvrir leur convenant[2].

— Quelles seront, messire, les prochaines décisions ? interrogea l'écuyer marqué par une nuit d'insomnie dès l'aube du lendemain.

— Quelles qu'elles soient, Robert, je les pressens funestes.

Tristan passa le col et les manches de son surcot de laine dont il enfonça les pans dans ses braies. Il avait mal dormi, lui aussi, et demeurait encore sous le coup de sa brève rencontre avec John de Northbury. Hardi, sain de corps et certainement d'esprit ; avide de gloire, sans doute, pour obtenir, si ce n'était fait, la faveur d'une damoiselle, ils eussent pu devenir amis. Ils ne seraient qu'adversaires. Et comment se pouvait-il que

1. Une écharpe.
2. Leur disposition, leur campement ou leur ordre de bataille.

le prince de Galles eût décidé de s'allier à un satrape tel que Pèdre ? Dans cette guerre-là, les raisons de s'entre-tuer apparaissaient, à la réflexion, comme mensongères. Henri avait cité dans sa réponse à Édouard le Jeune, des actes certainement avérés dont Pèdre s'était rendu coupable. Cet homme, autour de lui, avait peuplé tout un cimetière. Cependant, l'usurpateur avait omis l'essentiel : la tyrannie qui avait autorisé toutes ces énormités. Il n'avait fait aucune allusion à la violation des privilèges de la noblesse par Pèdre, cause principale de la haine qu'il avait suscitée contre sa royale personne. Couronné non sans malice après avoir, lui aussi, répandu des ruisseaux de sang et des amoncellements de cendres humaines, Henri se sentait-il déjà quelque indulgence pour les actes de despotisme commis par son prédécesseur ?

Un cor sonna, puis plusieurs. Cent araines joignirent leurs cris à leurs plaintes.

— Cette fois, dit Tristan, nulle doutance n'est permise. Aide-moi, Robert, à restreindre mes plates [1]... Yvain, Girard, holà !

Lemosquet et Lebaudy accoururent.

— Nous allons avancer au-devant des Anglais. Sellez les chevaux, bâtez Carbonelle, embrelez [2] avec soin ce qui nous appartient et n'oubliez pas d'écourter ma lance d'un tiers : la mêlée se fera de bon pied, j'en suis sûr. Aidez Paindorge à s'adouber. Armez-vous aussi du mieux que vous pourrez... N'oubliez pas que nous aurons contre nous les meilleurs archers du monde : n'ayez donc crainte de mettre entre vos mailles et votre corps moult épaisseurs de bourras !

Une animation forcenée secouait le camp. Des cla-

1. Réunir sur le corps les éléments de l'armure.
2. Fixer un chargement avec des cordes.

meurs confuses éclataient. Tristan les écouta. Mêlées aux tintements des armes apprêtées, aux hennissements des chevaux et aux cris des capitaines les plus proches de son pavillon, elles ne différaient pas de celles qui précédaient les clameurs des batailles auxquelles il avait pris part. Et pourtant, elles révélaient, plus encore que de la fureur et de la haine, une allégresse extrême. Le vent, selon son humeur, pouvait bien les augmenter et disperser, l'ennemi ne pouvait les entendre. D'ailleurs, les eût-il entendues qu'il ne s'en fût point soucié : les Anglais composaient les armées les plus sereines comme les plus ordonnées.

Tristan pénétra sous son tref. Paindorge y rassemblait les pièces de son armure. Il ressortit pour que l'écuyer les lui assemblât commodément sur le corps.

— Vous tremblez, messire, on dirait.

— Ni de peur ni d'impatience : l'émoi qui donne froid.

L'écuyer ajusta les capitons de bourras puis les solerets et les grèves prolongées par les genouillères et les cuissots dont la garniture supérieure était munie d'œillets où il introduisit de forts lacets de cuir rattachés à la ceinture de corps. Après quoi, il boucla le ceinturon rivé au jupon de mailles et assujettit le plastron et la dossière. Vinrent les brassières et les spallières, et enfin les rouelles d'épaule, celles-ci étant maintenues par des aiguillettes dépendantes du vêtement de dessous et passant par des trous du plastron.

Tristan remua les bras, les jambes, les épaules afin que les fers qui le couvraient retrouvassent leur place. Il se sentait, comme chaque fois, lourd et gouin[1] et savait que ce mésaise allait durer jusqu'au moment où il oublierait cette écorce de fer contraignante. Autour

1. Engoncé.

de lui, le souffle impétueux de la proche bataille courbait les hommes sur leurs vêtements de fer et de mailles. Ils riaient. On allait voir bientôt quel était leur courage !

Les suivant du regard, Tristan toucha ses plates. Oui, sa pansière était au bon endroit. Sa baconnière aussi, et ses tassettes entre lesquelles flottait son jupon d'anneaux fins et solides. Ses genouillères à grands oreillons se joignaient parfaitement à ses cuissots et ses jambes s'articulaient sans difficulté.

— Je vous passe vos éperons ? demanda Paindorge, une fois ceinte l'écharpe vermeille.

— Non, Robert. Rien n'est pire, dans les mêlées, que ces nobles appendices. Mais qu'ils soient d'or, d'argent, de bronze ou de fer, les Goddons n'en auront respect[1]... N'oublie pas mon écu : le combat sera âpre !

Un cheval échappé des mains d'un goujat s'en alla galoper vers les logis du roi et de ses hommes liges. Il en fut chassé à coups de plat d'épée avant peut-être, d'en connaître bientôt le tranchant. Des gonfanons furent déployés, tous espagnols : ces *pendons y calderas* portaient brodés sur leur soie ou leur mollequin la chaudière signifiant que les chevaliers étaient à la solde et qu'ils nourrissaient leurs hommes. Et tandis que les *banderas* de Castille et de León s'élevaient aussi, Tristan commanda à Paindorge d'apprêter la sienne.

— Elle n'a plus vu le jour depuis la montre d'El Encinar de Bañares.

— *De gueules à deux tours d'argent*, messire. Et des tours qui ressemblent à celles de la Castille.

— Certes... Sors la bannière de mon beau-père. Elle

1. Les chevaliers portaient des éperons dorés, certains seigneurs des éperons d'argent.

mérite d'être à l'honneur. Il me manque... Qu'aurait-il dit, pensé, s'il était parmi nous ?

— Comme vous...

— Yvain portera ma bannière, Girard celle d'Ogier d'Argouges, car toi, Robert, tu te battras à mes côtés. Il serait absurde que tu restes en arrière comme l'usage l'exige. En cette occurrence, je ne cherche pas à t'exposer, mais à donner libre cours à tes mérites.

— Soit, messire. Je ne me résigne pas. J'apprécie, au contraire, la grâce que vous me faites.

Ils haletaient un peu. L'émoi toujours ? L'angoisse ? Mais l'angoisse n'était-elle pas une forme exaspérée de l'émoi ?

Tristan se mit en rage. Voilà où il en était ! Son armure, soudain, l'étouffait. Les épaulières contraignaient tout le haut de sa personne. Il simula, des deux mains, une attaque à la tête. L'espèce de paralysie qui l'avait saisi fut immédiatement dissoute ; cependant, un continuel frémissement agitait ses muscles du cou, ses coudes, ses genoux. Ses paupières elles-mêmes semblaient atteintes. Ses mains au chaud maintenant dans les gantelets – fer dessus, cuir dessous – éprouvaient des fourmillements, et ces agaçins l'irritaient bien qu'il les eût déjà éprouvés à Poitiers et Brignais, là où la mort semblait avoir espéré le surprendre et prendre. Il suait à peine et s'en félicita : sa peau ne serait pas irritée par une chemise trempée ainsi que son capiton de bourras.

Il ceignit lui-même sa ceinture d'armes à laquelle Teresa pendait, fermement assujettie par la bélière. Il caressa le pommeau de l'épée tolédane, puis ses quillons. Que devenaient les del Valle ? La belle Cristina les avait-elle quittés pour quelque sombre et frais couvent ? Avaient-ils maintenant oublié son passage ?

Il tira lentement la lame du fourreau. Belle, tranchante, puissante bien que légère. Soumise, évidemment, et peut-être héroïque. Elle n'était fille d'aucune divinité comme Excalibur : elle *était* divinité. Un acier apparemment neutre et qui, dans sa main – ses mains sans doute – deviendrait force, courage, esprit. Il savait combien, lourdement vêtu de fer, serait restreinte la gamme des mouvements qu'il pourrait fournir mais il ne doutait pas que Teresa lui en imposerait d'autres, inattendus, efficaces et certainement mortels. La contemplation de cette arme lui interdisait de douter de sa vaillance et de désespérer de ses capacités à contenir n'importe quel assaut. L'eût-il tant chérie s'il n'avait songé presque simultanément à Cristina et à Teresa, toutes deux sorties différemment de sa vie à l'apogée de leur beauté ?

Il refusa de laisser courir son imagination et ses souvenirs. Qu'il n'y eût personne entre ses pensées et cette arme, rien qu'un échange d'éclats : celui d'un regard et celui de l'acier.

Plaçant la lame à l'horizontale, il s'y considéra comme dans un miroir. Ce qu'il découvrit ne le rassura pas : la fatigue et l'anxiété rongeaient et pâlissaient son visage. Ses yeux brillaient d'une espèce de fièvre. Sa bouche tremblait. La pitié qu'il s'inspira confina au courroux : « C'est bien moi ? Non. Ça ne peut être moi ! » Suivit une désespérance inattendue : « *Si nous sommes vaincus et si je suis vivant... et que le prince Édouard me reconnaît...* » Il craignait, lui, une victoire anglaise. Parce qu'il connaissait ces guerriers, leur enragerie, leurs astuces.

« Ailleurs qu'où nous sommes, j'aurais fait bénir Teresa. »

— Holà ! messire, s'inquiéta Paindorge. Que vous prend-il ?

L'épée soigneusement rentra dans son fourreau.

— Quel cheval vous faut-il ? demanda Lemosquet.

— Alcazar pour aller jusqu'au champ de bataille. Malaquin ensuite. Veillez bien sur les autres et ne négligez pas Carbonelle. Je voudrais pouvoir revenir en France avec tous, mais je crains que ce vœu ne soit démesuré.

— Nous veillerons sur eux, n'ayez point d'inquiétude.

Audrehem apparut, armé de toutes pièces, la barbe, hors du bassinet, givrée de froidure.

— Holà ! que ne l'entrez-vous pas, messire ? Le gel va la hérissonner !

La plaisanterie glissa sur le maréchal trop occupé à passer l'ardillon de sa ceinture de chevalier[1] dans un œillet que ses mains tremblantes lui dérobaient.

— Ah ! là là, Castelreng, fit-il en toussotant. La victoire est loin d'être assurée. Guesclin a voulu retarder ce départ. *L'autre* et ses frères se refusent à ouïr ses admonitions... Mais vous connaissez le dicton : *graissez les heuses d'un vilain, il dira qu'on les lui brûle*[2] !

Quelques crieurs passèrent. D'ordre du roi, il convenait de soigner les armes : lames, lances, frondes, arbalètes à croc et à tour. Il importait de pourvoir celles-ci de cordes neuves. Il fallait invisquer les renges[3] dont la froidure avait pu racornir le cuir ainsi que celui des feurres[4]. On n'omettrait point de rouler soigneusement

1. Ceinture de parade en orfèvrerie.

2. Les gens grossiers se plaignent même quand on souhaite leur être utile.

3. Baudriers. Également boucles (ou anneaux) adaptées à la ceinture qui soutenait l'épée. Cette courroie ou cette ceinture elle-même.
Invisquer : enduire de matière grasse.

4. Fourreaux.

les chevestres[1] selon leur longueur et leur épaisseur. Enfin, mandement était donné que les arcs fussent en bon état et que les gerbes de viretons, dondaines et sagettes prissent place à proximité des arbalétriers et des archers.

« Qu'on en finisse ! » songea Tristan.

Désormais, son courage irait s'amenuisant. De la seule solidité des Espagnols dépendrait la victoire. S'ils défaillaient, la déconfiture serait inévitable. Il se sentait, indolent et docile, entraîné par un courant malencontreux. Avec une curiosité morose et comme inappuyée, il observait, autour de lui, les préparatifs bien connus. Il interrogeait les hommes du regard et ne trouvait dans leurs visages et leurs corps qu'une lassitude pernicieuse. Il s'était montré sensible, jusque-là, aux faits de la vie collective, aux usages, aux mœurs des uns et des autres, – surtout des capitaines. Il ne s'était séparé d'eux que par la pensée. Ainsi, ses aventures personnelles et, par exemple, ses amours lui avaient semblé parfois les chapitres essentiels d'une vie entièrement tournée vers la mort. Eh bien, cette mort, il allait devoir l'affronter plus encore que les Anglais. Il pénétrerait bientôt, Teresa en main, dans l'impitoyable royaume de la force, de la haine et de la cruauté.

1. Cordes.

VI

L'armée abandonna les hauteurs protectrices. Morne, elle descendit lentement, comme avec peine ou regret, les pentes et les sentiers. Une multitude. Une sorte d'avalanche coulant doucement vers la plaine. Hordes, légions, compagnies devancées par les escadrons castillans accompagnés des turmes aragonaises, suivies par les genétaires de toutes les contrées d'Espagne qui croyaient dur comme fer aux mérites de l'usurpateur. Un peuple ? Nenni : un emmêlement de guerriers aux caractères difficilement conciliables dont les cris, les jurons, les invectives à l'adresse de Pèdre et du prince de Galles, qui ne pouvaient les entendre, montaient par intermittence dans un ciel qui serait bleu. Parfois, lors de silences imprévisibles et brefs, on entendait tinter les fers, les aciers et couiner les essieux des chariots d'armes, nourriture, habillement. Les croupes des bœufs qui les tiraient, guéries depuis quelques jours, se remettaient à saigner sous l'effet des aiguillons pourtant inutiles : on descendait, les bêtes ne fournissaient point d'effort. Mais il fallait déjà que l'on vît la couleur du sang. Les ânes, rares, et les mulets subissaient la percée des diguets [1].

1. Hampe de bois taillée en pointe.

L'ost progressait, confiant et grave, le long des ruisselets formés par la fonte des neiges et dont les bras, tels les rameaux d'un arbre, se rejoignaient parfois pour former un ruisseau plus large et plus profond qui, sans doute, se jetterait dans quelque affluent de l'Èbre, si ce n'était dans son cours même. Certains hommes chantaient. Les lieutenants s'égosillaient pour qu'on se mît en bon arroi. Aucune pensée de mort ou de danger ne semblait hanter toutes ces têtes couvertes de fer ou d'aumusses de cuir. De temps en temps montait une huée : elle était suscitée par un cheval ramingue, un piéton qui tout à coup s'embourbait, immobilisant ses compères, une arme qui venait de choir dans l'herbe ou dans la boue et qu'il fallait ramasser.

Parfois, Denia, Tello et Sanche remontaient la pente afin d'encourager les genétaires, les *ballesteros* encastillés sous leur pavois et les meneurs de chariots, la gaule tendue ou posée sur le joug. Bien qu'ils voulussent fournir à l'entour une image d'eux rassurante, ces trois goguelus semblaient à bout de nerfs. Tous barbus et emmoustachés comme leur idole, la bouche gonflée de cris et d'arrogance, le regard conquérant sous des paupières fripées lors de sommeils difficiles, le nez rougi tant au froid de l'aube qu'au vin, ils savaient qu'ils allaient non seulement jouer leur vie, mais aussi leur réputation dans un affrontement dont l'issue se présentait comme incertaine à Guesclin, ce qui leur paraissait un comble. Songeaient-ils de temps en temps qu'ils avaient naguère baisé la main et le pied de Pèdre en signe d'allégeance et que s'il les prenait, ils échoueraient dans une chaudière ou – autre solas royal – seraient livrés aux taureaux dans l'arène la plus proche du lieu de leur capture ?

Les Bretons avançaient emmassés à l'arrière. Ils

chantaient on ne savait quoi. Aucune autre compagnie ne les côtoyait tant leur réputation était abominable[1]. Guesclin trottait devant, Couzic à son côté. Ils ne se retournaient jamais et devisaient comme deux seigneurs en goguette.

— À voir combien nous sommes, messire, nous ne pouvons être vaincus.

Tristan sourit dans l'orbe de son bassinet dont, avant d'enfourcher Malaquin, il avait vérifié les vervelles[2].

— À Crécy, l'ost de France était triplement supérieur en nombre et chevalerie. À Poitiers plus encore et Édouard le Jeune se trouvait aux abois. Ce jourd'hui, les Goddons et les hommes de Pèdre sont quarante mille – à ce qu'on dit – et nous sommes quatre-vingt-dix mille. Je partage l'opinion de Guesclin : les Espagnols sont bons à combattre des bêtes cornues à vingt contre une – si ce n'est davantage – après les avoir copieusement navrées avant que de les affronter. C'est tout. Ils verront bientôt que les pointes des sagettes galloises sont plus redoutables que des cornes, plus meurtrières que les cure-dents d'acier de leurs bouchers !

L'armée avançait toujours. Quelques chants montè-

1. Pedro López de Ayala insiste sur le fait que les Bretons se distinguaient des autres combattants. Ils s'étaient rendus si lugubrement célèbres en Espagne (après la France où le verbe *bretonner* était entré dans la langue pour désigner tout acte de malfaisance) que les Espagnols donnaient désormais le nom de Bretons « *aux aventuriers de quelque pays qu'ils vinssent. Ce mot, employé souvent comme synonyme de pillards, montre quelle opinion l'on avait des compatriotes de Du Guesclin* » (Prosper Mérimée : *Histoire de Don Pèdre*, page 595, à propos, précisément, de la bataille de Nájera).

2. Rivets qui fixaient la visière du timbre à l'armet. Point faible de cette défense de tête : un coup pouvait empêcher la ventaille de se lever ou s'abaisser.

rent dont on entendait des bribes : « *Dios... Camino de la Cruz... Ay, las calles de Toledo... Este amor, esta devocion.* » Dieu, amour et les rues de Tolède. Le soleil montait, rutilant et large comme une roue de chariot. Tout le pays, montagnes et plaines, s'incendiait à son brasier ; les hommes à son feu sentaient leur ardeur s'affermir. Parfois, long et frémissant, un cor meuglait ; une trompette jetait un cri sec et pointu. Il semblait que ces milliers de guerriers n'avaient qu'un seul désir : combattre. Une passion : combattre. Un idéal : combattre. Aucun homme ne semblait avoir pensé qu'il eût fallu attendre les Goddons derrière la Najerilla, voire à Zaldiarán. Henri voulait mener son armée dans la plaine. Inonder celle-ci de chair et de fer de Nájera à Navarrete. On disait que quelques capitaines castillans, après Guesclin et les prud'hommes français, avaient essayé de dissuader l'usurpateur d'entreprendre une attaque qu'il voulait grandissime, et qu'il les avait rabroués. Il avait désormais plus confiance en ses piétons, genétaires et almogavares qu'en ses hommes liges.

Du haut de Malaquin, Tristan regardait le grand espace découvert qui s'étendait immédiatement à l'est de Nájera et qui peut-être bientôt se couvrirait de corps de toute espèce. On ne pouvait, assurément, trouver meilleur endroit pour s'entre-occire, tout le reste du pays, entre Nájera et Navarrete traversant des lieux accidentés n'offrant aucune aisance de manœuvre aux piétailles et cavaleries. Il se tourna vers ses deux soudoyers qui menaient les chevaux dessellés et la mule à la longe :

— Yvain, Girard... Quand le moment sera venu, vous irez vers ce talus, là-bas, derrière lequel j'ai entrevu une rivière. Vous vous y tiendrez quiets. Il y aura bien assez de Robert et de moi dans la mêlée. Et si nous trépassons, il vous faudra...

— Ho ! Ho ! fit Paindorge, mécontent.

— Il vous faudra, mes gars, revenir à Gratot. Dites-leur que nous pensions à eux, à elles... Puis allez à Castelreng et dites à mon père...

À quoi bon poursuivre ?

Cette plaine serait un beau champ de mort[1]. Allait-on y attendre les Anglais ou avancer à leur rencontre ? Les chevaux de l'armée castillane, vifs et légers, affirmeraient, par l'aisance de leur galop, une irrésistible supériorité sur leurs congénères anglais et aquitains. Mais qu'en serait-il des hommes ? Allait-on se meurtrir à cheval ou à pied ? Faudrait-il ôter tous les éperons et raccourcir les lances au volume de cinq pieds ? Redoutables comme lors des escarmouches dont Lancastre et les Felton avaient pâti, les troupes de don Henri n'allaient-elles pas perdre tous leurs avantages dans une collision en haie contre

1. La ligne de bataille de don Henri allait s'appuyer sur le Yalde, un petit cours d'eau à la berge relevée en forme de talus qui coupe transversalement la route de Nájera à Navarrete, à 2,5 km en avant de Nájera, entre les villages d'Alcsón et de Huercanos. Le poème du héraut Chandos mentionne un ruisseau rapide qui limitait la position. Eugène Déprez (*la bataille de Nájera – Revue historique*, vol. CXXXVI, 1921) a situé le champ de bataille vers le village de Bezares, à 8 km au sud-est de Nájera, mais le terrain accidenté ne se prêtait guère à un affrontement tel que celui-ci. Dans la lettre de don Henri citée par Delachenal, l'usurpateur proposait au prince de Galles de désigner des deux côtés une commission de chevaliers pour décider ensemble du champ de bataille. Le chroniqueur Walter de Peterborough mentionne en latin cette proposition (*The English intervention in Spain*, P. E. Russell, Oxford, 1955) ; il ajoute qu'elle fut rejetée comme une manœuvre dilatoire.

des chevaliers, archers et piétons adurés et bacheleureux[1] ?

Que se passait-il en face ? Qui commanderait ? Chandos, Lancastre, le captal de Buch, Calveley à moins que le prince de Galles eût à cœur d'exercer son pouvoir sur son armée tout entière, celle de Pèdre y comprise. Pour le moment, dans celle du roi Henri, on ne savait rien. On s'était arrêté. Les hommes couvraient entièrement la plaine. Mandement leur fut donné d'attendre. Donc, ils attendirent. Longtemps : jusqu'au lendemain 3 avril.

Alors, dans les vapeurs rougeâtres de l'aurore, Henri, ses frères, ses *ricos hombres* et les Français virent paraître seul, sur un blanc coursier, un homme en armure dont le bassinet ouvert avait été fixé sur un camail de mailles. Il tenait dans sa dextre la bannière de Chandos : *d'argent à une pile de gueules*. C'était un délégué de la même espèce que John de Northbury : vigoureux, hautain, vaillant, peut-être magnanime moins par bonté de cœur que pour exhausser sa renommée auprès de ses compagnons.

Le roi, le comte de Denia, Guesclin, Audrehem, le Bègue de Villaines, Guillaume Boitel, Guillaume de Launoy, Tristan et quelques autres se portèrent à sa rencontre. Il demeura en selle, leva sa bannière, la reposa sur la pointe de son soleret et déclara :

— Je suis, messires, le héraut Chandos[2]. Franc roi Henri, oyez, et vous, nobles barons dont je vois assez ici, et vous, sire Bertrand ! Je suis arrivé pour vous dire deux mots qui seront tôt répétés. Mes seigneurs de par-

1. Endurcis à la fatigue et vaillants.
2. Les hérauts se prévalaient souvent du nom du seigneur qui les employait.

delà ont apprêté leurs corps pour livrer bataille rangée. Je vous fais savoir que si vous ne venez, ainsi qu'il appartient et que vous le savez, tôt nous vous courrons sus sans nous point arrêter.

Bertrand soudain à pied fit un pas en avant. Il fallait qu'on le prît pour tout ce qu'il était : un chef de guerre doublé d'un homme impassible.

— Héraut, dit-il, je crois que vous avez grand-faim. Si l'on m'eût cru, on vous eût affamés, car je vous suis garant qu'on eût fait des fossés, et chacun de vous en serait demeuré par-delà. Mais certes, c'est à tort, le jour en est passé. Vous n'avez que manger, c'est sûre vérité. Il m'est avis que nous en gardons assez pour vous.

Le Breton souriait avec mansuétude. Le héraut remua quelque peu sa bannière :

— Sire, dit-il, il n'y a en notre camp celui qui bientôt n'eût mangé deux œufs pelés.

Guesclin se détourna :

— Couzic, apporte à boire !

Bientôt un gros pichet fut offert au héraut qui ne le refusa point. Quand il l'eût vidé à grands traits, il le restitua promptement à Guesclin non sans avoir courbé l'échine autant que le lui permettait son armure.

— Ami, dit le Breton, ne me le cachez pas : que vaudrait bien ce vin en votre camp par-delà ?

— Sire, dit le héraut, par Dieu qui créa tout ! À cause du saint jour de Pâques fleuries qui sera demain quand il fera jour, on ne boit pas de vin dans notre camp. D'ici à demain nous n'en boirons point.

— Par ma foi, dit Bertrand, on a dit dès longtemps : beaucoup épargne de bien, celui qui n'en a pas.

— C'est vrai, acquiesça le héraut, mais demain en boira qui pourra en avoir et qui n'en aura pas s'en privera. Car chacun n'aura pas ce qu'il a désiré. Vous n'avez point eu, en un temps qui est passé, tout à votre désir. À Cocherel où fut la bataille, une grande faim vous pressa. Différez donc de vous moquer de nous.

— Hé Dieu ! fit Bertrand, hilare, on m'a bien payé cela.

— Sire, reprit le héraut dont la face rosissait sous l'effet du vin, oyez ce qu'on vous dira... Or, apprêtez-vous : il en est temps. Chandos, qui m'envoie devers vous, vous le mande.

Le Breton cessa ses rires. Il eut vraiment, soudain, une tête de gouliafre[1] sous ses cheveux drus et courts. Ses chairs s'étaient figées, blêmies. Son souffle s'était accru. Ses yeux bridés par la colère brillaient avec la force des joyaux de clinquant et ses lèvres molles, entre-closes, laissaient paraître une denture aux canines aussi aiguisées que celles des veautres. Ses épaules dont l'armure accroissait la largeur et d'où sortait un cou puissant cerclé de fer, son torse énorme, ses jambières immenses et jusqu'à ses éperons, les plus gros qu'on pût voir, sans doute, dans l'armée de Castille, n'eurent aucune influence sur la sérénité du truchement de messire Chandos.

— Va, dit-il à l'Anglais. Vous aurez la bataille.

— Or, tôt, dit le héraut, ou nos gens viendront ici.

L'Anglais tourna bride et partit lentement.

— L'outrageux ! dit Henri. Je lui ferai payer son outrecuidance lorsqu'il sera prisonnier.

« Mais le sera-t-il ? » se demanda Tristan.

Le jour hésitait à paraître. Il fut cependant décidé d'avancer. L'ordre de combat serait celui que l'on

1. Glouton.

avait arrêté à Zaldiarán. L'avant-garde serait composée des routiers français, des Bretons et de l'élite des hommes d'armes castillans, sous le commandement de Guesclin, assisté d'Arnoul d'Audrehem et des autres chevaliers aux lis, parmi lesquels Tristan et Paindorge, soit environ six mille hommes d'armes et leurs chevaux[1]. Don Sanche et les chevaliers de l'Écharpe ainsi qu'un jeune tabellion, Ayala, renforceraient cette bataille derrière laquelle s'avanceraient deux grands corps de cavalerie, chevaux lourds et genets mêlés, destinés à flanquer l'avant-garde dès l'engagement du combat. Il y avait là vingt-cinq mille hommes tant cavaliers que piétons. Le corps de cavalerie de gauche qui progresserait le long du ruisseau serait sous le commandement de don Tello ; celui de droite aurait pour chef le comte de Denia, marquis de Villena. Il se composait d'auxiliaires aragonais et de chevaliers tous Ordres confondus. Entre ces deux ailes de guerriers et en seconde ligne, on fit ranger la quatrième bataille, constituée de piétaille et de cavalerie dont Henri se réserva le commandement. Il y avait là sept mille hommes à cheval et trente mille piétons ainsi que tous les seigneurs des royaumes de Castille, León et Portugal. Ce corps de bataille disposait d'une réserve composée du comte d'Aiguë et du vicomte de Roquebertin avec leurs

1. Il y avait également dans cette « bataille » : le vicomte de Roquebertin (ou Rochebertin et *Rocaberti*), le comte de Luna, deux barons du Hainaut (le sire d'Antoing et Allart de Brifeuil), le Bègue de Villaines et le Bègue de Villiers, Jean de Berguetes, Gauvain de Bailleul (ou Bailleuil), l'Allemand de Saint-Venant, messire Gomez Garils (ou plutôt Gomes Carrillo de Quintana, *camarero mayor* du roi Henri), et plusieurs seigneurs de France, de Provence, d'Aragon et des marches voisines, puis les chevaliers de l'Écharpe avec don Sanche à leur tête.

Aragonais, tous bien armés et montés. Leur mission consisterait à boucher les brèches. Considérant cette tâche comme peu glorieuse, messire de Roquebertin, d'un galop, s'intégra dans l'avant-garde.

Tristan songea que la disposition de l'ost anglais serait certainement la même avec une différence essentielle : la plupart des hommes combattraient comme ils en avaient coutume : à pied.

— Messire, je les flaire, dit tout à coup Paindorge. Ils sont en bon conroi[1] !

Sa voix vibrait, presque indistincte, et quelque chose s'était éteint dans son visage cerclé de fer, sous une visière haut levée.

« *La mort !* » Maintenant, et pour tous, l'attente serait emplie d'une seule pensée : « *La mort !* » Il allait falloir s'y consacrer, s'enfermer dans le seul désir d'occire. Se décharger des fardeaux de bonté, de pitié ; respirer à perdre haleine pendant qu'il en était encore temps, obtenir les bienfaits de Dieu, sa miséricorde et même son approbation pour quelque acte qu'on dût commettre. Tristan eut envie de cracher. L'odeur des hommes et des chevaux lui portait au cœur. Ses pensées le ramenaient constamment, par l'impression de ces relents et des violences passées, à cette tuerie au centre de laquelle il se sentirait seul et malheureux. Tout se bouchait autour de lui : ses compagnons l'enfermaient, les montagnes ensuite et devant, la seule issue possible était close par des milliers d'hommes d'armes adverses, leurs chevaux et leur courage. Il se sentait reclus dans une armée où il eût dû se sentir à l'aise. Les beaux jours à venir dans une France retrouvée, dans une famille accueillante, dans une quiétude et un réconfort sans limite se fermaient eux aussi à son

1. En bon ordre.

imagination. Pourrait-il les savourer ? Pourrait-il une fois encore sentir contre lui Luciane nue et consentante ? Ardente et hardie ? Fièvre de vie. Fièvre d'amour. Son sang s'y brûlerait-il encore ?

— Messire, dit Paindorge, combien vous semblent-ils ? Une multitude !

— Un essaim, tous ses dards prêts à nous transpercer.

Ils avançaient en bon arroi, bannières déployées. Au centre, face à Guesclin, on voyait ventiler le gonfanon d'Angleterre et de toutes parts les pennons des alliés du prince de Galles.

— La bannière, à senestre, est celle de Lancastre, puis celle de Chandos... et les trois veaux de Calveley dont le grand heaume domine toutes les épaules !

— Oui, Robert... Dommage que l'aïeul de Chandos ait franchi la Manche au temps du Conquérant ! Il serait auprès de nous [1].

1. Sur l'approche du prince de Galles, le Héraut Chandos écrit : *Mais le Prince ove le coer fin / Nala pas le plus droit chemyn / Ancois prist sachez que certayn / Li chimin a la droit main. / Une montaigne et un grand val / Avallèrent* (descendirent) etc. Ce grand val permettait d'arriver sur le flanc gauche de la ligne adverse. Il paraît être ce large vallon qui descend de la montagne vers le village de Huercanos.

Pour faire front, l'armée de Henri se trouva donc d'emblée contrainte d'effectuer une conversion générale de sa ligne défensive dont devait pâtir l'aile gauche de don Tello. Dans la confusion, l'incertitude et la panique, sa débandade fut immédiate.

John (Jean) Chandos descendait de Robert de Chandos, compagnon de Guillaume le Conquérant. À Crécy, il avait éduqué le prince de Galles, à Poitiers, ses conseils lui avaient valu d'obtenir la victoire. Après le traîté de Brétigny-les-Chartres (8 mai 1360), Édouard III l'avait nommé régent et lieutenant du roi d'Angleterre en France et lui avait offert la forteresse de Saint-Sauveur-le-Vicomte (fief du défunt Godefroy d'Harcourt). Sénéchal de Poitiers, il désapprouva les excès de violence de l'héritier d'An-

— Il va veiller sur Lancastre comme il a veillé sur le prince de Galles à Poitiers[1]. Tous ces hommes sont aroiés[2] mieux que nous.

Tristan se moucha dans son gantelet. Il avait froid

gleterre envers les populations innocentes. Blessé dans une embuscade au pont de Lussac, il mourut le lendemain, en son château de Mortemer, le 1er janvier 1370. Selon l'usage fréquent en Angleterre, maints preux chevaliers, pour l'honneur d'une belle, s'étaient masqués un œil. Chandos n'avait pas à le faire : il avait eu l'un des siens arraché de l'orbite dans un combat. Il était entré en Espagne suivi de 1 200 pennons. Le jour de Nájera, sa bannière était portée par William (Guillaume) Alerey. Fin lettré, musicien, il chantait avec les ménestrels royaux.

1. Jean de Gand, duc de Lancastre, était né en 1340, à Gand. Il avait donc 27 ans. Quatrième fils d'Édouard III et de Philippa de Hainaut, il était devenu duc de Lancastre par son mariage avec sa cousine Blanche, fille de Henri de Lancastre (1359). Lieutenant du roi d'Angleterre en Aquitaine après le retour du prince de Galles en Angleterre, il fut vaincu par Guesclin et perdit tout son territoire à l'exception de Bordeaux, Bayonne et quelques autres cités de moindre importance. Veuf de Blanche (1369), il épousa, en 1372, Costanza, la fille aînée de Pierre le Cruel et se proclama roi de Castille. Il ne parvint pas à détrôner Jean Ier, fils et successeur de l'usurpateur. Sa seconde épouse étant morte en 1394, il se maria avec Alice Swynford qui mourut en 1403. Quand il trépassa, en 1399, il s'était plus que compromis avec la maîtresse de son père, Édouard III, une dévergondée : Alice Perrers.

La disposition de l'ost anglais était à peu de chose près celle de l'armée de l'usurpateur. Au centre, un corps commandé par Lancastre, Chandos, Calveley. Face à don Tello, le comte d'Armagnac. Face à Denia, le captal de Buch. En seconde ligne, le prince de Galles et Pèdre qui ne cessait de chercher son rival : « *Où est ce fils de putain qui s'appelle roi de Castille ?* »

Le duc de Lancastre était accompagné de Chandos, de ses 1 200 pennonciers et des sires Perducas de Labreth (*d'Albret*), Robert Ceni, Robert Briquet, Garsiot du Châtel, Gaillard Vigier, Jean Cresuelle (*Tresnell)*, Naudon de Bagerant, Aymemon d'Ortige (*Amanieu d'Artiges*), Perrot de Savoie, le bourc Camus, le bourc de l'Esparre, le bourc de Breteuil, Espiote, Lamit, etc.

On trouvait chez les grands serviteurs de l'Angleterre : Guichard

et chaud en même temps. Le soleil paraissait ne briller qu'à son intention, – comme pour une ultime fois. Jamais il n'avait senti la vie le pénétrer avec tant de véhémence ; jamais il n'avait eu tant d'émoi à se savoir vivant, chargé de remembrances et désireux d'exister. Devant lui, Henri, sur sa mule noire, forte et roide et préférée à un coursier à cause des difficultés des chemins, Henri allait de chevalier à chevalier, de prince à prince, feignant de les réconforter pour obtenir leur réconfort. On eût dit un chien de troupeau peu avant l'affenage.

d'Angle, le sire de Clisson, le sire de Rais, Calveley, Eustache d'Auberchicourt, Gautier Huet, Matthieu de Gournay, Louis d'Harcourt, les sires de Pons et de Parthenay, Guillaume de Beauchamp, fils du comte de Warwick, Raoul Camois, Gautier Oursuich (*Urswick*), Thomas de Daimer (*Damer*), Jean de Grandçon (*Grandison*), Jean du Pré, Aimery de Rochechouart (qui avait défendu Poitiers contre les Anglais de Derby), Gaillart de la Motte et deux cents autres chevaliers.

Les Gascons étaient représentés par le comte d'Armagnac, le sire de Labreth, le sire de Pommiers et ses frères, le sire de Mussidan, le sire de Rosem (*Rosen*), le comte de Périgord, le sire de Comminges, le vicomte de Carmaing, le sire de Condom, le sire de l'Esparre, le sire de Caumont, messire Barthelerny de Taride, le sire de Pincornet, Bernard de Labreth, le sire de Geronde (Bernardet d'Albret, sire de Gironde), Aymery de Tarste (Tarse), le soudich de l'Estrade (dignité correspondante à comte), Petiton de Courton, etc.

Il ne faut point oublier la présence de Martin de la Kare (de *la Cara*) : il représentait le roi de Navarre. Répétons ici que Charles le Mauvais s'était arrangé pour octroyer à Olivier de Mauny, le *cousin* de Guesclin, 3 000 francs et la ville de Guibray (Gavray) en Normandie, s'il le tenait pour prisonnier durant toute la campagne. Cette transaction avait eu lieu le 5 mars, à Péralta (village au sud d'Alfaro sur le rio Arga) et la pseudo-capture le 11 mars, à Tudela. De là, Charles le Rusé avait été conduit à Borja, la demeure (provisoire) du sire de Mauny.

2. *Aroiés* : en rangs.

L'ost de l'usurpateur alentit son avance. En face, on s'arrêta. Tristan, sourcils froncés afin de mieux distinguer l'adversaire, crut apercevoir Calveley bissé sur les étriers de son gros roncin. Qui cherchait-il parmi *ceux d'en face* ? Il avait ramené d'Espagne, à son suzerain légitime, quatre mille lances et l'on pouvait prédire que ces hommes endurcis, connaisseurs des Espagnols, de leur armement et de leurs coutumes guerrières, seraient les premiers à ouvrir le combat.

— Ils n'ont plus l'estomac dans les talons, dit Paindorge.

— Ils ont la malefaim de nous anéantir.

Tristan voyait, à la droite du corps commandé par Calveley, les Gascons d'Armagnac et du seigneur d'Albret. Point question de se méprendre à leur sujet : ils hurlaient leur cri de guerre :

— *Cadedis ! Cadedis !*

Ils seraient opposés à don Tello et ses guerriers. À gauche, face au marquis de Villena, le captal de Buch, assisté du comte de Foix – *d'or à trois pals de gueules* – aurait à cœur de redimer son échec de Cocherel, contre Guesclin. Derrière, la quatrième bataille se composait d'Anglais, lis et léopards, de Castillans – *de gueules à un château ayant trois tours d'or* –, et de Navarrais – *de gueules aux chaînes d'or posées en croix sautoir et orle* –. Qui tenait dans son poing cette large estranière ? Sans doute le sénéchal de Charles le Mauvais : Martin Enriquez[1]. Peut-être y avait-il aussi, quelque part, la bannière du roi de

1. Avant son arrestation simulée, Charles de Navarre avait, à Pampelune, demandé à Martin Enriquez de se joindre à l'armée anglaise avec tous les Navarrais disponibles.

Naples, fils de don Jayme, dernier roi de Majorque dépossédé par Pierre IV d'Aragon [1].

— Combien sont-ils, messire ? demanda Paindorge.

— Dix mille lances et autant d'archerie [2].

Soudain, alors que le jour devenait plus clair, une rumeur courut dans l'armée de l'usurpateur. Elle s'amplifia et devint terrible. Des jurons l'éclaboussèrent.

— Hé, que se passe-t-il ? cria Tristan aux capitaines.

Audrehem, d'une vigoureuse ébrillade, se présenta de face, sur son cheval courroucé.

— On vient d'apprendre que lors du désarroi de notre marche de nuit, deux cents géniteurs et la bannière de Saint-Étienne-du-Port se sont enfuis pour aller servir don Pèdre [3].

1. Jaime II, roi de Majorque, avait été détrôné par Pierre IV qui avait réuni Majorque à l'Aragon par un acte solennel, le 29 mars 1344. Battu et blessé lors d'une tentative pour récupérer ses états (il avait, pour couvrir les frais de son entreprise, vendu ses derniers domaines « français » au roi de France : Montpellier et Lattes – 18 avril 1349), Jaime II était mort des suites de ses blessures le 25 octobre 1349. Son fils Jaime (dont il est question ici) était le troisième mari de Jeanne Ire de Naples. Il l'avait épousée le 14 décembre 1362 après qu'elle eut succédé à son grand-père, Robert, roi de Naples, le 19 janvier 1343.

Jeanne (1343-1382) était la fille de Charles de Sicile et de Marie de Valois. Jean le Bon avait songé à l'épouser. Jaime III avait obtenu la main de cette nymphomane couronnée après qu'elle eut enterré son second mari, Louis de Tarente, qu'elle avait estimé embarrassant. Elle se maria quatre fois et cette étrangleuse fut étranglée à son tour (voir : *La Couronne et la Tiare*, du même auteur, tome 3 du Cycle de Tristan de Castelreng).

2. Une lance était composée de plusieurs hommes. Les chevaux, les armures de fer avaient aussi leur code. L'effectif du prince de Galles à Nájera n'excédait pas 40 000 hommes. Froissart donne à Henri 27 000 chevaux et 40 000 piétons.

3. Il s'agit de San Estebán del Puerto (Santisteban del Puerto) dont Audrehem francisait le nom. C'est un village d'Andalousie situé sur les pentes sud de la sierra Morena, au nord-est de Linares.

— Cela commence bien, grommela Paindorge. Que font-ils maintenant ?

— Ils se concertent... ou se congratulent[1].

On s'arrêta. Certains quittèrent leur selle et confièrent leur cheval à un écuyer, un palefrenier. S'agissait-il de *ricos hombres* ? Nul ne le pouvait savoir dans l'espèce de monstrueuse indécision où s'agloméraient

1. Les Anglais avaient eu le temps d'étudier le terrain et de choisir leur position. Ils étaient disposés à l'action quand Chandos sortit des rangs, tenant dans sa main une bannière roulée qu'il inclina devant le prince de Galles.

— Monseigneur, lui dit-il, voilà ma bannière. Je vous la donne. Qu'il vous plaise que je la puisse lever aujourd'hui. Dieu merci, j'ai terres et héritages pour tenir état, ainsi qu'il appartient à un chevalier banneret.

Les chevaliers bannerets pouvaient conduire à la bataille un certain nombre d'hommes d'armes. Ils jouissaient du privilège d'arborer leur propre *estranière* (drapeau) distinguée, par sa forme carrée, du pennon triangulaire des simples chevaliers, lesquels employaient cependant, pour les désigner, le nom de bannières.

Le prince invita Chandos à remettre sa bannière à don Pèdre qui la déroula. Elle était, comme il a été déjà dit, « *d'argent au pal aiguisé de gueules et taillé en pointe comme un pennon* » (Mérimée quelque peu fâché avec la réalité). De son poignard, le roi coupa cette pointe et restitua, par la hanste (la hampe) la bannière au chevalier anglais.

— Levez votre bannière, messire Chandos, dit-il. Dieu lui donne honneur et fortune.

Chandos rejoignit ses hommes et leur fit jurer de défendre leur enseigne partout où il la conduirait.

Les chevaliers bacheliers, dans les anciennes montres de gens d'armes, sont compris, sans différence aucune, sur le même pied que les chevaliers ; ils reçoivent le double de la solde des écuyers et la moitié de celle des bannerets. Ils furent nommés *chevaliers d'un écu* dans l'Ordre de Chevalerie, « *peut-être à cause qu'ils n'avoient pour leur défense que leur propre écu, et non, comme les bannerets, les écus de plusieurs autres chevaliers.* » (La Curne de Sainte-Palaye : *Mémoires sur l'Ancienne Chevalerie*, Paris, 1876).

les hommes et les bêtes. Et la mésentente régnait aussi bien parmi les bêtes que parmi les hommes. Qu'allait-on faire ? Le jour, maintenant, se paraît d'or et de cristal : la journée serait lumineuse. Il semblait, fallacieusement, que le pays se trouvait sous l'empire d'une paix inaltérable et que jamais l'éclat des armes ne contrarierait celui du soleil. Parfois, la frainte[1] des guerriers et les ébrouements des chevaux cessaient. On entendait une autre rumeur qui peu à peu se déployait et prenait une résonance tragique : celle des Goddons en marche. Tello avait beau hurler : « *No pasarán*[2] » le bruit confus de cette marée d'hommes d'armes reprenait dès qu'il refermait sa grande goule accoutumée à hurler des « *Ole !* » aux arènes, mais incapable de proférer un commandement. Son cheval disparaissait presque tout entier sous ses bardes sablonnées[3] avec soin, et bien qu'il ne fût qu'à moitié apparent sous ses orbières de fer, son œil luisait du même feu clair et hautain que son maître. Une belle bête, certes. Le grand cheval dans l'acception du terme : solide, endurant, véloce au besoin. Il secouait cependant un peu trop sa buade[4] comme s'il souffrait des dents.

— Oyez, *Francés* !... Je me permets de vous ramentever que nous allons être à la fête !

— Un malebouche que cet homme ! Nous verrons sous peu ce qu'il vaut.

— Un falourdeur[5], messire. On va vivre un second Crécy.

— Certes non, Robert... Tout d'abord, à Crécy, il y

1. Le vacarme.
2. Ils ne passeront pas.
3. Fourbies avec du sable fin.
4. Mors à longues branches droites.
5. Prétentieux.

eut un orage. Nous avons la neige, la boue et le froid. Ensuite, à Crécy, les Anglais étaient sur une butte. Nous les allons affronter sur du plat. Ils nous sont inférieurs en nombre... comme à Crécy, et c'est ainsi qu'ils sont les meilleurs [1].

Sur le grand champ constellé de rosée, les oiseaux sautillaient. On y voyait glisser les ombres des nuages en attendant d'y voir paraître le miroitant jusant des armures anglaises et castillanes. Tristan savait que rien n'arrêterait cet ouragan dévastateur, pas même les formules préambulaires par lesquelles on se préviendrait de son bon droit et de son intransigeance avant de se heurter à grand plaisir d'occire. L'affreux serait soutenu par l'inévitable.

Il faudrait attendre. Comme prévu. Ce serait exaspérant. Comme toujours. Et c'était peut-être une faute que d'attendre... Encore que cela pouvait se discuter. On n'avait pas attendu à Crécy. Ni à Poitiers. Deux défaites dues à l'impatience. Alors, n'était-ce pas mieux ainsi ?

Le regard de Tristan s'arrêta sur Gomez Carrillo, le *camarero-mayor* du roi Henri. Assis sur son genet à la selle orfévrée, il courbait son échine de fer comme s'il y sentait le fardeau de l'opprobre ou mieux encore : comme si un billot l'attirait invinciblement par la tête et les épaules. Tout proche, Sancho-Sanchez Moscoso, grand commandeur de Saint-Jacques, les mains jointes par les paumes, semblait prier. Craignait-il d'être cap-

1. À Crécy, les effectifs français étaient les suivants : 8 000 hommes d'armes et 4 000 fantassins dont les arbalétriers de Doria et de Grimaldi. Les Anglais étaient : 3 580 archers venant du comté de Trent et une centaine du comté palatin de Chester, plus 3 500 Gallois (archers et porteurs d'armes d'hast), plus 2 743 hobbiliers, plus 1 141 hommes d'armes, soit au total 10 000 hommes (cf. C. Fuller et James Ramsey).

turé, jugé, frappé d'un fer de hache et suppliait-il saint Jacques de lui venir en aide ? Traître, lui aussi, comme Garci Jufre Tenorio, le fils de l'amiral don Alonso Jufre, mis à mort quelques années plus tôt[1] et qui déjà tirait son épée du fourreau. Si Pèdre les prenait, il serait intraitable.

Attendre. La conjoncture serait-elle favorable à Henri ? Il faisait beau. « *Je veux demain matin voir le soleil éclore. Je veux voir le ciel, les arbres ! Je veux me sentir solide et capable d'amour !* » Luciane. Comme elle était loin ! Son souvenir n'enveloppait plus son époux d'une tiédeur bienfaisante. « J'ai autre chose à penser. À moi : Tristan. Égoïstement ! » Il ne pouvait recomposer le visage de sa femme. Cette pâleur de blonde rousse qui faisait mieux resplendir le bleu de ses yeux et le carmin de sa bouche... Avait-elle les yeux bleus ?... Un front de lis et autour des cheveux follets, brillants comme des fils d'or... Et la mousse dorée qui blasonnait son corps... Jamais plus, peut-être, il ne mettrait un pal gonflé d'ardeur à cet écu. Jamais plus, peut-être, il ne toucherait ce satanin charnel... cette croupe chaude, ces cuisses fermes. Et ces seins qu'il aimait à empaumer si souvent...

« *Hé ! que fait-il ?* »

Henri galopait. Parvenu au milieu du front de bandière[2], il arrêta sa monture. Debout sur ses étriers comme pour donner plus d'essor à sa voix, il hurla :

— Bonnes gens, vous m'avez fait roi et couronné ! Aidez-moi à défendre et garder l'héritage dont vous m'avez honoré !

1. Sa mort avait été décidée par Pèdre et accomplie en 1358 après un soi-disant soulèvement en faveur de la reine Blanche. En réalité, le règne de ce roi tantôt munificent, tantôt terrible, ne cessa de provoquer des révoltes justifiées et des répressions affreuses.

2. Ligne d'une armée rangée en bataille.

Sous une barbe coupée court, un visage livide cerclé de fer. Des prunelles brillantes de fièvre et non plus de convoitise.

« Tu l'as voulu, ce trône... Défends-le », songea Tristan. « Tu t'enfelonnes[1] et t'affoles. Tu sens ta couronne de travers sur ton heaume. Tu étais pourtant fier de l'arborer ! »

Sans doute l'usurpateur regrettait-il de l'y avoir fait fixer : cet emblème doré, hérissé de fleurs de lis, le désignerait aux estocades et taillants ennemis, et l'on n'avait pas songé à incorporer dans l'armée quelques hommes à sa semblance parfaite afin d'égarer la fureur de Pèdre et ceux qui voudraient attenter sur lui.

— Seigneurs, je suis votre roi ! Vous m'avez fait roi de toute Castille et juré et voué que pour mourir vous me faudrez !... Gardez pour Dieu votre serment et ce que vous m'avez juré et promis !... Et vous acquitterez envers moi et je m'acquitterai envers vous. Car je ne fuirai point tant que je vous verrai combattre !

Ainsi, l'idée de fuir était dans son esprit comme un charançon dans une poignée de lentilles.

— Souvenez-vous, mes amis, que c'est moins pour remonter sur le trône de Castille que pour avoir le moyen et l'autorité d'assouvir sa vengeance que Pèdre a imploré le secours des Anglais. Vous m'avez volontairement appelé à la royauté et placé sur le trône de mes ancêtres !

Tout ce verbiage était un tissu de mensonges. Il ne concernait que les Français auxquels il semblait que l'ex-Trastamare accordait spécialement sa confiance.

— Je ne crois pas avoir donné à personne sujet de s'en repentir, et je vous proteste que, combattant pour

1. *S'enfelonner* ou *s'enfelonnir* : s'irriter.

me maintenir dans cette haute dignité, je n'ai d'autre objet...

— Il parle comme un livre, messire.

— Oui, Robert. Un livre dont nous serions la couverture.

— ... d'autre objet que de faire le bonheur de tous, et préserver l'Espagne des fureurs de mon ennemi. Ainsi, votre bonheur, votre repos, votre fortune sont entre vos mains. C'est maintenant à vos épées d'assurer votre quiétude ! C'est à elles de protéger l'Espagne !

Des voix s'élevèrent. Même ceux qui n'avaient rien compris à ce discours réservé aux Français s'écriaient qu'ils étaient disposés à mourir pour un prince si généreux, si grand, si magnanime que le glorieux Henri, roi de Castille.

— Le bonheur, grommela Paindorge. Le bonheur des martyrs de Briviesca, Magalon et moult autres cités condamnées à mort !

Tristan soupira, s'empêchant ainsi de répondre. Le bonheur d'enfants tels que Teresa et Simon. Et d'autres dont les têtes se desséchaient sur des épieux, à moins d'une demi-lieue de Tolède. Eh bien, la bataille de Nájera serait peut-être celle du châtiment. Toutes ces âmes tourmentées influeraient sur le cours des événements. Mauvais auspices pour Henri qui se prenait pour une espèce de saint Michel alors qu'il n'était qu'un fils de Bélial.

— Pied à terre ! hurla Guesclin. Les chevaux en arrière... Holà ! goujats, manants, écuyers, qu'on se hâte... Voici l'ennemi !

Tristan abandonna Malaquin à Paindorge qui demeura sur Tachebrun :

— Messire, je veux...

— Je sais ce que tu veux : mourir à mes côtés !...

Va... Emmène nos chevaux à Yvain et Girard... et reviens.

On se battrait à pied. Tout au moins la première bataille.

Les hobbiliers[1] anglais abandonnaient leur selle. La berge de la Najarilla disparut derrière l'écran des croupes et des encolures. Cependant, refusant d'obéir, fiers et comme invincibles, des Castillans restèrent assis sur leur genet. Guesclin, furieux, interpella Audrehem mal à l'aise, semblait-il, dans son armure et comme embarrassé de sa lance écourtée :

— Sire Arnoul, voici très belle gent et il y a plenté[2]. Ce sera grand dommage quand ces gars s'enfuiront !

Les genétaires des seconde et troisième bataille ne voulaient point passer pour des piétons. De leur selle, on disait qu'ils lançaient des dards comme en se jouant. Dans un cliquètement d'armes et de lormeries aheurtées, Henri galopa jusqu'à eux.

— Bonnes gents ! Voyez là sur ce pré qui verdoie Pedro le fou, le cruel !... Il vous a amené un peuple de guerriers !... Si vous êtes pris, il vous fera pendre !... Rien ne vous garantira ! Chacun sera pendu comme un païen ! Il ne vous restera ni femme ni enfant !

Ces Espagnols comprenaient-ils ces propos ? « *Il vous a amené un peuple de guerriers* », songea Tristan. « Et lui, Henri, que leur a-t-il amené ? Un peuple de routiers ! J'appartiens à ce peuple et c'est pourquoi j'ai peur. » Oui, la crainte sinuait en lui, mouillait son dos, ses aisselles. Il pouvait désespérer que cette armée fût unie. Si les Anglais la dissociaient, aucune des batailles qui la composaient ne se ressaisirait. Elles rapetisseraient sans pouvoir recouvrer leur unité, leur vaillance

1. De *hobby* : petit cheval.
2. Ou *planté* : abondance.

– encore qu'il n'était pas certain qu'elles en fussent pourvues. Guesclin, lui aussi, pressentait une déconfiture : son visage était tendu, renfrogné. Il déclara bien haut :

— Mes compères, nous sommes sept cents Normands et Bretons.

Il n'y avait guère de Normands, mais l'on pouvait passer sur ce court préambule.

— Seigneurs, oyez ce que je vais vous dire. Tenons-nous tous ensemble. Ne nous séparons pas. N'allez pas vous bouter avec les Espagnols. Ils ne sont pas gens en qui je me veuille fier... On va tous les esbahir de prime face !

Et soudain, succombant à sa vieille aversion :

— Pourquoi t'ébaudis-tu, Castelreng ?

— Moi ? s'étonna Tristan. Ai-je donc ri, messires ?

— Par Dieu, non, dit d'un trait le Bègue de Villaines.

L'inquiétude du Breton semblait l'avoir réjoui, lui aussi. Ce ne serait pas une embûche mais une bataille front contre front. Les coups dans le dos n'y seraient fournis qu'à la fin, nullement lors de l'assaut initial.

— Nous sommes à prime sonnant, dit encore le Breton.

Il se méprenait : prime était loin, très loin [1].

« Bientôt », se dit Tristan.

La guige de son écu pesait sur son épaulière dextre. C'était une sensation inquiétante parce qu'inhabituelle. Sa main, pourtant, tenait solidement l'énarme et cette défense serait indispensable dans les premiers échanges de coups. Guesclin n'en avait point, ni d'autres : Villaines, Villiers, Jean de Neuville. Frère Béranger tenait une épée de passot dans une main et

1. Le lever du jour.

une rondelle de poing dans l'autre[1]. Il s'était dispensé de porter une écharpe, croyant que sa bure et la croix rouge qu'il avait peinte sur son bouclier le protégeraient. Et pour cause : les cottes blanches des Anglais étaient frappées d'une croix rouge. Certains le prendraient pour un des leurs et ce serait leur perte !

— Couzic, corne un bon coup ! On ne peut plus attendre.

— Certes, Bertrand !

Le Breton emboucha son olifant et le fit beugler aussi longtemps qu'il le pouvait. Des trompettes sonnèrent et les Anglais leur firent un écho. Puis, en face, un commandement éclata. Ce devait être : « *Bannières en avant au nom de Dieu et de saint George !* » Et l'on se mouvait aussi. Le prince de Galles et ses chevaliers demeuraient en selle devant Pèdre et quelques hommes liges également à cheval. Ils devançaient une épaisse haie d'archers couverts de fer : tête, torse, genoux. Un homme – Édouard le Jeune – hurla, et des cris, une ruée de cris retentirent :

— *Guiana !... Guyenne au prince de Galles !*

— *Saint George !*

— *Castilla !*

— *Santiago !*

Il fallait répliquer, donner de la voix avant de donner son sang.

— *Castille au roi Henri !*

Avancer avec en tête, au cœur, la volonté de meshaigner[2] ces hommes à la croix rouge, et Lancastre, Chandos et moult autres encore. Souhaiter dans les mains adverses des lames d'acier faussant. Hommes et che-

1. Sorte de petite rondache.
2. Malmener.

vaux à l'entour. Et Béranger, Béranger grande goule qui hurlait :

— Mes frères, mes enfants, soyez preux ! Souvenez-vous de ce que je vous dis : « *L'homme ne doit pas se fier en sa force ni en celle de sa Chevalerie ni en celle de ses chevaux, mais en la grâce de Dieu, car les hommes font la bataille, mais Dieu donne la victoire !* » Avant ! Avant !

Ces paroles, Tristan les avait entendues. La lumière se fit : Isaïe[1]. Ah ! là là... N'était-ce pas singulier que cet ennemi des Juifs utilisât les exhortations d'un de leurs prophètes ?

Sous la carapace des solerets, les minces semelles des souliers de basane absorbaient l'humidité des herbes et glissaient parfois dans la boue. « Pourquoi ai-je pris une lance ? » Ce serait un combat de près, un grand treu suivi d'un immense trépassement. Une guisarme ou un vouge, moins lourd, eût été plus maniable. Il voyait grandir les croix rouges. Cimetière en marche. Il n'avait plus peur. Peut-être les vierges à leur premier sang éprouvaient-elles des sensations pareilles aux siennes : inquiétude, ébahissement, fièvre et fierté. Il se sentait aussi lucide, cohérent. Ce glaive[2] était lourd, certes : il ne le porterait pas longtemps sur son épaulière. Le tenant des deux mains, la dextre sur la prise, la senestre devant l'agrappe, il serait contraint de percer un ventre, un cœur avant que de s'en défaire. Saleté de guerre... Alors, il empoignerait Teresa et férirait du Goddon, à moins qu'il ne fût percé d'une sagette. Car les archers, soudain, se mettaient à tirer, obscurcissant le ciel de toutes leurs empennes.

Des hommes tombèrent, hurlèrent d'être navrés et

1. Isaïe, XXXI, 1.
2. On appelait ainsi la lance et non l'épée.

parfois piétinés par des compères ou leurs chevaux. La pluie de mort continua pour s'interrompre quand les frondeurs castillans du roi Henri lancèrent sur les premiers rangs de Goddons leurs grêles de galets et de billes de fer, effondrant[1] les heaumes, les bassinets et les cuirasses. La pluie de sagettes recommença. Pour une fois, les Gallois ne les fichaient pas en terre mais les tiraient de leur carquois. Pour une fois, le fait de piéter dans une herbe glissante tout en bandant le *long bow* altérait la précision de leur tir.

« Je vis encore. Je vis toujours ! »

Tristan se sentait poussé en avant. Quelqu'un hurla : « Messire ! » et il se dit : « Paindorge ! » L'écuyer avait bien fait d'écourter sa lance par le haut et par le bas : il se merveillait de son équilibre même si, devant se déhancher vers la dextre, il accélérait les battements de son épée contre sa genouillère, son cuissard et sa grève. Les croix adverses grandissaient. Il voulut clore son bassinet – il en était grand temps. Impossible : la lance et l'écu suspendu par la guige à son épaule senestre lui interdisaient ce mouvement simple et réconfortant. Eh bien, il s'en passerait ! Combien d'archers ? Quelle importance[2]...

« Leurs traits volent plus dru que la neige ne tombe ! »

Mais la neige ne tuait pas. Neige-suaire. Il faisait beau. Le printemps frémissait après un hiver de plomb.

1. Froissart ne mentionne pas l'attaque de l'archerie. Ayala, séduit par d'autres détails, n'en tient pas compte. Or, la relation du héraut de Chandos (« *or comence bataille fier... Archers traient* (tirent) *à la volée plus dru que plume n'est volée* ») atteste que les Anglais procédèrent comme à Crécy et Poitiers mais cette fois en marchant. *Effondrer* les heaumes, bassinets, cuirasses, c'est les cabosser, les ruiner.

2. Ils étaient 5 000.

On ne meurt pas au printemps. On pense à l'amour. À ses délices.

« Ils s'approchent sans crainte et, dirait-on, sans haine. Des hommes déjà sont morts. Mon voisin vient d'être percé d'une sagette. Pas moi. Pas moi !... Des chevaux en face... »

La haie des archers s'ouvrait. Des chevaux bardés de fer, de mailles. Des chevaux bien portants pour supporter ces coquilles ! Des chevaux lourds, comme invincibles.

Galop. Course des hommes. Ils n'étaient plus qu'à dix toises... Moins ! Les Goddons, eux aussi avaient écourté leurs lances. Ils avaient eux aussi du courage à revendre.

— *Arriba ! Arriba !*

Les frondeurs, stimulés par Henri, élinguèrent une fois encore [1].

« *Que ceux qui ont des lances les tiennent puissamment, bien afusellées* [2]. » Où avait-il entendu cela ? Combien de lances en avant ? En face, il y en avait aussi. Et aussi des genetoires [3]. Il n'était plus temps de prier. Et pourtant... Cette immense rumeur ! « On va galer [4] ! » Reprendre son souffle et rester droit, fermement.

Et voilà, il y était enfin. Fracas des armes. Il y était. Il en était : le fer d'un alénas venait d'effleurer son bassinet. Le heurt de la bataille de Guesclin en avant et d'Audrehem en arrière était si rude, si impétueux qu'il faisait plier les rangs anglais commandés par Lan-

1. *Élinguer* : lancer avec une fronde.
2. C'est-à-dire de manière à frapper en pointe.
3. Sorte de javelines.
4. *Galer* : s'amuser.

castre, Chandos et Guillaume de Beauchamp. Un féroce boutis de lances et d'épées commençait.

Tristan se trouva comme avalé par la cohue sans que sa lance lui fût utile. Il la planta toutefois dans la cuisse d'un archer occupé à tirer une sagette de son carquois et la lui laissa « *en gage de mon amitié pour Shirton* » qui se trouvait certainement quelque part auprès de Calveley, invisible. Il entrevit la bannière de Jean de Grailly et regretta qu'on l'eût laissé sortir de sa prison courtoise. Tout se mêlait : les hennissements des chevaux atteints ou tout simplement effrayés, les hurlements et mouvements des hommes qui parfois prenaient une ruade, les entrechocs d'épées, les ruptures de hampes. Il vit le roi Henri bien affermi sur sa selle abrocher sa mule, et, tel un *picador* aux arènes, percer un homme au sol, peut-être déjà mort, puis entrer dans la mêlée où le captal de Buch se démenait. L'usurpateur occit un archer, en renversa un autre. Sa lance se brisa. Il tira son alfange et frappa, frappa en criant :

— *España !*

Puis, passant entre Tristan et Guesclin occupés à férir des hommes :

— Mauvaises gens ! Mal fait qui vous épargne ! J'emploierai bien ma mort puisque je suis par-deçà !

— Il est fol ! hurla Audrehem.

— Or, il périra, dit Guesclin. Secourons-le !

Toutes les batailles s'entremêlaient, du moins c'était ce qu'il semblait. Celle du prince de Galles, invisible, celle de Calveley, de Pèdre ; celle de Martin de la Kare [1] et du roi de Majorque. Tristan sentait son écu

1. De la Cara, déjà cité. Il était épaulé par des contingents d'Anglais et de Gascons commandés par Richard de Ponchardon, Thomas le Despenser, Thomas Holland (fils de Jeanne de Kent, femme du prince de Galles), Neel Loring, Hue et Philippe de Courtenay,

secoué par des coups de guisarme ou d'épée. Des cris : « *Guyenne au puissant prince !* » – « *Guesclin !* » Le Bègue de Villaines : « *Or, avant, com... pagnons !* » D'autres encore, des chevaliers de France : « *Au brut ! Au brut !* » et des Bretons : « *Malou ! Malou !* » Tous ces baveurs [1] répandaient leur souffle. Nul besoin de crier, pourtant : croix rouge contre écharpe.

« Bon sang ! Charles V lui-même a engagé Henri à ne pas combattre Édouard en bataille rangée. Et Guesclin, Audrehem... Nous n'avançons plus. Qui n'avance plus recule... » Des cris encore : « *Hijo de puta !* » Denia. Denia que don Henri, lors de son exil, avait nommé son frère d'armes. *Compañero de armas !* Denia qui semblait se battre bien.

Une épée. Au bout, dessus les quillons, un gantelet de mailles ; un bras, une épaule... Un bassinet quasiment rond. Croix rouge sur la cotte de tiretaine. Chevalier. Qui ? À quoi bon le savoir. « Mon écu m'a protégé... J'aurai de la besogne ! » Sauter pour éviter un coup, et tirer Teresa du fourreau malgré la gêne du bouclier.

Tristan avait bien en main la prise de son arme. Ne plus rien savoir d'autre que la présence de l'Anglais. Il sentait les batailles essayer de se rompre réciproquement. Aucune n'y parvenait. Holà ! ce bruit ? Ces cris de haine et de gaieté ? Que se passait-il ? Événement d'importance. Les coups s'en alentissaient... Ce bourdonnement de sabots... Mais... Impossible ! Pourtant... Toute une partie de la cavalerie, à l'arrière, à senestre...

Jean et Thomas Trivet, Nicolas Bond, Baudoin de Franville, les sénéchaux de Saintonge, d'Agénois, de Bordeaux, La Rochelle, Poitou, Angoulemois, du Rouergue, Limousin, Bigorre, Louis de Meleval, Raymond de Mareuil, etc.

1. Bavards.

Toute une partie !... Non, tout de même... Eh bien, si !... Hélas ! maintenant, il comprenait. Et ce qui donnait plus d'ardeur et de plaisir à son adversaire était une énormité, une trahison : *don Tello s'escampait !* Il eût dû affronter Pèdre, Armagnac et leurs piétons, or, il tournait bride ! *Il fuyait avec sa cavalerie !* Trois mille hommes à cheval en moins ! Horribleté ! Trahison... Ah ! il était vaillant le donneur de leçons... Et Sanche ? Où était-il, celui-là ?

L'épée anglaise, mouvante et tueuse. Elle avait déjà meurtri des hommes : la lame en était rouge jusqu'à la garde. Cri du roi, tout proche, et qui flairait la déroute. Adressés à son frère. Si forts que les combattants devaient l'entendre :

— Beaux seigneurs !... Tello !... Que faites-vous ? Pourquoi me voulez-vous ainsi guerpir et trahir, vous qui m'avez fait roi et mis la couronne au chef et l'héritage de Castille en la main ?

Cliquetis des armes, crépitements des hampes qui se rompent, lugubres tintements des armures entrechoquées ou tombant sur le sol durci par les milliers de piétinements farouches. Hennissements des chevaux en fuite, bronchant sur les morts et les estropiés du premier heurt. Silence bref. Et la voix du voleur de trône qui flairait la défaite :

— Retournez-vous et là m'aidez à challenger et défendre [1] !

Les sabots tambourinaient toujours. Rien à faire. Tello était sourd de frayeur. Tello qui n'avait de bachelerie [2] que lors des conseils et lors des escarmouches inégales, Tello fuyait !

1. Honteux, quelques cavaliers revinrent. L'héroïque Tello ne fit point demi-tour.

2. Chevalerie, courage.

— Demeurez près de moi et la journée, par la grâce de Dieu, sera à nous !

Des huées. Ah ! cette bataille était mal engagée. Tristan déjoua, de son écu, un taillant à l'épaule. Épée contre épée. Il y avait encore, çà et là, autour de son Anglais et de lui-même, des behours[1] acharnés, mais l'épée redevenait la reine des tueries.

— Baudement[2], mes Bretons ! hurla Guesclin.

Sentait-il lui aussi qu'on se battait en vain ?

Tristan ne décolérait pas. « Il faut que je tue cet homme ! » L'Anglais était habile autant que lui. Ardent autant que lui. Sans doute étaient-ils du même âge. Dommage que son bassinet fût clos. Encore des hennissements ! Tello. « Il voulait nous donner des leçons de courage... » Quelle défection ! Quelle félonie ! Le prince de Galles devait s'enivrer d'une trahison pareille. Et Pèdre ! Le roi déchu s'était-il engagé jusqu'au cœur de la mêlée ?

Un taillant à l'épaule éludé juste à temps ! Rien de tel pour vous remettre les idées en place. Tristan rendit le coup et l'Anglais trébucha sur le corps d'un de ses compères.

« Il tombe !... Il a lâché son épée ! »

L'achever... Non... Le courage, c'était aussi d'épargner ce défavorisé qui, dans une situation inverse, n'eût certainement pas eu de pareils scrupules.

L'Anglais comprenait... À genoux... Debout, péniblement. L'épée en main, il reculait, chancelait et s'en allait choir plus loin sur un cheval mort, le sien peut-être.

« *Muerto el cavallo, perdido el hombre de armas !* »

1. Chocs de lances et d'armes d'hast.
2. Hardiment.

Ne plus songer à vaincre mais à se protéger. Vivre ! Vivre ! Vivre !

— Castille au roi Henri !

Qui hurlait ainsi dans la bouteculade ? « On dirait... Oui, l'ardeur des Castillans s'est amincie ! » Or, c'était maintenant qu'il fallait désavouer la faiblesse, le doute, la lassitude. Il semblait que les croix rouges se fussent multipliées. « Merveilleusement serrés, ces Goddons !... Nous autres, on s'éparpille. » Les brèches percées dans les rangs ennemis, à grand courage, étaient aussitôt comblées. Un hérissement de lances et de guisarmes, telle une immense herse mouvante, condamnait toute pénétration. Des chevaux et genets de Denia et de Sanche galopèrent à l'assaut de cette sarrasine[1]. Une charge avec un grand hu[2] issu de mille et mille bouches. Inutile folie : éventrés, certains animaux se cabrèrent, désarçonnant leurs cavaliers. Ceux que leurs plates avaient protégés contre le fer des armes d'hast, s'ils échappèrent aux sabots, furent la proie des coustiliers de Pèdre. Tout était désarroi. Les bannières et pennons branlaient, tombaient dans la boue et le sang. Les masses houleuses de combattants, lames au clair, pointes en avant, s'agglutinaient parfois si fort que certains mouraient sans savoir pourquoi, et que d'autres devaient jouer des épaules pour fournir un coup. Les défis s'échangeaient sans qu'on les comprît. Des écharpes tombaient, de sorte qu'on ne savait plus à qui se fier lorsqu'une armure ou une cotte était dépourvue de cette enseigne. Parfois, une fourche fière levait ses cornes fragiles au-dessus des corps à corps. Elles étaient rouges, gluantes ; des caillots en dégouttaient.

Retenu par un éperon au houssement de son cheval,

1. Autre nom de la herse.
2. Hurlements, vacarme.

un homme se défendait de deux assaillants. Sa barbute tomba.

— Couzic !

Une lame s'enfonça au défaut d'une des rondelles d'épaule.

— Couzic ! C'est Couzic !

Son pied se dégageait enfin, mais trop tard. Courir. Abattre Teresa sur le colletin d'un Goddon, voir l'autre reculer et disparaître tandis que le cheval ruait, se cabrait et finissait par se frayer un passage.

— Tu vas mourir, Couzic. Tu vas crever, mécréant, et tu le sais.

Cheveux poisseux d'une suée ultime. Visage gris où le sang froidissait. Les yeux ternes sous des sourcils aussi épais et noirs que des limaces. Lèvres serrées sur la douleur.

— Dis-moi !... C'est bien *lui* qui t'a commandé le rapt de Teresa et de Simon ?

Un cillement des paupières. Aveu muet sans doute. Mort. Mort enfin !

Tristan s'ouvrit à grands coups d'épée un chemin vers les chevaliers de France. « Je t'aurai, Bertrand, un de ces jours ! » Il se sentait prêt à toutes les fortuités. Invulnérable soudain. Beau et terrible comme saint Michel. Il entrevit Paindorge. Il se battait contre deux hommes, levant vivement son épée, l'assenant sur un bassinet, une épaulière, déviant la lame de l'un et la hachette de l'autre. Il hurlait sans se soucier du sang qui coulait de son épaulière à sa cubitière pour en ressortir et maculer son canon d'avant-bras.

— Prends garde !

L'écuyer avait vu s'élancer l'homme à la hache d'armes. Le chevalier de la Grande Île reçut sous le busc de sa cuirasse une estocade bien roide qui lui transperça le ventre.

Restait le teneur d'épée. Tristan, le bras senestre pesant, laissa passer un Castillan entre cet adversaire et lui. Écartant son écu de son corps, il en rompit la guige d'un coup de lame, lâcha l'énarme et revint à son antagoniste, soulagé de pouvoir manier Teresa des deux mains.

« Quel est cet homme qui nous a séparés ? »

Un bassinet clos surmonté d'un griffon entre deux touffes de plumes d'autruche. Une cotte d'armes sans écharpe mais à la croix pattée de gueules.

« Martin Fernandez, chevalier de Castille. Le seul qui se soit cru à la joute ou au tournoi... Moult renommé d'outrage et de hardement... Et moi qui ai devant ce Goddon à occire. Il voit mon visage, lui. Il va soupçonner mes pensées. Je n'aperçois même pas, par la vue de son heaume, les lueurs de ses yeux ! »

L'Anglais leva les bras pour frapper haut et fort. Désempêtré de son écu, Tristan l'estoqua au cœur, se merveillant que sa lame fut entrée dans le fer et le corps aussi aisément que dans un chaudron de sciure.

« À qui maintenant ? Personne... Suis-je effrayant ? »

Tout près, aucun doute : Chandos et son écuyer portant sa bannière. Fernandez aussi l'avait reconnu. Ils se portaient de furieuses flanconades qui, parfois, atteignaient leur but sans que le fer de leur armure en souffrît. Têtus, enragés l'un et l'autre. Il eût fallu que l'Espagnol, changeant de coups, parvînt à flâtrer [1] cet enragé d'Anglais. « Vais-je y aller ? » Soudain, craignant d'être assailli par...

« Par moi, Tristan ! »

L'Anglais se détourna. Fernandez le saisit à bras-le-corps sans plus se soucier de son arme. Il entraîna

1. Brûler au front un animal mordu par une bête soupçonnée d'être enragée.

irrésistiblement Chandos dans sa chute. L'épée godonne chut. L'écuyer voulut la prendre. Tristan bondit et le menaça. Il fallait laisser ces deux hommes aux prises. Ils roulaient, se débattaient ensemble pour se dégager d'une étreinte qui tournait à l'avantage du Castillan.

Fernandez, un genou sur la cuirasse de Chandos cherchait à tâtons son épée quand l'Anglais tira son poignard de sa gaine. Il chercha le défaut du colletin.

— Gare ! hurla Tristan.

Chandos avait trouvé le passage. Il poussa sa lame en avant. Une giclée de sang empouacra l'encolure de fer. Le poignard, immédiatement, passa sous la rondelle d'épaule, trouva l'aisselle et s'y enfonça.

Fernandez ne fut plus qu'un gisant dont l'orgueilleux cimier se maculait de boue. L'Anglais repoussa son corps puis, aidé de son écuyer, se releva, l'épée en main.

Tristan le voulut assaillir. Un homme dont la cotte blanche portait trois gerbes d'or entrevit son écharpe et s'interposa.

Épée contre épée. Tranchant contre tranchant. Avalanche de taillants tous déjoués par l'un et par l'autre. Les dents qui se serrent et le souffle qui bout. Vaincre ! Bon sang que cela finisse. Où en était-on à l'entour ? « *Cadedis !* » hurlaient les Gascons. Aucun doute : ils voulaient prendre de flanc la bataille de Guesclin. Aucun doute non plus sur ce qui se passait ailleurs : le captal de Buch venait de mettre en déroute le flanc droit de l'avant-garde castillane. Débordés de toutes parts, Français et Castillans se serraient autour des bannières de l'Écharpe. Et l'ennemi, soudain, semblait trois ou quatre fois plus nombreux alors que...

Que cet adversaire était fort et qu'il usait de feintes détestables ! « *Il va m'occire !* » Résister ? Non :

mieux valait sous la contrainte adopter la reculade et offrir, ce faisant, de l'aisance à Teresa. Pour le moment, il était vivant ! Il donnait même un coup sur le bassinet de *l'autre*. « Va te le raffuster[1], coquin ! » Si seulement les cavaliers de Tello étaient revenus ! C'était maintenant qu'ils étaient utiles. Et même indispensables ! Si seulement cette fuite écœurante n'avait été qu'une feinte ! « *Dieu les juge et condamne.* » Peut-être Édouard craignait-il ce retour. Il semblait qu'il n'y avait plus que deux corps d'armée à l'assaut du grand ost du roi Henri aux prises avec les bataillons du roi de Majorque. On entendait parfois, crevant le hourvari des armes et des voix, Pèdre hurlant à pleine gorge :

— Montre-toi ! Montre-toi, fils de pute !

La bataille de l'usurpateur qui avait fermement combattu jusque-là se vit tout à coup assaillie par des troupes fraîches et s'éparpilla quelque peu. Animé d'une fureur mortelle, Pèdre ne cessait d'encourager ses hommes à la tuerie. Pas de pitié. Il fallait qu'il se rassasiât de sang. Déjà l'on entendait au-dessus des hurlements et des gémissements de douleur, des cris de protestation : « *Assez ! Assez !... Rendage !* » Mais nul ne se rendait. Des admonestations destinées à revigorer les couards couvraient parfois ces plaintes lasses. Or, la boucherie continuait. Il semblait que les Aragonais eussent été défaits. Le corps commandé par Guesclin, « *le corps où je suis, moi* », se battait encore tout en sentant sur ses flancs les contractions de l'ennemi.

« Toute l'armée nous assaillira bientôt ! »

Des chevaux... Une escadre... Mille peut-être. Et si c'était Tello ? Non... Ils s'engageaient dans la presse. Henri sur sa mule avec des genétaires ! Combien ? Ils

1. Réparer un chapeau.

chargeaient les Goddons à la lance et l'épée. Une fois. Deux fois. Sans la voir, on pouvait deviner cette appertise [1]. Mais des hommes devaient tomber. Des chevaux. Rien à faire pour ébranler la muraille de fer anglaise hérissée de lames et d'épieux. Henri, maintenant, devait renoncer...

« Je ne renonce pas à occire cet homme !... Les deux mains réunies sur la prise... Au-delà du gantelet, le bras dextre. La lame... Les quillons. »

C'était la voie qui conduisait au cœur. Feindre une estocade et...

Han !

Le colletin avait cédé sur ce taillant irrésistible.

L'Anglais tomba, trépassé par ce coup de tranchoir. De gros coquelicots fleurirent sur les gerbes.

Tristan entendit le hurlement de Henri à ceux qui résistaient encore :

— Vous allez voir, mes généreux amis, que je n'étais pas indigne de la couronne que j'ai coiffée grâce à vous !

— Partez ! tonna Guesclin. Au nom de Dieu, partez ! Vous vous revancherez ! Je ne vois plus la bannière de l'Écharpe !

« Ils vont nous écharpiller ! »

Guesclin n'avait point ajouté que sa bataille était outrée, proche de la déconfiture. Un flux et un reflux incessants l'accablaient. Henri obtempéra. Quatre hommes, apparemment, le suivaient. Pourraient-ils franchir les rangs ennemis ? Sans doute par l'arrière.

— Oh ! merde, gémit Tristan.

Un homme devant lui. Trapu, habile et furibond. Des sagettes tombaient à verse. Des lances, guisarmes, archegaies perçaient toujours des écorces de fer. Il y

1. Prouesse.

avait encore, devant, des centaines de genétaires qui tenaient leurs batailles en ligne, et bouchaient d'un élan les brèches des piétons anglais.

« Cet homme, devant... »

Plof ! Un coup furibond à démolir un bassinet. « Il a tenu bon mais... » À force de branler sur ses vervelles, la ventaille venait de se clore, – conséquence de cet horion d'Angleterre ! Noir, sueur sur les parois et la cale et les anneaux du camail. Après tout, c'était mieux ainsi car le Goddon s'obstinait à frapper à la tête. Partout, maintenant, on se battait d'homme à homme, à la désespérade. « Et moi, Castelreng, tané [1] ! » Sur un autre horion destiné au timbre de sa coiffe, l'épée glissa et heurta la paupière de fer senestre. Une sorte de chalaze y apparut qui ne restreignait pas la vue. « C'est un caillot de sang prélevé sur un autre !... Ah ! non, qu'il reste au-dehors ! » Il eut peur : « *Sainte Vierge !... Et vous, messire saint Michel que saint Georges humilie ce jour d'hui... Veillez sur moi !* » Il reculait toujours. Des morts jonchaient le sol : hommes et chevaux. Il y avait aussi des épées, des tronçons d'armes d'hast et de lances, des heaumes, des plates, des lormeries, selles et chapuis [2]. « Recule encore ! » Il ne pouvait se comporter qu'en couard sous des coups bien assenés. « Si je tombe, je meurs ! » Vers où, vers quoi le menait cette retraite ? Vers Nájera ? Vers le pont de Nájera [3] ? L'eau... Lesté de tant de

1. Exténué.
2. Ossatures en bois des selles et des bâts.
3. La cité de Nájera se trouvait sur une étroite bande de terre serrée entre la rivière devenue torrent peu après le commencement de la bataille (pluies récentes et fonte des neiges) et une falaise rocheuse abrupte à laquelle la ville était adossée. Du côté d'où venaient les fuyards et ceux qui battaient en retraite, elle n'avait d'autre accès que ce pont.

fer, ce serait la noyade... Combien étaient-ils à reculer ainsi sous des assauts infatigables ? Quelques centaines sur les milliers du commencement... Un mur... Là, au moins, on ne pourrait les agresser à revers... Mourir, non ! Mourir pour deux rois aussi méprisables l'un que l'autre ? Non !... Sottise ! C'était sur la bataille composée en majorité de Français que se concentraient les efforts des Goddons. Et lui, qui sentait cela. Lui qui avait affaire à un gagneur... Un gagneur souverainement avantagé : il flairait sa victoire et le triomphe des siens ! « Je suis recreu[1] ! Comme Teresa me pèse ! » Bonne lame. Il semblait qu'elle ne s'ébréchait même pas. Elle repoussait l'épée adverse. Encore. Attente... Ils s'observaient, la poitrine en feu, les jambes certainement molles et tremblantes. Ils voulaient moins se faire mourir qu'affirmer leur suprématie. « Oh ! merde... La bannière du captal ! » La mêlée grande, épaisse, commençait à se clairsemer. Cette apparition allait accroître un éparpillement honteux.

Un cri de Grailly :

— Assaillez ceux-là. Boutez-les hors de ce mur ! Je les vis à Cocherel où je fus attrapé !

« Qui sommes-nous ? Guesclin, Audrebem, Boitel... Je ne sais rien des autres sinon qu'ils sont présents !... Faut que je m'écueillisse[2] ! »

Il ne savait comment occire l'Anglais. Son bassinet semblait copié sur un museau de dogue. Tiens : il eût convenu à Guesclin !

Derrière : Chandos. Chandos dont la cotte était lacérée.

Un chevalier d'Espagne voulut l'occire. Un écuyer

1. Affaibli.
2. *S'écueillir* : réunir ses forces.

protégea son maître et périt à sa place[1]. Des trompes sonnèrent. Puis des trompettes, chalumeaux. Bannière d'Angleterre. Le prince qu'on disait impotent, hypocondre, allait fournir d'ultimes coups de lame. Après l'incertitude et la frayeur, la joie des Goddons affleurait avec le hérisson de leurs armes.

« Et moi ? »

Il évitait toujours les coups et les rendait. Bon sang ! Pourquoi étaient-ils égaux en force et en astuce ? Si seulement il eût pu voir son visage ! Un taillant provoquait un taillant. À la tête ? À la tête. À l'épaule ? À l'épaule... Un cri. Pèdre :

— Fils de ribaudes !... Pour un bâtard vous m'avez détourné de ma terre ! Vous en mourrez tous de mort cruelle. Le bâtard aura la tête coupée. Il sera pendu à un arbre !

« Comment peut-on pendre par le col un homme qui n'en a plus ? »

Un cri. Un Espagnol s'adressait aux siens :

— Folles gens ! Cessons le combat !

— *Hijo de puta !*

— *Enrique es una mierda !*

— *Cobarde !*

Un allié des Goddons :

— Pèdre est votre seigneur légitime ! Qui le combattra encore commettra folie. Je conseille que nous faisions la retournée sans horions !

Des Espagnols s'enfuirent, poursuivis par d'autres Espagnols et des Anglais. Les poussées de l'ennemi les obligeaient à reculer vers la rivière.

« C'est par là que je vais... C'est par là qu'il me contraint à reculer ! »

Guesclin et tous les autres – la Fleur de la Chevale-

1. Il se nommait Arnoul de Maldalent.

rie de France – cédaient eux aussi le terrain aux Goddons. Il y aurait une noyade monstrueuse. Que devenaient Lebaudy et Lemosquet ? Les chevaux ? Paindorge ? Où était Paindorge ?

— *Come along, boys !*

— *Line up, boys !*

Un tumulte de sabots ferrés et des ruades : les chevaux se communiquaient leur frayeur pendant que les hommes hurlaient. Il y eut une galopade en tous sens qui s'acheva par l'inutile fauchaison de ces grands corps couverts de houssements de prix. Un nouveau sifflement aigu et prolongé mit les survivants en fuite. Jaillies du fond de l'armée ennemie, les sagettes percèrent la terre, les hommes et les montures avec cette fureur que Tristan leur connaissait depuis Poitiers. Un troisième frissement le fit trembler, le dos humide, les intestins noués, tandis que s'élevaient des cris, des hennissements, des blasphèmes et des appels à l'aide.

« Quand cela va-t-il finir ? »

Des agitations d'hommes, des ruades et des soubresauts d'animaux qui se serraient trop près. Sur le champ immense de Nájera, la mort soufflait son haleine fétide à pleine gorge. Que faire ? Guesclin, pour le moment, ne décidait de rien. Où était-il ? Alors qu'il se préparait à pousser un cheval, Tristan sentit un sifflement. Des fragments de terre et de cailloux jaillirent. L'un d'eux heurta son épaulière cependant qu'un fragment de sagette frôlait l'encolure du cheval qui fit un bond. Il hennit. D'autres aussi, orphelins de leur chevalier mort sans doute. Les traits tombaient toujours en averses épaisses, percutant les hommes, perçant les bêtes qui se cabraient, certaines pour la dernière fois. Et les Anglais surgissaient. « *Ils vont m'occire !* » Dans cette succession mouvementée d'images, de cris, de macules cramoisies cruellement forcenées, Tristan férissait ses assaillants, les nerfs crispés, le souffle vif ou suspendu. Les Anglais et leurs alliés hurlaient leur enseigne tandis que son imagination inquiète le montrait ardent et vulnérable, confiant ou désespéré. Il vivait sa mort probable avec une intensité terrifiante. Elle était incorporée à sa substance. Tout se liait, s'effaçait, se confondait, et chacun de ses mouvements contre les aciers tranchants ou pointus était une résurrection de sa vie, une résurrection de son âme. Le relief tragique de sa personne engloutie dans la végétation mortelle des gestes s'amenuisait de mouvement en mouvement. Il était à la fois lui-même, mais il était aussi tous les soubresauts, toutes les exaltations, toutes les défaillances.

Des hommes tombaient quelquefois enlacés. Tristan se trouvait absurdement faible. *Il ne se ressemblait pas*. À moins que l'autre fût une sorte de preux. Il s'obstinait à chercher quand même une faille dans sa défense et pressentait, malgré lui, qu'il avait déjà vu cet homme ou qu'il l'avait affronté. Il était trahi par sa mémoire et en éprouvait du dépit. Leurs gestes s'ensuivaient, terribles mais vains. Non ! Non ! Il venait de toucher l'ennemi au poignet. La dextre. Le vin de mort coulait, poissant les mailles.

— Cette fois, Sang-Bouillant, tu me paieras ta dette !

Bagerant ! C'était Bagerant !... Encore et toujours ! Ce grand coquin l'avait retrouvé dans la presse ! Sa volonté ? La providence ? Bagerant ! Chevalier ? Non : démon !

Tristan décida de ne plus reculer. De ne pas céder un pouce de terrain à cet ignoble et de ne point mourir de sa main !

Il devinait son rire permanent. Un rire qui, bien

qu'invisible, lui mettait les nerfs à vif. « Fredain[1], ta présence auprès d'eux ne me surprend guère. L'or et l'argent et sans doute les femmes de Bordeaux... Qu'as-tu fait des tiennes ? Les as-tu occises afin d'en prendre d'autres ? » Tout était simple : comme tant d'anciens routiers engagés par Guesclin, Bagerant, las du Breton, avait suivi Calveley. Or, le grand Hugues avait fait aveu à son prince. Cédant sans trop barguigner aux instances de celui-ci, il avait regagné de grand cœur l'Aquitaine. Mais Bagerant ?... Il n'avait accordé son hommage qu'au diable !

Tristan trébucha sur un corps et faillit tomber. L'herbe et la terre devenaient molles. Était-il près de la rivière ? Était-ce la rumeur ou la Najerilla ? C'était la rivière. Son cours torrentueux... Quoi ? Où en était-on ? La rivière[2]... Était-ce à cause de la visière close ? Il semblait que le jour fût près de son déclin... Naudon !... Il y avait de quoi étouffer de fureur. Deux fois l'épée félonne s'abattit. Sur l'épaule pourtant vivement effacée. Sur la cubitière senestre qui reçut le taillant.

Tristan répliqua par un furieux coup de banderole. La spallière[3] senestre de Bagerant tint bon mais sa tassette dextre pendouilla, une de ses attaches de cuir rompue. La fureur du routier s'immensifia.

— Je ne t'ai pas cherché mais je t'ai reconnu !

Ils prirent du champ autant que la mêlée le leur permettait. Ils se fournirent de grands coups inutiles et fatigants. Leurs lames tintaient avec des vibrations stridentes, et ce fut alors que Tristan fut épouvanté : les quillons de Teresa n'étaient plus dans l'axe de la lame. Il eût fallu... Mais qu'importait ce qu'il eût fallu faire !

1. Scélérat.

2. Il y eut tellement de noyés « qu'on pouvait chevaucher pardessus les cadavres » (Cuvelier).

3. Épaulière.

« Par le sang de mes aves[1], Dieu me désavantage au profit de ce maudit routier ! »

Pour comble de male chance, Bagerant qui peut-être avait vu les quillons se fausser, redoublait d'audace et de persévérance.

« Vais-je mourir trahi par Teresa ? »

Guesclin tout proche. Audrehem, Villaines, d'autres. Aussi droits qu'une oseraie. Un homme à cheval, tête nue. Northbury.

— En l'honneur de saint Pierre, messires, rendez-vous au prince ou vous aurez douleur !

Pour toute réponse, Guesclin, prompt comme la foudre, atteignit l'épaule d'un adversaire et l'entama. Le Bègue de Villaines en estoqua un et Audrehem s'en prit à un pennoncier. Quand il fut mort sans pouvoir s'être défendu comme il convenait, le maréchal piétina ce qui semblait être une tour d'argent.

— Fausse gent renégate ! hurla Pèdre. Vous avez à la male heure levé bannière contre moi ! Vous serez en deuil et en douleur !

Les Anglais attaquaient. La Fleur de leur Chevalerie[2]. Les Grands accouraient et Bagerant redoublait ses coups.

— Rendez-vous ! hurla le prince de Galles, visage découvert – pâle, la bouche de travers sous l'arche rousse de la moustache. Rendez-vous ! Je vous le signifie. Vous ferez grand-folie si vous ne vous rendez !

Cri de Pèdre :

— Voici mes ennemis par qui j'ai perdu mon

1. Ancêtres.

2. Chandos, le captal de Buch, Calveley, Lancastre, Armagnac, Jean d'Évreux, etc.

royaume, sire ! Je veux me venger d'eux ! Tant qu'ils vivront, je ne me croirai jamais roi de Castille.

Il se précipitait l'épée haute quand Guesclin, se dégageant d'un guerrier épuisé, courut au-devant de lui et assena sur son écu aux armes illisibles, un coup si violent que des étincelles jaillirent. Pèdre chut sur ses genouillères et dans le heurt son bassinet tomba. Un chevalier surgit dans le dos du Breton.

— Rendez-vous ! Vous en avez trop fait !

Bagerant, lui, multipliait ses assauts. En vain : Teresa tenait bon.

« Je décline mais ne m'inclinerai pas ! »

Un taillant atteignit Tristan à l'épaulière dextre. Si fortement qu'il tomba sur le flanc, lâchant du même coup Teresa.

« C'en est fini de moi ! »

Une ombre immense. Une épée qui s'oppose au vol d'une autre épée.

— Ils se rendent tous... Qui est-ce, Bagerant, pour tant et tant de forcènement ?

— Que t'importe, compère !

— Ils se rendent tous, te dis-je. Guesclin le premier.

C'était vrai ; Guesclin disait :

— Au moins ai-je dans mon malheur la consolation de remettre mon épée au plus généreux des princes de la terre.

— Obséquieux ! hurla Pèdre. *Obsequioso !*

La grande ombre bougeait :

— La bataille est finie et ce serait un crime que d'occire cet homme-là.

« Calveley ! C'est Calveley ! Il m'offre sa main. »

Tristan se remit péniblement debout. Il titubait, transi de fièvre, la bouche durcie de bave sèche. De grosses larmes de fatigue embuaient ses pupilles. Il releva son viaire.

— Castelreng !

— Il est à moi, Hugh !

On emmenait Guesclin, Audrehem et Neuville.

— Il est à moi !

— Pourquoi ? Tu le voulais meurtrir.

— Je le veux pour otage à présent, grâce à toi !

Bagerant désignait du doigt une proie pantelante encore. Ses gros poings sur les hanches et dominant le routier furieux d'au moins deux têtes, Calveley commençait à s'impatienter.

— C'est le gendre de mon ami. Si tu le veux, Naudon, il te faudra m'occire.

« Il m'a vaincu, c'est vrai. »

Tristan recouvrait mal son souffle. Sans l'intervention de Calveley, il eût été frappé, meshaigné, transpercé, à moins qu'il n'eût levé la main pour demander merci. L'eût-il fait ? Non, sans doute... Ah ! comme il s'était alors senti exténué par la bataille et opprimé par tout ce qu'il avait subi corps et âme depuis sa venue en Espagne. En cette terrible occurrence, Bagerant l'eût-il épargné ? Rien n'était moins sûr tant son ressentiment subsistait, injuste et méprisable.

Tristan se désheauma. Sa main tremblait si fort lorsqu'il voulut saisir Teresa, que Calveley empoigna l'épée tachée de boue sanglante et la remit au fourreau.

— Je le prends, Naudon, sous ma protection... et si tu veux l'avoir, il te faut m'affronter.

Bagerant était, lui aussi, trop épuisé pour entreprendre et soutenir un combat contre un colosse tel que l'Anglais.

— Soit, dit-il en s'éloignant et en remisant son arme. Je m'en plaindrai à Édouard !

Et il cria soudain à l'injustice et blasphéma avec un plaisir rare tandis que Pèdre, tout proche, suppliait son allié :

— Noble prince ! Pour Dieu, je vous demande le maréchal de France et le vassal Bertrand !

Cette requête irrita l'héritier d'Angleterre, le seul qui fût encore à cheval sur une happelourde[1] indigne de lui. Les chevaux et les genets ne manquaient pourtant pas, mais peut-être, après tout, étaient-ils accoutumés l'un à l'autre.

Tristan aperçu le roi Pèdre. Il avait désormais son bassinet en main. Il le contemplait, gris et noir de boue sanglante.

— *Las armas llevan abolladas*, dit un Espagnol à un autre. *Que eran de gran pedrerías*[2].

— Viens, dit Calveley. Sais-tu que le Bègue de Villaines et l'amirante d'Espagne se sont enfuis ?... Non !... Il vaut mieux que je te protège du courroux de nos grands hommes.

Il riait d'une inadvertance calculée dont peut-être il se délectait. Tristan le suivit. Il n'était plus qu'une espèce d'otage. Entre son bras senestre et sa hanche, son bassinet lui pesait. Il se sentait les cheveux poisseux sous le poids du camail et sous sa cale de lin doublée de satanin. Son front devait porter l'empreinte des anneaux de fer que sa sueur ternirait et que Paindorge fourbirait si...

« Où est-il ? Mort ? Captif ? Navré si durement qu'il gît quelque part dans l'herbe ?... Et Lebaudy et Lemosquet ?... Les chevaux ? »

— Noble prince !... Pour Dieu ! cria Pèdre une fois encore. Je vous demande en grâce le maréchal de France et le vassal Bertrand !

Édouard descendit péniblement de son cheval. Il

1. Cheval de belle apparence, mais sans vigueur.

2. Il porte ses armes bosselées, ses armes qui étaient couvertes de pierreries.

était plus que gros : énorme dans une armure qui, quoique vaste, devait contraindre un ventre qu'on disait démesuré. Ignorant son allié du regard, il lui répondit sèchement :

— Il ne m'appartient pas que je vous les délivre... Vous les donner ? Je n'en ferai rien. Ils se sont rendus à moi sains et saufs et vivants. Ils sont mes prisonniers et par bon accord. J'en saurai très bien ordonner à mon commandement.

— Par ma foi, rugit Pèdre, j'en ai le cœur dolent. Je donnerai de Bertrand tout son pesant d'or, ne dût-il y avoir, dans la grande Espagne, jamais calice sur l'autel de mon vivant. Je le veux, prince. J'ex...

La réponse trancha l'exigence avant qu'elle eût été formulée :

— N'en parlez pas davantage, Pedro. Quant à votre or, n'oubliez point les promesses que vous m'avez faites. J'ai tenu les miennes. Apprêtez-vous à tenir les vôtres.

Oubliant ostensiblement le gêneur, le prince d'Aquitaine appela le captal.

— Grailly... Venez, mon cousin ! Venez avant... Gardez-moi bien Guesclin : je vous le recommande.

— Il sera bien gardé, je vous le certifie.

Et tourné vers le Breton dont la face de mastiff[1] lui rappelait sans doute les veautres de la Gande Île où il avait séjourné :

— Sire Bertand, le temps va changeant. Par-devant Cocherel vous me tîntes dolent, or, je vous tiens en cet endroit tout à mon pouvoir.

Un rire. Assurément, Guesclin se gaussait de sa condition de captif.

1. Mot anglais de l'ancien français *mastin* (mâtin) ou mestif (*métis*) désignant un chien voisin des dogues.

— Vous ne m'avez pas pris au tranchant de l'épée. Ce sont deux Anglais, pas moins : Thomas Cheyne et William de Berland. Moi, Bertrand, je vous aurai un jour !

Les chevaliers se rendaient. Dans leur masse brillante, sanglante, indécise, Tristan reconnu le Bègue de Villiers, le sire d'Antoing, Brifeuil, Gauvain de Bailleul, Jean de Berguette, Neuville, l'Allemand de Saint-Venant. Calveley, se penchant, lui dit d'un ton paterne :

— Tout est fini, Castelreng. Tu n'as rien à te reprocher. Chez nous, le captal et Clisson nous ont merveillé. Auberchicourt aussi et Jean d'Évreux. Il n'y a point de honte à se trouver dans une bataille outrée et déconfite quand on a fait bellement son devoir... J'ai vu frère Béranger se faire occire et ne le regrette point. J'ai vu ton écuyer et je le crois vivant.

— Ah ! fit Tristan toujours à bout de souffle.

— On raconte que l'usurpateur a fui. Est-ce vrai ?

— S'il a guerpi, c'est qu'il y était contraint.

— À l'entrée du pont de Nájera, il y a eu grande hideur et effusion de sang. L'eau y est rouge, à ce qu'ont dit nos coureurs... Vos gens ont aidé la fuite de deux chevaliers portant des habits religieux que Pèdre, sans doute, aimerait occire : le prieur de Saint-Jame et le grand maître de Calatrava[1].

— J'ignorais leur présence : nous étions si nombreux...

— Certes !... La valeur d'une armée ne se mesure pas à la quantité d'hommes qui la composent. Les Espagnols sont plus vaillants à dix ou douze contre un

1. Effrayés, ils se réfugièrent dans une maison forte de Nájera et finirent par se rendre.

taureau qui n'a d'armes que ses cornes que devant des hommes déterminés.

— Henri se vengera.

— Je le crois d'autant plus aisément que nous quitterons Pèdre aussitôt que possible. Cent hommes à lui cherchent Henri avec quatre chevaliers et quatre hérauts de chez nous... Et à ce que je vois, Pèdre s'en va lui aussi chevaucher parmi les morts et les navrés... Regarde ! Il est là-bas. Il juppe comme un fou... Regarde encore, là-bas !

Tristan obéit. Au sommet d'un tertre, des hommes d'armes hissaient la bannière d'Angleterre au faîte d'un baliveau qu'ils venaient d'ébrancher.

— Le prince avait décidé que s'il gagnait la bataille, il nous offrirait un festin sur le champ de la victoire au milieu des morts. Nos hommes d'armes et les capitaines iront, eux, à Nájera.

— On vous disait sans nourriture.

— Édouard n'en a jamais manqué. Nous avons de quoi festoyer dans le charroi que nous avons laissé en un creux de terrain avant de vous affronter. Il reste deux tonneaux à mettre en perce... Regarde : nos piétons commencent à élever le pavillon où Édouard dormira cette nuit.

Tristan cracha et grimaça :

— La punaisie de tous ces morts entrera dans son logis.

— Il a le sommeil lourd et le nez bouché par un rhume.

Au loin, Pèdre hurlait toujours : « *Enrique ! Enrique ! Entendido ?* » Ses hérauts penchés sur les corps, à la recherche de l'usurpateur, répondaient en écho : « *Una fuga !* » Le dépit de Pèdre augmentait. Cessant de l'observer, Calveley désigna une trentaine de prisonniers entourés d'autant de gardes :

— Guesclin, Audrehem... mais aussi don Sanche, le frère de Henri ; Philippe de Castro, son beau-frère ; le marquis de Villena, tous les chevaliers de l'Écharpe dont certains n'ont pas combattu avec autant de hardement que toi... Les autres, les moins importants, seront emmenés ailleurs...

— Et moi ?

Calveley sourit sans malice :

— Il te faudra rejoindre Guesclin, Audrehem et les autres et laisser s'apaiser la fureur du prince à l'égard de tous ceux qu'il déteste. Mais j'intercéderai pour toi le moment venu.

Tristan courba le front. « *Vaincu !* » Endolori par la fatigue et le poids de l'armure, il était quasiment indemne de corps – hormis son cœur qui battait et saignait à profusion. Les images que recomposait son esprit n'étaient plus, comme lors des déceptions qu'il avait éprouvées, celles des terres de Normandie et de la Langue d'Oc. C'étaient celles des montagnes aux arêtes blanches entre lesquelles il serait emmené ; c'étaient les défilés des vallées profondes, inconnues, où toute fuite serait impossible, quelque courage qu'il se connût pour recouvrer la liberté. En outre, pourrait-il trahir Calveley s'il devenait pour un temps son otage ? Disposerait-il de quoi payer sa rançon ? Évidemment non. Il était hors de propos qu'il s'adressât à son père – s'il vivait encore.

« *Y no pasarán !* » avait hurlé moult fois don Tello avant le chaud de la bataille. Or, il avait fui, laissant béant tout un passage. L'épée qu'il avait brandie avant que les Castillans et les Goddons de Pèdre ne fissent leur apparition avait à peine quitté son fourreau. Où était-il passé ? Qu'était devenu son air superbe ? Qu'en était-il de la fermeté savantissime de sa démarche ? De l'autorité de ses attitudes ? L'aigle présomptueux s'était fait passereau.

« Que Dieu châtie ce falourdeur ! »

Tristan regarda une fois encore autour de lui. Son cœur se serra davantage. « Les chevaux... Alcazar est-il parmi eux ? » Les chevaux, compagnons d'infortune.

Il avait déjà vu, à Poitiers, des chevaux mortellement atteints. Des monceaux. Certains chez qui la vie s'écoulait goutte à goutte l'avaient regardé fuir sur le sien avec, dans l'œil, sans doute, un reflet de mépris ou de résignation. Eh bien, cela recommençait. Cette fois encore, ils étaient là, victimes d'une boucherie tout aussi folle. Il n'osa s'en approcher. La vue des sagettes plantées dans leur robe et la couleur rouge qui l'enlaidissait lui donnaient la nausée tout en lui faisant honte aussi bien pour ceux qui les avaient montés que pour ceux qui les avaient frappés sans que parfois la nécessité s'en fût imposée. Des coustiliers couraient parmi ces innocentes victimes. Entre deux exécutions d'hommes à terre, ils les achevaient d'un coup de percemaille dans la gorge, et ces pitoyables bourreaux qui n'avaient peut-être meurtri aucun ennemi dans la mêlée se riaient de férir ces colosses vaincus. Ici, trois gencts trempés de sang se mouraient avec des soubresauts brefs ; là, dans un désordre affreux, cinq ou six roncins et coursiers étaient allongés. L'un d'eux, égarrotté[1], une jambe rompue sans doute, essayait d'échapper à l'écrasement, et tout proche, un autre, debout, intact ou presque, tremblait des quatre membres, un tronçon de sagette enfoncé dans sa croupe. Plus loin, d'autres s'ébrouaient, contents de se savoir ingambes. Plus loin encore, d'autres morts ou mourants avaient dû être

1. Blessés au garrot.

frappés en pleine course, en plein effort – en pleine vie. Ils ne méritaient pas ce sort funeste.

« Pourvu qu'Alcazar soit sauf !... Et nos autres compères ! »

Tristan ferma ses paupières.

« Tout empunaise ! Tout ! »

Les effluves de mort infectaient ses narines. Partout l'occision et la haine. Il en serait ainsi de l'Espagne tant que deux frères ennemis ne se départageraient point l'épée en main pour donner un vainqueur définitif à une ignoble querelle.

— Il n'y a pas que les morts qui puent. Cette guerre, elle aussi, empunaise !

Cherchant un refuge pour ses pensées en déroute, Tristan ne trouva que Calveley :

— Tu vas devoir me rançonner.

— Bah ! fit le géant roux. Si nous étions seuls, maintenant, je te dirais : prends un cheval et galope... Mais le prince de Galles va vouloir regarder de près ses prisonniers avant que d'en laisser certains à la disposition de ceux à qui ils appartiennent. Bagerant n'osera revendiquer ta prise. Tu t'es targué de moi [1]. C'est du moins ce que je dirai.

— Édouard me hait, j'en suis sûr. Il faut que je te dise pourquoi...

Calveley coupa court à toute explication.

— Regarde, dit-il, Pèdre revient à pied.

Il précédait son cheval soulagé sans doute de n'être plus abroché. Parfois le demi-vainqueur de Nájera s'arrêtait pour donner un fort coup de son soleret pointu dans les corps portant une écharpe et secouait ses épaules où le fer commençait à s'appesantir.

1. *Se targuer* : se mettre sous la protection.

— Regarde-le !... Il donne des escafes[1] à des morts comme s'il pouvait ainsi les ressusciter.

Pèdre avait dégainé son épée. Était-ce pour achever tout corps ennemi qu'un simple tressaillement dénoncerait comme vivant ? Dans le logis oblong du bassinet ouvert, son visage semblait une face de lune. Un de ses hommes liges, la bannière armoriée de Castille au poing, courut lui proposer, sans doute, d'aller la planter à proximité de celle du prince de Galles. « *Muy bien !* » lui dit-il, et il continua d'avancer vers son grand allié devant lequel, après avoir fiché son arme en terre, il ébaucha une genouillade, indignant ainsi le gros Anglais qui venait de se désheaumer.

— Allons, point de simagrée, reprocha Édouard en prenant la main de l'Espagnol et en tirant violemment dessus comme pour lui épargner de choir et déchoir devant ses hommes. Relevez-vous !

— Cher et beau cousin, s'obstina Pèdre, la voix vibrante, je vous dois moult de grâces et de louanges pour la bonne journée que j'ai eue et par vous !

Plutôt que de s'évaporer, l'ire du prince prit plus d'aigreur sinon de volume. Il croisa les bras comme pour s'interdire de toucher derechef à cet allié dont l'humilité affectée tout autant que la reconnaissance lui donnait plus de mésaise que de satisfaction.

— Rendez grâces à Dieu, Pedro, et toutes louanges, car la victoire vient de Lui et non de moi. J'ai envoyé quelques-uns de mes hérauts sur le champ de bataille pour aviser quels gens sont pris et quelle quantité sont morts... et pour savoir également si Henri a survécu.

— Le fils de pute a fui !... C'est un chevalier indigne.

— Pas celui que voilà et qui me semble un preux.

1. Coups de pied.

Le prince désignait, précédé d'un chevalier qui peut-être, songea Tristan, était le sire de Pincornet, un homme soutenu par deux archers, le *long bow* en bandoulière. Un vaincu à la cotte d'armes lacérée sous laquelle on voyait des mailles ensanglantées. Dans cet almogavare à bout de souffle et d'énergie, Tristan reconnut Iñigo Lopez Orozco, un des *caballeros* qui, lorsque Pèdre avait abandonné Burgos, s'était rallié au Trastamare peu avant son couronnement. On savait peu de chose sur cet homme, chez les Français, sinon qu'il avait toujours servi Pèdre avant que l'usurpateur ne lui eût fait des promesses extraordinaires dont il eût dû savoir ou deviner qu'elles étaient captieuses et que don Henri ne pensait qu'à lui seul. Toutefois, ayant choisi son parti, il avait honoré son serment d'allégeance.

— Orozco !

C'était un rugissement : Pèdre, soudain, ne fut plus qu'un fauve. Bien que gavé du sang et des souffrances des autres, sans distinction, il courut lourdement, l'épée dressée, vers l'infortuné, en vociférant toujours : « *Orozco ! Orozco !* » Parvenu devant lui, et secoué tout à coup d'un rire ignoble, il outreperça d'une estocade puissante, au ventre, le serviteur qu'il avait jadis comblé d'honneurs.

— Sire, quelle abjection ! proclama Calveley à l'adresse du prince Édouard. On ne tue pas un prisonnier et celui-ci méritait des égards.

— Il a raison ! hurla Chandos.

— Pèdre ! Pèdre ! s'exclama l'héritier d'Angleterre. J'avais votre promesse ! J'avais votre serment !

Il était indigné autant que tous les impuissants témoins de cette infamie. Certains prud'hommes vilipendèrent à haute voix et le crime et le criminel, mais Pèdre, immobile devant le mourant que des spasmes hantaient encore, n'avait cure ni des protestations ni de la condamnation de ces gens auxquels il devait sa nouvelle couronne. Il souriait, tenté peut-être d'achever Orozco par quelque récidive abjecte.

— Le monstre ! grommela Calveley.

— Voilà, dit Tristan, un linfar indigne d'être roi et que vous avez soutenu.

Bien qu'il eût vu, lors de sa captivité parmi les routiers de Brignais, des abominations plus atroces que celles à laquelle il venait d'assister, il était écœuré, au bord du vomissement, et conservait dans ses oreilles, avec les rugissements de Pèdre, les cris d'horreur des Anglais et de leurs prisonniers. Ce meurtre les avait comme réconciliés. Même ceux qui, sans vergogne, avaient bafoué par plaisir ou nécessité les préceptes de la Chevalerie, même ceux-là fulminaient contre ce roi sans mérite ni scrupule, tout en sachant qu'il y était insensible, la griserie du meurtre et de la vengeance l'emportant sur le peu de dignité qu'il croyait posséder. Il considérait avidement sa victime et son regard ne devait trouver, dans le regard vide et terne du mort, que sa propre turpitude.

— Vous êtes un parjure, Pèdre ! s'écria le prince de Galles tandis que son allié remettait sa lame sanglante au fourreau. Un parjure, en vérité !

— Je n'ai jamais vu de ma vie, hurla Lancastre, une perfidie pareille.

À quelques toises du pavillon d'Édouard, on posait des plateaux sur des tréteaux de bois. Des écuyers et des aides les recouvraient de tabliers armoriés comme des bannières tandis que d'autres disposaient dessus des écuelles d'or et d'argent et des hanaps plus hauts et bedonnés que des ciboires. Rien ne manquait, sans doute, et des feux commençaient à ronfler sous de grandes hastes où l'on rôtirait sans doute des quartiers de chevaux et des chapelets de volailles.

— En seras-tu, Hugh ?

— Certes. Vois la longueur des tables. Nous serons soixante ou davantage. Nous avons mérité le vin et la pitance. Nous avons perdu moult soudoyers mais peu de chevaliers à ce qu'il semble [1].

Ils s'étaient approchés des prisonniers, les uns debout, groupés autour de Guesclin, les autres se tenant soit à cacaboson, soit allongés dans l'herbe. Nul ne parlait. Après s'être animés lors du crime de Pèdre, tous subissaient le poids d'une ignominie qu'ils trouvaient imméritée. On les avait trahis : Tello, Henri et quelques autres. Assis et adossé à un arbre, don Sanche, tête nue et basse, rongeait son frein, et sans doute vouait-il aux gémonies un frère outrecuidant mais faible d'esprit. Il avait assisté à la vengeance de Pèdre contre Orozco. Il redoutait d'être reconnu et exécuté.

— Je vais te quitter, Tristan, dit Calveley. Mieux vaut que tu sois avec eux et traité comme eux pour ce soir. Demain, je te prendrai sous ma protection.

Des poings se levèrent et des cris jaillirent :

— Calveley !... Que ta félonie t'étouffe !

— Toi aussi, tu nous as trahis !

C'étaient Audrehem et Neuville. Le dépit les rendait familiers.

— Non, protesta l'Anglais. Je vous avais dit, en vous quittant, que je servirais mon prince. Je l'eusse trahi en restant des vôtres.

1. Quatre chevaliers périrent : deux Gascons, un Allemand et un Anglais qui était soit le sire de Ferrières (*Ferrers*), soit son fils bâtard : Henri. On les a parfois confondus avec Raoul de Ferrières, chevalier français. Froissart, toujours partial, prétend que du côté anglais, il y eut 20 archers et 40 fantassins morts, ce qui semble peu, vu l'âpreté de la bataille. Il donne, « côté Henri » 7 500 morts sans compter les noyés qui furent innombrables.

Il y eut des huées, des menaces de mort dont le géant n'eut aucun souci. Tout en lui enviant sa sérénité, Tristan pénétra dans l'enclos des captifs : les pieux en étaient des vouges et des guisarmes tenus par des piétons d'autant plus intraitables que la plupart portaient les stigmates de la bataille et devaient se demander quel miracle les avait maintenus en vie.

— Sain et sauf, Castelreng.

— Hé oui, messire Audrehem. Par la grâce de Dieu, comme vous.

— Ils vont s'attabler devant nous, gobeloter et s'offrir une grosse lippée en notre honneur. Puis ils entonneront leurs chants de guerre...

Le courroux du maréchal n'atteignit pas Tristan. Eût-il pleuré sur cette défaite qu'il n'eût point suscité sa compassion. Comme Guesclin et tant d'autres, il avait servi l'ambition d'un aventureux. Il avait été l'un des premiers à occire les Juifs de Briviesca et il avait même aidé le Breton à embraser l'église où ils s'étaient réfugiés en sachant pertinemment qu'elle constituait un lieu d'asile inviolable. Mais les chrétiens en armes n'avaient que faire d'une tradition qui leur importait peu du moment qu'ils se régalaient à ouïr des hurlements de souffrance et de désespoir. Audrehem recevait une leçon méritée. Cependant, à sa colère, se mêlait quelque chose d'autre. Quelque chose d'indéfinissable qui ressortissait à la peur.

— Ils peuvent se gober [1] de ce qu'ils nous ont fait.

— Sans la défection de Tello, nous gagnions ! Oui, nous gagnions, Castelreng !

Voire. Tello n'était en fait qu'une espèce de *borrica* : une bourrique sinon un âne. Les Goddons étaient les meilleurs et l'avaient prouvé une fois de plus.

1. Se vanter.

C'était une vérité manifeste. « Moi, Castelreng... » Il avait fréquemment pressenti la déroute et imaginé l'humiliation qu'elle dispenserait à tous ces esprits hautains et farouches peu enclins à s'interroger sur eux-mêmes et moins encore sur leurs adversaires.

— On peut dire, messire Audrehem, que les audaces verbales d'un Tello et de quelques autres nous ont plongés dans la merde et l'opprobre. Guesclin avait raison de douter de ces males gens.

Tristan s'interdit de se tourner vers le Breton. Pour le moment, sa présence lui importait peu. Il vit avec joie Paindorge apparaître. Shirton le soutenait.

— Robert !

L'écuyer était blessé à la jambe senestre. Une sagette avait percé le fer de sa grève et atteint le jarret. La flèche s'était rompue sous le heurt[1].

Shirton était indemne. Son arc et son carquois tremblotaient à son flanc.

— Ah ! messire... Je me faisais un sang noir...

— Dieu soit loué ! Tu es vivant, Robert, vivant !

Lâchant son bassinet, Tristan ouvrit ses bras à Paindorge. Il le serra sur sa poitrine de fer tout en lui tapotant les épaules. Il ne se sentait plus seul et ne cherchait point à lui dissimuler son émoi. Le passé avec ses remembrances décourageantes, le présent avec ses angoisses, l'avenir avec ses incertitudes, tout s'anéantissait dans cette étreinte affectueuse et tenace qui les revigorait sans pourtant les guérir de leur mal de l'âme. Quand fut dénouée l'accolade, Tristan offrit sa dextre à Shirton :

— Je te regracie, Jack. Il est bon que notre amitié subsiste. Je n'oserais abuser de ta bienveillance si je

1. On appelait *flèche* la hampe de bois de la sagette et non l'arme de jet tout entière.

ne te connaissais. Or, sache-le : j'ai laissé mes deux soudoyers, Yvain et Girard, loin de ce champ, près de la rivière, avec nos chevaux. Peux-tu savoir ce qu'il en est advenu ? Tu les connais : vous avez potaillé ensemble.

— C'est vrai. Putain de guerre entre deux fils de putes... Mais je m'en vais. À chacun sa place... On se reverra.

L'archer s'éloigna. Paindorge se laissa choir sur le sol, parmi les jambes des bien-portants indifférents à sa male chance : il n'était qu'un écuyer. Tristan sépara les deux parties de la grève senestre, remonta le bas-de-chausse et vit la blessure. Le sang y sourdait à peine, retenu par le bois rompu. Sans une évulsion immédiate, la plaie se corromprait et deviendrait pourriture.

— Le fer est demeuré à l'intérieur et je n'ai guère de prise pour l'extirper.

— Il le faut pourtant, sinon la navrure s'infectera.

— Je le sais, Robert.

— Faites à votre aisement [1], messire.

Une colère sourde secoua Paindorge :

— N'avoir eu que des surgillations [2] et tout à coup se faire dardiller comme un Achille de foire !... Putain de guerre !... Et tous ces discours d'une hautaineté à vomir !

— Tu dis vrai, fit Tristan indécis sur la façon de saisir la hampe rompue et de l'extraire avec le fer. Oui, tu dis vrai.

Ils en avaient subi des propos triomphants, des suasions [3] pompeuses, toute une surenchère de mots qui

1. À votre convenance.
2. Ecchymoses.
3. Discours persuasifs.

n'avaient d'éclat que lors des conseils où l'on se trouvait au chaud, entre soi, et dont l'efficacité semblait hors de doute.

— Faites à votre goût, messire. Il faut m'ôter ce fer ou la pestilence s'y mettra et je mourrai !

— Je vais devoir essayer du pouce et de l'index... Mais je t'avoue que je crains d'échouer... Il me faudrait quelque chose de dur et de pas trop épais et de bonne prise comme les mâchoires de fer d'une tenaille...

Paindorge ferma les yeux. Il ne redoutait pas la douleur : il méditait sur la façon d'être délivré d'une écharde aussi grosse que redoutable.

— Mes jointes, dit-il, la dextre tendue.

Le gantelet avait souffert. Quelques plaques de métal bombé comme des tuilettes et qui protégeaient les doigts en leur permettant de se plier, s'étaient à demi décousues du cuir, côté paume.

— Arrachez celles-ci.

C'étaient celles de l'auriculaire. Présentées bord à bord sur un même plan, elles pouvaient former une espèce de tuyau qui, comprimé, ferait office de pincettes.

— Vous enfoncez cela de chaque côté du bois. Vous serrez et tirez. La prise est mince mais vous êtes fort.

— Il me faudra tout de même enfoncer ce fer et le bout de mes doigts...

— N'ayez crainte : je me ventrouille et ne bouge plus.

Paindorge s'allongea. Tristan regarda la plaie. Le sang ne coulait plus. Il voyait distinctement, parmi les poils embués de rouge, les lèvres de la blessure et la section de frêne ou d'if déchiquetée par la rupture. Il entendait au-dessus de sa tête, les murmures et les observations des prisonniers qui venaient de se presser autour de lui et de son écuyer pour assister à l'extraction.

Avec des précautions, mais d'une main sûre, il poussa une jointe entre la chair et le bois et sentit Paindorge frémir en retenant un gémissement. Il poussa l'autre. Il fallait maintenant comprimer les deux pièces afin de serrer le bois et tirer lentement tout en souhaitant que le fer ne se détachât point du tronçon de flèche.

— Je n'ai guère de prise et mes doigts glissent.

— Essuyez-les, messire, et prenez votre temps.

Les captifs ne murmuraient plus : ils retenaient leur souffle. Paindorge que la douleur semblait vouloir coucher sur le flanc, avait joint ses mains et priait, sans doute, pour que le picot anglais sortît de sa chair.

Les jointes, maintenant, n'étaient plus nécessaires. Tristan les jeta, sanglantes, aux pieds des curieux. Le bois rompu poissait, glissait.

— Merdaille... Si seulement j'avais des pinces !

Alors vint une idée, vive, réconfortante.

Tristan s'allongea entre les pieds de Paindorge et serra la flèche entre ses dents, insensible au goût aigre du sang qui infectait sa bouche. Il tira, tira encore sans crainte de maltraiter sa mâchoire.

— Ça vient, dit Audrehem. Je sens que ça vient...

— Comme pendant l'amour, messire, ricana Guesclin.

Tristan tira encore, violemment.

— Ouf, dit Paindorge. Avez-vous ce fer, messire ?

Le petit cœur d'acier aiguisé comme un couteau adhérait à la flèche.

— Un passadoux, dit Neuville.

— Effectivement, dit Tristan.

Il cracha, écœuré par le goût du sang et offrit le fragment de sagette à Paindorge :

— Tu pourras le conserver à ton cou comme une

filatière[1] ou un charme, si tu préfères... Mais je n'ai rien pour te soigner... Tu as un trou aussi profond que mon pouce et tu te remets à saigner. Il faudrait bander cette plaie pour arrêter cette effusion.

Des jambes autour d'eux s'écartèrent. Deux mains se tendirent, l'une offrant un rouleau de tiretaine et une poignée de charpie, l'autre un flacon au bouchon de bois taillé en pyramide.

— Pourquoi fais-tu cela, Shirton ? Ne crains-tu rien à secourir un ennemi ?

La générosité de l'archer émouvait Tristan plus encore qu'il ne le laissait paraître. Depuis toujours, il lui était apparu comme un homme simple et secret, apparemment naïf mais profondément sagace. Il apercevait maintenant, tout au fond de ce cœur généreux, une infinité de nuances qu'il avait jusque-là ignorées.

— Un ennemi, messire ?

Sans peut-être en référer à Calveley, Shirton avait accepté allégrement de secourir Paindorge. Bien mieux : sa crainte d'enfreindre des commandements verbaux ou tacites se changeait visiblement en un sentiment de plaisir capiteux de la même espèce que celui éprouvé par Tristan.

— Les bannières changent, les hommes sont les mêmes. Il est dommage qu'ils se refusent à le comprendre... parce que leurs suzerains s'y opposent et les molestent sans vergogne... Allons, messire, ne tardez pas à soigner votre écuyer !

Shirton fit deux pas à reculons :

— Guéris, Robert ! Guéris pour me faire plaisir.

Paindorge ne put lui répondre : terrassé de soulagement et de souffrance, et les paupières closes, il savourait la joie de se savoir sauvé.

1. Phylactère.

VII

De la vesprée à l'aurore, les captifs subirent les rumeurs d'une célébration qui, pour être simple, champêtre et justifiée, n'en ulcérait pas moins leurs cœurs. C'était une nuit de clair de lune, un immense dais de cristal pétillant d'étoiles, elles aussi en liesse. La splendeur des astres incita les ménestrels aux voix souvent efféminées à chanter les mérites du prince de Galles et de ses chevaliers. Bien qu'absents, les archers eurent même droit à leur chanson à boire, et ce fut Chandos, certainement, qui la chanta malement, heureux qu'elle eût été reprise au loin par les piétons de la Grande Île.

What of the bow ?
The bow was made in England
Of true wood, of yew-wood
The wood of English bows
So men who are free
Love the old yew-tree
And the land where the yew-tree grows [1]

Peu à peu les voix et les flambeaux s'éteignirent.

1. Que dites-vous de l'arc ? / L'arc a été fait en Angleterre / Avec un bon bois d'if : Le bois des arcs anglais. / Aussi les hommes libres / Aiment-ils le vieil if / Et le pays où croît le vieil if.

La fraîcheur de l'aube désengoua les convives les plus vigoureux. Ils s'en allèrent dormir un tantinet, mêlant à leurs voix avinées le bruit de leurs rots et de leurs pets.

On apprit par Shirton que Guesclin, absent, avait participé au repas et qu'il dormait sous le pavillon du captal de Buch[1]. Nul ne s'en indigna, pas même Audrehem tourmenté par on ne savait quoi. Sous sa barbe blanchoyante, on devinait un teint plombé par une veille interminable et des affres qui n'avaient cessé de s'aggraver lorsqu'il avait entendu les répliques de Pèdre et du prince de Galles, l'un, exaspéré, voulant occire tous les prisonniers, l'autre exigeant du nouveau roi de Castille, soit une retenue dans ses propos vengeurs, soit le respect de leurs engagements. Le meurtre de Lopez Orozco avait été la première infraction aux promesses données au prince de Galles. On décelait dans leurs voix pourtant lasses, une animadversion qui laissait augurer des querelles furibondes. Édouard, désormais, exécrait Pèdre et celui-ci – qui s'érigeait malgré les évidences en vainqueur de Nájera – se disait peut-être que seul avec ses hommes, il eût obtenu la victoire. Un vent de discorde soufflait.

— Nous avons dormi comme des routiers, Castelreng.

— Qui sommes-nous, messire ? Ne sommes-nous pas devenus des routiers quand nous sommes entrés pernicieusement en Espagne ? N'avons-nous point tout commis pour qu'on nous haïsse ?

Tristan se sentit jugé défavorablement. Il n'en eut cure. Sans s'accommoder de sa male chance, il la trouvait méritée. L'état de Paindorge le rassurait : l'écuyer avait dormi d'un sommeil profond sur l'herbe fraîche,

1. Cuvelier, rapportant cette ségrégation, s'en émerveille.

et pour éviter d'être incommodé par le froid, il avait conservé son armure déséperonnée, moins la grève disjointe de son pied blessé. La navrure ne présentait aucun indice d'infection. L'enflure, bleuie par la violente pénétration du fer dans la chair, était de celles que tout homme d'armes avait coutume de voir sur soi-même ou sur d'autres.

— Je regracie la Providence, dit l'écuyer, de m'avoir imposé cette épreuve. J'enrage, cependant, de ne pas savoir où sont Lebaudy, Lemosquet et les chevaux.

— S'ils se sont enfuis, je les approuve. Ils pouvaient attraper la male mort où nous les avions laissés.

L'entretien cessa brusquement : des trompettes sonnaient. Une centaine de guerriers se mirent à courir entre les trefs et les aucubes et autour du pavillon du prince de Galles. Par Shirton infiltré parmi les prisonniers, Tristan et Paindorge apprirent que le bâtard de Comminges s'était éloigné à toute bride après un conseil restreint qui, avant le souper triomphal, avait réuni Édouard, Pèdre et quelques seigneurs anglais et gascons.

— Ils supposent que l'usurpateur est parti pour l'Aragon et de là vers le duc d'Anjou qui gouverne la Langue d'Oc de par le roi Charles, son père. Le bâtard a prétendu avoir de grandes accointances en Langue d'Oc et à Toulouse. Il a juré de ramener Henri à Pèdre.

— On le dit, fit Tristan, un hardi chevalier... fort épris d'or et de merveilles.

— Pèdre a promis de lui verser, s'il réussit, cent mille doubles d'or. Les garants de leur convention sont Armagnac, Albret, le captal de Buch et d'autres grands seigneurs. Cependant, le prince Édouard a envoyé quatre hommes fouiller le champ pour être définitivement sûr que le Trastamare n'est plus sur le terrain.

— Que feront-ils de nous, Jack ? s'informa Paindorge. Le sais-tu ?

Shirton secoua sa tête ronde et glabre dans un mouvement qui pouvait être une réponse muette, évasive. Il semblait las : aux turbulences de la bataille et aux fatigues qu'elles avaient engendrées se joignait l'épuisement d'une nuit sans sommeil.

— On parle de vous emmener à Burgos. Pèdre veut vous y châtier.

L'archer passa son index sous son menton et reprit aussitôt :

— Le prince s'y oppose. Vous ne craignez rien.

Audrehem, Neuville et d'autres s'étaient approchés. Leur inquiétude était justifiée : dans un accès de folie, Pèdre pouvait décider de les faire occire en l'absence du prince et en dépit des promesses qu'il lui avait faites.

— Ce Pèdre est un fredain[1].

— Édouard le fait surveiller de près.

Des trompettes sonnèrent encore.

— Elles annoncent la montre des seigneurs prisonniers, dit Shirton. Édouard veut savoir qui ils sont et décider de leurs rançons.

— A-t-il fixé celle de Guesclin ? demanda Audrehem.

— Non, à ce qu'il paraît. Je ne puis vous en dire davantage.

L'archer s'en alla. Tristan se demanda si les gardes anglais qui avaient veillé sur les captifs toute la nuit leur demanderaient de se haier[2] afin que le prince et Pèdre pussent passer dans leurs rangs ou bien s'ils

1. Scélérat.
2. Se mettre en haie, en rang.

iraient se montrer l'un après l'autre à leurs vainqueurs assis sur quelque chaise ou quelque faudesteuil.

Un héraut s'approcha : Northbury. Reconnaissant Tristan et Paindorge, il s'inclina sans aménité :

— Vous passerez devant le prince Édouard et le roi Pèdre un par un. Vous leur direz qui vous êtes et répondrez à leurs questions avant qu'ils ne statuent sur votre sort et vous informent du montant de votre rançon.

— Je passe devant, Castelreng, décida le maréchal de France.

— Soit, messire Audrehem. Je me présenterai avec mon écuyer, arguant de son incapacité à se tenir debout.

L'héritier du trône d'Angleterre quitta son pavillon. Deux estuarts[1] le suivaient, portant une chaire pesante à haut dossier et larges accoudoirs qu'ils posèrent à quelques pas du logis princier.

— Ils ont dû rober cela à l'église la plus proche, grommela Audrehem dont l'émoi augmentait.

Pèdre quitta son tref. Afin qu'il ne fût pas marri ou excédé d'être traité en inférieur, deux écuyers engoncés dans la livrée de Castille et de León – la Tour et le Lion – soutenaient une chaire semblable à celle de l'Anglais. Ils la déposèrent auprès de la précédente, mais éloignée d'un bon pas.

— Pèdre a ceint sa couronne, dit Paindorge ébaubi par tant de hautaineté.

— C'est bien la preuve qu'elle lui a manqué plus que tout.

Des prud'hommes d'Angleterre et des *ricos hombres* attachés au service de l'ancien roi vinrent s'aligner derrière les sièges. Tristan fut soulagé de voir paraître

1. Écuyers.

Calveley. Audrehem également, bien qu'il eût brusquement baissé la tête comme s'il craignait d'être reconnu.

Qui se trouvait parmi tous ces chevaliers alignés comme un tribunal ? Chandos, Lancastre et des Gascons à profusion. Certains souriaient : ils se délectaient de voir de près leurs vaincus.

— Avancez, dit Northbury. Les trois premiers.

À peine avaient-ils fait quelques pas qu'il leur demanda de s'arrêter et d'attendre : des chevaliers et des écuyers venaient d'apparaître, à cheval. Il n'était point douteux que depuis l'aube, ils s'étaient livrés à une inspection scrupuleuse du champ de bataille et des campagnes à l'entour. Le prince de Galles s'adressa en français à l'un des seigneurs qui avait mené cette ultime investigation :

— Eh bien, John ?

Comme Pèdre tendait l'oreille, le prince s'exprima en gascon, langue que Tristan connaissait car elle était sœur de la sienne :

— *E lo bort, es mort ó près*[1] ?

Comment pouvait-il penser que Henri eût pu être capturé et qu'il fût passé inaperçu ? Pèdre l'eût reconnu entre mille, infailliblement.

— Envolé, dit l'Anglais.

— Il va en Aragon, dit Pèdre. Le bâtard de Comminges le rejoindra.

Le prince de Galles se tourna vers ses hommes liges, vers Chandos en particulier, reconnaissable à l'écu brodé sur sa cotte d'armes.

— *Non ay res faït*[2].

Dans son esprit, à n'en pas douter, cette bataille de Nájera ne réglait rien. Car Henri s'emploierait à

1. Et le bâtard, est-il mort ou pris ?
2. Il n'y a rien de fait.

reprendre son trône, et il n'était point disposé, lui, Édouard, à recommencer une « croisade » aussi terrible que celle dont pourtant il sortait vainqueur. Le meurtre de Lopez Orozco l'avait, en l'indignant, déparié de son acolyte. Il avait abrogé ce qui n'avait jamais été qu'une mésalliance dont il se repentait, bien qu'elle eût abouti à une victoire qui rehausserait sa renommée dans la Grande Île en prouvant qu'il était digne de son père, et au-delà, chez les ennemis de l'Angleterre. Tristan se rassura : Pèdre ne l'avait vu qu'une fois, brièvement, à Séville, comme le truchement de Guesclin. Ils s'étaient montrés l'un et l'autre courtois, excepté, pour le roi déchu, quelques pincées d'insolence. Que craindre ? Presque tous les prisonniers d'un rang plus ou moins élevé s'étaient rendus à des gentilshommes présents derrière Édouard, et la règle chevaleresque exigeait qu'ils fussent traités sans rigueur corporelle.

— J'ai faim et soif, dit Paindorge. Juste un gobelet d'eau et un michon[1] de pain me seraient profitables... Avez-vous vu la plupart des Goddons ? Ils ont tous des *guardia-ojos* comme leurs chevaux.

Une douzaine avaient un œil dissimulé sous une mouche. Cette œillère de cuir signifiait que l'homme qui la portait avait exprimé un vœu concernant une gentilfame.

— Messires, dit Northbury, à Kadzand ou si vous préférez à l'Écluse où combattit mon père, les Franklins durent prendre les Anglais pour une armée de borgnes car la plupart des chevaliers avaient un œil clos pour le plus grand honneur d'une dame. Voyez, Chandos est borgne... mais il mettra sa mouche.

Chandos quitta les rangs pour aller jusqu'à la table que des *estuarts* desservaient au grand déplaisir des

1. Une tranche.

oiseaux. Il chercha une chope de vin ou de cervoise contenant quelques gorgées et se réjouit d'en trouver une qu'il porta lentement à ses lèvres mais lampa d'un trait. Les regards des Anglais le suivaient comme s'il accomplissait une action héroïque. Il était l'objet de saluts respectueux de tous les hommes occupés à mettre la table au net. Grand, droit comme un vouge, il était fier de ses cheveux blancs touffus et moutonnés. Son pas sûr, lent et calculé, n'avait d'autre nécessité que de faire tinter ses éperons d'or aux molettes taillées en soleils rayonnants. Il avait le profil d'un busard. Glabre des joues et du menton, sa moustache blanche tombait droit des commissures de ses lèvres jusqu'à ses maxillaires inférieurs. Avait-il été beau, jadis, comme Northbury l'affirmait ? Sans doute. Maintenant, sa face rubiconde où les cicatrices et les rides se confondaient, et son orbite dextre vidée de son œil, semblaient faire la nique au visage d'antan dont on avait dit, en France, qu'il était le plus séduisant d'Angleterre. Mais que ne disait-on pas des chevaliers goddons ? En fait, Chandos était une espèce de dieu de la guerre. Héros de Crécy, Winchelsea, Poitiers, Auray, il allait pouvoir ajouter Nájera à son *palmaris*. Borgne comme Hannibal et vain comme Scipion, il se paonnait devant ses pairs sans qu'aucun d'eux ne fût enclin à décrier ou rabaisser d'un rire sa hauteur.

— Pourquoi, messire, met-il soudain une mouche ? Outre qu'il ne voit rien de ce côté, on sait que son orbite est creuse comme une archère ou un machecolis.

— Pour ne pas différer de ses compères qui sont tous privés d'une navrure aussi avantageuse.

L'impatience de Tristan grandissait tandis que, sous le sourcil froncé, l'œil unique de Chandos, tourné vers lui, étincelait comme un acier fourbi de main de maître.

— Avancez, dit Northbury. Soutenez, messire, votre écuyer pour comparaître devant le prince.

« Va-t-il me reconnaître ? » se demanda Tristan. « Trois jours de poils sur un visage ne sont pas une protection. »

Ce fut Pèdre qui, d'emblée, le désigna de sa dextre tout entière entrouverte comme la serre d'un oiseau de proie.

— Ah ! s'exclama-t-il. Le substitut de Guesclin qui me vint trouver à Séville... Accordez-le-moi, Édouard, puisque vous me refusez le maître !

Et le regard enveloppant le prisonnier :

— Vous êtes moins *majo*[1] maintenant, il me semble.

« Maraud toi-même ! » songea Tristan. « Voilà que tu te reprends pour le gerfaut ou l'aigle de Castille, mais tu n'es qu'un brutier[2] que la moindre tempête emportera sitôt que tu seras seul ! »

Pèdre était inchangé : la rigueur en personne complétée de cruauté. Dans ses mailles déjà endossées – comme s'il redoutait quelque attentat ou le retour de son compétiteur avec autant de guerriers frais qu'au début de la bataille –, il offrait aux captifs près de comparaître devant lui, l'image d'un roi bâti en athlète qui, d'un regard, pouvait les juger, et d'un mouvement les occire. Son attitude à la fois sèche et rébarbative évoquait davantage un potentat barbaresque qu'un quelconque roi catholique. Et tandis qu'il observait Paindorge comme s'il s'agissait d'un esclave à vendre sur un marché de Cordoue, Tristan se demanda si Henri, quelles que fussent ses tares, ne valait pas

1. Faraud.
2. Oiseau de proie que l'on ne peut dresser.

mieux, tout de même, que ce suzerain dont le seul nom horrifiait les foules.

— Dommage, dit Pèdre, résigné, que vous ne soyez pas de mon peuple.

Et légèrement tourné vers ses hommes liges :

— *En España, no hay remedio !*

Tristan, sur l'épaule duquel Paindorge pesait de plus en plus, n'osait bouger ni, surtout, regarder le prince de Galles en face. « *Il me reconnaîtra, lui aussi !* » Il se sentait frappé d'un sort inexorable et cependant, il fallait qu'il se gonflât d'importance, d'espérance et de dignité.

Alors qu'il s'approchait d'Édouard, il vit Naudon de Bagerant se pencher familièrement vers le prince.

— Monseigneur, ce chevalier est ma prise. Peu me chaut l'écuyer, mais le maître est à moi !

— Je jure le contraire, dit Calveley sans quitter sa place. Bagerant le voulait occire quand je suis intervenu. Mort, il n'était plus rien ; vivant, il m'appartient.

— À moi, insista le routier, les mains réunies sur son poitrail de fer avec une enflure dont la sincérité égaya les Anglais et mécontenta Pèdre. À moi !

— Oh ! vous, Naudon, dit le prince, si l'on vous laissait dire, le vainqueur de Nájera, ce serait vous... Disposez !... Vous deux, avancez !

Édouard, l'avant-bras dextre sur l'accoudoir, la main tournée vers le ciel, remuait ses doigts réunis en un mouvement qui incitait à l'approche.

« Ainsi, je le revois de près !... Se souvient-il ? »

Pour la seconde fois de son existence, Tristan allait se trouver confronté à ce prince féroce dont, de loin en loin, la mansuétude chatouillait le cœur comme un puceron pouvait chatouiller le chapeau d'un champignon mortifère.

À l'inverse de son allié, Édouard n'avait pas une

once de fer sur la peau mais des habits de velours : une cotardie à ses armes et des hauts-de-chausses d'une simplicité bourgeoise. Pour éviter tout risque de froidure, il avait passé sur cela une garnache de laine noire, à fentes latérales, aux manches ouvertes, allongées des coudières jusqu'aux poignets. Ainsi, noir comme peut-être son âme, il semblait porter avec une sombre emphase le deuil de ses guerriers occis dans la bataille. Il était gros. Plus encore : sublime dans ses impotence et prépotence confondues, mais la sécheresse de ses gestes pouvait faire douter que la lenteur, la graisse, l'ankylose, l'arthrite hantaient ses membres, du moins ses bras. On disait que tel Baudoin le Lépreux, il se faisait porter, la plupart du temps, dans une litière à la caisse rembourrée de soieries et de peaux de bêtes, mais qu'il hésitait peu à se faire hisser sur un cheval – pauvre cheval ! – pour prendre part, de loin, aux combats dans lesquels il engageait ses hommes. Comment un tel *mastochs* – un tel bœuf à l'engrais – pouvait-il avoir des velléités amoureuses et comment la divine Jeanne de Kent les pouvait-elle encourager, sinon les satisfaire. Et puisqu'il était question d'amour ou de son simulacre, Édouard le Jeune n'était pas de ces princes qui offraient de l'amour en échange de la haine, de la compassion en échange de la vertu. Il ne concevait point la cruauté comme une tare et le pardon comme une nécessité.

— Approchez !... Êtes-vous de ces chevaliers couards dont la France regorge ?

— Non, monseigneur... Je me tiendrai droit et debout, sans crainte, si l'on offre un siège à mon écuyer.

D'une cliquette du pouce et de l'index, le prince obtint une escabelle sur laquelle on assit Paindorge,

– lequel ne manqua point d'exprimer sa gratitude par une ébauche de révérence.

Édouard sourit avec une bénignité qui ne semblait pas que d'apparence.

— Mes mires vous soigneront, écuyer.

— Soyez-en regracié, monseigneur.

Chez ce prince bouffi de mauvaise graisse et d'orgueil, l'amour exorbitant du grandiose s'accouplait au goût immodéré des dépenses voluptuaires. Il avait tendance à exagérer tout ce qu'il décidait en bien ou en mal. Son imagination, peu féconde, était avant tout dominatrice. Grâce à ses conseillers, il voulait s'imposer comme une espèce de magicien fastueux, et, ce matin-là, son attitude était celle d'un nécromancien au sortir d'une nuit pénible : il l'avait passée à évoquer les ombres de ses victimes, à fouiller vainement les arcanes de la mort, à tenter de découvrir la formule qui, promptement, mettrait un terme à la putréfaction interne de son corps. Tête basse, il se plongea dans une méditation dont ses hommes liges n'eurent aucun souci. Vers quoi ou vers qui galopait une imagination hallucinée qui, après s'être délectée des palais somptueux de Bordeaux, puait le sang, la rosée infectée de pus et d'excréments, les quauquemaires [1] et les vertiges funèbres ?

« S'il me reconnaît », redouta Tristan, « il se montrera intraitable. »

Au château de Cobham – comme c'était loin ! – il avait deviné le prince lancé à corps perdu dans une passion pour la belle Jeanne qu'il venait d'épouser contre la volonté de son père. Maintenant que l'amour s'était débilité conséquemment à la laideur d'un corps que la belle épouse *et lui-même* ne pouvaient voir sans

1. Cauchemars.

répulsion, le futur roi d'Angleterre ne disposait plus que d'un seul amour, né, précisément, de ses déconvenues conjugales : la guerre. L'ardeur belliqueuse qui se révélait soudain dans le long frémissement de cette montagne de chair qu'était ce corps princier, n'était due qu'à un amoncellement de dépits. « *Il a troqué son braquemart contre une épée !* » La victoire de Nájera ne suffirait point à ce potentat. Il allait s'attaquer aux séquelles [1] d'Enrique.

Une longue cillose remua les lourdes paupières. Les joues blettes rosirent sous le flux d'un émoi dont Tristan augura l'effet dévastateur. Le regard furibond, le menton mou entre les pans de la moustache épaisse prit de la fixité ; la bouche s'avança et la phrase jaillit, d'autant plus redoutable qu'elle était brève :

— Vous, je vous reconnais !

Abaisser son regard eût été se perdre, attester d'une infériorité flagrante – et condamnable dans une confrontation désespérante.

— C'est vous qui aviez machiné mon enlèvement au château de Cobham !

Édouard fronçait les sourcils davantage pour scruter le visage de cet ennemi qui, lui, n'avait point changé, que par un ressentiment soudain réapparu et porté à son comble.

— C'est moi, monseigneur.

— Une belle appertise d'armes [2] en vérité ! La bonne chance m'a sauvé, la male chance vous a infligé un échec sanglant.

La plupart des chevaliers et écuyers anglais ignoraient tout de cette malaventure. Aucun de ceux qui

1. Dans l'acception d'alors : suite de gens attachés aux intérêts de quelqu'un.

2. Prouesse.

l'avaient vécue ou qui en avaient été informés ne l'avait divulguée : elle desservait par trop leur prince [1]. Tristan devina qu'Édouard ne tenait aucunement à ce qu'elle fût révélée. Question d'honneur. Soit, il se conformerait aux bons usages.

— J'exécutais, monseigneur, la volonté de mon roi. Vous le savez d'expérience : c'est la seconde à laquelle on se doit d'obéir après la volonté divine. Que l'un de vos hommes liges ne vous obéisse plus, vous le diriez sur-le-champ traître et félon... Quant à moi, j'aurais pu vous occire et m'en suis abstenu.

Il n'en dirait pas davantage, sauf si le vainqueur l'acculait à la résignation sinon à la désespérance.

Édouard pointa l'index sur Paindorge attentif :

— Était-il avec vous ?

— C'est le seul réchappé.

— Qu'avez-vous fait de notre *house maid* ?

C'était une méchanceté : Luciane n'était pas la dernière des servantes de Jeanne de Kent mais la toute première.

— Je l'ai épousée, monseigneur.

— Alors, je crains, messire de...

— Tristan de Castelreng, monseigneur.

— Je crains qu'elle ne vous attende longtemps.

Ils en avaient assez dit l'un et l'autre. Édouard engagea Paindorge à se lever. Il le fit seul, le front en sueur. Tristan le soutint derechef. Ce faisant, il vit l'encouragement que Calveley lui prodiguait à petits coups de tête avant qu'il ne versât quelques mots dans l'oreille de Chandos.

— Aucun doute, Robert : nous allons être jugés. Ce

1. Cette expédition est narrée dans le tome II des *Enfants de Bélial : Le Poursuivant d'amour*.

gros plein de soupe ne nous pardonnera pas de l'avoir voulu enlever.

— Ce qui était possible à l'époque, messire, ne se peut plus maintenant : il est trop gras, trop lourd... On n'enlève pas un être pareil, sinon avec une chèvre, des treuils et des cordes solides.

Ils s'éloignèrent. Ce n'était pas le moment de plier l'échine :

— Droits ! chuchota Tristan. Restons droits. Nous ne sommes point des esclaves et le serions-nous que ce serait pareil.

— Oyez, messire. On a fait venir Audrehem. Il parle...

— Regarde ce caisson : asseyons-nous dessus.

Le maréchal de France était devant son juge.

— Traître ! Parjure ! Vous méritez la mort.

Tristan sourit :

— La fureur d'Édouard pour Arnoul se conçoit. Sais-tu pourquoi ? Le maréchal n'a jamais acquitté sa rançon de Poitiers. Il n'en a versé que des bribes. En outre, il avait été mis en liberté à condition de ne jamais porter les armes contre l'Angleterre, à moins que la guerre ne recommence entre Édouard III et le roi de France... Voilà pourquoi Arnoul se noircissait le sang !

— La mort, messire ! hurlait le prince de Galles.

Tristan fut tenté d'admirer Audrehem. Il était digne. La mort ne semblait guère apeurer cet homme impitoyable qui l'avait fait donner, sereinement, à quelque cent-vingt habitants d'Arras révoltés contre la Couronne [1], et arrêtés tandis qu'ils faisaient leur marché. Il tenta de se défendre, chose qu'il n'avait point accordée aux Artésiens :

1. 28 avril 1356.

— Sire, vous êtes fils de roi et je ne puis vous répondre de la façon dont je devrais le faire. Cependant, je ne suis ni traître ni parjure !

Une rumeur d'indignation s'exhala du groupe d'hommes de guerre alignés derrière le satrape d'Aquitaine et le roi Pèdre impatient de rendre sa nouvelle justice royale. La rumeur devint hourvari et se craquela pour laisser passer quelques insultes. Tristan avait oublié les incertitudes de son propre sort. Il assistait à un jugement qui, quel qu'il fût, serait plus prompt et moins rigoureux, sans doute, que celui qu'il redoutait pour lui-même et son écuyer. Quand le silence revint, sans doute à l'instigation du prince, celui-ci exprima l'idée qui venait de traverser l'esprit de Tristan :

— Voulez-vous, maréchal, vous soumettre au verdict de vos pairs ?... Pas les vôtres, évidemment...

— J'accepte, dit Audrehem contraint et forcé.

Il semblait résolu. « Moins qu'à Briviesca », songea Tristan, amer, tandis que l'on confabulait autour du prince avant que Northbury ne fît un pas en direction du prisonnier pour lui signifier une décision sans appel : douze chevaliers allaient se constituer en jury. Celui-ci serait composé de quatre Anglais, quatre Gascons et quatre Bretons[1].

Sitôt qu'ils furent réunis devant lui, le prince Édouard leur désigna le maréchal de France hanché par une déclivité du sol et qui, les bras croisés, adoptait une attitude dont la sérénité n'abusait personne : un

1. On ignore malheureusement leurs noms et nos recherches n'ont point abouti. Comment l'eussent-elles pu, d'ailleurs, puisque l'hagiographe du maréchal, Auguste Molinier, n'a rien découvert sur l'identité de ces juges. On peut néanmoins supposer que Chandos, Guichard d'Angle pour lequel le prince Édouard avait toutes les bienveillances, le jeune Lancastre et Grailly en faisaient partie. Il se peut qu'Olivier de Clisson eût figuré parmi ces « preux ».

invincible effroi le tourmentait. Pour une fois qu'il avait participé de bout en bout à une grande bataille, il allait subir les conséquences d'une défaite dans laquelle il n'était pour rien, lesquelles seraient aggravées par la résurrection d'un lointain manquement à l'honneur dont, jusqu'à ce jour, il s'était soucié comme d'une guigne.

— Je vous le dis, messires les chevaliers : cet homme pris à Poitiers et mis à rançon avait juré solennellement devant moult témoins ici présents, de renoncer à combattre l'Angleterre, à moins qu'il n'y eût guerre entre nos rois. Or, il n'y avait aucun prince de la famille de France dans l'armée de don Henri que nous avons vaincue. Menteur de promesse, cet homme a manqué à sa foi.

« C'est un peu faux », songea Tristan. « Il y eut dans notre ost de malandrins Bourbon. Il eût tué toute l'Espagne pour venger la reine Blanche. Il a même accepté le meurtre de Rebolledo sans broncher alors que cet arbalétrier hurlait son innocence... Aucun procès... Et Audrehem s'est lui aussi merveillé de cette mort... Il l'a, lui, son procès ! Il enrage, j'en suis acertené... Nous aurons, Paindorge et moi, le nôtre bientôt... Ce sera la mort, sans doute, car s'il est bien en Cour, Calveley n'est pas assez puissant pour assurer notre défense. »

— Que le procès commence !

Messire Arnoul flairait le vent funeste qui s'apprêtait à souffler sur sa barbe. Malaisance atroce, exécrable, que de se voir jugé pour la première fois de son existence, lui qui n'avait cessé de châtier méchamment des innocents acharnés, simplement, à la défense de leur pain quotidien. Une existence où, à n'en pas douter, il avait commis tous les péchés peu ou prou imputables à la possession de l'or et de l'argent. Ah ! que la mort, vue de si près, semblait terrible. Il courbait le dos tant il se sentait observé par ses compères et ses ennemis.

— Il voudrait s'envoler vers la France sur les ailes de saint Michel et de saint Georges, pour un coup réconciliés.

— Oui, messire, dit Paindorge. De toute façon, il sait qu'il va perdre des plumes. Son armure lui pèse autant que sa conscience.

— Je l'ai toujours pris pour un petit oiseau de proie... Le voilà en grand déhait[1] et déhonté[2] !

La voix de l'accusé devint celle du vieillard que, jusqu'à ce jour, il s'était refusé d'être.

— Sire Édouard, ne prenez pas en mauvaise part ce que je pourrai dire pour ma défense dans un moment où ma renommée et ma loyauté sont en cause. Il est vrai que je fus pris à la bataille de Poitiers avec le roi de France, mon seigneur. Il est vrai que je fis serment de ne point prendre les armes contre le roi d'Angleterre ni contre vous, à moins que ce ne fût avec le roi, mon seigneur... ou quelqu'un de son lignage. Je vois bien, sire, que mon seigneur le roi de France n'est pas à mon côté, ni personne de son lignage, et pourtant, je ne suis point parjure.

Un « Oh ! » indigné sortit de quelques bouches ; c'étaient celles de trois écuyers goddons soucieux de se distinguer. À en juger par les déchirures et taches de leurs cottes d'armes, ils avaient participé à la bataille. Ils étaient donc en droit de honnir ce vaincu dont la dignité faiblissait à mesure que le temps passait.

1. Maladie des oiseaux de proie, sorte de paralysie de l'aileron qui les empêche de bien voler.

2. Déshonoré.

Quant aux douze chevaliers-juges, ils ne disaient mot. Certains s'étaient concertés du regard et d'autres touchés du coude lorsque le maréchal avait entamé sa défense, mais sans doute n'y avaient-ils découvert aucun élément suffisant pour prononcer un acquittement. Tristan, qui ne les voyait toujours que de dos devant le prince, lui, bien visible, ne cessait d'enrager de ne point les connaître.

« Vont-ils me juger, moi aussi ?... Et Paindorge ? Où est Olivier de Clisson ? Pourquoi se tient-il à l'écart ? »

Audrehem se grattait la tempe, à la recherche d'un argument inattendu et puissant susceptible de mettre fin au silence de ses auditeurs qui, en le soulageant de sa destourbe [1], les y plongerait un temps.

— Je m'attendais, Robert, à une suasion, c'est-à-dire à un discours persuasif, or je ne vois de brillant que son armure.

Audrehem se sentait médiocre devant ce prince adipeux et tous ses hommes liges vainqueurs. Tout craquait autour de lui sauf sa volonté de vivre.

— Je ne suis point parjure, sire Édouard ! Je n'ai point pris les armes contre vous qui n'êtes pas le chef de l'armée, mais contre don Pedro, *à la solde duquel vous êtes venu en Espagne...*

C'était la vérité. Elle pouvait blesser le prince, or, il en sourit.

— Eh bien, sire, puisque vous ne commandez point ici, mais n'y êtes venu que comme un soudoyer, ce n'est point contre vous que j'ai combattu mais contre le seul Pedro qui a livré cette bataille.

Pèdre bondit hors de ses accoudoirs, l'épée haute, bavant de fureur et de haine :

1. Trouble.

— C'est donc moi qui te vais juger. Approche ! Approche !

Édouard se tourna vers son allié. D'une voix brève, méprisante et imposante à la fois, il lui enjoignit de se taire.

— Nos chevaliers vont statuer. Or, pas plus que je ne saurais m'opposer à leur sentence, vous ne pouvez vous mettre en travers.

L'argumentation d'Audrehem, offensante ô combien, paraissait à Tristan peu convaincante. Il ne l'eût point acceptée. Mais c'était oublier que le maréchal jouissait auprès des Goddons d'une réputation sans tache. Les douze juges, formant un cercle, se consultèrent. Leur prompt verdict fut une absolution à l'unanimité. Le prince admit cette décision qui, sans lui enlever le mérite de la journée de Nájera, mais en accordant le bénéfice du commandement à Pèdre, le réduisait au rang qu'Audrehem lui avait imputé : un soudoyer sinon un mercenaire. Lors des prochains dîners qu'il offrirait à Bordeaux, il saurait, en contant plaisamment cet outrage et ce jugement inique, faire s'ébaudir ses commensaux et sourire les amies de sa belle épouse [1].

1. Froissart, qui n'a pas rapporté cette scène tirée des *Chroniques* de Pedro López de Ayala, prétend qu'Arnoul fut échangé après le 24 juin 1367 contre Thomas Felton capturé au combat d'Ariñez. Est-ce vrai ? La seule certitude que l'on possède, c'est que le maréchal fut mis à rançon. Le montant de celle-ci dut être élevé puisque s'ajoutait à celle de Nájera le reliquat substantiel de celle de Poitiers. Conduit à Bordeaux, il fut mis en liberté sous caution dès le commencement de 1368 en même temps que Guesclin, puisqu'ils étaient tous deux à Montpellier le 7 février 1368 (*Chronique des Quatre premiers Valois*, pages 193-194). Cependant, – comme il fallait s'y attendre –, Arnoul, incapable de payer sa rançon, dut revenir auprès du prince de Galles pour « *tenir une prison qui, à la vérité, ne devait pas être bien dure, mais qui privait*

— Nous n'aurons pas cette bonne chance, Robert, mais nous avons, céans, un chevalier qui nous aime : Calveley. Nous avons servi notre roi dans une mission périlleuse à Cobham. Nous ne devons pas en rougir.

le roi de France des services du maréchal » (Auguste Molinier). C'est du moins ce qui résulte d'un certain nombre de mandements que Charles V adressa à Pierre Scatisse, trésorier des Aides de la Langue d'Oc.

Arnoul s'entendit avec le comte de Foix qui lui prêta 6 000 francs or *à condition que la restitution se ferait à certains termes.* Ce fut le roi qui se chargea de rembourser la somme. Le 2 mars 1369, il manda à Scatisse de se concerter avec Arnoul au sujet des termes de ce paiement.

Cette injonction demeura sans effet. Scatisse détestait-il Arnoul ? Savait-il de quelle façon il récoltait les fonds destinés au royaume et à la rançon du roi Jean du temps où il gouvernait la Langue d'Oc ? Certainement.

Évidemment, comme tout grand homme en difficulté alors que les petits, eux, font front à l'adversité, Arnoul se lamenta auprès du roi. Charles V, qui le croyait indispensable pour ses guerres, enjoignit à Scatisse de lui fournir sans délai 6 000 francs or.

Injonction vaine.

Arnoul était toujours chez les Anglais où il menait large et bonne vie.

Le duc d'Anjou s'en mêla et demanda instamment la somme exigée par son père.

Tout fut inutile. On chercha ailleurs. En vain.

Il fallut qu'Étienne de Montmejan, trésorier des guerres, révélât qu'il n'avait pas plus d'argent que Scatisse pour que l'on s'aperçût que les coffres étaient à sec.

Ce fut Guesclin qui prêta la somme, *mais comme cette somme devait être prélevée sur un prêt fait par Guesclin au duc d'Anjou** (!), ce ne fut qu'en décembre 1370 que le « vieux maréchal » put enfin espérer toucher ce « fric » qu'il aimait tant. Il était – mais est-ce vrai ? – parvenu à payer une partie de son otagerie à la fin de 1369 en empruntant... on ignore à qui !

Il avait 60 ans à Nájera.

* Avant le 26 juillet 1370, Bertrand avait déjà prêté 25 320 francs (d'or et d'alors) au duc d'Anjou. La légende du

— Qui vient de juger Audrehem, messire ?

— J'ai entrevu Chandos et Guichard d'Angle...

Le maréchal revenait, superbe, le sourire à peine moins brillant que sa cuirasse :

— Avez-vous bien ouï ce que je lui ai dit ?

« Certes », acquiesça Tristan de la tête. « Tu avais la bouche grande ouverte mais on n'eût pu passer entre tes fesses la moindre feuille de parchemin. Et sans tes braies, les coulles te fussent tombées jusqu'aux genoux. »

— Me faire ainsi traiter, moi, maréchal de France !

Tout en acquiesçant encore, Tristan essaya d'imaginer la tête de cet homme tout froissé d'armes quand Charles V, doucement, l'inviterait à se démettre de sa charge au profit, peut-être, de Guesclin.

— Votre rançon sera lourde.

— J'ai sauvé ma vie, Castelreng. Le roi m'aidera.

— Vous avez cette bonne chance, messire, de pouvoir compter sur lui. Mais combien sommes-nous qui ne pouvons nous recommander de personne !

— Plaie d'argent n'est pas mortelle.

Et voilà ! Le gros Arnoul s'en tirait par une jengle [1] !

pauvre prisonnier de Bordeaux se fiant aux fileuses est donc particulièrement absurde et abjecte. Le Breton n'a jamais été « en manque ». Il savait d'ailleurs comment reconstituer son trésor sitôt qu'il était vide. Du bon roi Charles V à ses routiers, les aides ne lui manquaient point.

1. Plaisanterie.

Le 9 février 1370, le roi donna au maréchal quittance générale pour les dotations qu'il avait reçues depuis le temps de Philippe VI de Valois. En comparant les fonds employés dans les différentes fonctions remplies par Arnoul d'Audrehem avec ceux qu'il avait reçus, on découvrit un déficit *énorme*, car dans ces comptes ne figuraient pas les sommes qu'il avait données de la main à la main (soi-disant) pour les dépenses journalières, « *ces mille gratifications qu'un général d'armée est obligé de débourser chaque jour* »

Il était sûrement, pour le roi Charles V, un homme paré d'un cœur d'or !

Là-bas, les prisonniers passaient devant Édouard. C'était un défilé triste et humiliant, mais du moins, il n'était, à son terme, question que de rançon. En sauvant sa tête, il semblait qu'Audrehem eût relevé toutes celles de ces vaincus. L'espérance avait le poids et le brillant de l'or et, comme l'affirmait le maréchal, plaie d'argent n'était pas mortelle.

Tristan et son écuyer s'assirent dans l'herbe, le dos tourné vers ces captifs dont certains défendaient ardemment leur participation à la bataille. Leur honneur avait été bafoué, mais il subsistait, et leur vaillantise ne pouvait être contestée.

Un homme s'approcha. Il avait conservé son camail sur sa tête, de sorte qu'on ne voyait de son visage que les sourcils noirs et touffus, les joues creuses, les pommettes aussi aiguës que le nez assez court, la bouche à l'aspect dédaigneux et le menton étroit et glabre. Il

(Auguste Molinier, qui se moque du monde). De pot-de-vin en pot-de-vin, de fraude en fraude, d'escroquerie en escroquerie, de grivèlerie en grivèlerie, Arnoul se trouvait dans l'impossibilité (recherchée) de rendre des comptes à la Couronne !

À Ploërmel, ses registres lui avaient été soi-disant dérobés. Un de ses adjoints qui lui apportait des fonds avait été intercepté en chemin, malmené et délesté de ceux-ci, puis noyé à Ancenis. Il avait dû certainement reconnaître ses agresseurs informés de son itinéraire.

Un autre qu'Arnoul envoyait du Languedoc au roi avait été dépouillé par les routiers d'Arnaud de Cervole. Mais l'Archiprêtre ne servait-il pas le roi et n'était-il pas un ami d'Audrehem ?

Quand sonna l'heure de la retraite, le roi Charles V, vraiment frappé d'imbécillité crasse, adressa ses compliments à Arnoul, fit l'éloge de son mépris de l'avarice (!) et déclara que les sommes immenses qui lui avaient été confiées avaient été utilisées pour de nobles actions. Il fit remise à Arnoul et à ses héritiers de tous les pactoles dont il ne pouvait justifier l'emploi.

était grand, solide, et son armure semblait trop exiguë pour lui. Sans doute l'avait-il grippelée sur un mort lors d'une bataille ancienne.

— On m'a dit que vous étiez le gendre d'Ogier d'Argouges.

Tristan se soucia peu d'apprendre par qui cet inconnu, au service de Pèdre et du prince d'Aquitaine, avait obtenu cette information.

— Je le suis, en effet... J'ai eu ce grand honneur.

Ainsi, quant au fond, les choses étaient dites. Les yeux sombres ne le quittaient pas, impénétrables, mais une moue de mépris apparaissait sur les lèvres comme si l'homme s'apprêtait à expulser un jet de salive en direction d'un fantôme.

— Est-il vrai qu'il était venu de France avec vous et qu'il est mort à Briviesca ?

— Oui... Mort d'une façon abjecte... J'ai châtié le criminel... Mais Bagerant, j'en jurerais, vous a tout énarré.

— Effectivement.

Paindorge semblait retenir son souffle. L'irruption de cet inconnu dans un entretien des plus sérieux l'indignait. Or, puisqu'il était question d'Ogier d'Argouges :

— C'était un preux, dit-il en s'immisçant dans un échange de propos acérés.

L'intrus se détourna lentement vers les prisonniers. Il semblait qu'il les surplombait de très haut par le regard et la pensée, puis son attention se reporta sur ces deux hommes qui, comme lui, avaient connu le champion de Philippe VI :

— Savez-vous si l'épouse de ce chevalier vit encore ?

« Nous y voilà », se dit Tristan.

Il avait peur de commencer à comprendre. Il se souvenait, soudain, de quelques confidences amères et inachevées de son beau-père à propos des déceptions du mariage, et surtout de l'expression douloureuse de ses traits brusquement délestés de leur morosité lorsqu'il contemplait Luciane.

— Qui êtes-vous, messire ?

— Aimery de Rochechouart... Vous a-t-il parlé de moi ?

— Certes, messire.

— Vit-elle encore ?

On décelait dans les yeux de ce routier qui avait défendu Poitiers contre Derby avant de passer à son service – malgré les abominations commises par les Anglais dans cette cité – une sorte de ferveur et d'espérance. Tristan ne sut s'il devait se montrer neutre ou arrogant.

— Blandine, messire, est morte de la morille [1] il y a vingt ans.

— Ah !

Rochechouart avala difficilement sa salive. Puis, sur un ton qui se voulait apitoyé mais que Tristan sentit dépourvu de la moindre affliction :

— Dieu ait son âme.

Il s'éloigna. Tristan se tourna vers son écuyer :

— Il était amouré de Blandine... Quant à savoir si Ogier méritait cette épouse ou si celle-ci le méritait, lui... Ogier, selon Thierry, ne la méritait pas.

Ogier ! Il en parlait comme d'un compain, maintenant, et sans doute le père de Luciane eût-il été heureux s'il avait eu cette audace du temps de son vivant.

— Ce Rochechouart n'est qu'un nouveau Ganelon. Après la tuerie et le sac de Poitiers, il s'est fait routier par amour du profit et non par désespérance d'amour.

— En parlerez-vous à Luciane ?

1. La peste.

— Non... Elle ne sait rien de cette adversité...

Luciane ! Lointaine. Comme si elle n'existait plus. Comme si elle avait rejoint sa mère et son père !... Thierry veillait sur elle. Et Tiercelet !

« Je deviens fou !... Elle m'attend... Elle m'espère. Elle sait, même, que je vais lui revenir bientôt... Tous sont à l'aguet de notre revenue ! »

Tristan se mentait à plaisir. Jamais il n'avait été aussi près de la mort : le gros Édouard allait se venger d'une humiliation souveraine !

— Si Argouges et Rochechouart s'étaient trouvés face à face dans cette maudite bataille, dit Paindorge, ils se seraient entre-tués... Mais une chose est sûre... et je vous la livre : feu votre beau-père n'aura ni vu ni subi la vergogne où nous sommes. Et je m'en réjouis !

— Moi également, Robert. Nous nous sommes rendus. Que faire d'autre ? Ogier se serait également soumis... à moins qu'il n'ait voulu périr l'épée en main. Une fin meilleure que celle de Briviesca.

— La volonté de Dieu. Nous ne sommes plus libres de rien. J'en pleurerais.

— Il nous reste le complet usage de nos pensées.

Ils avaient crié, hurlé, croyant vaincre. Maintenant, ils eussent pu rugir d'impuissance. Des Goddons et des guerriers de Pèdre partout. Certains passaient à cheval sans chercher à éviter des hommes allongés, recrus de fatigue ou de douleur. Déchéance. Nul remède. Çà et là des clameurs retentissaient, joyeuses.

— Ils vont manger à leur faim tandis que nous ruminerons notre amertume.

— Guesclin, à ce qu'on dit, sera leur invité.

— Ils l'admirent, messire. Il ne s'est pas approché de ses cousins et de ses Bretons comme s'il en avait répugnance. C'est pourtant lui qui les commandait !

— Tu le sais, Robert : il a le cerveau plus dur qu'un

granit et la peau du cœur plus épaisse qu'un cuir de taureau d'Espagne... C'est d'ailleurs le privilège des grands vaincus de manger avec leurs vainqueurs... Jean II, dit-on, s'en est moult réjoui au soir de Poitiers... Moi, je refuserais. J'alléguerais que je n'ai point d'appétit. Il existe dix façons de récuser une invitation pareille. On peut prétendre même qu'on est emmaladi, opprimé par trop de diffame [1]. Il ne m'étonne pas que ce falourdeur répugne à costier ses Bretons. Il se dit qu'ils l'ont trahi. Mais le traître, c'est Tello.

— Budes, qui admirait Bertrand, son cousin, est courroucé de le voir ainsi.

— Pour lui, c'était un dieu [2].

1. Déshonneur.

2. Le chevalier breton Sevestre ou Sylvestre Budes, « cousin » de Guesclin à la mode de Bretagne et routier comme son parent, fut décapité par ordre de Charles V pour avoir pris part à la querelle entre Urbain VI et Clément VII dans ce qui allait devenir le grand schisme d'Occident, arbitré par le troisième candidat à la papauté : l'Espagnol Pedro de Luna qui mena, dans la forteresse templière de Peñiscola, l'existence d'un Pape.

Après avoir conduit Clément VII de Rome en Avignon, et en bon élève de son cousin, Budes avait demandé 30 000 francs d'indemnités pour lui et ses hommes. Prisonnier des Romains qui soutenaient Urbain VI, il s'évada. Le cardinal d'Amiens, Jean de La Grange et son acolyte, Oudart d'Atainville, l'un conseiller de Charles V, l'autre conseiller de son compère, avaient fait élire, par leurs intrigues, Clément VII, lequel accusa Budes d'avoir voulu l'empoisonner. C'était une allégation « gratuite », mais il haïssait le routier parce que celui-ci, n'ayant pas été soldé, avait ouvert les coffres de ses sommiers pour s'y pourvoir en or, joyaux et vaisselle d'argent, compensation du non-paiement de ses services.

Sitôt qu'il eut été exécuté, les routiers du Breton ravagèrent le Mâconnais pour se venger de la mort de leur chef. Comme Guesclin, Budes, une fois libre après Nájera – mais grâce à qui ? – servit le Trastamare en France pendant l'été 1367 avant de passer sous le commandement d'un autre routier doré sur tranches : Louis d'Anjou, frère du roi de France.

— Le dieu Mars en avril.

Soudain, deux voix s'élevèrent : Édouard et Pèdre se querellaient.

— Le maréchal de France l'a dit lui-même, hurlait Pèdre. Le vainqueur, c'est moi. J'exige les prisonniers... Tous !... Je vous paierai leurs rançons, mais il me les faut.

— N'en déplaise à votre majesté royale, répondit le prince furibond, ce n'est pas à bon droit que vous me demandez ces hommes. Ils appartiennent à mes seigneurs, lesquels ont combattu pour l'honneur, de sorte que leurs prisonniers quels qu'ils soient sont bien à eux. Or, pour tout l'or du monde, mes bons sires ne vous les livreraient point, sachant bien que vous ne les demandez que pour les faire occire ! Quant aux chevaliers qui furent vos vassaux, contre lesquels sentence de félonie a été rendue avant cette bataille, je consens à ce qu'ils vous soient remis.

Tristan soupira : le vent de mort allait peut-être souffler en tempête, une fois de plus. Édouard se montrait conciliant, mais Pèdre n'en avait cure.

— Puisque vous le voulez ainsi, je tiens mon royaume perdu pour moi plus qu'il n'était hier. Si vous laissez vivre ces hommes, vous n'avez rien fait pour moi. Votre alliance m'a été inutile, et c'est en vain que j'ai dépensé mes trésors à payer vos gens d'armes !

Tristan entendit gronder les hommes liges d'Édouard : ils avaient souffert et gagné la bataille. Tandis qu'ils férissaient hardiment l'ennemi, aucun d'eux n'avait songé à sa quote part du butin.

— Sire cousin, dit Édouard en s'efforçant à une sérénité qui devait lui coûter, pour recouvrer votre royaume, vous avez de plus sûrs moyens que ceux par lesquels vous avez cru le conserver, et qui, de fait, vous l'ont fait perdre. Croyez-moi : renoncez à vos rigueurs d'autrefois et songez à vous faire aimer de vos *ricos hombres* et des communes. Si vous reprenez vos anciens errements, vous vous perdrez et vous mettrez en tel état que ni monseigneur le roi d'Angleterre, ni moi ne pourrions vous renouveler notre aide quand même nous en aurions la volonté[1].

— Je suis roi, beau cousin !... Pensez-vous qu'il me faille bénir plutôt que punir les traîtres qui m'obligèrent à une fuite dont la malaisance et la fureur n'ont cessé de hanter ma mémoire ?

Si Tristan ne pouvait discerner les visages des deux adversaires, il les imaginait sans peine. Édouard, quelque obèse qu'il fût, croyant encore incarner la Chevalerie avec toutes ses passions désordonnées, ses exagérations, ses fautes de discernement, mais aussi sa vaillance et son intégrité ; et près de lui, Pèdre soutenu par un maigre mais violent aréopage ; Pèdre, installé dans sa nouvelle magnificence ; un despote privé, lui, de tout esprit chevaleresque ; un guépin ayant éliminé tout le factice qui, derrière une éloquence fleurie et des courbettes, dissimulait un monceau d'intentions troubles, maléficieuses et non des sentiments sincères. Un prince malade, un roi régénéré par la haine : quoique son orgueil en souffrît, Édouard se voyait contraint à des concessions dont son *cousin* serait opportunément châtié – du moins voulait-il qu'il en fût ainsi.

— Soit, dit Pèdre avec une résignation qui empestait la cautèle et la mauvaiseté. S'il vous plaît de traiter

1. Ce dialogue est celui d'Ayala (*año* XVIII, *cap.* XIX). Mérimée a ajouté des indications sur le ton et les jeux de physionomie des personnages. On peut imaginer la déception du prince Édouard en voyant resurgir, alors qu'il l'en croyait guéri en partie, toute la cruauté de Pèdre.

vos vaincus sans rancune, libre à vous, mon cousin. Vivent Pâques fleuries[1] qui vous poussent à la miséricorde envers ces gens que sont Guesclin, Audrehem, le Bègue de Villiers, le sire d'Antoing et d'autres !... Je ne suis pas, moi, de votre espèce. C'est pourquoi je vous requiers et prie en amitié que vous me veuillez délivrer les mauvais traîtres de mon pays : mon frère Sanche le bâtard et les autres. Je les ferai décoller car moult m'ont bien desservi !

Il y eut un silence où chacun aiguisa ses armes.

— Sire roi, dit le prince de Galles, je vous prie, au nom de l'amour et par lignage que vous me donniez et m'accordiez un don.

— Mon cousin, tout ce que j'ai est vôtre.

— Je vous prie de pardonner à toutes ces gens qui vous ont été rebelles. Il en serait de bonne courtoisie et vous gagneriez la paix de votre royaume... J'excepte Gomez Carillo. Je veux bien que pour celui-ci, vous fassiez à votre volonté.

— Beau cousin, je vous l'accorde tout bonnement.

Il y eut un silence, puis des bruits de pas traînants : tous ceux qui s'approchaient du roi maudit sentaient sur leur nuque la brûlure inextinguible d'un tranchant de hache ou d'épée. Paindorge se leva :

— Je ne crois pas, messire, à sa bénignité.

Allongé sur l'herbe aplatie par la bataille, Tristan écouta son ventre lui signifier sa faim. « Je suis menacé de mort, moi aussi. Édouard ne me pardonnera jamais de l'avoir captivé, même si je ne l'ai tenu à ma merci que le temps de l'effrayer. » Sa lassitude ne cessait d'augmenter. Il ouvrit les yeux à la première exclamation de son écuyer :

1. Erreur : Pâques, cette année-là, tombait le 18 avril. Le dimanche 4 était celui de la Passion.

— Pèdre baise Sanche et lui pardonne son mautalent !

— Ils n'oublieront ni l'un ni l'autre. Sanche trahira Pèdre.

— On fait mettre à part Gomez Carillo et Sancho-Sanchez Moscoso, le grand commandeur de Saint-Jacques [1].

— Il serait étonnant que Pèdre les amnistie.

— Vous avez raison : des hommes les entraînent...

Tristan put entendre les cris qu'il avait imaginés : « *Indulto ! Indulto !* » la voix sèche de Pèdre : « *Hijos de putas !* » et celle consternée de Paindorge :

— On les a décollés.

— Pèdre jouit mieux ainsi qu'avec une femme.

— Une femme !... soupira Paindorge. Depuis le temps...

Tristan acquiesça d'un sourire. Reverrait-il bientôt Luciane ? Rien ne le lui laissait supposer. *En avait-il d'ailleurs envie ?* C'était la seconde fois, peut-être la troisième, qu'il s'interrogeait ainsi. Qu'il ne savait plus ce qu'il ressentait de véritablement intime hormis ce dégoût de lui-même et de la vie qui prenait semblait-il plus d'ampleur chaque jour. La guerre avait dispersé hors de son cœur et de son esprit ce qu'on trouvait

1. Gomez Carillo de Quintana, *camarero mayor* du roi Henri, et Sancho-Sanchez Moscoso ne furent pas les seules victimes d'une répression sanglante. Garci Jufre Tenorio, fils de l'amiral don Alonso Jufre, qui avait été mis à mort par Pèdre, en 1358, fut égorgé quelques jours plus tard. Il est impossible de résumer la vengeance que Pèdre exerça sur les traîtres. Les femmes ne furent pas épargnées, à commencer par doña Urraca Osorio, brûlée vive à Séville. Elle était la mère d'Alfonso de Guzman qui avait refusé de suivre Pèdre en exil, mais était resté neutre. Les bourreaux l'ayant dépoitraillée, une de ses femmes, Leonor Davalos, se jeta dans les flammes pour couvrir sa nudité et périt avec elle.

partout dans les romans courtois. Comment était-elle déjà, son épouse ? Une peau blanche et mate, des cheveux blonds comme les blés en gerbe... Et après ? Au lit, point de réticences. Et ensuite ? Ensuite : rien. C'était folie, en vérité, que de vouloir démêler l'inextricable écheveau des remembrances.

— Si nous devons mourir, que ce soit vélocement !

— Rien ne me dit que nous mourrons, messire. Bon sang ! Je ne vous reconnais plus.

— Tu as raison, Robert.

Un fait paraissait à Tristan manifeste : il n'était ni le même homme ni le même chevalier sans qu'il eût deviné, de la guerre ou de l'exil, quel événement récent, autre que la menace de mort suspendue sur sa tête, l'avait précipité dans une espèce d'indifférence où, sous l'écorce d'un passé méconnu de son écuyer, le poids des souvenirs encore vivaces écrasait les velléités inutiles. Devait-il d'avoir changé à sa rencontre avec Rochechouart ? À l'illusoire et brève résurrection d'Ogier d'Argouges prolongée par la *vision* de Luciane, inquiète, à Gratot ? Luciane immobile en haut de la tour de la Fée, pâle et désespérant de le voir apparaître...

— Est-ce la défaite que nous avons subie qui me subvertit [1] ?

— Pourquoi non ? La victoire enivre et la déroute empoisonne.

— Je suis las, Robert, de cette guerre abjecte, de sa couleur, de son odeur, de ses cris de toutes sortes... Nous sommes des maléficieux sans que ceux qui nous ont vaincus soient des saints... Je me sens plein de fureur et de fiel. Mon sang n'a plus le même goût, la même odeur. Je le sens noir... Oui, tu l'as dit : je ne

1. *Subvertir* : bouleverser.

suis plus moi-même sans savoir *celui* que je suis devenu et la raison de cette mésavenance.

Il semblait, depuis quelques jours, qu'il ne vécût plus que par habitude ; qu'aucune étincelle ne pourrait revivifier les grands feux de son âme et de son corps. Il n'était présentement qu'un vaincu, un perdant que l'image décolorée de son épouse n'exaltait plus. Dans la coupe abandonnée du mariage, le philtre de l'amour s'était éventé. Rien d'autre ne subsistait qu'un breuvage dont il craignait de n'éprouver aucun plaisir gustuel si par bonheur, en recouvrant la liberté, il s'empressait, heureux d'y étancher sa soif.

« Aliénor », songea-t-il.

Celle-là devrait payer pour la mort d'Oriabel.

Il y avait eu, ensuite, la folle dame de Montaigny, puis la fille de maître Goussot, l'armurier, singulièrement offerte. Puis Luciane... Et Francisca la Sévillane... Elle l'avait empateliné d'un coup. Il ne se reprochait point cette liaison : c'était grâce à elle qu'il avait pu lutter contre l'influence des précédentes et l'obsession de leurs sourires, de leurs étreintes, de leurs postures... Luciane, parmi elles, tel un diamant serti d'intentions rien moins que voluptueuses. On ne pouvait façonner à son goût un diamant qu'avec la poudre des autres... Et maintenant plus rien sinon cette évidence : l'envie de vivre n'avait point, fatalement, le désir d'aimer pour conséquence. Et pourquoi songeait-il froidement à l'amour alors qu'il n'était entouré que de haine ?

— Sommes-nous seuls, Robert ?

— Presque.

— Il va falloir nous évader.

— Certes, messire. Levez-vous. Il n'est pas bon de jouer au gisant.

Paindorge savait qu'un simple mouvement pouvait

disperser les pensées les plus lourdes sinon les plus détestables. Sans même l'en remercier, Tristan se dépêtra du bourbier des passions mortes et redevint un guerrier aussi impotent dans sa peau que dans son armure.

— Tous se lèvent. On amène les roncins... On aide Édouard à enjamber le sien.

— Pauvre bête !... Quel fardeau !

Tristan se leva enfin. Sans aide. Pèdre allait chevaucher entre don Sanche, inquiet, et le Maître de Calatrava[1]. Derrière viendrait le prince de Galles entre Guichard d'Angle et Étienne de Cousenton[2].

— Où vont-ils ? demanda Paindorge à Northbury.

— À Nájera pour ouïr la messe, puis à Burgos.

— Et nous ?

Tristan désignait d'un mouvement circulaire les quelque cinquante prud'hommes qu'entouraient autant de vougiers et de picquenaires et dix ou douze archers et cranequiniers dont nul ne doutait, parmi les vaincus, qu'ils ne fussent prompts et infaillibles.

— Vous, messires, clama Northbury afin d'être entendu de tous, vous allez nous suivre sous bonne garde.

— À pied ? interrogea Tristan, l'index dirigé vers la blessure de Paindorge.

— À cheval. Les montures céans ne nous font point défaut.

— Et la nourriture ? s'inquiéta Audrehem.

— Vous en serez pourvus : le prince y a pensé. Il y aura une distribution à Santo Domingo de la Calzada.

C'était loin, mais il fallait se soumettre aux vainqueurs.

— Ne nous plaignons pas, dit Audrehem qui recou-

1. Martin Lopez de Cordoue.
2. Estievnes de Cousenton : Stephen Cosington.

vrait sa hautaineté. Ils ont confiance en nous, sans quoi nous aurions été privés de nos épées.

— Combien sont-ils ? demanda Paindorge une fois juché sur un genet noir nerveux et docile.

— Cinq cents, Robert. Ta jambe te fait-elle souffrir ?

— Point trop.

Que dire de plus ? À cheval sur un roncin pommelé, Tristan n'était aucunement tenté de regarder ce pays qu'il avait parcouru dans le sillage de don Henri. Il était beau, pourtant, avec ses montagnes lointaines, ses collines rudes, verdoyantes, déployées sans trêve jusqu'à l'infini, follement garnies d'herbes fières d'avoir survécu à l'hiver où çà et là un arbre s'étirait comme un homme après un sommeil lourd. Lemosquet et Lebaudy étaient-ils sains et saufs ? Ils avaient fui, c'était certain, entraînant avec eux Alcazar, Malaquin, Tachebrun et Carbonelle. Droit devant, entre Chandos et le captal de Buch, Guesclin chevauchait un coursier noir digne d'un prince. Le Breton avait bien dormi, bien mangé, bien bu. Sans qu'on lui prodiguât des égards extraordinaires, on prenait soin de sa personne alors qu'Audrehem, maréchal de France, montait un miroutte [1] assez jeune dont une sagette avait écorché une cuisse. Neuville, son fidèle neveu, suivait sur un rouan cavecé de noir. Il courbait l'échine. Contrairement à son tayon [2], il n'avait jamais envisagé la défaite. Ses certitudes aux conseils, assorties de paroles corrosives à l'encontre d'Édouard plus encore que de Pèdre, se réduisaient désormais à des grognements sans que l'épuisement physique et quelques entailles peu pro-

1. Cheval dont la robe noire ou baie est marquée de taches d'une couleur plus claire.

2. Oncle.

fondes fussent en cause. Tristan se demanda si ces seigneurs grands et petits étaient, comme lui, tourmentés par la honte. Il n'apparaissait pas qu'elle les eût effleurés. Une gêne, tout au plus, en titillait certains qui peut-être les préparait à accepter de bon cœur leur condition d'otage. À la flétrissure du teint s'ajoutait celle d'une condition qui les désobligeait envers leurs pairs plus encore qu'envers leurs vainqueurs.

— Et les piétons, messire ? Où sont-ils ? Qu'en ont-ils fait ? Vers quoi les mène-t-on ?

C'était bien du Paindorge tout cru que cette inquiétude.

« Nous ne différons guère, nous, de nos vainqueurs. La bonne gent qui nous regardera dans les cités pourra se méprendre. »

Voire. Déjà, des hommes et des femmes au sortir de leur maison isolée, en laquelle ils avaient tremblé avant la bataille, les regardaient passer, visiblement soulagés. Le Bègue de Villiers leur faisait risette, ajoutant ainsi l'abjection à un opprobre dont il ne mesurait pas l'immensité. Quelques-uns se roidissaient dans leurs lambeaux de mailles pour cacher leur chagrin ou donner à penser qu'ils étaient des vainqueurs. D'autres essayaient d'échanger quelques mots avec des gardes qu'ils eussent meurtri sans hésiter s'ils avaient obtenu la victoire. Çà et là, on voyait des corps nus sur le sol. Ils y pourriraient car le respect aux morts exigeait qu'on les y laissât. Il y avait aussi des chevaux foudroyés par quelque dondaine ou sagette décochée de près. Dans le vert sombre des herbes boueuses, ils ressemblaient à des statues jetées à bas de leur socle. Des milans et des freux commençaient à les mordre.

Soudain, les prud'hommes et les piétons s'immobilisèrent : une trentaine de cavaliers venaient d'apparaître à la dextre du convoi au bout duquel quelques chariots précédaient la litière, vide, du prince de Galles.

— Des Anglais et des Castillans, dit Paindorge.

— Rien ? hurla Pèdre quand ils s'approchèrent.

— Non, sire.

Tristan se tourna vers son écuyer :

— Jusqu'à Burgos, ils chercheront les fuyards. J'aimerais savoir ce qu'Édouard a en tête. Il ne pourra rester longtemps auprès d'un homme qu'il abomine... Nous allons à Burgos et de là, certainement, à Bordeaux.

À la vesprée, après qu'ils eurent mis picd à terre, les prisonniers furent assemblés en un champ et placés sous surveillance, sauf Guesclin qui réintégra le tref et la table du captal de Buch. Tristan se refusa de prendre part à l'indignation des prud'hommes. Guesclin ne l'intéressait que dans la mesure où il pourrait le préjudicier. De plus, la blessure de Paindorge lui donnait du souci. Non point que son état eût empiré, mais il eût fallu nettoyer la plaie du muscle poplité, puis serrer le jarret dans un bandage propre. Il s'en ouvrit à Shirton et reçut l'assurance d'obtenir son aide. L'archer ne revint point.

On partit pour Burgos. Pèdre voulait y arriver le matin du lendemain lundi [1]. Toute la bonne gent devait trembler dans ses maisons verrouillées. La grande liesse et les solennités annoncées par quelques messagers ne coïncideraient pas avec les espérances du roi.

Le prince de Galles refusa de partager auprès de son allié l'honneur d'entrer triomphalement dans la cité du sacre. Il irait hosteler [2], dit-il, à Briviesca. Il était cer-

1. Rappelons ici que la bataille de Nájera eut lieu le samedi 3 avril 1367. Nous sommes donc le lendemain dimanche 4.

2. Loger à l'hôtel.

tain qu'après les crimes perpétrés par Guesclin, il y serait bien accueilli. La séparation se fit à Villafranca Montes de Oca. Pèdre proposa de se charger des prisonniers ; le prince repoussa son offre.

Les chevaliers français n'entrèrent point en ville. Tristan put entrevoir dans le couchant le moignon de l'église où avaient péri tant de Juifs. Il put entendre aussi les invectives dont, du haut de leurs murailles en voie de consolidation, les Briviesciens accablaient les vaincus. Audrehem s'en plaignit. La mémoire lui faisait défaut quand sa conscience risquait d'être exposée à l'aiguillon d'un remords.

Édouard fut devant Burgos le mercredi 7 avril. Comme Pèdre tardait à l'accueillir, il manda aux bourgeois qu'ils lui remissent les clés de la cité s'ils voulaient s'épargner des déceptions de toute sorte. L'évêque se présenta pour le recevoir avec un respect sous lequel frémissait une frayeur maligne : il avait dû affronter le Revenant ; maintenant, il avait affaire à un prince dont la réputation de cruauté, sans égaler celle de Pèdre, datait de bien avant Nájera.

— Or, ne me celez rien, dit Édouard, affable. Dites ce que fera cette cité de Burgos à mon intention.

L'évêque s'appuya sur sa crosse comme un homme qui, soudain, eût senti les atteintes d'un mal sans pitié :

— Sire, Burgos s'accordera à votre volonté ainsi qu'il vous plaira... Mais voici le roi Pedro qui tire çà et là une vengeance des bourgeois en faisant décoller l'un et pendre l'autre. Nous vous prions, pour Dieu qui créa le monde, que vous nous veuillez protéger ou trop grand mal nous viendra. Chacun à votre gré obéira en tout. La cité est à vous et tout ce qu'il y a : bourgeois, bourgeoises, chacun vous servira. Chacun vous fera part de son trésor. Mais soyez-nous garant et l'on vous aimera.

Pèdre était loin encore. Édouard se fit paterne :

— Par ma foi, évêque, puisque vous me dites qu'il en va ainsi, jamais Burgos n'aura de mal, jamais le roi d'Espagne n'osera commettre ce que vous redoutez !... Je le jure devant Dieu !

— Le roi Pèdre, dit le prélat d'une voix basse au début, aigre à la fin, le roi Pèdre, sire, jure par Mahomet. Nous vous requérons humblement que vous nous vouliez maintenir en sûreté.

L'évêque salua bien bas, puis s'éloigna. Le prince de Galles se tourna vers ses hommes liges parmi lesquels s'étaicnt insinués quelques prisonniers :

— Le diable, dit-il, m'a fait mêler aux affaires de Pèdre. Jamais bien, je crois, n'en viendra !

Il salua l'apparition du tyran ressuscité, entouré d'une dizaine d'hommes vêtus, comme lui, de fer et de mailles.

— Roi d'Espagne, dit-il non sans quelque insolence, je veux vous parler. Par ma foi, en deux jours, j'ai ouï l'Espagne se louer peu de vous. Je suis venu plus tôt que prévu pour vous réconforter et vous devez amender ce fait-ci pour moi. Vous devez payer mes gens, leur délivrer leur solde et leur donner de bons présents. Je dois, après votre mort, posséder l'Espagne ainsi que mes hoirs [1] qui viendront et vous me l'avez voulu promettre de votre foi et sceller de votre sceau. J'ai aventuré mes gens pour votre honneur. J'ai vaincu et dispersé l'armée ennemie. J'ai fait prisonniers Bertrand Guesclin et le bon maréchal de France et les meilleurs chevaliers qui soient jusqu'à la mer. Pour vous, il m'a fallu me travailler et me lasser, mettre mes gens en détresse et les affamer laidement. Il est en ma puissance de vous tout ôter, dès que vous voudriez par-

1. Héritiers.

jurer votre foi, ou de tenir la convention sans plus de délai et de faire raccorder vos gens avec vous, en telle manière que je voudrai décider. Je vous jure Dieu que si j'apprends que vous voulez mal faire, fussé-je à Bordeaux que j'ai à gouverner, je reviendrai ici quoi qu'il me doive coûter. Je ferai amener avec moi des vitailles pour vivre largement et longuement sans rien acheter, et je vous suivrai ainsi outre la mer, jusqu'à ce que je vous fasse périr de male mort !

Pèdre n'avait cessé de trembler de rage. Qu'il fût humilié ainsi devant ses hommes était inacceptable, mais il ne se sentait point en état de supériorité, ni même d'égalité. Édouard, lui, se savait en force, bien que sa position semblât assez difficile pour qu'il ne la compliquât pas en envenimant ses menaces. Tristan, de loin, observait les deux hommes. Pèdre était en bonne santé ; le prince de Galles s'en donnait énergiquement l'apparence. Et ce fut Pèdre qui plia par nécessité plus que par crainte.

— Sire, dit-il, ne doutez pas que je ne fasse encore plus, si vous voulez commander.

— Je veux, mon cousin, entrer dans Burgos et y donner à dîner à tous les bourgeois et bourgeoises qui sont fort à louer, et pour les accorder avec vous et en manière de paix et à ma volonté. Vous en voudrez jurer.

— Je ne pense pas autrement.

C'était une acceptation hypocrite. Édouard ne se méprit point. Il exigea de traverser la ville et loin dans son sillage, Tristan put voir agenouillés sur la chaussée des hommes et des femmes mains jointes, le visage livide et les joues embuées de larmes. Le cortège s'arrêta devant la cathédrale. Les prisonniers ne furent pas admis à y pénétrer. Quand Pèdre et Édouard sortirent, on apprit que le roi d'Espagne avait juré de ne pas demander de subsides à ses sujets, « *pas même la valeur d'une ortie* », et que le prince de Galles avait décidé, par précaution, de loger au monastère de Las Huelgas.

— Quand Édouard sera loin, dit Tristan à Paindorge, le Castillan s'empressera de ravoirer[1] tout ce qu'il pourra. Puis il pressurera son peuple. Le malheur fondra sur tous ceux qui feront acte de rétivité.

Pour célébrer leur amitié recouvrée, Pèdre décida d'offrir un festin à son cousin. Cependant, aucun d'eux n'était dupe des amiabletés de l'autre. Devant le palais où le roi avait convié le prince et où les prisonniers avaient reçu des gelines rôties et des pichets de vin, Calveley apparut, toujours impassible. Traversant la cohue des mangeurs, il rejoignit Tristan et son écuyer.

— Édouard va tous vous emmener à Las Huelgas. Il veut s'éloigner de Pèdre comme d'une charogne tout en restant à proximité. Ce malebouche vient de regracier le prince pour l'appui qu'il lui a donné mais il s'est plaint de n'avoir aucun argent à sa discrétion. Il lui faut quérir finance on ne sait où !... « *Vous êtes ici grand-foison de gens* », a-t-il dit au prince. « *Le pays est mangé et pillé à l'entour. Vous n'y trouverez ni vivres ni provisions. Si vous vouliez suivre mon conseil, vous épandriez et feriez partir vos gens sans délai, et vous demeureriez où bon vous semblerait. J'irais pourchasser le trésor que je vous ai promis, et je le rassemblerais en telle intention qu'il ne vous en faudra le montant d'un denier. Et nous demeurerons toujours amis et compagnons.* » Voilà...

— Qu'allez-vous faire ? demanda Paindorge.

— Édouard va rassembler son conseil : Lancastre

1. Saisir les fiefs d'un vassal et s'emparer des revenus qu'ils produisent.

qui voudrait épouser une fille de Pèdre afin de régner sur l'Espagne ; Armagnac, Chandos, le captal de Buch, Pembrocke, Mussidan, Clisson, quelques autres et moi... Et je crois que partir serait une erreur. Loin des yeux, loin du cœur, pour autant que Pèdre en ait un.

Puis à voix basse, car Audrehem, Neuville et d'autres écoutaient :

— N'essayez pas de fuir du moutier où l'on va vous emmener. Nous avons des hommes d'armes partout. J'essaie d'apaiser le courroux d'Édouard à ton égard, Tristan. Je lui ai loué tes mérites. Ne commets rien d'irréparable.

— Je te fais confiance et ne bougerai point.

Et Tristan jeta l'os qu'il venait de ronger.

*

* *

Dès le lendemain, à Las Huelgas, des dissentiments se firent jour entre Édouard et Pèdre pour aboutir à une altercation des plus âpre dont les prisonniers perçurent les échos. Pèdre se plaignait que le prince lui réclamât sans relâche les fonds promis pour ses services ; l'héritier d'Angleterre exigeait la prompte exécution des clauses du traité de Libourne et menaçait, en cas de forfaiture, d'exercer des représailles sur les infantes que son royal cousin lui avait confiées [1].

Il semblait qu'Édouard éprouvait du mésaise dans

1. Aux termes du traité de Libourne (23 septembre 1366), Pèdre devait céder une partie de la Biscaye (les ports de mer en particulier) à l'Angleterre et verser à son allié 550 000 florins d'or au coin de Florence, etc. Les jeunes infantes, filles de Marie de Padilla, ainsi que les femmes et les enfants des *ricos hombres* émigrés devaient demeurer en otagerie à Bordeaux jusqu'au paiement intégral de la dette de Pèdre.

ce monastère où, l'année précédente, le rival de Pèdre avait été couronné. Le nouveau roi, quant à lui, s'était établi au château. Il y dominait Burgos et veillait à la fortification des défenses. Témoins des discussions de leurs vainqueurs, les prisonniers de Las Huelgas faisaient contre mauvaise fortune bon cœur. Ils avaient reçu des soins tout aussi attentionnés que les Anglais navrés à la bataille. Après avoir craché son venin à la face d'Édouard, Pèdre ne se fit pas faute de leur rendre visite pour les observer de son œil glacé tout en imaginant comment il les eût fait périr s'ils étaient tombés en son pouvoir.

Le matin du samedi 10 avril, alors que le prince et le roi discutaient sans aménité, des gardes apparurent à la porte du cloître. Les deux hommes suspendirent leur marche sous les regards de quelques prisonniers que le chaud soleil avait rassemblés sur les bancs du jardin ceint par la galerie.

— Le Bègue de Villaines... commença Paindorge.

— ... et Martin Yañez, l'amirante d'Espagne, acheva Tristan.

Quatre vougiers entouraient les captifs.

— Ils n'ont point été meshaignés.

— Non, Robert. Et ils n'ont pas quitté leurs plates depuis la bataille.

Bras croisés l'un et l'autre, le prince de Galles et Pèdre regardaient les deux victimes de la male chance dont l'apparition les réconciliait pour un temps. Villaines avait beau assurer son pas, il était recru d'angoisse et de fatigue. Yañez, lui, frémissait de frayeur, de fièvre et de faim, mais s'efforçait de se tenir droit dans sa carapace de fer ainsi qu'un homme hautain, mais honnête, et de mœurs irréprochables. Son visage pointu, basané, piqueté d'une barbe noire un peu grise, exprimait la stupeur de se trouver soudain en présence de deux juges et certainement d'un bourreau.

— Ah ! Ah ! fit Pèdre, simplement.

Le menton haut, les yeux fixes et la lippe boudeuse, il tenait à se montrer insaisissable et présent, sévère et miséricordieux, absorbé, déjà, par l'intention de sévir sans pouvoir décider, au tréfonds de son âme trouble, la nature des sévices. L'ombre drue des arcades qui déjà évoquait ces prisons d'où l'on ne s'évadait souvent que par la mort, accusait les angles, les méplats et la soudaine immixtion du sang sur son visage. Droit, immobile dans sa maigreur d'oiseau de proie, il avait pris une attitude colomnaire, et l'on eût dit que tous les fûts de pierre ne lui suffisant pas, il voulait clore ou verrouiller leur cortège de sa présence. Cet homme qui pratiquait comme un ascétisme toutes les graduations et les ignominies de la cruauté se pencha pour saluer Yañez sans qu'aucun salut, aucun reproche ne décollât ses lèvres.

« L'araigne tient sa mouche », songea Tristan.

Édouard fit un pas en direction de Villaines. Sa lourde masse enveloppa de son ombre le chevalier tandis que la voix surgie de ce tombereau de chair malade se faisait singulièrement douce, affectueuse :

— Ah ! messire... J'étais fort dolent de ce que vous vous étiez échappé de la grande bataille. Vous m'avez fait des maux assez et à foison, et à mon père aussi, au service du roi Charles. Mais, foi que je dois à Dieu, vous et Bertrand aurez forte prison. Vous ne m'échapperez pas ainsi que la colombe qui sort de son gîte et va sur le buisson. J'ai pain et vin, et chair abondante dont vous mangerez une longue saison.

— Sire, dit le Bègue, bénédiction de Dieu !... Mieux... mieux vaut être en pri... en prison que mort. Ainsi le veut le... le sens commun. On y est bien sept ans mais encore en sort-on. On ne revoit jamais l'homme mort.

Pour Pèdre, c'étaient là d'inutiles parlures.

— Sire, dit-il, je sais bien que ce sont vos gens qui les ont eus. Mais baillez-moi ce larron. C'est Martin Yañez, l'amirante d'Espagne. Il a aidé le bâtard contre moi et lui a donné mes trésors !

Édouard se détourna. Sa voix devint mate, cependant qu'avec une grâce affectée il s'inclinait devant cette prière.

— Je vous le donne en présent[1].

Pèdre désigna son captif à deux vougiers qui le saisirent au-dessus de ses *codales*[2].

— *Mañana el juez*[3] !

Yañez garda le silence. Il se savait perdu. Restait l'abominable mystère : de quelle façon Pèdre le supplicierait-il ? Montrer son angoisse eût été satisfaire ce roi qui l'avait couvert d'honneurs et qu'il avait trahi sans aucun débat de conscience.

Le prince et le roi s'éloignèrent. L'apparition des deux malchanceux avait clos leur discorde.

Paindorge exhala un soupir de rage :

— Ils se réconcilient, messire, sur le corps et l'âme d'un homme qui va mourir. Et nous, il nous faut attendre...

— Attendre quoi, Robert ? La mort ? La guérison de la haine que le prince de Galles cultive envers nous ?

Ce fut au tour de Tristan de soupirer. Il était assis ; il se leva et se mit à marcher autour de l'écuyer.

1. Martin Yañez fut exécuté en même temps que le Génois Boccanegra lors d'un déferlement de meurtres à Séville, entre le 8 septembre et le 31 décembre 1367.

2. Cubitières.

3. Demain, le juge.

L'avenir lui semblait perdu. La défaite l'avait dépouillé de son honneur. La menace de mort empoisonnait sur son existence. Si Édouard le Jeune se montrait inclément, Tristan de Castelreng recevrait sur son haterel[1] un terrifiant coup de hache. Toute fuite semblait impossible et Calveley apparaissait de moins en moins comme un énorme rempart dressé entre sa personne et l'héritier d'Angleterre.

Le temps coulait goutte à goutte. Il fallait se résoudre à supporter cette maigre éternité qui fondait comme, quelques mois plus tôt, la neige et le courage. Reverrait-il Luciane ? Un baiser, un simple baiser. À quoi bon songer à des égarements. Et pourtant... Il lui prendrait la main et l'entraînerait sous le baldaquin des arbres, là où ils avaient passé leur nuit de noces. Il l'embrasserait encore, penché de biais pour éviter le contact du nez... Il ne savait s'il fermerait les paupières ou s'il prendrait ses yeux pour un miroir de bonheur. Mais peut-être ne serait-ce point le baiser qu'il imaginait. Après de si longs jours de séparation, il se pouvait qu'ils dussent réapprendre à s'aimer. À s'embrasser. Et le reste...

Il aurait tout perdu dans cette sanglante mésaventure de Nájera. Si, avant la bataille et à son insu, il possédait encore dans sa tête et dans ses membres un soupçon de juvénilité, il n'en subsistait rien.

Il se sentit gagné par un méchant sentiment d'humeur dont son visage dut refléter l'importance.

— Messire, dit Paindorge, il ne sert à rien de vous doulouser[2]. Bien que nous n'ayons pas mérité notre sort, nous nous devons de le supporter... Il faut nous accrocher à de belles et bonnes choses... Oh ! je sais :

1. Ou *hasterel* : le cou.
2. Attrister.

tout ça, c'est des mots. Je n'y parviens pas... J'ai sur mon cou, en sus du joug anglais, celui de remembrances qui n'ont rien pour m'égayer... Vous pouvez songer à votre épouse. Pas moi... Il fut un temps ou vous n'y pensiez point...

Tristan considéra son écuyer à la dérobée. Jamais il ne lui avait paru autant réprouver sa conduite sévillane.

— Moi, je pensais à elle... pour deux... En tout bien tout honneur.

Poursuivant son plaidoyer par un « Ah ! là là » plein de reproches informulés, Paindorge ramassa ses conclusions :

— L'amour, c'est tout... quand ce n'est pas grand-chose.

Et d'ajouter :

— Vous recommencez à penser tendrement à votre dame.

— Tais-toi ! Je sais de quels reproches tu pourrais m'abreuver !

Confus du ton sévère qu'il venait d'employer, Tristan s'immobilisa et passa une main humide de sueur sur son front, ses paupières. Son silence et l'expression de sa physionomie étaient tels que Paindorge se méprit :

— Ne retombez point dans la mélancolie... à moins que ce ne soit le remords !

C'était presque une injonction.

— Ne me parle pas ainsi... Tu ne peux pas savoir.

Ce fut au tour de l'écuyer de protester :

— Pas savoir ! Pas savoir !... Pensez-vous qu'un homme de ma condition soit incapable d'éprouver du sentiment ?... Pensez-vous que j'aie été, jusqu'à maintenant, incapable d'aimer ?

Le ton vif et moqueur de ces questions décontenança Tristan. Toutes les idées qu'il avait laissé fermenter dans sa tête se figèrent. Les frémissements qui l'agitaient parfois depuis le début de sa captivité et qui peut-être avaient suscité son soudain accès de rigueur prirent brusquement fin. Jamais il n'avait vu un tel visage à Paindorge.

— J'ai aimé, messire. Peut-être plus fort que vous, bien qu'il n'existe aucune balance pour peser le contenu des cœurs.

L'écuyer respira un grand coup tel un prisonnier au sortir d'une geôle. La sienne était la pire d'entre toutes : celle des souvenirs.

— Elle s'appelait Edmonde, messire. Elle avait seize ans et j'en avais dix-sept. Elle était fille de drapiers, mais point Juive, comme notre malheureuse Teresa. Je n'étais que fournier[1]. Mon patron tenait boutique à Charenton. Elle était blonde... Un visage d'ange... Oui, ça existe !

— Je ne te contredirai point, protesta Tristan ému par une passion qui se révélait extraordinaire avant qu'il en connût le développement et l'issue. Une issue qu'il pressentait malheureuse.

— Pour l'approcher, je m'accointai sans mal avec ses frères : Michel et Jean. L'amitié nous unit, mais elle, Edmonde, resta distante et même méprisante à mon égard... Avait-elle senti que je l'amourais ?... Je le crois.

— Les jouvencelles sentent ces choses plus encore que les femmes.

C'était, pour Paindorge, un encouragement à poursuivre.

— Une fois, dans une carole sur le parvis de l'église, je l'ai tenue par la main... Mon amour d'elle devint une vénération. Elle fut encore plus distante.

1. Boulanger.

Vous pensez : un manant !... Mésalliance, même si je lui avais plu.

— Je te comprends : tu souhaitais un miracle ; il ne vint pas.

— Je souffrais de l'aimer.

— N'en montre point vergogne. Aimer, c'est souffrir.

Il savait, lui, Tristan, ce qu'était le mal d'aimer. Aussi comprenait-il mieux Paindorge. Si ses amours avaient été en quelque sorte exaucées, celles de son écuyer s'étaient trouvées anéanties avant même que d'avoir commencé.

— J'ai compris qu'elle était décidée à faire un bon mariage. Elle se mit à fréquenter des bourgeois. Je la voyais de loin... Elle allait même se faire enfourcher – j'en suis sûr – dans une maisonnette qu'un de ses amants possédait au milieu d'un champ proche de la Marne... Je les ai vus en sortir.

— Et tu espérais toujours ?

— Oui, messire... Un mot, un sourire, un regard prouvant au moins qu'elle me savait bon gré de l'aimer. J'ai compris qu'elle était faussement humble et qu'elle aurait été prête à tout avec moi si j'avais eu de l'estoc [1].

Paindorge reprit son souffle. La tristesse en lui demeurait lourde et féconde. Il revivait assurément sa passion.

— Jean et Michel me firent connaître ses cousines : Jeanne et Marie. Elles et moi nous sommes liés d'amitié. Je me disais qu'ainsi je verrais plus souvent Edmonde... Ah ! certes, je la revis, mais elle demeura... hautaine. Je sus qu'elle fréquentait d'autres gars...

1. De la race.

— C'était désespéré. Robert ! Robert ! Tu aurais dû te résigner.

— Je ne le pouvais... Mon désir de la voir, seulement de la voir, était... forcené. J'en aurais pleuré !

— Et alors ? demanda Tristan tout en se rasseyant face à son écuyer. N'atermoie pas, Robert, pour me conter la suite.

Paindorge acquiesca de la tête :

— Alors, un dimanche, Jeanne, Marie et deux autres amies m'ont proposé une sortie à cheval. J'étais près d'y renoncer quand Marie me dit qu'il y aurait Edmonde...

— Tu acceptas... Mais avais-tu un cheval ?

— Celui de mon patron.

— Et vous êtes partis...

— Oui, vers Vincennes... Et c'est là que tout s'est passé.

Paindorge poussa un long soupir. Tristan devina qu'il parcourait les dernières toises d'un chemin où sans doute les amours de son écuyer avaient subi le coup fatal.

— Tout allait bien. J'étais fier, moi, le manant, parmi ces cinq pucelles belles et bien nées... Certes, une seule comptait, à laquelle j'avais tenu l'étrier... Je n'osais lui parler, craignant de n'obtenir aucune réponse... C'est alors qu'à l'arrière, elle s'est mise à chanter je ne sais plus quoi, à tirer sur les rênes de sa haquenée, à la titiller je ne sais comment. Et la jument se desraya [1] d'autant plus qu'une guêpe – c'est Marie qui me l'a dit – était venue tourner devant ses naseaux...

— La bête s'est cabrée.

— Oui, messire. Edmonde a chu sur les pavés car

1. Devint indocile.

nous passions devant le château qui n'était pas alors ce qu'il est maintenant...

Un silence. Un gros chagrin. Jamais Tristan n'avait senti Paindorge si proche de lui. Sans mot dire, il attendit la suite tandis que son compagnon se mouchait d'un revers de main et reprenait d'une voix moins ferme :

— Elle avait heurté le sol de la tête. Le sang lui coulait du nez et d'une oreille. Elle était comme morte et les filles se lamentaient sans l'oser toucher...

Le ton devenait feutré, vieilli, chargé, sans doute, de la même angoisse et de la même compassion que naguère.

— Il y a eu un miracle, messire.

— De quelle espèce ? Elle a repris connaissance ?

— Non... Une litière approchait. Je l'ai arrêtée. Dedans il y avait un mire qui venait de soigner le roi et s'en retournait chez lui avec son épouse.

— Un miracle.

— Un miracle... Marie est montée avec sa cousine toujours pâmée... Le mire est revenu à Vincennes.

— Et il y a guéri ta déesse ?

— Oui... Il l'a même ramenée chez ses parents.

— Edmonde tc fut reconnaissante de l'avoir en quelque sorte sauvée ? Car si tu n'avais pas arrêté cette litière...

— ... elle serait morte.

Paindorge secoua négativement sa tête soudain pâle :

— Point de gratitude... Non : rien. Ni d'elle ni de ses parents.

— Tu l'as revue ?

— Pas osé... Je savais qu'elle allait mieux par ses cousines.

Tristan imagina la donzelle à visage d'ange souriant à la vie et aux hommes avec la nonchalance dédaigneuse d'une princesse résignée à ne jamais trouver, chez un fournier, autre chose que du pain.

— Elle s'est mariée avec un orfèvre gros comme une futaille et laid comme un baphomet... encore que j'en aie jamais vu !... Mais si je vous dis ce mot, c'est qu'on prétend qu'il n'est pas de face plus horrible.

— Elle se fait chevaucher la nuit, les yeux clos.

Paindorge ne rit point. La mélancolie cédait en lui place à la fureur.

— Il était riche, messire !... Riche !

— Et tu as compris quoi ?

Pour Tristan, il y avait de la prostituée chez cette Edmonde. Mais pour son écuyer ?

— J'ai compris que malgré tout, je l'aimais toujours... Je l'ai croisée il y a deux ans. Elle n'avait pas changé. Elle avait toujours cet air virginal qui m'avait tant énamouré. Elle s'est détournée de moi... Alors, j'ai cessé de pétrir la pâte. Je me suis fait homme d'armes.

Paindorge se leva et s'en fut d'un pas vif. Il s'approcha d'une colonne de pierre, y posa son avant-bras sur lequel il appuya son front. Il avait agi avec une espèce de rage. Ses épaules, soudain, tressautèrent.

Tristan demeura immobile. Parce qu'il n'y avait rien à faire et rien à dire. Vraiment rien.

Le soir, l'écuyer semblait apaisé. Tristan évita tout propos susceptible de troubler une âme convalescente. Il ne pouvait donner à cette Edmonde un visage qui le satisfît. Paindorge la disait belle ? Elle devait l'être.

« Qu'est-ce que l'amour ? » se demanda-t-il.

En fait, il n'en savait rien. C'était trop de sentiments et trop de sensations à la fois : du merveillement à la tendresse en passant par l'angoisse de perdre l'être aimé sans pouvoir discerner les raisons de cette peur dès lors que l'on s'était juré simultanément sa foi. L'amour d'Edmonde eût pu transfigurer Paindorge.

Après l'avoir désemparé, il l'avait précipité dans l'horreur des embûches et des grandes batailles.

— L'amour, dit Tristan à mi-voix, c'est certainement, dans notre langue, le mot le plus vainement employé.

Il avait aimé Oriabel comme il devait aimer cette jouvencelle qui le complétait en tout. Elle avait accompli ce miracle de lui faire accepter l'espérance jusque dans l'enfer de Brignais. Il la portait toujours dans son cœur : un joyau miroitant serti d'une brume sans nom.

— Je retrouverai sa tombe. J'en baiserai les pierres comme j'ai baisé ses lèvres, ses seins, son ventre...

Paindorge parut s'éveiller :

— À ouïr vos propos on croirait que votre épouse est morte.

— Je songeais à celle qui l'a précédée. Je l'ai amourée comme je ne puis amourer Luciane.

— Je vois.

Paindorge ne voyait rien, mais c'était sans importance.

*
* *

Les jours passèrent, mornes en dépit d'un soleil permanent. Pèdre quittait son château, entouré de quelque trente hommes, pour venir s'entretenir avec son « cousin » sous les voûtes d'un cloître toujours vide du moindre moine. Il semblait que cette communauté eût été frappée d'effroi en apprenant qu'à peine installé dans sa citadelle, Pèdre avait fait arrêter l'archevêque Jean de Cardalhac, un Gascon, parent du comte d'Armagnac, un des principaux alliés du prince de Galles. Pour rendre impossible toute intervention armée des Anglais, le roi avait fait mener le prélat au château d'Alcala de Guadaïra, en Andalousie[1]. On apprit par quelques Castillans de passage que cette forteresse était pourvue de cachots profonds – les *silos* – d'où nul n'était jamais sorti vivant, et l'on sut que Diego de Padilla, maître de Calatrava et beau-frère du roi, était allé rejoindre l'homme de Dieu dans un de ces ergastules[2].

Shirton venait quelquefois au monastère. C'était de lui que Tristan et Paindorge obtenaient des nouvelles. L'Espagne était plongée dans une terreur grandissime. On signalait la venue imminente des délégations conviées à rendre hommage à Pèdre : celles d'Esturges[3], de León, de Tolède, Cordoue, Galice, Séville. Et l'on avait vu apparaître enfin – point très rassuré –, le féal chevalier Ferrant de Castro. Il semblait que l'ancien royaume disloqué par l'irruption du Trastamare allait reprendre sa force et sa cohérence.

Fatigué, le prince de Galles dit un jour à Pèdre qui s'apprêtait à pousser la porte du cloître pour regagner son gîte :

— Sire roi, vous êtes, Dieu merci, sire et roi de votre pays, et nous n'y sentons aucun empêchement ni nul rebelle. Tous n'obéissent qu'à vous. Nous séjournons ici à grands frais. Il convient que nous recevions de l'argent pour payer ceux qui vous ont remis en votre

1. Située à une quinzaine de kilomètres de Séville, la ville est dominée par les ruines d'un grand château mauresque d'origine romaine, avec chemin de ronde et restes importants de murailles ainsi que les huit tours du XIe au XVe siècle. Le pain d'Alcala est si réputé que la cité a pour surnom *Alcala de los Panaderos*.

2. L'archevêque fut libéré après deux ans d'internement. Il devint archevêque de Toulouse. Diego de Padilla mourut après deux ans d'incarcération, mais on ignore la date exacte de son décès.

3. Les Asturies.

royaume, et vous devez tenir vos convenances ainsi que vous l'avez juré et scellé. Nous vous en saurons bon gré. Plus brièvement vous le ferez, plus vous en aurez profit. Mes gens d'armes veulent vivre et être payés de leurs gages.

Tristan et son écuyer, allongés au soleil à proximité des deux hommes qui ne pouvaient soupçonner leur présence, se touchèrent du coude. Ils entendirent le rire bas et fugace de Pèdre, puis sa réponse :

— Sire cousin, nous tiendrons et accomplirons à notre royal pouvoir ce que nous avons juré et scellé. Hélas ! quant au présent, nous n'avons pas d'argent. Nous ne pourrons nous en procurer qu'à Séville... Voulez-vous nous attendre à Val d'Olif, comme vous dites, ou à Valladolid, comme nous disons ? Nous vous y retrouverons au plus tôt que nous le pourrons, au plus tard à la Pentecôte ?

— N'essayez pas de me jouer un tour, mon cousin, menaça le prince de Galles.

— Moi ? Un tour ! s'étonna Pèdre, une main certainement sur le cœur.

Quelque chose craqua, et Tristan se demanda si c'était la serrure où les genoux de Pèdre qu'une arthrite asséchait et dont la persistance, disait-on, influait sur son caractère.

Le jour vint où le roi sentant sa couronne bien assujettie sur sa tête, déclara hautement, par émissaires interposés, qu'il n'avait plus besoin de l'armée anglaise : sa présence devenait une trop lourde charge pour lui-même et pour Burgos. L'inquiétude s'empara des prisonniers : qu'allaient-ils devenir ? Demeurer au pouvoir de Pèdre, c'était mourir. Suivre le prince de Galles, ce serait vivre claquemuré à Bordeaux jusqu'au paiement d'une rançon qui ne manquerait pas d'être élevée. Guesclin se posait-il ces questions ? Certes, non. Il vivait entouré d'égards de toute sorte, et c'était à se demander s'il serait, lui, rançonné.

Édouard était d'autant plus enclin à regagner l'Aquitaine que le mal dont il souffrait s'était, disait-on, aggravé. De plus, des chevaucheurs lui avaient apporté de mauvaises nouvelles : des routiers se groupaient sur les marches des pays où il régnait sans partage, dilapidant ses trésors de guerre tout aussi bien pour son plaisir que pour se présenter à ses fidèles et à sa bonne gent comme un despote munificent. Avant de quitter Burgos, il tenait à ce que ses capitaines obtinssent les indemnités qui leur étaient dues et dont, prétendait-il, il avait acquitté les avances. En outre, rien n'avait inauguré les accords de Libourne. Les ports de la Biscaïe, si précieux pour l'Angleterre contre la France, demeuraient espagnols.

Des commissaires furent nommés pour que les clauses du traité fussent respectées car les deux vainqueurs de Nájera ne pouvaient se souffrir : chacun restait chez soi à remâcher sa haine. Édouard exigeait 2 720 000 florins d'or, somme démesurée qui, en incorporant les frais de l'armée d'occupation, quintuplait la dette de Pèdre prévue à Libourne. Iré contre son allié, le roi refusait d'acquitter la moindre poignée de maravédis, arguant que les Anglais se comportaient désormais aussi méchamment que les tenants du roi Henri au commencement de la conquête et que les joyaux qui leur avaient été offerts n'avaient été estimés, par eux, qu'à la moitié de leur valeur. Or, voilà qu'ils se disaient contraints de se défaire à vil prix de l'or et des pierreries apportés en Castille pour acquérir des armes, de la nourriture et des chevaux.

Pèdre put démontrer que son trésor était épuisé. Inquiet de voir des compagnies faire mouvement vers son château, il demanda un délai pour réunir une nouvelle fortune. « *Soit* », lui fit répondre le prince, « *mais je veux pour caution vingt châteaux de Castille.* » C'était une exigence exorbitante. Pèdre atermoya : Édouard tenait ses filles prisonnières à Bayonne, et c'étaient bien les seuls êtres qu'il aimât.

— Pourquoi Hugh ne vient-il plus nous voir ? demanda Tristan à Shirton un jour qu'il apportait à Paindorge de la charpie et des bandes.

— Il reste auprès du prince qui ne voit que par lui. C'est une bonne chose pour vous. N'oubliez pas, messire Tristan, et toi aussi, Robert, qu'Édouard voudrait vous voir et savoir morts. Mais, contrairement à Pèdre, il aime à prendre son temps.

— Nous le savons. Peux-tu nous dire ce qui se passe à Burgos... si toutefois tu y descends ?

— Rien. Les Juifs vivent dans la crainte et l'impunité. Ils emplissent du mieux qu'ils peuvent les coffres des trésoriers de Pèdre.

À quoi bon suggérer à l'archer d'aller rôder dans la juiverie pour savoir si maître Pastor, le drapier, vivait encore. Quelle qu'eût été la réponse, elle eût ravivé des plaies qui suppuraient toujours.

— Est-ce tout, Jack ?

— Non. La seigneurie de Soria vient d'être offerte à Chandos en règlement des sommes qu'il a prêtées et dépensées pour Pèdre. Hugh Calveley s'est vu confirmer la donation du comté de Carrión dont il avait reçu, de don Henri, l'investiture. Les dernières conventions vont être réglées dans la cathédrale avant notre départ [1].

1. La cérémonie eut lieu le 2 mai. Le 6, Pèdre ratifiait, à Las Huelgas, un engagement solennel. Avant que d'entrer dans la cité pour se rendre à la cathédrale, le prince de Galles, qui se savait impopulaire, avait exigé des conditions de sécurité draconiennes : livraison aux mains de ses hommes d'une porte, occupation de la grand-place de Comparanda, contiguë à la muraille, par mille de ses guerriers, etc.

— Pour où ?

— Valladolid. C'est là que le prince attendra les fonds que Pèdre lui a promis et qu'il doit aller chercher à Séville.

— Et nous ?

— Vous nous suivrez, Robert, sous bonne garde.

Le soir, Édouard et Pèdre se retrouvèrent une fois de plus dans le cloître de Las Huelgas. Il n'était pas nécessaire de tendre l'oreille : ils parolaient haut et fort et l'on sentait en eux l'envie de s'entre-tuer.

— C'est décidé, mon cousin : je prendrai mes quartiers à Val d'Olif et y attendrai les contributions destinées à mes hommes. Si vous me trahissez, redoutez mon courroux !

— Quand partez-vous ?

— Quand nous aurons scellé nos tout derniers accords.

— Je partirai aussi pour Séville la Grande [1].

1. Tandis qu'Édouard cheminait vers Valladolid, Pèdre se rendit à Aranda de Duero après avoir fait exécuter l'un des plus riches bourgeois de Burgos et un chevalier émérite : Ferrand Martinez del Cardenal et Rui Ponce Palomeque. Le roi demeura quelques jours à Aranda de Duero, malade d'on ne savait quoi. Il était à Tolède le 20 mai et tout son cheminement fut marqué, jusqu'à Séville, de crimes plus abominables les uns que les autres. Les villes de Biscaïe refusaient de recevoir les Anglais. Tout était bon pour différer l'exécution du traité de Burgos. Chandos, qui réclamait ses lettres patentes pour l'investiture de la seigneurie de Soria, se vit demander des droits qui excédaient la valeur du domaine. Le roi de Navarre tremblait pour la province de Logroño qui avait excité la convoitise d'Édouard. Laissant l'un de ses fils, l'infant don Pèdre en otage à Borja, tenu par Olivier de Mauny, il eut l'astuce de persuader son « geôlier » de l'accompagner jusqu'à Tudela où la rançon exigée par le « cousin » de Guesclin lui serait remise. Peu méfiant, le Breton se vit jeter dans un cachot. En essayant de le délivrer, son frère fut tué par les satellites du roi. Olivier ne recouvra sa liberté que lorsqu'il se déclara prêt à restituer le jeune Pèdre

— N'essayez point de m'enquinauder par quelque cordelle : il vous mésarriverait[1]... Et sachez vous montrer magnanime envers votre peuple.

Tristan et Paindorge en avaient suffisamment entendu. Ils s'apprêtaient à regagner pour la nuit la cellule qu'on leur avait assignée dès leur venue au monastère quand une rumeur courut parmi les prisonniers assemblés dans le jardin du cloître :

— *Édouard va nous parler.*

On attendit et le prince apparut.

— Merdaille ! glissa Paindorge à l'oreille de Tristan. Ses hommes liges sont avec lui.

La plupart avaient revêtu des habits de ville, les uns sobres, les autres voyants : Lancastre, Chandos, Guichard d'Angle, Calveley, Mussidan formaient autour du prince une chaîne sombre, impénétrable. Guesclin n'était point marri de se tenir à proximité, auprès du captal de Buch. Des porteurs de torche et des picquenaires les entouraient et l'on entendait parmi le bruissement des vêtements et le cliquetis des armes, des murmures d'expectative. Quelle annonce le prince avait-il décidée ? Dans l'ombre que léchaient les flammes d'or et de pourpre, il paraissait plus gros « comme quatre ou cinq sacs engrenés au moulin », et de ce fait plus redoutable. Son pourpoint de velours noir tracé d'or se bourrelait au-dessus et au-dessous de sa ceinture d'armes épaisse, en brocart, d'où pendait une épée des plus simple, aux quillons droits et au pommeau trilobé. Il était chaussé de heures courtes, sans éperons. L'austérité de sa mise semblait annoncer

à Charles le Mauvais. Heureusement, avant de partir pour Tudela, il avait fait mettre l'enfant en lieu sûr.

1. N'essayez pas de me tromper par quelque intrigue, ou votre calcul aurait une issue funeste.

la sévérité d'un propos qui emplissait ses joues mafflues comme un reste de souper pénible à entonner.

— Messires, vous êtes mes prisonniers et le demeurerez. Je vais quitter don Pèdre. Dans quelques jours, nous partirons pour Val d'Olif... L'inaction où vous serez maintenus vous permettra d'écrire à vos familles – qui sait, pour quelques-uns, à votre roi – afin que votre rançon soit acquittée dans les meilleurs délais... J'estimerai bientôt le prix de votre vie.

Nul ne broncha. Ce discours semblait de mauvais aloi, plein d'obscurité, à moins qu'il ne s'agît d'une menace diffuse. Lancastre souriait. Chandos grattait son menton mangé de barbe. Pembrocke curait son nez qu'il avait long et bossu. Guichard d'Angle serrait les dents afin, sans doute, de retenir des mots de haine. Auberchicourt, Armagnac, Clisson se demandaient ce qu'ils faisaient face à des hommes qu'ils respectaient dans la paix et haïssaient dans la guerre. Bagerant fixait son regard de fauve muselé sur cette proie que Calveley lui avait ravie.

— Or, venez, mes amis, dit le prince à ses leudes. J'en ai dit suffisamment.

Guesclin sortit parmi les premiers. Quand ses hommes furent hors du cloître, Édouard revint sur ses pas. Calveley seul l'accompagnait.

— Messire Castelreng, dit-il, le prince veut vous entretenir en particulier. Amenez votre écuyer.

— C'en est fait de nous, dit Paindorge.

Il fallut cheminer sous les voûtes, derrière Édouard et le géant vêtu simplement comme s'il tenait à ce qu'on le prît pour un loudier[1]. D'ailleurs, contrairement aux autres capitaines, il avait jugé le port d'une épée superflu. Des murmures s'exhalaient : les prison-

1. Paysan.

niers se demandaient pourquoi ce Castelreng taciturne et son écuyer semblaient traités avec des égards incongrus alors que les soins que les Anglais dispensaient à Guesclin ne les mécontentaient pas.

Calveley poussa l'unique porte du cloître et s'engagea dans une galerie. Au fond, il déverrouilla un huis étroit à petits panneaux de bois. Une pièce fraîchement chaulée apparut où brûlait un flambeau de poing. La stature du prince et celle du géant semblèrent l'emplir tout entière. Il y avait contre un mur, cloué sur une croix grandeur nature, un Christ de bois peint aux yeux injectés de sang. Un lit meublait un angle. Le prince en s'asseyant fit craquer les lattes sur lesquelles reposait un mince matelas.

— Messire Castelreng, à la table où j'ai pris mon dernier repas avec lui, le roi d'Espagne m'a demandé une grâce...

Le prince rejeta ses bras en arrière afin de se maintenir aussi droit que sa pesanteur le lui permettait.

— Une grâce... Que je vous livre à lui comme otage au lieu de vous tenir à ma merci en attendant le moment de vous châtier... je ne sais encore comment.

Tristan sentit dans son dos les premiers attouchements de l'angoisse. Mieux valait qu'il se tînt coi plutôt que d'essayer, pour le moment, d'assurer sa défense.

— Sire, commença Calveley. Il est...

— Taisez-vous, Hugh.

Tristan sentit sur lui un regard désolé.

— Je me souviendrai toute ma vie, continua le prince, de la frayeur que j'ai eue à Cobham quand je fus en votre pouvoir. Mon épouse, elle aussi, en fut toute essanée[1]. Vous m'avez tué des hommes... Oh !

1. Hors de sens.

j'avoue que c'était une emprise[1] méritoire... Quelle audace, en vérité !... Mais vous avez échoué... Que vouliez-vous ? Pour qui vous preniez-vous ? Saint Michel ou Saint George ?

La sonorité de la voix, la sécheresse de la pensée, l'outrance du mépris, tout désignait Édouard comme une espèce de justicier impatient de rendre un verdict suprême, mûri depuis longtemps dans son cerveau lucide et son cœur maladif.

— Sire, dit Tristan sans se soucier de Calveley dont les mimiques l'incitaient à la modération, le régent du royaume – à présent roi de France – avait conçu le dessein de vous faire enlever pour vous échanger, ensuite, contre son père, le roi Jean, otage en Angleterre.

En fait, c'était une entreprise folle. Il fallait qu'elle fût née dans le cerveau maladif de Charles et dans aucun autre. Il n'y avait que les faibles, les pusillanimes pour imaginer un tel enlèvement ! Pour croire en sa réussite... Et justement : il avait failli réussir.

— J'ai fait mon devoir, monseigneur, dit Tristan cependant que de grosses gouttes tiédissaient son front et ses tempes.

— Un échange ! ricana Édouard. Belle idée en vérité.

Ses yeux de jais brillaient, attentifs. Un sourire glissa sous sa moustache épaisse :

— Ce que je peux vous dire, moi, c'est que Jean eût réprouvé cet échange. Il se plaisait à Londres. Il y avait la vie belle. Tellement qu'après avoir séjourné en France pour trouver, en vain, l'argent de sa rançon, il revint avec moult plaisir sur la Grande Île... où l'attendaient dames accortes et damoiseaux bien atournés...

1. Entreprise.

C'est pourquoi vous avez engagé votre vie pour rien. Et vous avez échoué pour rien !

— D'un cheveu ou d'un poil comme on dit... La réussite tient à peu de chose.

— Dieu était contre vous ! Saint George également !

N'était-ce pas tout simplement la male chance ? Elle portait un nom : Cobham. Un nom qu'Ogier d'Argouges haïssait. Un nom honni pour lui, Tristan, son gendre, en raison de cet échec. Il n'avait vu ce châtelet que la nuit, aux lueurs pauvres d'une lune qui tardait à s'émanciper d'un fatras de nuages appesantis de pluie et de menaces. Les toits dominaient une enceinte apparemment insurmontable. Et pourtant, ses hommes et lui l'avaient franchie. Si menaçante qu'elle parût, la citadelle n'était qu'une chose inerte, massive et sans âme – comme Cobham mort depuis longtemps[1]. Il devait l'avoir vue, bien vue sous tous ses angles, ses recoins pour ressentir encore un souffle de terreur à la recomposer dans sa mémoire. Et sous l'empilement des pierres, dans l'écrin d'une chambre somptueuse, une femme qui venait de se déprendre de l'homme qui l'avait renversée sur le lit : Jeanne de Kent. Et c'était peut-être cela qui indignait aussi le prince : des ennemis – dont Paindorge – avaient fait irruption dans cette pièce, abrégé les derniers spasmes d'une étreinte et vu la belle Jeanne nue.

— Je dois avouer que c'était une extraordinaire appertise, mais je m'en dois venger. Comprenez-vous cela ?

Tristan s'inclina :

— Je ne suis qu'un chevalier d'un écu et vous êtes un prince.

1. Regnault ou Renaud de Cobham était mort le 5 octobre 1351.

C'était tout dire. Un nouveau sourire se glissa sous la moustache rousse aux pointes tombantes. Les commissures d'une bouche vorace, sensuelle, eurent un frémissement. Tristan sentit le prince au bord d'un autre monde, en dehors de l'espace et du temps. Songeait-il à la belle Jeanne ? Ressentait-il toujours pour elle la même concupiscence que lors de « la nuit de Cobham » ? Non, sans doute. Peut-être enrageait-il de ne pouvoir la contenter et de deviner en elle des répugnances affligeantes.

— J'ai envie de vous bailler à Pèdre. Il prétend qu'à Séville, il a vu en vous l'instrument de sa chute.

Tristan sourit à son tour. Le prince le dévisageait avec curiosité. Tout en haut de son corps boursouflé et rigide, sa tête oscilla sous le chaperon noir qui peut-être dissimulait une calvitie.

— Qu'en pensez-vous, Castelreng ?

— Monseigneur, à Séville, la chute du roi Pèdre était accomplie lorsque je lui fus présenté. Je n'étais que le truchement de Bertrand Guesclin et ce n'est pas d'un cœur joyeux que je suis allé remettre à celui qui de nouveau règne, les sommations du Breton et de don Henri.

Calveley toussota. Le prince commençait à s'ennuyer. Il hésitait... À quoi ? Calveley toussota encore pour signaler son imposante présence. Paindorge se tenait déjà le dos au mur.

— Sire Édouard, dit-il, permettez... Vous ne pouvez ménager Guesclin, vous ne pouvez grâcier en quelque sorte Audrehem et assembler sur la tête de Castelreng toutes les rancunes que vous devez à cette guerre. C'est un preux. Il vous l'a prouvé. Il n'est pas allé à Cobham de son chef, mais parce qu'il en avait reçu mandement du prince Charles...

Édouard acquiesça, mais aucun argument ne semblait faire dévier sa pensée du but qu'il s'était assigné.

— En vous livrant à Pèdre, messire, je renforce une accointance...

— ... sur son déclin, sire, se permit de préciser Calveley.

— Vous serez mon garant... Si Pèdre ne vous restitue pas en même temps que les subsides dont il m'est redevable, il n'obtiendra ni ses infantes ni les filles de ses *ricos hombres* qui sont retenues à Bordeaux.

Cette fois, « tout de gob », Calveley s'emporta :

— Ce serait une erreur que de croire à l'honnêteté de Pèdre. Non, sire ! On ne confie pas un otage à un pareil bourreau. Il vous faut décider de quelque chose d'autre. J'ajoute que Castelreng est ma prise de guerre. Il m'appartient. Il est *mon* otage !

Physiquement, par le corps et la santé, Calveley dominait le prince. Édouard avait besoin du géant plus encore que d'un otage dont le destin lui importait peu. Le courroux inattendu de l'hercule en habits de manant fit son effet : le gros homme bouffi de graisse et d'orgueil eut un geste d'apaisement.

— Je sais bien, Hugh, que Castelreng est à vous. Mais je me veux venger...

— Reconnaissez, sire, que ce chevalier a un courage qui, s'il était des nôtres, vous ferait grand honneur. Au nom de votre fils Richard qui est né lors de votre départ pour l'Espagne, laissez-moi parler...

Édouard allait se lever – péniblement –, il se rassit et ce lui fut un mouvement tout aussi pénible.

— Imaginez, sire, reprit Calveley, que votre fils Richard accomplisse plus tard ou fasse accomplir, sur la personne du dauphin de France, une appertise comme celle de Castelreng à Cobham. *Et qu'elle réussisse !* Quelle gloire en vérité ! Quelle fierté pour vous ! Quelle liesse en Angleterre ! Quel los [1] au-delà des mers qui nous entourent !

— Je vous l'accorde, Hugh.

— Castelreng n'est point un ennemi, c'est un exemple !

Le regard meurtrier changea. Édouard cessa d'être la malédiction personnifiée pour devenir le contentement fait homme. Son imagination parfois hallucinée lui montra, inversées, les scènes dont, à Cobham, il avait été la victime. Elles se situeraient à Vincennes ou au Louvre. Oui : au Louvre, en plein Paris. Richard II d'Angleterre y enlèverait le dauphin de France !

Cependant, une idée chassant l'autre, le prince souleva une objection de taille :

— Charles V est un pauvre hère incapable de procréer autre chose que des filles. Un couard qui a fui à Poitiers et qui s'amollit à la vue du potron de son épouse. Comment voulez-vous, Hugh, qu'il lui fasse un fils ?... Et ne pensez-vous pas, s'il parvient à la foutre, qu'elle donnera naissance à une sorte de bon à rien incapable de régner sur la France ?

— Incapable ou non, il sera couronné.

« Ils ne se soucient point de nous », songea Tristan soudain tourné vers son écuyer. Il sentait Calveley prendre sur le prince un ascendant qui ne pouvait que leur être favorable. D'ailleurs, Paindorge avait fait un petit pas en avant.

— Charles aura un fils, affirma Calveley, dussé-je aller forniquer la roine de France afin que ce pays ait enfin un grand roi !

Cette fois, Édouard consentit à s'ébaudir. Nul doute qu'il voyait le géant s'éreinter sur Jeanne de Bourbon qui peut-être se fût pâmée.

1. Honneur et gloire.

— Vous avez moult intérêt pour cet homme, Hugh !

Redevenu sérieux, le prince désignait ce prisonnier qu'il consentait mollement à laisser au géant.

— Son beau-père était mon ami. Il l'est devenu. C'est pourquoi je veux qu'il vive.

— Croyez-vous que je vais vous dire de le relâcher en vous congratulant ? Vous n'étiez pas à Cobham. Vous ne pouvez savoir quelle frayeur j'ai eue.

Cet aveu coûtait au prince, mais après tout ce qui venait de se dire, il n'avait plus rien à cacher hormis sa difformité. Il se leva malaisément, refusant d'un froncement des sourcils l'aide que Calveley s'apprêtait à lui porter :

— Ne croyez pas, chevalier, que votre condition, à Val d'Olif, vous protégera en toute chose... Ni vous aussi, l'écuyer !... Vous appartenez à Calveley... qui m'appartient...

La menace subsistait donc. Tristan jura de s'en accommoder. Il déjouerait les pièges, les embûches jusqu'à ce qu'il trouvât l'occasion de fuir. Il ne pouvait, inversement à Guesclin, compter, pour l'acquittement de sa rançon, sur la bienveillance de Charles V.

Édouard passa devant lui sans le voir. Calveley chuchota : « Bon courage » et disparut. Soudain, la voix du prince éclata, joyeuse, sous les voûtes du moutier :

— Lui faire un hoir[1] !... J'imagine la roine Jeanne vous redemandant de la foutre ! Il n'y a que vous, Hugh, pour me tirer ainsi de ma mélancolie[2].

1. Héritier.

2. Richard II était né à Bordeaux le jour de l'apparition des Trois Rois, autrement dit l'Épiphanie : le mercredi 6 janvier 1367. Il fut baptisé le vendredi suivant à Saint-Andrieux de Bordeaux.

Charles VI naquit le premier dimanche de l'Avent, 3 décembre 1368, et fut baptisé le mercredi suivant 6 décembre. Jeanne de Bourbon (1337-1378) avait épousé le Dauphin, futur Charles V, en

Et d'un ton de nouveau profondément maussade :
— Que fait Guesclin ?
— Thomas Cheyne et William de Berland le surveillent.

1350. Son époux l'appelait « *le soleil de mon royaume* ». Quatre ans après avoir mis au monde Charles VI, elle donna le jour à Louis, comte de Valois, duc d'Orléans. Elle mourut en février 1378 à la naissance de sa fille, Catherine.

Une lourde hérédité pèse sur tous les Valois. Le Dr Cabanès (*Les morts mystérieuses de l'Histoire de France*, Albin-Michel, 1930) a décelé chez la plupart d'entre eux des signes de « psychologie morbide » compliqués par des affections diverses.

Le fastueux Philippe VI mourut le 22 août 1350 d'une « maladie indéterminée » provoquée par l'abus des plaisirs. Sa première femme, Jeanne de Bourgogne, morte le 12 décembre 1349, avait une lourde ascendance morbide : petite-fille de Hugues IV, un faible d'esprit dont le grand-père avait eu, lui aussi, une fin misérable (*mente alienatus*), elle était fille d'Agnès de France qui avait eu un frère fou, et elle était aussi la sœur de Marguerite de Bourgogne, femme de Louis le Hutin, qui n'avait pas usurpé sa réputation de salacité sexuelle. Elle-même, boiteuse de naissance, n'était pas à l'abri de tout reproche.

Jean II, dit le Bon, mort le 8 avril 1364, avait été atteint dès sa seizième année d'une affection bizarre qui avait mis ses jours en danger : des grosseurs de couleur brunâtre étaient apparues sous son épiderme. Érythème noueux des rhumatisants ? On l'ignore. Ce grand viveur aux blennorragies à répétition, à l'esprit demi-vide ou demi-plein, ne pouvait perpétuer une pure descendance.

Charles V, mort le 16 septembre 1380 d'une lésion aortique d'origine goutteuse, réceptacle de toutes les corruptions de la lignée, ne pouvait engendrer des enfants sains. Charles VI, le roi fou, mourut le 21 octobre 1422 d'accès répétés de manie aiguë.

Et l'on pourrait continuer la liste.

L'espèce d'émerveillement de Charles V à l'égard de Guesclin ne fut pas autre chose que celui du faible pour le fort, du pusillanime pour l'audacieux, de la chattemite pour la brute épaisse et sans scrupules, tout cela teinté peut-être d'un uranisme moins voyant que celui de son père, Jean II, indiscutablement épris de son homme lige ou plutôt de son homme-lit, le connétable Charles d'Espagne.

— Je les guerdonnerai [1] pour cette belle prise.

— Ils se sont accordés pour vous le vendre.

— Soit !... Je suis acquéreur de ce loudier dont le roi de France me paraît aussi amouré que d'une...

Le mot serti de rires demeura au-delà des oreilles de Tristan.

— Viens, dit-il en prenant Paindorge par l'épaule. Quittons cette recluserie. L'air du dehors nous paraîtra plus pur.

Sitôt sorti, et pour modérer les battements de son cœur, il engagea sa dextre dans son pourpoint. La poche interne du vêtement contenait toujours le demi-volet de Francisca. Il lui parut plus petit, comme flétri, et sans qu'il l'eût pourtant flairé depuis son départ de Séville, dépourvu de la moindre odeur. Une idée l'envahit qu'il exprima sans tristesse :

— Si on manque un jour d'un soupçon de charpie, Robert, j'aurai de quoi remédier à cette insuffisance.

1. *Guerdonner* : récompenser.

VIII

Vint le matin où, à son de trompe, les prisonniers furent priés de s'apprêter. On allait leur distribuer des sacs pour y enfardeler leurs armures, lesquelles seraient entassées sous les cagnards des chariots ; on fournirait aussi un cheval à chacun. Tout chevalier, tout écuyer conserverait son épée à condition qu'elle ne sortît pas du fourreau. Le prince de Galles insistait pour que ce départ, dans l'intérêt de tous, fût accompli vélocement.

— Se sent-il menacé à Burgos ? interrogea Paindorge.

— Qui peut savoir ? Il y a de bons archers, de bons *ballesteros* en Castille, et tous n'admiraient pas Henri !... Mais sache-le, Robert, plutôt que d'avancer vers Bordeaux et la France, nous reculons : Valladolid est au moins à trente lieues au sud de Burgos.

— Pourquoi cette retraite ?

— Pour que Pèdre ait moins de chemin à couvrir lorsqu'il portera à Édouard le trésor que celui-ci espère peut-être en vain.

On assembla les prisonniers hors du monastère. Des soudoyers prirent leurs fardelles et les enfournèrent à l'intérieur de quatre chariots. Ensuite, des palefreniers amenèrent les chevaux, tous sellés. Le Bègue de Villaines réclama celui qu'il montait lorsqu'il avait été pris. Son vœu fut exaucé. Quand le cheval apparut, sa robe noire marquée à l'antérieur dextre d'un soupçon de balzane, ne passa pas inaperçue.

— Malaquin ! dit Paindorge en sursautant.

— J'en jurerais, dit Tristan. Ce qui prouve que Lemosquet et Lebaudy ont pu fuir.

— Certes !... Mais où sont-ils ?

— Il faudra que le Bègue nous le dise et qu'il me restitue ce cheval !

— Doucement, messire, votre position n'est point aisée.

Guesclin apparut, sorti on ne savait d'où. Il précédait le captal de Buch et Audrehem. On fournit au Breton un cheval gris, brassicourt. Le maréchal reçut un cheval noir bouleté. Tristan se trouva pourvu d'un genet blanc, quelque peu rampin, et Paindorge d'un roncin pommelé à l'encolure de cygne. Ces bêtes avaient combattu dans les deux armées. Leur nervosité subsistait. Tous les prisonniers furent priés de se disposer en bon arroi, deux par deux. Calveley les compta. Il adressa un clin d'œil à Tristan avant de clamer à l'intention du prince de Galles :

— Ils sont tous là !

Édouard passa devant ses otages. Tristan se sentit ignoré. Toute l'attention de l'héritier d'Angleterre se porta sur Guesclin :

— C'en est fini, messire, de votre vie paisible auprès du captal de Buch. Oh ! je sens en vous le désir d'être derechef en bataille et de toujours guerroyer. Je vous ferai vivre quiètement et sans disputer. Vous aurez à boire et à manger. Quant à votre rançon...

— Sire, coupa le Breton, je laisserai faire Dieu qui est un bon ouvrier.

Le prince s'éloigna. Sa mise était la même que lors

de sa dernière visite à Las Huelgas. Il montait, comme Calveley, un cheval davantage capable d'aider aux labours que de galoper en bataille.

On contourna Burgos et chemina sous un soleil qui n'en finissait pas de redoubler d'ardeur. Même l'ombre était chaude, moite, suffocante. Les Anglais qui avaient souffert d'un froid tenace, souvent mortel, blasphémèrent à qui mieux mieux contre l'Espagne et ses grillades. On ne savait où se trouvait le prince de Galles. Peut-être dans sa litière à l'avant du convoi. Parfois Calveley passait, ou Lancastre, ou Jean de Grailly. Puis ces hommes tournaient bride et trottaient vers l'avant.

Quittant Paindorge, Tristan put atteindre le Bègue de Villaines qui chevauchait auprès d'Audrehem.

— Messire, lui dit-il, vous montez mon cheval.

— Tiens donc !

— Je puis vous le certifier d'autant mieux qu'il a reconnu ma voix...

Villaines grommela et haussa les épaules :

— Qui me prouve qu'il est vôtre ?... Je vous ai vu... souvent... sur un blanc coursier... qui me fit envie...

Suant sous une cale de tiretaine[1] sans doute, à la mentonnière dénouée, le vieux guerrier s'exprimait presque aisément. Il formait promptement ses mots, ses verbes : son courroux annihilait sa difficulté d'élocution.

— Un coursier, dites-vous. C'est vrai. Il n'empêche que Malaquin est mien. Je reconnais sa selle, *ma* selle, et ses lormeries sont gravées à mes initiales : *TC*... N'est-ce pas, Malaquin ?

Les oreilles chauvies du cheval remuèrent. Tristan

1. La *cale* ou *calette* était une sorte de coiffure pourvue d'oreillettes, à la façon des anciens bonnets de bains. Maintes personnes, hommes et femmes, la portaient.

se garda de s'écrier : « Tenez, il me reconnaît. » Il fallait qu'il restât affable. Il n'accusait pas Villaines d'avoir robé son cheval. Il ne l'accusait même pas d'avoir fui la bataille : en effet, pour s'être approprié d'une façon quelconque Malaquin, il fallait bien qu'il eût rejoint Lebaudy et Lemosquet au-delà du champ de mort.

— Passez votre chemin, mon ami !

Décidément, le chevalier savait ajuster les mots. La crainte d'un trépas sur les champs de Nájera, l'avait-elle guéri de son infirmité ?

— Soyez assuré, messire, que je passerai mon chemin, mais pas avant que vous ne m'ayez dit où vous avez eu Malaquin et que vous ne l'ayez échangé contre le cheval qu'on m'a fourni.

Le Bègue l'observait, une expression inquiète dans un regard aux aguets sous le mince bourrelet de sa coiffette d'emprunt, d'un rouge pâle, qui peut-être avait été coupée dans une vieille *muleta*. Poussant un long soupir où se dissolvaient les séquelles de ses remords ou de ses souvenances, le prud'homme se résigna :

— Puisque vous le voulez savoir, je suis parti... à pied... dans la bataille... après la félonie de Tello...

C'était une révélation dont Tristan ne fut point trop surpris. Pour lui, soudain, le Bègue de Villaines devenait enfin ce qu'il avait pressenti depuis le passage en Espagne : tout bonnement un homme curial[1]. L'important, c'était qu'il apprît ce qu'étaient devenus ses deux soudoyers, s'ils avaient été pris ou meurtris.

— Eh bien, soit, je fuyais, insista Villaines à l'intention d'Audrehem, attentif. Je fuyais ! insista-t-il, le visage fripé de colère et d'émoi et débégayant toujours.

1. Homme de Cour.

Deux garçons m'ont rejoint et m'ont dit me connaître... et qu'ils étaient à vous.

— Ah ! fit Tristan, soulagé mais dominant, cependant, un second remous d'indignation. Il fallait me le dire dès que vous vous êtes trouvé, messire, parmi nous dans les murs de Las Huelgas !

— J'avais autre chose à penser.

Tristan sentit sa heuse frôler celle du Bègue et s'en écarta vivement comme s'il cheminait près d'un pestiféré.

— Quand vos garçons m'ont rejoint, j'étais seul. C'était avant que je rencontre Yañez... L'un d'eux m'a dit : « *Messire, nous avons un cheval de trop. Prenez celui-ci et venez avec nous.* » J'ai refusé... Je me sentais hors de danger et voulais traverser la Navarre... Nous nous sommes séparés. Ils vous croyaient morts, vous et votre écuyer.

Il n'y avait aucune raison de s'appesantir sur l'attitude de Lebaudy et de Lemosquet. Ils avaient assisté à la fuite ignominieuse de Tello, ils avaient vu les compagnies anglaises percer celles du roi Henri et de Guesclin. Ils avaient dû passer sur l'autre berge de la rivière et galoper sachant la bataille perdue.

— Ils m'ont dit qu'ils allaient essayer de revenir en France... En Normandie.

Cette confidence valait un bon prix. La Normandie, donc Gratot. Tristan souhaita qu'ils y parvinssent au moment où Villaines le menaçait :

— Si vous voulez ce cheval qui m'appartient, il vous faudra tirer l'épée.

Tristan frémit en adressant au chevalier un sourire dont la moquerie et l'indulgence dissimulaient un mépris grandissant. Il connaissait la vivacité des impulsions qui commandaient à ses actes et la difficulté pour lui de tempérer toute ardeur suscitée par la fureur d'une injustice.

— Tirer l'épée, messire ? Vous savez que c'est interdit. Les Anglais ne seraient point marris, cependant, de voir deux d'entre nous se meshaigner pour la possession d'un cheval... Et qui vous dit que j'aurais le dessous ?... Échangeons nos montures... Je vous le demande en grâce.

— Je resterai sur la mienne.

— Allons, dit Audrehem soudainement agacé, lui aussi, par l'obstination de son compère. Allons, Pierre : c'est le cheval de Castelreng. Il vous faut le lui restituer. Celui qu'il monte a bonne mine... Il fait chaud. Cette chaleur vous essanne l'un et l'autre...

Le maréchal laissa entendre une sorte de gémissement sur le destin des vaincus, sur l'accablement dont tous étaient victimes – soleil, lassitude, mystère aussi du lieu où on les emmenait ; sur la vanité des espérances qu'il avait partagées avec Guesclin lorsqu'ils étaient entrés en Espagne, sur le malheur d'avoir été trahis par Tello et Henri.

— Rendez-lui son cheval.

— Non, Arnoul, je resterai dessus.

— J'en doute, dit Tristan, car Malaquin, messire, m'a toujours obéi au doigt, à l'œil et au sifflet. Voyez !

Un sifflement bref, impétueux, suffit pour réveiller l'humeur assoupie de Malaquin. Il se mit à ruer, à se cabrer, à mêler farouchement les pointes et les sauts de mouton. Jamais cheval n'avait, d'un seul coup, multiplié ainsi ses défenses.

— Il proteste, commenta Tristan. Il vous a toléré mais non point adopté.

On eût dit que, sous la flanchière de la selle, quelqu'un venait de répandre une poignée de clous sinon des têtes de chardon. Un écart mit Villaines hors du rang, un autre l'enfonça parmi les chevaliers de devant qui protestèrent. Soudain privé d'un étrier, le prud'homme se sentit décollé de l'arçon par des reins chargés d'une fureur maligne sans pouvoir réintégrer son siège. Il bascula dans les cailloux du chemin en égrenant quelques jurons qui n'égayèrent qu'Audrehem tandis que Malaquin hennissait avec une joie profonde.

Tristan mit pied à terre et saisit les rênes de son cheval dont l'œil étincelait de satisfaction.

— Que se passe-t-il ? demanda Calveley accouru au galop.

— Messire Villaines chevauchait un cheval qui m'appartint et que vous connaissez peut-être. Je l'ai prié de me le restituer en échange du mien. Sa réponse négative a courroucé Malaquin plus encore que moi-même.

— Échangez, dit l'Anglais.

Debout, mais penché en avant, Villaines se frottait les reins. Tristan s'inclina devant lui en feignant, peut-être inutilement, un respect quelque peu émoussé.

— Messire, dit-il alors que Calveley s'éloignait, rien ne vaut la conciliation... Je ne vous demandais pas la lune... en plein soleil. Ce n'était point une impudence de ma part que de vouloir ce roncin... d'autant que celui que je vous proposais est plus jeune et bien soudé.

Tristan monta sur Malaquin et rejoignit Paindorge.

— Vous vous êtes fait, messire, un ennemi.

— Ce voulenturieux [1] méritait une leçon... Pas vrai ? N'ai-je pas raison, Malaquin ?

Le cheval hocha la tête. Tristan, qui caressait la crinière emmêlée, puis l'encolure palpitante, regarda ses

1. Têtu, obstiné ; qui fait à sa volonté.

doigts et sa paume couverts d'une poudre couleur de farine.

— Il sera temps que je te soigne !

La longue file des prisonniers et des Anglais se remit en marche, et du sol desséché, sous les frappements des sabots et les pas traînants des piétons, monta une poussière qui se collait aux lèvres, aux cils et aux sourcils.

— Je commence à avoir soif, dit Paindorge. Quand boirons-nous ?

— Nous boirons le calice jusqu'à la lie... Quand nous ferons une halte, trouve un caillou et suce-le. N'oublie jamais, Robert, que nous sommes vaincus.

Il fallut descendre dans la vallée de l'Arlanzón et franchir un pont au-dessus d'une maigre rivière. Des Anglais ne résistèrent pas à l'envie d'aller boire quelques gorgées de cette eau rare, immobile entre des galets verdâtres, ce que réprouvèrent Chandos, Calveley, Matthieu de Gournay et quelques autres. Et l'on avança tandis que çà et là, sur les hauteurs, se dressaient des forteresses apparemment imprenables. Bien qu'il fît un temps d'or et d'azur, une mélancolie enveloppait tous ces hommes aussi étroitement que leurs vêtements sur leur peau en sueur. Les pentes qu'ils descendaient ne leur procuraient ni ombre ni fraîcheur. Parfois, des éboulements de pierres alentissaient la progression et levait-on la tête qu'on entrevoyait un château noir, hautain dans sa maussaderie écrasante, mordant le ciel de ses merlons pointus, asile de fraîcheur derrière les boursouflures de ses tours et de ses échauguettes percées d'archères minces comme des coups de couteau. Il semblait qu'il s'en exhalait une odeur de moisi sinon de pourriture.

Puis ce fut une plaine et au milieu, blottie dans ses

murailles, une cité dont le nom dansa de bouche en bouche :

— Palencia.

On s'arrêta. La rumeur reprit : on n'irait pas à Valladolid. Le prince de Galles, cédant à l'instance de ses conseillers, s'installerait à Amusco, un village au nord de Palencia. Répartie entre Burgos et cette cité, son armée vivrait « sur le pays ». On sut ce que cela signifiait.

— Et nous ? demanda Tristan à Calveley.

— Certains à Palencia, d'autres à Amusco, d'autres encore je ne sais où. Tu es sauf. Que t'importe où tu iras.

Cela signifiait : « N'en demande pas trop. » À midi, le groupe des prisonniers s'était scindé en plusieurs fragments. Tristan apprit, cette fois par Shirton, qu'il serait enfermé à Amusco avec son écuyer : quelque magnanime qu'il se fût montré, Édouard tenait à les avoir proches de lui. Cette proximité ne laissait pas d'être inquiétante.

— Il ne nous reste plus qu'à attendre, dit Paindorge.

— Attendre quoi, Robert ?

— La délivrance... Je ne sais trop... Je me réjouis que Lebaudy et Lemosquet s'en soient allés.

— Il nous faudra nous accoutumer à être traités en vaincus.

— C'est vrai. *Ils* n'useront pas pour nous des égards qu'ils prodigueront à Guesclin, Audrehem, Villaines et quelques autres. Le roi paiera leurs rançons... Mais nous, messire ?

Tristan caressa l'encolure de Malaquin. Il allait certainement le perdre une fois de plus. Sa déception et son mécontentement grandissaient. Les journées d'attente qu'il allait devoir vivre en compagnie de Paindorge seraient pleines d'une lassitude et d'une oisiveté pernicieuses. Et puis attendre quoi ? Il l'ignorait mais il était certain que le moment viendrait où tout ce qui le retenait se dénouerait et le livrerait tout entier à de nouvelles forces et de nouveaux devoirs. Ce n'était pas sur la divine providence qu'il comptait mais sur la forme même et l'opportunité des événements et des choses. Il s'était battu pour le roi de France et pour un prince sans valeur aucune. Il avait été vaincu parce qu'il fallait qu'il en fût ainsi. Il crut nécessaire de rassurer son écuyer :

— Nous avons perdu, certes, mais on ne perd jamais les batailles qu'on se livre à soi-même. Un jour vient où les murs les plus épais s'effondrent, où la méchanceté disparaît, où la justice triomphe...

Quand ils furent enfermés dans une sorte de cave d'où le jour tombait d'une lucarne haut placée, Tristan ne céda point, comme Paindorge, au découragement et à la colère. Il s'assit, le dos contre le mur, et se recueillit tandis que l'écuyer marchait, marchait toujours, muet et accablé.

Le temps s'éternisa. Dormir sur un peautre empli d'une paille insuffisante, manger peu – des lentilles, souvent, et une viande bonne, mais hélas ! chiche, marcher trois fois par jour dans un champ sous la surveillance de trois ou quatre archers. Réintégrer un reclusoir d'où jamais l'ombre ne sortait complètement.

Tristan s'accoutumait mieux que son compagnon. Des idées de paix éternelle hantaient son esprit. Il avait souhaité entrer dans la Chevalerie et mener une vie ardente, tumultueuse. Il avait rêvé d'aller de bataille en bataille, de succès en succès. Il avait voulu connaître le danger afin d'avoir conscience de sa valeur. Il avait, désormais, le sentiment de se déforcir. Il n'était pas seul, sans doute, à ronger son frein. Parfois, une certitude édulcorait son amertume : l'oisiveté rongeait la gaieté des vainqueurs. Le soleil les exténuait. L'ivrognerie et la dysenterie frappaient mortellement une armée qui se conduisait aussi mauvaisement à l'égard des populations que les hordes conduites par Henri, Guesclin, Bourbon et tant d'autres. Le prince de Galles, disait Shirton, commençait à être excédé par les plaintes de ses capitaines qui ne pouvaient tenir leurs hommes en main, bien que des soudoyers eussent été pendus pour l'exemple. Il ne se passait plus un jour sans qu'Édouard ne voulût partir en guerre contre Pèdre. Il savait, cependant, que s'il demeurait en Espagne, les maux dont il souffrait, attisés par la chaleur, ne cesseraient d'empirer. Il avait gagné la bataille de Nájera et perdu, en aidant Pèdre, une fortune dont l'immensité n'avait d'égale que sa déception. Un jour vint où Calveley, longtemps absent, déverrouilla la porte de la cave :

— J'étais en Aragon[1]. À l'aller comme au retour, j'ai chevauché jour et nuit sur des chevaux de relais. Je n'ai pas dormi depuis plus d'une semaine. Nous partons demain matin.

— Nous allons où ?

— Bordeaux. Édouard y est contraint par la maladie... L'Espagne est à feu et à sang. Pèdre fait régner la terreur partout où il passe. Plutôt que de se concilier ses sujets, il en fait ses ennemis... Édouard l'abandonne à son sort.

— Ah ! fit Paindorge. Quel jour sommes-nous ?

1. Le vendredi 13 août de cette année 1367, une trêve fut signée à Fitero, près de Tudela, entre Pèdre et le roi d'Aragon. Le prince de Galles, médiateur, s'était fait représenter par Hugh Calveley. À cette même époque, Henri le découronné et le duc d'Anjou, une sombre crapule, signaient le traité d'Aigues-Mortes en présence du cardinal Gui de Bologne.

— Le 16 août. Nous allons chevaucher lentement vers la Navarre et de là gagner l'Aquitaine[1].

— Soit, dit Tristan.

Il se résignait à tout. Il était toujours un otage. Il n'avait aucun avenir. Il ne sentait en lui aucune joie, aucune violence : rien d'autre que cette résignation, cette espèce d'avachissement qui succède aux longs efforts, bien qu'il n'en eût commis aucun depuis quatre mois.

— Shirton t'a conservé et soigné Malaquin.

C'était une nouvelle agréable à entendre.

— Naudon de Bagerant nous a quittés. Il ne serait pas surprenant qu'il soit allé offrir ses services au roi de France.

— Ça lui ressemblerait. En voilà un que j'aimerais occire !

Calveley sourit. Peut-être songeait-il : « Moi aussi. » Son sourire s'épanouit :

— Je n'ai pas achevé : Arnaud de Cervole est mort. Le savais-tu ?

— Non... Quand ?

— Il y a longtemps. L'an dernier[2]. Comme nous

1. Le prince de Galles allait passer par Alfaro et le col de Roncevaux. Il fut même accompagné jusqu'à Saint-Jean-Pied-de-Port par le roi de Navarre et, le 29 août, il avait quitté cette ville. Malade, il conduisait une armée de malades qui recouvrèrent un peu d'allure à leur entrée à Bordeaux dans la première semaine de septembre. L'hydropisie du prince avait fait encore des progrès, d'où une mélancolie tenace qu'il voulut effacer par des fêtes. Il dut néanmoins vendre sa vaisselle d'or pour solder ses 6 000 hommes (« des sangsues » selon lui) et se mit à rançonner ses prisonniers. Ruiné, il allait lever un *fouage* impolitique qui lui aliéna, définitivement, la noblesse de Gascogne.

2. L'Archiprêtre mourut le 25 mai 1366, tué par son cousin, le petit Darby... qui s'installa chez la dame de Châteauvilain, l'épouse d'Arnaud de Cervole !

allions toujours par monts et par vaux, nous ne pouvions le savoir. Qu'en dis-tu ?

Tristan n'hésita pas à fournir sa réponse :

— J'en dis que je suis heureux.

— Il est mort tué par un de ses parents, entre Mâcon et Lyon, au moment où il s'apprêtait à faire passer,

Il n'entre pas dans notre propos de raconter les péripéties dont fut marquée la fuite de don Henri jusqu'à Peyrepertuse, ni les ravages commis par les Bretons en Bigorre où Henri remplaça Guesclin au commandement. Selon Froissart, le prince de Galles fit halte à Soria. C'était opter pour le chemin des écoliers. Ce qui est sûr, c'est qu'Édouard et le roi Pierre IV d'Aragon signèrent un accord à Tarazona, la Tolède aragonaise. Le prince obtint non seulement la liberté de passage chez son ex-ennemi, mais il parvint de le détacher de l'alliance qu'il avait conclue avec le Trastamare. Ensuite, il le fit entrer dans celle de Pèdre. Une trêve fut signée entre la Castille et l'Aragon.

Édouard obtint aussi le passage en Navarre. Il fut reçu à Bordeaux en « *grand solemnité* ».

Ici se place une sorte d'intermède légendaire, digne de Dumas père mais inventé par Cuvelier : don Henri, vêtu en moine, serait allé réconforter Guesclin dans sa cellule.

Le Breton fixa sa rançon à 60 000 doubles d'or : 100 000 francs qui furent payés par Charles V*, lequel, peu riche, mais généreux avec les deniers publics, comme tous les Valois, versa en outre 30 000 francs au Breton pour s'équiper. C'était voir grand sinon grandissime. Il est vrai que le roi ne connaissait rien aux armes. Sa rançon payée, Guesclin se rendit à Montpellier, le 27 février 1368, en compagnie d'Audrehem. Ils accompagnèrent le duc d'Anjou, frère du roi, au siège de Tarascon que le prince investit le 4 mars. À ce propos, le texte de Cuvelier ne manque point de sel... ou de selle. On y voit le « *gentil Bertrand* » caracolant devant les murailles sans autre arme qu'une baguette pelée.

* Il existe une obligation datée du 27 décembre 1368 par laquelle Guesclin promet de rembourser cette somme au roi. Il semble qu'il le fit en six fois l'année suivante. Lors de son absence, pourtant, dame Tiphaine avait dépensé tout son trésor, soi-disant pour aider des chevaliers et écuyers amis de son mari... dont elle avait oublié les noms !

dans les États du comte de Savoie, les Compagnies qui vivaient en Bourgogne et qu'Amédée VI se proposait d'engager pour une croisade en Orient... Je ne connais pas le nom de son meurtrier.

— Qu'importe. Il a rendu justice. Dieu en soit loué.

Tristan sentit sur son épaule la lourde main de Calveley.

— Apprête-toi, et toi aussi, Paindorge : Bordeaux vous attend. Le prince y donnera des fêtes, des joutes, des pas d'armes. Tu en seras, Castelreng. Tu tiendras ta liberté au bout de ta lance... à condition que tu sois vainqueur !

Tristan se demanda s'il serait suffisamment habile et solide pour jouter contre les champions d'Angleterre et si, conquise de haute lutte, la liberté lui assurerait la paix de l'âme. Le goût des armes lui était quelque peu passé. Parce qu'il en avait usé et abusé. Cependant, n'ayant pas de quoi payer une rançon, il serait contraint d'entrer en lice. Incertaine, vacillante, si commune qu'elle fût aux chevaliers de toute espèce, la raison exigeait qu'il s'affranchît des contraintes de son otagerie en galopant, l'arme au poing, contre des hommes qui sans doute, à Nájera, avaient été ses adversaires.

— Je serai vainqueur, Hugh... Oui, je serai vainqueur !

Calveley recula d'un pas pour examiner cet homme, ami et ennemi tout à la fois, dont l'affirmation avait la solidité d'un glaive.

— Dieu tranchera, dit-il. Et tu le sais, Tristan, c'est le meilleur des juges.

ANNEXES

Annexe I

L'après-couronnement et la fuite de Pèdre

Pendant qu'Henri de Trastamare, tout couronné qu'il fût, craignait pour sa vie à Burgos si les Compagnies s'éloignaient, don Pèdre entrait à Tolède dans l'état d'esprit d'un fugitif (6 avril 1366). Bien que ses partisans eussent été renforcés par des troupes venues de Valence – en particulier des Maures du roi Mohamed de Grenade, qui lui devait son avènement –, cette cité n'était point un asile assez sûr. Après avoir exhorté les Tolédans à se défendre, il leur laissa pour gouverneur Garcie Alvarez, maître de Saint-Jacques, et 600 hommes, puis galopa vers Séville. En chemin, il éparpilla ses troupes sous le commandement de seigneurs qu'il croyait fermement attachés à sa personne, lesquels, dès qu'il fut loin, décidèrent de se soumettre au Trastamare, sans se soucier de s'humilier devant un prince qu'ils avaient raillé et persécuté. Iñigo de Orozco, chargé de défendre Guadalajara, courut en porter les clés à Burgos. Don Diego de Padilla, le frère de celle que don Pèdre avait déclaré reine, s'en alla baiser la main de l'homme qui déshéritait d'un trône les filles de sa sœur. Garcie Alvarez fit mine de vouloir résister jusqu'à ce que l'ennemi lui proposât d'acheter Tolède. Il devait à don Pèdre d'avoir été fait maître de Saint-Jacques. Il obtint, pour sa lâcheté doublée d'une trahison, les domaines de Valdecorneja et d'Oropesa (à l'ouest de Talavera de la Reina) et quelques gros sacs de maravédis. Alors, rassuré, don Enrique entra dans la cité, acclamé par un peuple aiguillonné par la noblesse et le clergé. Il y resta quinze jours, recevant les hommages des représentants de Cuenca, Avila, Madrid, Talavera, etc. et frappant la juiverie d'une amende extraordinaire pour son attachement à la cause de Pèdre, ce qui, pour une partie de la « petite juiverie », restait à prouver.

Parvenant à Séville, le roi déchu ne s'y sentit pas en sécurité. Suivant les conseils du maître d'Alcantara, Martin López, de son chancelier, Mateo Fernandez, de son trésorier, Martin Yañez, – et peut-être aussi les recommandations de deux Juifs de son conseil secret : Daniel et Turquant –, il se décida à quitter Séville pour se rendre auprès du roi du Portugal, son ancien allié.

La « perle » du trésor

Son trésor se trouvait au château d'Almodovar del Rio, proche de Cordoue. Il le fit « trousser » en hâte. Il était si énorme, ce trésor, qu'il emplit une charrette à cinq chevaux. Le joyau en était une table d'or qui se ployait en croix, grâce à des charnières d'or fin. Le plateau en était bordé de pierres précieuses, de perles d'Orient et de diamants d'une taille peu commune. Sur le dessus, Pèdre avait fait graver les images de Roland, d'Olivier et des douze pairs vendus à Marsille et occis à Roncevaux. Au milieu de cette table était enchâssée une escarboucle si claire et si puissante « *qu'elle luisait dans la nuit comme le soleil de midi. Et près de l'escarboucle, il y avait une pierre qui avait tant de vertu qu'aucun homme ne pouvait apporter nul poison que la pierre ne changeât sur l'heure et ne devînt toute noire et semblât se changer en charbon*[1]. *Don Pèdre la donna plus tard au prince de Galles* ». Il s'enfuit vers Cordoue (...) contraint de traverser une

1. D'après Cuvelier.

forêt qui avait quinze lieues de large et cent de long[1]. On la disait peuplée de bêtes sauvages : ours, lions, léopards, et de nombreux serpents. En fait, lorsque Guesclin et ses troupes la traversèrent, trois cents hommes moururent, les uns dévorés, les autres victimes de piqûres venimeuses.

Le trésor de Pèdre fut embarqué sur une galère amarrée à une berge du Guadalquivir. Pèdre chargea Martin Yañez de se rendre à Tavira, en Portugal. Il quitta Séville à la mi-mai 1366, échappant à la foule qui venait de forcer les portes de l'Alcázar. Il emmenait avec lui les deux infantes : Constance et Isabelle, et Léonor, une fille naturelle de Henri qu'il gardait, depuis des années, moins en otage que comme compagne de ses filles.

Or, pendant que le fugitif s'éloignait en hâte, son amiral, Boccanegra, un Génois, descendait le Guadalquivir à la poursuite de Martin Yañez et du trésor pharamineux. Il commandait à cinq galères. Il aborda le vaisseau de Pèdre dans les eaux de Tavira et s'en rendit maître d'autant plus aisément que Yañez, paraît-il, se soumit sans combattre.

Pèdre fit halte au château de Vallada, près de Santarém. À Coruche, sur la rive gauche du Guadiana, il eut la surprise de voir sa fille, doña Beatriz, que lui renvoyait le roi du Portugal, son allié : l'infant don Fernand avait renoncé à l'épouser. Mieux encore : le roi ne voulait pas recevoir Pèdre à Santarém.

Le fugitif voulut revenir en Castille. Les cités se fermèrent à son approche. Il s'humilia en revenant au Portugal et s'abaissa jusqu'à faire demander au roi un sauf-conduit pour se rendre en Galice. Il espérait y trouver l'aide et la protection de Fernand de Castro qui commandait cette province.

1. Cette grande forêt dut exister, de proportions sans doute moins vastes. Elle confirme l'existence d'une Espagne extrêmement boisée, puisqu'il y avait au nord de Tolède une autre forêt... interminable. Ne disait-on pas qu'un écureuil parti de là pouvait atteindre la mer (Cantabrique) sans toucher terre ?

On se met la ceinture

Le roi du Portugal lui dépêcha le comte de Barcelos et don Alvar, son favori, frère de la célèbre Inès de Castro. Ils déclarèrent à Pèdre qu'ils encourraient la colère de l'infant s'ils l'accompagnaient. Le roi déchu leur fournit 6 000 doubles, deux épées et deux de ces *ceintures d'honneur*, richement ouvrées, en usage dans la Chevalerie. Elles consistaient en plaques rectangulaires, d'argent ou d'or, soigneusement réunies et se portaient sur les hanches, sous la ceinture d'armes, toujours avec un poignard orfévré. Ce marchandage lui permit d'être accompagné jusqu'à Lamego. Là, eut lieu un incident : les deux chevaliers exigèrent de Pèdre qu'il leur remît la jeune Léonor, fille d'Enrique, que le roi du Portugal voulait rendre à son père pour lui faire oublier la protection (!) qu'il avait accordée au fugitif.

On appelait Léonor-aux-Lions cette jouvencelle. On disait que Pèdre l'avait fait jeter dans une fosse aux lions d'où elle était sortie sans une égratignure. En fait, Pèdre l'avait considérée comme une amie de ses filles.

Entouré de 200 hommes, le roi traversa la province portugaise de Trás-os-Montes. Il arriva à Monterey au début de juin 1366. Après quelque 20 jours d'attente incertaine, des cavaliers de don Fernand de Castro l'informèrent qu'une armée faisait mouvement vers sa cité-refuge tandis qu'il apprenait également que Zamora, Astorga, Soria, Logroño lui demeuraient fidèles.

Il écrivit alors au prince de Galles et au roi de Navarre pour leur demander des secours. Fernand de Castro se rangea à ses côtés avec tous les riches hommes galiciens, cinq cents cavaliers, deux mille piétons. Martin López de Cordoba, maître d'Alcantara, suggéra que l'on reprît l'offensive. On avait le terrain pour soi : d'âpres montagnes que jamais un cheval de Castille n'avait franchies sans dommage. N'était-ce pas une opinion populaire en Espagne qu'aucun cheval étranger ne pouvait vivre en Galice au-delà de quelques jours ?

Mateo Fernandez, chancelier du sceau privé, trouva qu'on

allait aventurer la vie du roi. Il redoutait des lâchetés, voire des trahisons. Il comptait sur la venue du prince de Galles, l'épée du plus grand capitaine de son siècle. Pèdre, entouré de ses filles, ne se sentait plus le courage d'affronter de nouvelles embûches. De plus, il craignait que le roi de Navarre ne lui fît défection. La réponse qu'il en reçut le conforta dans cette idée. Il fut donc décidé que le roi s'embarquerait à La Corogne afin de se rendre à Bordeaux. Pendant qu'il négocierait avec l'Anglais, don Fernand de Castro, promu *adelentado* (Gouverneur) des royaumes de Galice et de León, préparerait les provinces du nord à une guerre contre l'usurpateur. Avant de le quitter, Pèdre lui donna les titres de comte de Lemos, de Trastamare et de Sarria (27 juin 1366) qui avaient appartenu à don Henri.

Le sang de Compostelle

Quittant Monterey, don Pèdre passa par Compostelle. L'archevêque de Saint-Jacques, don Suero, vint à sa rencontre avec 200 cavaliers. Son accueil fut glacé. Le lendemain, mandé par Pèdre, il quitta son château de la Rocha pour se rendre au rendez-vous accompagné d'une suite composée presque exclusivement d'ecclésiastiques. Alors que le prélat mettait pied à terre devant la cathédrale, un écuyer galicien, Perez Churrichao, et quelques estafiers leur fondirent sus, la lance au poing. Même ceux qui avaient cherché refuge dans l'église y moururent percés de coups, jusqu'au pied de l'autel. Tout l'avoir de don Suero fut dispersé. Dans la peur, les instincts sauvages du monarque détrôné s'étaient à nouveau déchaînés. Ces abjections eurent pour conséquence de faire perdre au roi plusieurs de ses partisans. Alvar de Castro, qui se rendait à Saint-Jacques pour lui offrir ses services, rebroussa chemin en apprenant ces crimes et se déclara pour Henri. Plusieurs *ricos hombres* galiciens l'imitèrent.

À La Corogne, un émissaire du prince de Galles attendait don Pèdre. Il s'embarqua pour la Guyenne avec ses filles et ce qui lui restait d'or et de joyaux : trente mille doubles et une fortune en pierreries.

À peine le prince de Galles eût-il été informé de la venue de Pèdre à Bayonne qu'il partit à sa rencontre. Ils se virent au Cap-Breton. Pèdre fut accueilli comme un roi, nullement comme un fugitif. Ses malheurs et surtout la présence des trois jouvencelles qui avaient traversé tant de périls touchèrent Édouard : il se prévalait (à tort) d'observer tous les commandements de la Chevalerie. Il promit à Pèdre la protection d'Édouard III, son père et son soutien. Il logea l'ancien roi de Castille à Bayonne où bientôt Charles de Navarre vint les rejoindre. Le Mauvais voulait savoir s'il devait tenir ou violer les engagements qu'il avait pris avec le roi d'Aragon et Henri de Trastamare. Les cols par lesquels une armée pouvait se répandre en Espagne lui appartenaient. Pour passer, il suffirait de payer.

L'aide du prince de Galles n'était pas désintéressée. Il y avait longtemps que les Anglais convoitaient les ports de la Biscaïe. L'occasion était favorable de négocier le transfert de cette province à l'Angleterre. Elle n'avait d'ailleurs rien d'espagnol : ni la langue ni les institutions ni les coutumes. La Guyenne avait ses Basques. Elle pouvait en englober d'autres.

Stimulé par le désir de vengeance, Pèdre accepta les transactions qui lui étaient offertes. Le prince d'Aquitaine et lui se sentaient non seulement solidaires, mais capables de renverser Henri sans trop de difficultés. De plus, Édouard, homme de guerre, tenait enfin le dérivatif qui lui ferait oublier le délabrement de sa santé.

L'or que Pèdre avait amené avec lui disparut en hâte dans des fêtes et des présents aux capitaines anglais. Jeanne de Kent fut comblée de joyaux et pierreries... jusqu'à ce que son mari se souciât enfin de placer le reste du pactole en lieu sûr. Pèdre dépêcha à Londres le maître d'Alcantara pour traiter avec Édouard III du mariage de ses filles avec des princes anglais et pour obtenir que le roi d'Angleterre s'engageât complètement dans un conflit où la France était impliquée. Il se justifia des morts qui n'avaient cessé de joncher son règne. Reconnaissant en lui un homme de sa trempe, le roi d'Angleterre promit son aide. Le traité de Libourne fut conclu le 23 septembre 1366 entre le prince de Galles et le roi de Navarre. La guerre était imminente. On avait seulement oublié une chose : l'hiver et ses calamités.

Annexe II

Guesclin et l'argent

Dans l'ouvrage qui précède celui-ci (*Les Fontaines de Sang*), le lecteur a pris connaissance de la façon dont Guesclin avait exigé du Pape, sous la menace, une contribution exorbitante à la campagne d'Espagne : 5 000 florins d'or et une tentative de récidive dont ses hagiographes ne parlent point[1]. Le lecteur sait également que bien que soldés, les routiers que le Breton avait engagés pour cette expédition poursuivirent leurs pillages, incendies, viols et tueries. L'on peut affirmer que si une partie de cette fortune acquise sous la menace fut répartie entre les routiers, l'autre tomba dans la bourse du Breton.

Et déjà une remarque s'impose : alors que Robert Knolles et Hugh Calveley, à la fin de leur vie, aidèrent leur roi pécuniairement grâce aux trésors qu'ils avaient amassés dans la guerre, Guesclin se garda bien de venir en aide à la royauté

1. Il faut ajouter à cette extorsion de fonds que Guesclin, une fois libéré des mains du Prince Noir qui l'avait capturé à Nájéra, se mit sous le commandement du duc d'Anjou qui voulait envahir la Provence. Il passa une seconde fois dans cette région avec ses Bretons, mit le siège devant Tarascon (1368) et rançonna la population *deux fois de suite* par l'intermédiaire de la Cour pontificale (Voir *Bertrand du Guesclin et les États Pontificaux en France*, par L.-H. Labande, Avignon-Paris, 1904, extrait des *Mémoires de l'Académie du Vaucluse*, pages 26 à 40).

française exsangue qui, pourtant, avait fait de lui un personnage « distingué » avant d'en faire un connétable. Jamais le roi Édouard III ne paya les rançons des grands chevaliers prisonniers : il préférait les échanger. Toujours la royauté française paya pour obtenir la liberté de ses prud'hommes ! Et pourtant ils étaient richissimes.

L'occupation qui rendit le Breton lugubrement célèbre en Espagne constitua pour ce mercenaire un merveilleux moyen de s'enrichir. Le Pape, Charles V et le roi d'Aragon contribuèrent aux frais préliminaires de cette aventure. Chacun devait verser un tiers. Urbain V avait imposé comme un moindre mal une participation de 5 000 florins au Comtat Venaissin (Bulle du 23 novembre 1365) et une autre de 30 000 florins à la Provence (Bulle du 20 novembre) avec participation effective du Clergé pour sa quote-part. Il autorisa également (Bulle du 23 novembre) certains emprunts en vue d'un versement à faire aux routiers à titre immédait (*de proximo*) sur le produit d'une décime biennale accordée jusque-là au roi Charles V pour l'aider à vider le royaume des Compagnies.

La loi des partages

Quelques auteurs, notamment Kenneth Fowler, de l'Université d'Édimbourg[1], prétendent que c'est à Saragosse, le 16 février 1366, que Calveley et Guesclin conclurent un contrat par lequel ils s'associaient pour la campagne de Castille et de Grenade, mais il paraît plus certain que les conditions de leur alliance militaire et pécuniaire furent décidées en France. Dans ce partage, ajoute Kenneth Fowler, « *où tout le butin obtenu dans cette guerre, y compris les donations et conquêtes, serait réuni, Guesclin prendrait trois parts et Calveley une seule* ». Les dons de Pierre IV d'Aragon en faveur de Guesclin (9 janvier) étaient inclus, notamment les châteaux de Borja et de Magallón situés près de la

1. *Deux entrepreneurs militaires au* XIVe *siècle : Bertrand du Guesclin et sir Hugh Calveley* (Éditions du SHMES, 1992).

frontière de Castille, et les vallées de Novelda et d'Elda dans le royaume de Valence. En cas de conquête du royaume de Grenade, Guesclin se l'octroierait dans sa totalité, *pro indiviso*, excepté les cités et places fortes du roi maure de Bellemarine sur le côté nord du détroit de Gibraltar : elles deviendraient les possessions de Calveley ainsi que tous les privilèges et les terres octroyées auparavant à Guesclin par le Trastamare. Il était également prévu une défection de Calveley si le roi ou l'un de ses fils requérait sa présence.

Ce fut dès l'entrée des « alliés » à Tolède, le 5 mai, que le Breton et l'Anglais réglèrent leur premier compte. Dans une lettre de créance, Bertrand s'engagea à payer à Hugh la somme de 63 008 francs d'or qui restaient à payer comme gages pour l'Anglais et ses Compagnies avant le 24 juin suivant. Dans une seconde lettre datée de Séville, le 3 juillet, le Breton reconnaissait une autre dette de 26 257 florins pour les gages de Hugh et de ses soudoyers pour le premier trimestre de la campagne. Cette somme devait être acquittée avant le 18 avril 1367.

À Séville, le Trastamare, se croyant délivré de l'emprise de Pèdre, licencia les Compagnies pour ne conserver que 1 500 lances commandées par Guesclin et Calveley. Le 2 janvier, persuadé que Charles de Navarre était capable d'interdire, avec ses hommes d'armes, le pas de Roncevaux, Henri licencia de son service, à Haro, dans la province de Logroño, les Compagnies du Breton et de l'Anglais. Le même jour, Guesclin libéra Calveley de toutes ses obligations. Calveley assiégea et prit Miranda de Arga et Puente de la Reina, en Navarre, pour faciliter l'invasion de la Castille par le prince de Galles, et surtout pour protéger les marches sud-est de ce royaume contre une invasion franco-aragonaise comme il avait été prévu dans un traité signé le 29 septembre entre Louis d'Anjou, lieutenant du roi en Languedoc, et Pierre IV d'Aragon.

Guesclin rentra en Aragon pour régler ses comptes avec le roi. Un accord fut conclu entre eux le 27 février, à Lérida. Le Breton renonçait à toutes ses demandes auprès de Pierre IV, sauf à la donation de Borja et Magallón, qui devaient lui rester. En contrepartie, le roi lui paierait 40 000 florins d'Aragon.

La guerre, toujours

Après sa capture à Nájera (3 avril 1367), Bertrand demeura au pouvoir du prince de Galles jusqu'au 17 janvier 1368. Sa rançon avait été fixée à 100 000 doubles. Les deux hommes qui s'étaient emparés du Breton – Thomas Cheyne et William de Berland – cédèrent leurs droits sur le prisonnier au Prince Noir pour 1 483 livres et 1 427 livres. Libre sur parole, le Breton trouva une aubaine dans l'invasion de la Provence par Louis d'Anjou. Il enrôla deux mille hommes parmi les Bretons et les routiers et, le 4 mars, il assiégea Tarascon. Pendant ce temps, Calveley entrait en Aragon et son procureur, Mark Foster, exprimait au roi une réclamation à propos des sommes que Guesclin devait lui verser selon les conditions de leur endenture.

Selon le procureur de Calveley, écrit Kenneth Fowler, *Bertrand devait encore 55 000 florins à Hugh, sans compter le quart de rente annuelle de Borja et de Magallón qui s'élevait à 2 500 florins par an, faisant une dette de 5 500 florins. Il n'y avait rien à faire au sujet du quart d'Elda et Novelda, sur lequel Guesclin avait renoncé, entre autres, à ses droits en février 1367, pour une somme de 40 000 florins, dont au moins 15 700 avaient été avancés en mai de cette année pour contribuer à la dernière rançon de Bertrand. D'ailleurs, Calveley était déjà en août 1367 le bénéficiaire du don de la ville d'Elda et du château et de la ville de Molla, aussi situés dans le royaume de Valence, dans l'attente de l'octroi d'une rente annuelle de 2 000 florins que le roi Pierre lui avait conférée en février 1366. Néanmoins, il avait essayé de recouvrer le restant directement de Bertrand, mais sans succès, au siège devant Tarascon. Bertrand avait lui-même proposé que Hugh puisse recouvrer une partie des sommes en question sur les fonds que la trésorerie royale lui devait encore. Pour obtenir son dû, il engageait Calveley à guerroyer en Provence (...) « ou mosseignour d'enjou fete la guerre et je panse que vous averez plus de profit que en nulle autre lieu. Et ou cas que vous ne poez mesme venir, plese vous m'envoier Henri Bernard*[1] *o voz copangnons au plus toust que vous porrez ».*

Avant que cette lettre eût été dictée, une cédule de citation avait été envoyée à Guesclin avec demande que lui ou un de ses procureurs comparût en justice, à Barcelone, dans un délai de 20 jours (soit avant le 24 mars) devant la cour de la chancellerie aragonaise, faute de quoi la cour rendrait un arrêt par défaut en faveur du plaideur auquel elle accorderait les frais et dépens. Bertrand délégua le viguier de Toulouse, Gaston de la Parade, qui comparut pour écouter le procureur de Calveley établir une réclamation le 24 mars même. Quatre jours après, un mardi, la Parade introduisit dans la Cour un acte notarié, établi pour Guesclin par les notaires du roi de France et daté du 1er mars. Il y était démontré ce que la trésorerie aragonaise lui devait. Ce n'était pas 28 000 florins (comme le croyait Calveley) mais 42 000 qui devaient être payés au Breton, à Montpellier, en deux versements, 22 000 avant le 27 mars et le reliquat pour le 20 novembre suivant. Et la Parade de démontrer que Bertrand n'était point obligé de payer Hugh et que ses réclamations ne constituaient aucune raison de retenir le deuxième versement de 20 000 florins.

Pierre IV redoutait les excès que les Compagnies pouvaient commettre en Catalogne s'il ne s'acquittait pas du premier versement de 22 000 florins. Le 1er avril, il enjoignit à ses trésoriers dans le Roussillon de verser cette somme au plus tôt. Cependant, le problème des quarts des donations faites à Guesclin n'offrait aucune solution dans l'immédiat : le procès fut ajourné.

Le 4 juin, une nouvelle citation à comparaître fut adressée au Breton. Il y était averti que s'il ne se présentait pas à l'audience royale dans un délai de 20 jours – à compter de

1. Henri Bernard était le cousin de Calveley. Il avait été au service du Prince Noir.

celui où il recevrait la citation –, la sentence serait prononcée. Guesclin reçut celle-ci à La Motte, en Provence.

Le procès de l'été

Le procès recommença le 27 juillet. Le procureur de Calveley, Mark Foster, formula contre le Breton une accusation par contumace après qu'on eut appelé plusieurs fois le prévenu à voix haute, comme c'était l'usage. Le lendemain, le jugement allait être mis en délibéré lorsque Foster présenta la lettre que, le 19 juillet, Guesclin avait adressée à Calveley. Il y déclarait formellement qu'il avait l'intention de rembourser l'Anglais des dettes de trésorerie exigibles par lui et qu'il accepterait ses engagements à propos du quart de Borja et de Magallón. Le conseil ne rendit pas son arrêt et le procès fut repris à la cour de la Chancellerie le 31 juillet. Après deux jours de controverses parmi les docteurs en droit, un arrêt fut rendu le 4 août en faveur de Calveley.

Pierre IV avait anticipé le jugement. Le 24 juillet, en effet, il avait ordonné le paiement, à Calveley, d'une somme de 3 000 florins sur les 20 000 qui devaient échoir à Guesclin le 20 novembre et qui avaient été adjugés à l'Anglais le 22 mai. Cependant, le trésorier du roi ne versa cette somme que début août après avoir reçu de Calveley une déclaration sous serment qu'il procéderait à un remboursement immédiat si la Cour prononçait un jugement contre lui. Lors des années suivantes, Hugh ne reçut que 18 000 florins en addition des dettes de Pierre IV envers Bertrand. En 1395, John Calveley, l'héritier du géant, reçut un reliquat de 15 200 florins de la somme de 20 000 florins des arriérés dus à Guesclin.

Quant au Breton, Charles V qui avait la vue basse et le cerveau étroit, s'aperçut enfin qu'il s'était quelque peu mépris sur la moralité de son connétable. Seigneur duc de Molina, régnant sur huit cités et bourgs situés sur la frontière de Castille et de l'Aragon, il se trouvait bienheureux en Espagne... bien que ces possessions restassent à conquérir. Cinq chevaucheurs français lui furent dépêchés pour lui enjoindre de revenir au service du roi. Il vendit ses possessions à don Henri lorsqu'il décida d'abandonner sa sinécure. Comme il existe tout de même une justice, la fortune qu'il comptait rapporter se trouva dévaluée. Spectaculairement – mais pour en imposer au roi Charles V – il voulut rendre son épée de connétable. Il aurait dit, selon le chroniqueur Jean Cabaret d'Orville : *Puis que le roi me tient pour souspeçonneux, qui l'ai loyaulment servi, je ne demourerai jà mais en son royaume ains m'en vois en Espagne où j'ai ma vie très-honourable, car je suis duc*. Certes, il avait plus que sa vie, là-bas. N'oublions pas sa concubine... et les deux enfants qu'elle lui avait donnés.

Annexe III

Des ordres chevaleresques espagnols à l'ordre de l'Écharpe

De même qu'en France, la plupart des chevaliers espagnols régnaient despotiquement sur leur territoire. De même qu'en France, ils s'entreguerroyaient et se livraient à tous les méfaits bien que les lois en vigueur fussent nettes et rigoureuses. Les rois ne reprochaient point aux seigneurs de se livrer bataille ; il fallait seulement, pour leur complaire, qu'ils se déclarassent la guerre neuf jours avant d'entamer les hostilités. Ainsi pouvait-on parfois éviter des effusions de sang.

Rochas, peñas bravas, casas fuertes et, évidemment *castillos*, les châteaux souvent très haut perchés se défiaient avec une arrogance qui semble particulière à l'Espagne. Foin de ceux qui ont survécu et sont accessibles, il faut avoir peiné pour visiter certaines ruines sublimes afin de respirer les effluves de ce temps révolu et – faut-il le préciser ? – grandiose. D'ailleurs l'Espagne encore, pour tout ce qui concerne son Moyen Âge, est une source d'émotions et d'émerveillements.

Chaque noble pouvait se reconnaître plusieurs suzerains après son roi. Comme en France, le baron faisait aveu à un seigneur puissant. Le roi instituait un *rico hombre* en lui remettant solennellement une bannière et un chaudron. La première pour guider ses hommes d'armes, le second pour les nourrir. Le seigneur ainsi désigné acceptait de se plier aux volontés de son suzerain.

Les ordres de chevalerie furent créés en Espagne vers le milieu du XIIe siècle. Un maître y régnait rigoureusement sur ses frères.

L'Ordre de Calatrava fut fondé en 1158 pour défendre la cité de Calatrava contre les Maures. Il dépendait de Cîteaux. Le vêtement de ses fidèles consistait en un manteau blanc frappé de la croix rouge de Calatrava.

L'Ordre d'Alcantara, fondé en 1156, par un groupe de chevaliers de Salamanque (cisterciens) se distinguait, sur son blanc manteau, par une croix verte.

L'Ordre de Santiago, créé en 1161, se consacrait surtout, dans le royaume de León, à la protection des pèlerins de Compostelle. Un manteau blanc, lui aussi, vêtait les chevaliers. Une croix rouge figurait dessus. Elle avait la forme d'une épée dont les quillons et le pommeau se prolongeaient par une fleur de lis.

Ces ordres s'allièrent le 2 avril 1318. On sait que certains, les uns spontanément, les autres après quelques réticences, accueillirent des Templiers en fuite.

Des joutes sans merci

Comme partout en Europe, les joutes et les tournois passionnaient les *ricos hombres* et les populations. Mais on vit, contrairement aux usages, des perdants égorgés par leurs vainqueurs comme aux plus beaux jours (?) des cirques de Rome. En fait, un livre sur la Chevalerie espagnole reste à écrire. Il nous fournirait des précisions sur sa naissance, ses ordres militaires et les anecdotes inhérentes à cette sorte d'ouvrage.

Il nous fournirait aussi quantité de renseignements sur l'Ordre de l'Écharpe institué par Alphonse XI.

Los caballeros de la Banda arboraient une écharpe large comme la main qui descendait de l'épaule gauche à la hanche droite. Elle était, à l'origine, *prieta*, c'est-à-dire d'une couleur très foncée, presque noire. Elle devait devenir dorée.

L'ordre n'était pas si fastueux, semble-t-il, que celui de l'Étoile imaginé par Jean le Bon. Il ne réunissait sans doute pas dans son sein autant de chevaliers que le roi de France en avait voulu dans son institution. Contrairement aux règles qui présidaient à l'élection des prud'hommes français, la sélection des membres de l'Ordre de l'Écharpe semble avoir été sévère. Autant que pour l'Ordre de la Table ronde créé par Édouard III et où ne figuraient que des preux avérés.

Annexe IV

Juan Pérez de Rebolledo était-il coupable ?

Les circonstances de la mort de Blanche de Bourbon n'ont jamais été élucidées. Daniel, Turquant et quelques autres Juifs ? Juan Pérez de Rebolledo ?

Gabriel Laplane qui a excellement commenté l'*Histoire de Don Pèdre Ier roi de Castille*, de Prosper Mérimée, rééditée par Didier, à Paris, en 1961, rapporte que des précisions sur le châtiment de l'arbalétrier figuraient dans une chronique manuscrite du temps de Pèdre, ce récit ayant pour auteur Diego Gómez Salido, *arcipreste de León y beneficiado de la parroquial jerezana de San Mateo*. Ce manuscrit aurait disparu, mais un autre, du XVIe siècle, s'en inspire. Il fut publié dans l'ouvrage *El libro del Alcázar, Mémorias antiguas de Jerez de la Frontera, ahora impresas par primera vez* (*Publicaciones históricas de Jerez, de la Frontera*, Jerez, 1928).

Après le départ de don Pèdre de Séville (19 mai 1366), Juan Pérez qui était à la fois *alcade* de l'Alcázar de Jerez et du château de Medina Sidonia, dut faire face à un soulèvement des *Enriquistas*. Il s'enfuit vers Medina Sidonia mais fut rejoint, blessé et dépouillé des joyaux qu'il avait emportés (20 mai 1366). Conduit à Séville le 26 mai, il fut, le 6 juin, *arrastrado* et pendu, le lendemain, aux *Caños de Carmona* (nom d'un aqueduc arabe qui existe encore dans le faubourg nord-est de la ville). Ce texte du XVIe siècle désigne expressément cet arbalétrier comme l'exécuteur de la reine Blanche. Cependant, d'après Guichot (*Don Pedro primero de Castilla, ensayo de vindicación critico-historica*, Sevilla, 1878), la version originale du XIVe siècle consultée à Jerez sur la demande d'un érudit sévillan : le Dr D. José Cevallos, racontait la mort de Juan Pérez comme un événement politique spécifiquement local et ne faisait aucune allusion à la mort de la reine. Par ailleurs, Ayala n'accuse pas formellement le roi de Castille de la mort de son épouse. Fut-elle alors, comme la rumeur en courut, victime de la peste ?

Une romance semble accréditer le crime commis par un arbalétrier. Mérimée l'a traduit après l'avoir trouvé dans un recueil intitulé : *Cancionero de romances en que están recopilados la mayor parte de los Romances Castellanos que hasta agora se han compuesto ; nuevamente corregido, emendado y añadido en muchas partes...* Anvers, 1550. Voici ce texte : « Doña Maria de Padilla, ne soyez point si triste, vous. Si je me mariai deux fois, ce fut à votre profit, et pour montrer mon dédain à cette Blanche de Bourbon. Je l'envoie à Medina Sidonia pour m'y ouvrer une bannière ; le fond, couleur de son sang, la broderie, de ses larmes. Cette bannière, doña Maria, je la ferai faire pour vous. » Aussitôt il appelle Iñigo Ortiz, un prud'homme renommé ; il lui dit d'aller à Medina pour finir l'œuvre commencée. « Non ferai, sire* ; qui tue sa dame, est félon à son seigneur. » Le roi, irrité à ce mot, est entré dans sa chambre. Il appelle un arbalétrier à masse et lui fait son commandement. L'arbalétrier va chez la reine et la trouve en oraison. Elle vit l'arbalétrier, elle vit sa triste mort. Il dit : « Madame, le roi m'envoie ici pour que mettiez ordre à votre âme avec celui qui l'a créée. Votre heure est venue et je ne saurais l'allonger. » « Ami, dit la reine, je vous pardonne ma mort. Si le roi mon seigneur l'ordonne, faites comme il a commandé. Mais qu'on ne me

* Mérimée a négligé dans sa traduction le vers qui introduisait la réponse d'Iñigo Ortiz :
Respondiera Iñigo Ortiz,
Aquesso non faré yo... etc.

refuse pas la confession pour que je puisse demander pardon à Dieu. » Ses larmes et ses sanglots attendrissent le massier. Lors, d'une voix faible et tremblante, elle se prit à dire : « Ô France, mon noble pays ! ô mon sang de Bourbon ! aujourd'hui j'accomplis mes dix-sept ans, je vais sur dix-huit. Le roi ne m'a point connue. Je m'en vais avec les vierges. Castille, dis-moi, que t'ai-je fait ? Je ne t'ai point trahie. Les couronnes que tu me donnas sont couronnes de sang et de soupirs ; mais une autre m'attend au ciel qui sera de plus grand prix. » Elle achevait ce propos quand le massier la frappa ; la cervelle de sa tête est semée par la salle.

Annexe V

Promesse d'emmener les Compagnies (1365)

À touz ceulz que ces présentes lettres verront, Bertran du Guesclin, chevalier, conte de Longueville, chambellan du roy de France, mon très redoubté et souverain seigneur, salut : Savoir faisons, que parmi certaine somme de deniers que le dit roy mon souverain seigneur nous a piéca fait bailler en prest, tant pour mettre hors de son royaume les compaignes qui estoient ès parties de Bretaigne, de Normandie et de Chartrain et ailleurs ès basses Marches, comme pour nous aidier à paier partie de nostre raençon à noble homme messire Jehan de Champdos, viconte de Saint-Sauveur et connestable d'Acquittaine, duquel nous sommes prisonnier, nous avons promis et promettons au dit roy, mon souverain seigneur, par nos foy et serment, mettre et emmener hors de son royaume les dittes compaignes à nostre pouvoir le plus hartivement que nous pourrons, sanz fraude ou mal engin, et aussi sanz les tenir ne souffrir demourer ne faire arrest en aucunes parties du dit royaume, se n'est en faisant leur chemin, et savez ce que vous ou les dittes compaignes demandions ou puissions demander au dit roy, mon souverain seigneur, ne à ses subgiez ou bonnes villes, finance ou autre aide quelconques ; et renonçons, par nos dits foy et serment, à tout ce que nous pourrions dire ou proposer au contraire. En tesmoing de ce nous avons mis nostre scel à ces lettres. Donné à la Roche-Tesson, le

XXe jour d'aoust, l'an de grâce mil trois cens soixante et cinq ; et avec ce, à plus grant seurté, messire Olivier du Guesclin, nostre frère, y a mis son scel à nostre requeste. Donné comme dessus.

B.G.

Annexe VI

Obligation de Bertrand Guesclin envers le prince de Galles (1367)

À tous ceux qui ces présentes verront, nous, Bertran du Guesclin, duc de Tristemare, conte de Longueville, chambellan du roy notre seigneur, salut : Comme noble prince Édouard aisnné filz du roy d'Angleterre, prince d'Aquitaine et de Gales, auquel nous sommes prisonnier de la bataille qui nagaire fut devant Nazares ou royaume de Castelle et encores nous détient en ses prisons, et auquel nous avons accordé paier pour la délivrance de nostre personne cent mile doubles d'or du coing, du pois et de l'aloy et qui ont eu et ont cours au dit royaume de Castelle, à certains termes, c'est assavoir dedans trois autres mois continuelmens ensuivans les trois mois premiers diz, quarente mile doubles, telx comme dessus sont diz.

Donné à Bordeaux, 17 décembre 1367.

B.G.

Annexe VII

Un homme, une lettre, un dossier

Un de mes lecteurs, M. Xavier Blutel, qui réside à Athènes, m'écrivit, le 28 novembre 1996, pour me confier qu'il s'était particulièrement intéressé au Cycle de Tristan de Castelreng. Il avait eu envie, me dit-il, de concrétiser un vieux rêve, c'est-à-dire de donner vie aux personnages historiques de la Guerre de Cent Ans dont je me suis efforcé, sur des bases solides, d'esquisser l'existence et de décrire le caractère.

« *Mon motif originel* », me révélait M. Blutel, « *était sans doute moins noble que le vôtre puisqu'il est né d'un intérêt très personnel : donner vie à Pierre, dit le Bègue de Villaine(s), dont le cadet Jean était l'ancêtre direct de ma grand-mère maternelle, Françoise de Villaine. C'est en voulant collecter, à l'âge d'étudiant, des informations sur ce personnage que je me suis peu à peu passionné pour cette époque.*

« *Malheureusement, le manque de temps, mes occupations d'industriel, l'éloignement de la France (...) ne m'ont guère permis de progresser dans ce projet.* »

Et M. Blutel de joindre à sa lettre un dossier substantiel sur son aïeul. Travail d'étudiant ? Certes non. Travail d'historien : précis, consciencieux, et dont M. Blutel eût pu tirer une biographie du plus grand intérêt. Oh ! certes, j'y ai retrouvé la plupart de mes notes accumulées en quelque dix ans de recherches (mon lecteur et moi avons fréquenté la Nationale et l'Arsenal), mais j'ai découvert çà et là des explorations plus profondes que les miennes car un romancier se doit de ne pas lasser son lecteur avec des notations qui pourraient lui paraître fastidieuses. Ce qui constitue les contreforts d'une biographie peut passer parfois, dans une œuvre de fiction, pour des adjonctions inopportunes, voire inutiles, même si l'on fait suivre son récit d'un certain nombre d'annexes jugées indispensables.

M. Blutel ne mentionne pas la *brève défection* du Bègue de Villaines à la bataille de Nájera. Ce n'est pas de sa part un oubli volontaire ; c'est que les chroniqueurs français l'ont passée sous silence. De toute façon : la défaite était patente à ce moment-là *et l'on pouvait tout craindre de la fureur du roi Pèdre*. Mieux valait se tenir... à carreau !

Si je donne ici quelques pages du dossier de mon correspondant, c'est dans le but non seulement de révéler ce que furent ses recherches, mais de compléter les renseignements que j'ai égrenés au cours de mon récit. Les lecteurs avides de précisions trouveront sous des noms parfois différents de ceux que j'ai fournis (les chroniqueurs ne cessaient d'estropier les patronymes) ce que M. Blutel a noté du début du mois de mars 1367 à l'issue de la bataille de Nájera :

> Calveley rejoint le Prince Noir et lui dit qu'il y a avec Henri de Transtamare Du Guesclin, Audrehem, le Besgue de Villaine et du Fayel.
>
> Henri réunit son Conseil, avec du Guesclin, Mauny, P. de Villaine, Audrehem, Thibault du Pont, le Cte d'Ayne, Gilles Boccanegra.
>
> Ils tempèrent les fanfaronnades des Castillans de Transtamare et tentent de les dissuader de livrer bataille dans ces conditions désavantageuses. Rien n'y fait.
>
> **3/1367 :** Henri envoie en expédition ses Espagnols, commandés par ses frères Tello et Sanche, don Alfonso Cte de Denia (fils de l'infant Pedro d'Aragon), Pero Gonzalez de Mendoza, Pero Moniz Maître

de Calatrava, Juan Ramirez de Arellano, Pero Ruiz de Sandoval et Ferrand Osores. Les accompagnent Audrehem, son neveu Jean de Neuville, Pierre de Villaine. Les Anglais étaient entrés à Alava chercher de la viande. Sur le retour ils rencontrent 200 archers menés par Thomas Felton, sénéchal de Guyenne. Pierre de Villaine, Audrehem et Juan Ramirez de Arellano fondent sur eux. Tous les Anglais sont pris ou tués (comme Guillaume Felton, frère de Thomas).

« *Une route d'Angloiz avoit chevaucé vers la partie où estoit embuschié le frère du roy d'Arragon, le Besgue de Villaine et ceulx de leurs routes, mgr Jehan Scouet, ung chevalier breton, aperceut la chevaucie et la dénonça au frère du roy d'Arragon et au dit Besgue de Villaine. Lors vindrent courre sus aux Angloiz des glaives es poings. Les espaingnolz leurs gettoient dardes et archigaies. Et les Normans, les Bretons et les Arragonois se combatoient aux Angloiz de leurs glaives et de leurs hasches par telle vertu qu'ilz rompirent leurs batailles. (...) Et là gaignerent moult de bons prisonniers (...) oult bien deux mille Angloiz des gens au Prince desconfiz.* »

3/4/1367 : Bataille de Navarette (Nájera).

L'ordre de bataille fixé est le suivant :

CÔTÉ HENRI DE TRANSTAMARE :

– *Avant-garde à pied* : B. du Guesclin, Audrehem, P. de Villaine et leurs Français.

Avec eux, 1 000 hommes d'armes castillans, avec don Sanche (frère d'Henri), Pero Manrique, Pero Ferrandez de Velasco, Gomez Gonzalez de Castaneda, Pero Ruiz Sarmiento, Rui Diaz de Rojas, Sancho Sanchez de Rojas, Juan Rodriguez Sarmiento, Rui Gonzalez de Garcilaso de la Vega, don Juan Ramirez de Arellano, Juan Gonzalez de Avellaneda, le Maître de St Jacques, Pero Lopez de Ayala (le chroniqueur), Men Suarez « clavero » de Alcantara, Garci Gonzalez de Ferrera, Gonzalo Bernal de Quiros...

– *Cavalerie sur l'aile gauche* : 1 000 cavaliers, menés par don Tello, frère d'Henri, et don Gomez Perez de Porrez, Prieur de St-Jean.
– *Cavalerie de l'aile droite* : 1 000 cavaliers, menés par le marquis de Villena, fils de l'infant don Pedro d'Aragon, le Maître de Calatrava don Pero Moniz de Godoy, et les Commandants en Chef de St-Jacques, don Ferran Osores (de León) et don Pero Ruiz de Sandoval (de Castille).
– *Au centre* : avec Alfonso, fils d'Henri, Pedro, son neveu Pedro, fils de don Fadrique, Inijo Lopez de Orozco, Pero Gonzalez de Mendoza, don Alvar Garcia de Albornoz, Ferrand Perez de Ayala, Pero Gonzalez de Aguero, l'amiral génois Ambrosio Boccanegra, Alfonso Perez de Guzman, Juan Alfonso de Haro...

CÔTÉ PIERRE LE CRUEL ET PRINCE NOIR :

– *Avant-garde* menée par le duc de Lancastre, avec : 3 000 hommes d'armes anglais et bretons dont John Chandos, Raoul Camoys, Hugh de Calverley, Olivier de Clisson.
– *Aile droite* : 2 000 hommes, avec le Cte d'Armagnac, le sire d'Albret, le captal de Buch.
– *Et enfin* : 3 000 lances (18 000 hommes) menées par Pierre le Cruel, le roi de Naples (fils de Jayme de Mayorque), le Prince de Galles.

La bataille est un désastre pour les Franco-Castillans. Du Guesclin force Henri à fuir : « *Tant parla Bertrand à Henri que de la bataille se partit (...). Sur une place bien haute près d'un mur se furent retraiz Bertrand, le maréchal d'Audrehem, le Bègue de Villaine, Olivier de Mauny, Alain de Beaumont (...). Sur le front de la bataille se tenoit toujours messire Bertrand, le maréchal d'Audrehem, le Bègue de Villaine, Olivier de Mauny, Alain de Beaumont qui tant combattirent que bien près tout le long du jour furent que oncques Anglois ne peurent en leur bataille entrer et tant en occirent que merveilles fut : dont le prince le sçut, qui toute ses batailles assembla et ses bannières déploya contre Bertrand vint et de grant vertu fit François assaillir. De grant deffence furent François et moult d'Anglois occirent ; mais en la fin furent François desfonfiz* ».

Henri de Transtamare s'échappe donc et se réfugie à Montpellier, puis retrouve le duc d'Anjou à Villeneuve-lès-Avignon. Il se fera donner Pierrepertuse alors qu'Arnaud d'Espagne est sénéchal de Carcassonne.

Le Prince Noir a ordonné de ne pas faire de prisonniers espagnols, mais de préserver les « vaillants chevaliers du Guesclin, de Villaine et d'Audrehem ». Les trois seront faits prisonniers. « *Ainsi fut mgr Bertran De Clacquin, le mareschal d'Andrehen et le Besgue de Villaine avec tous ceulx de leur route comme preuz desconfiz par la defaulte des Espaingnolz qui s'en fuirent* » (*Chron. des 4 premiers Valois*).

Les autres prisonniers de l'avant-garde à pied furent : don Sanche (frère d'Henri), Felipe de Castro, Pero Fernandez de Velasco, Garcia Alvarez de Toledo, Pero Ruiz Sarmiento, Gomez Gonzalez de Castaneda, Juan Diaz de Aillon, Juan Gonzalez de Avellaneda, Garcia Gonzalez de Herrera, Pero Lopez de Ayala (le chroniqueur), Sancho Fernandez de Tovar, Juan Ramirez de Arellano.

Les cavaliers pris furent :

Le Cte de Denia (futur marquis de Villena), Alfonso, Pedro (frères d'Henri), Pero Moniz Maître de Calatrava, Men Rodriguez de Biedma, Alavar Garcia de Albornoz, Beltran de Guevara, Juan Funtado de Mendoza, Pero Gonzalez de Mendoza, Pero Terrorio (futur Archevêque de Tolède), Juan Garcia Palomeque (évêque de Badajoz), Pero Gonzalez Carrillo, Pero Boil Sgr de Huete, Juan Martinez de Luna, Pero Ferrandez Dixar, Pero Jordan de Urries, Ferrand Osores, Garcie Jufre Terrorio, Sancho Sanchez de Moscoso,

Gomez Carrillo de Quintana (ces 3 derniers exécutés, tout comme Lopez de Orosco).

Pierre le Cruel demande de se les faire livrer mais le Prince Noir refuse, sachant ce qui les attendrait (« *qu'on n'attentât pas à la vie de messire Bertrand tant que conserver le pourrait ni du Bègue de Villaine, ni du maréchal d'Audrehem pour être vaillants chevaliers* »). Le Bègue de Villiers est tué (*cf.* le Héraut de Chandos).

Le Prince Noir a une entrevue avec Pierre de Villaine, en présence d'Olivier de Clisson, d'Albret, John Chandos, Hugh de Calveley. Celle-ci a été décrite par les chroniqueurs :

« *Venez ici ; êtes-vous icelui Besgue qui tant avez grevé et travaillé nos gens ? J'ai maintes fois maudit l'heure que vous futes oncques né.*

« *Sire, je suis un petit chevalier, vous le savez bien et n'ai pas force ni puissance de vous grever. Si me poise que sans raison vous plaignez de moi. J'ai servi le Roi de France mon droit seigneur et aduré de tel pouvoir comme j'ai. Et pour certain si j'eusse pu je vous eusse volontiers grevé pour essaucier l'état de mondit seigneur ainsi comme tout pour d'homme doit faire.*

« *Beau Sire, dit le Prince, vous parlez moult sagement. Et si les bons rois Philippe et Jean son fils devainement trepassé eussent eu pleinte de chavaliers en leur temps, comme tels trois tiens – j'enfermez céans en prison, ja le roi Édouard mon père n'eût passé la mer pour venir en France : mais y eût la paix et amour entre les deux rois.*

Pierre de Villaine et Arnoul d'Audrehem sont libérés contre rançon peu après. Du Guesclin ne sera libéré que le 27/12/1367 contre 60 000 florins de rançon, qu'il paya en vendant ses fiefs espagnols au roi d'Aragon.

Chandos écume de nouveau la campagne française. Le Prince Noir et ses hommes, frappés de dysenterie, déçus par Pedro le Cruel qui ne paye pas les sommes promises aux Anglais pour leur aide, repassent les Pyrénées.

À sa délivrance, Pierre va droit en Avignon, y retrouve le duc d'Anjou, qui « grand honneur lui fit et lui donna maint beau don ». Le Transtamare est présent, également convoqué. Le duc d'Anjou lui ordonne de retourner en Espagne et lui donne de l'or pour vaincre ses résistances.

« *Après ce que Mgr le Besgue de Vilaine fut quitte de sa rançon et délivré, o tout ce qu'il poult finer et assembler de gens d'armes de Normandie il se remist à voye pour s'en aler droit en Espaingne au roy Henry. (...) se mistrent luy (Henry) et le dit Besgue o sa route sur les champs et firent forte guerre et aspre au Roy Petre et moult recouvrerent de pais sur luy* » (...) (*Chron. des 4 premiers Valois*).

Le Transtamare se sent impuissant sans du Guesclin, toujours prisonnier à Bordeaux. Le duc d'Anjou lui délivre Pierre de Villaine « *qui par devers le roi se retrait* ».

La reine de Castille, épouse de Transtamare, pleure pour attirer les chevaliers français, et leur promet de bons gages, ce qui les fait fléchir... Mais Pierre de Villaine leur dit :

« *J'ai plusieurs fois oui lire et recorder que qui sert et ne passert, il n'en doit point avoir de profit. Et aussi pouvons nous ici trouver Juifs et Sarrazins et nos âmes sauver, comme d'aller en Grenade. Et qui me voudra croire nous irons tout droit à Toulette (Toledo) pour assaillir Pierre (le Cruel) et aiderons et reconforterons Henri* ». « *Et quand la Reine l'ouit, si l'accola amiablement et dit que Dieu leur sauvat tel chevalier.* »

Pierre de Villaine arrange entre Henri de Transtamare et le duc d'Anjou des négociations dans le but d'attaquer l'Aquitaine, qui supportait mal les impôts levés par les Anglais. Ces plans, véritable entreprise de désinformation visant à créer une diversion, seront connus des agents du Prince Noir et provoquent son retour d'Espagne à Bordeaux.

Au cours d'une conversation téléphonique, M. Blutel m'a révélé – et c'est un scoop ! – que le Bègue de Villaines avait trucidé la chambrière de son épouse. Comment ? Pourquoi ? À quelle époque ? Il l'ignore. Les chroniques ne mentionnent point ce crime. On savait déjà se montrer prudent sous le règne de Charles V.

DU MÊME AUTEUR
AUX ÉDITIONS AUBÉRON

CYCLE D'OGIER D'ARGOUGES

LES LIONS DIFFAMÉS
LE GRANIT ET LE FEU
LES FLEURS D'ACIER
LA FÊTE ÉCARLATE
LES NOCES DE FER
LE JOUR DES REINES
L'ÉPERVIER DE FEU

CYCLE DE TRISTAN DE CASTELRENG

LES AMANTS DE BRIGNAIS
LE POURSUIVANT D'AMOUR
LA COURONNE ET LA TIARE
LES FONTAINES DE SANG
LES FILS DE BÉLIAL
LE PAS D'ARMES DE BORDEAUX
LES SPECTRES DE L'HONNEUR

CYCLE DE GUI DE CLAIRBOIS

LES FUREURS DE L'ÉTÉ
L'ÉTRANGE CHEVAUCHÉE
LES CHEMINS DE LA HONTE (2 volumes)
LE BÂTARD DE CLAIRBOIS

À paraître :

LE CHAMP CLOS DE MONTENDRE
LE SECRET SOUS LES ARMES
LE BOURBIER D'AZINCOURT

DANS LA COLLECTION
HISTOIRE À L'ENCRE NOIRE

LES ÉPÉES DE LA NUIT
YOLANDE DE MAILLEBOIS

" Tumulte des armes et soupirs d'amours "

Cycle *Tristan de Castelreng* en 7 volumes :

1. *Les amants de Brignais* (Pocket n° 11454)
2. *Le poursuivant d'amour* (Pocket n° 11455)
3 *La couronne et la tiare* (Pocket n° 11456)
4. *Les fontaines de sang* (Pocket n° 11457)

Tristan, jeune chevalier languedocien du XVIe siècle est au service du roi Jean le Bon, en pleine guerre de Cent Ans. En 1362, fait prisonnier lors d'une mission, il s'évade avec l'aide d'un ancien truand et sauve une jeune fille, Oriabel, dont il s'éprend. Mais il accepte une mission en Angleterre, où il fait la rencontre de Lucianne. D'aventures chevaleresques en aventures amoureuses, Tristan nous fait revivre les grands moments de ce cruel et violent XIVe siècle .

Cet ouvrage a été composé par
Nord Compo (Villeneuve-d'Ascq)

Impression réalisée sur Presse Offset par

BRODARD & TAUPIN

GROUPE CPI

17327 – La Flèche (Sarthe), le 10-02-2003
Dépôt légal : mars 2003

POCKET – 12, avenue d'Italie - 75627 Paris cedex 13
Tél. : 01.44.16.05.00

Imprimé en France